PROBLEME MITTELHOCHDEUTSCHER

ERZÄHLFORMEN

Marburger Colloquium 1969

Herausgegeben von

PETER F. GANZ und WERNER SCHRÖDER

ERICH SCHMIDT VERLAG

Redaktion: Helmut Lomnitzer

Dieser Band erscheint auch als Nummer 13
im Rahmen der
Publications of the Institute of Germanic Studies
der Universität London

t

ISBN 3 503 00706 7

© Erich Schmidt Verlag, Berlin 1972
Druck: A. W. Hayn's Erben
Printed in Germany

INHALT

VORWORT

Am Anfang der 'Dialogues concerning Natural Religion' sagt Hume einmal: 'Any question of philosophy ... which is so obscure and uncertain, that human reason can reach no fixed determination with regard to it; if it should be treated at all; seems to lead us naturally into the style of dialogue and conversation.' Dies gilt aber nicht nur von philosophischen und religiösen Fragen, sondern trifft auch auf philologisch-historische zu; denn erst im Frage- und Antwortspiel der Diskussion wird das hermeneutische Gespräch zwischen dem einzelnen Interpreten und dem Text aus seiner Isolierung befreit und in seiner Intention, etwas Fixiertes verstehbar zu machen, auf die Probe gestellt. Nicht nur ein kleiner Kreis von Teilnehmern, sondern vielleicht besonders der Umstand, daß diese Teilnehmer verschiedene Sprachen sprechen, scheinen einem wissenschaftlichen Dialog günstig zu sein, insofern die erforderte Metasprache die selbstverständlichen Ansätze des einen wie des anderen immer wieder problematisch machen.

Solche Gedanken haben uns dazu geführt, unser erstes Oxforder Treffen von 1966 drei Jahre später durch ein weiteres Colloquium zu ergänzen, an dem wieder deutsche, englische und schweizerische Germanisten teilnahmen. Dieses Mal hatte das Institut für Ältere Deutsche Philologie der Philipps-Universität Marburg die Organisation übernommen und konnte uns das Sport- und Studienheim ihrer Universität in Hirschegg (Kleines Walsertal) als ideal gelegenen Tagungsort gastfreundlich anbieten. Eine Woche lang, vom 28. September bis zum 5. Oktober 1969, wohnten, aßen, tranken und diskutierten Mitglieder des Marburger Instituts zusammen mit englischen und schweizerischen Fachgenossen. Das Arbeitsprogramm von insgesamt 19 Referaten wurde nur in der Wochenmitte durch einen Ausflug nach der Reichenau unterbrochen.

Als Rahmenthema war 'Probleme mittelhochdeutscher Erzählformen' vorgeschlagen worden, ohne daß sich die einzelnen Vortragenden allzu streng dadurch beschränken sollten. Das Programm, das sich schließlich ergab, zeigte, daß sich die Interessen der Teilnehmer einigermaßen unabhängig voneinander doch in sehr ähnlicher Richtung bewegten: die Rolle des Erzählers und die Funktion der Ironie im mittelhochdeutschen Roman, Tradition und Entwicklung epischer Kurzformen, historische und ästhetische Probleme der Erzählstruktur bildeten ein reizvolles thematisches Mosaik.

Gemeinsames Interesse am Gegenstand, aber verschiedene Ansatzpunkte und verschiedene Sprachen: hieraus ergaben sich Diskussionen, die oft über die eigentlichen Sitzungen hinaus weit in die Nacht andauerten und den Teilnehmern zeigten, daß die Kontrahenten eben nicht nur Germanisten, sondern, um mit Schikaneder zu sprechen, 'noch mehr' waren. Es ist wohl doch keine bloße Zugabe, wenn sich Kollegen und Diskussionspartner bei einem solchen wissenschaftlichen Treffen auch persönlich kennenlernen und vielleicht sogar dauernde Freundschaften schließen. Mag es für die Naturwissenschaften zutreffen, daß sich die Persönlichkeit des Forschers von dem, was er erarbeitet, weitgehend dissoziieren läßt, bei einem historisch-hermeneutischen Fach wie der Germanistik bleiben Persönlichkeit und iudicium des einzelnen mit seiner Arbeit untrennbar verbunden; denn das Verstehen, dem alle philologische Methode gilt, hat eben ein kommunikatives Ziel, von dem die Person nicht zu abstrahieren ist. Daher ist es gut, wenn ein solches Colloquium uns wieder nachdrücklich daran erinnert, daß sich hinter der gelehrten Dissertation und unter den Fußnoten zu einem philologischen Aufsatz auch die Person eines Autors verbirgt.

Auch gewisse Unterschiede in der Sehweise, die deutsche und englische Germanisten voneinander unterscheiden, sind wohl in dieser Woche deutlich geworden. Vor allen Dingen fühlt sich der englische Germanist weniger von der 'Krise der Germanistik' betroffen, denn sein Fach ist ihm wohl schon immer etwas problematisch gewesen, so daß er sich mit seinem Gegenstand niemals völlig identifizieren konnte. Von jeher ist er ein Außenstehender, dem schon seine Sprache eine gewisse Distanz gewährt, so daß er wie der Zuschauer bei einem Fußballspiel mehr sehen kann als die Spieler selbst. An sein Fach, das er etwas farblos als 'subject' bezeichnet, stellt er dann auch gar nicht unbedingt die hohen Ansprüche einer 'Wissenschaft', und das bedeutet in der Praxis: Abneigung gegen methodologische Spekulationen um der Selbstrechtfertigung willen und dauernde kritische Orientierung am Text. Er wurde ja schon als Student dazu erzogen, zuerst den Text zu lesen und das editorische Vorwort (auch dieses) notfalls wegzulassen. Den jüngeren deutschen Kollegen ist dies wohl gelegentlich etwas altmodisch vorgekommen, denn gerade ihnen brennt die Frage nach der richtigen Methode und dem wissenschaftskritischen Ansatz heute besonders auf den Nägeln. Aber genau die Perspektiven und Schwierigkeiten der anderen ließen sich in Hirschegg besser kennen und verstehen lernen.

Obgleich oder gerade weil vielleicht der besondere Gewinn eines solchen Colloquiums in persönlichen Bereichen liegt, erschiene es uns schade, wenn die einzelnen Beiträge in Zeitschriften verstreut publiziert würden, und wir haben gemeint, den persönlichen und sachlichen Zusammenhang dadurch am besten zu dokumentieren, daß wir einige der Referate in diesem Sammelband vorlegen. Der Beitrag von H. SCHANZE 'Zu H. Linkes Methode der Formkritik in ihrer Anwendung auf das epische Werk Hartmanns von Aue' ist nicht auf der Arbeitstagung vorgetragen worden, weil der Verfasser kurzfristig absagen mußte; derjenige W. SCHRÖDERS '*Daz mære von dem toren*' ist an die Stelle des inzwischen in PBB/T 91, 1969, S. 260—301 erschienenen 'Niewöhners Text des *bîhtmære* und seine überlieferten Fassungen' getreten. Die Möglichkeit einer solchen Veröffentlichung verdanken wir dem Kanzler der Philipps-Universität Marburg und den Curators der Taylor Institution in Oxford, die beide einen Druckkostenzuschuß zur Verfügung stellten, sowie der Freundlichkeit des Erich Schmidt Verlags und seiner Leiterin, Frau Dr. Ellinor Kahleyss, die die Betreuung des Bandes übernahm. Weiterhin möchten wir noch denjenigen besonders danken, die zum Gelingen der Tagung beitrugen: den Mitgliedern des Marburger Instituts, die das Treffen organisierten, der Leitung des Sport- und Studienheims, die uns versorgten, sowie dem Fahrer des Marburger Universitätsbusses, Herrn Mankel, der uns sicher und bequem von Marburg ins Walsertal und zurück brachte.

PETER F. GANZ   WERNER SCHRÖDER

ZU H. LINKES METHODE DER FORMKRITIK IN IHRER ANWENDUNG AUF DAS EPISCHE WERK HARTMANNS VON AUE

von

HEINZ SCHANZE (Marburg)

Der Leser eines kritisch edierten mhd. Epos darf im allgemeinen voraussetzen, daß sich der Herausgeber bei der Konstituierung des Textes kritisch mit der Textüberlieferung auseinandergesetzt und sich dabei der Methoden der Textkritik bedient hat. Neben dem Text überliefern unsere mhd. Epenhss. meist auch eine — in der Regel durch Initialen angezeigte — Abschnittseinteilung, und auch die Herausgeber sind, wie ein Blick in die Ausgaben lehrt, vielfach bemüht gewesen, die von ihnen edierten Texte in kleinere Abschnitte aufzugliedern. In seiner Gießener Habil.-Schrift glaubte HANSJÜRGEN LINKE[1] nun feststellen zu können, daß die Textgliederungen der kritischen Ausgaben — ganz im Gegensatz zu den kritisch hergestellten Texten — statt 'auf der Überlieferung in den Handschriften' 'sehr weitgehend bloß auf dem Gutdünken der Herausgeber' (S. 13)[2] beruhten, die — und das gelte besonders für die Herausgeber des vorigen Jahrhunderts und auch noch für die des Beginns des unseren — noch kein kritisches Verhältnis zur Strukturüberlieferung der mhd. Epen besessen hätten. Vielmehr habe man sich 'der Strukturüberlieferung gegenüber' 'völlig naiv' (S. 13) verhalten[3]. Diese 'Methodenblindheit' (S. 15) — die so allgemein den älteren Philologen zu unterstellen wohl doch etwas gewagt ist[4] — komme nicht nur in den Textgliederungen der Ausgaben, sondern auch in den vielen 'nur auf der Deu-

---

[1] HANSJÜRGEN LINKE, Epische Strukturen in der Dichtung Hartmanns von Aue. Untersuchungen zur Formkritik, Werkstruktur und Vortragsgliederung, München 1968.

[2] Das 'Gutdünken' der Herausgeber hat im Falle des 'Gregorius' immerhin dazu geführt, daß die 10. Auflage der PAUL/WOLFFschen Textausgabe (ATB 2, Tübingen 1963) 'schon alle diejenigen Abschnittsgrenzen enthält, die zum Aufbau des Systems von Werkstruktur und Vortragsgliederung erforderlich sind' (S. 34) — nach LINKE ein 'Glücksfall', den der Formkritiker nicht voraussehen könne. Sollte man nicht annehmen dürfen, daß die Herausgeber gute Gründe hatten, wenn sie etwas gut dünkte?

[3] Eine solche Behauptung wird man u. a. für K. LACHMANN nur mit Vorsicht aufstellen dürfen. Bei seiner Einteilung des 'Parzival' und des 'Willehalm' in Bücher und Dreißigerabschnitte ist er durchaus den Hinweisen der Hss. gefolgt.

[4] Zweifellos ist man bei Gliederungsversuchen jeglicher Art häufig über die überlieferten Abschnittsgrenzen hinweggegangen, aber dies möglicherweise nicht so sehr

tung des Inhalts einer Dichtung' (S. 13) basierenden und daher in der Regel unverbindlichen Aufbauschemata sowie in den bisherigen Versuchen zum Ausdruck, auf die mhd. Epen ein auf Zahlenkomposition und Zahlensymbolik abzielendes strukturanalytisches Verfahren anzuwenden. Denn was man bisher kaum gesehen habe, sei 'die Tatsache, daß die Aufgabe der Struktur a n a l y s e ohne vorhergehende Struktur k r i t i k nicht zu lösen ist und daß die Strukturkritik ihrerseits wieder das Vorhandensein einer formkritischen M e t h o d e voraussetzt' (S. 14). Da es eine solche Methode bis jetzt noch nicht gebe, ist die Absicht von LINKES Untersuchungen 'wesentlich auch die, an einem konkreten Beispiel die Grundlagen für eine Methode der Formkritik mittelalterlicher Erzähldichtung zu entwickeln' (S. 14). Angesichts dieses hohen Zieles, das sich LINKE gesteckt hat, mag die folgende Nachprüfung[4a] seiner Methode der Formkritik in ihrer Anwendung auf die epischen Werke Hartmanns gerechtfertigt erscheinen.

Der Untertitel des Buches, 'Untersuchungen zur Formkritik, Werkstruktur und Vortragsgliederung', läßt erwarten, daß Formkritik und Erarbeitung von Werkstruktur und Vortragsgliederung nicht identisch sind. LINKE möchte die Erforschung der Werkstruktur als der 'rein inhaltsbestimmten Gliederung' (S. 25) und die der Vortragsgliederung als 'höhere Formkritik' verstanden wissen, die sich auf der Grundlage der Formkritik zu erheben habe. Somit läßt sich LINKES Formkritik als eine der niederen Textkritik entsprechende Disziplin umschreiben, deren Gegenstand die Gesamtheit der überlieferten Abschnittsgrenzen bildet und deren Aufgabe es ist, aus dieser Gesamtheit handschriftlich bezeugter Absätze die authentischen, d. h. vom Autor gewollten, herauszufinden. Die höhere Formkritik fragt dann nach den inhaltlich bzw. rezitationstechnisch bedeutsamen unter der großen Masse der formkritisch gesicherten Abschnittsgrenzen und kommt so, zumal da die Hss. Abschnittsgrenzen meist in verhältnismäßig großer Dichte aufweisen, zu weiträumigeren Gliederungen, als sie die Formkritik hervorbringt, die die kleinen bzw. kleinsten Erzähleinheiten in den Blick zu rücken bestimmt ist.

---

aus Methodenblindheit als vielmehr deshalb, weil man angesichts der vielfach zu beobachtenden Unfestigkeit der Abschnittsgliederungen den handschriftlichen Abschnittsgrenzen das Vertrauen weitgehend entzogen hatte. LACHMANN hat z. B. bei der Einteilung der Werke Wolframs in 'kleinere absätze', durch die er die 'einzelnen kleinen gemählde' voneinander getrennt hat, bewußt auf eine Orientierung an den Hss. verzichtet (vgl. Wolfram von Eschenbach, hrsg. von K. LACHMANN, Berlin [6]1926, S. IX) — sein Verhältnis zur Strukturüberlieferung war also wesentlich differenzierter, als es LINKES Darstellung erwarten lassen würde.

4a Erst nach Fertigstellung des Manuskripts erschien im Euph. 64 (1970) 115—123 TH. CRAMERS Besprechung des LINKEschen Buches. Die vorliegende Darstellung berührt sich mehrfach mit den von CRAMER mit Recht erhobenen Einwänden, im übrigen ergänzen sich die beiden — in der Gesamtbeurteilung des LINKEschen Versuchs nicht voneinander abweichenden — Auseinandersetzungen.

LINKES Überlegungen zur Formkritik sind es, die das methodisch Neue seines Buches ausmachen. Daher soll hier nur die Formkritik kritisch beleuchtet werden, während die Ergebnisse der höheren Formkritik nur insoweit mit herangezogen werden, als sie Berührungspunkte mit der Formkritik aufweisen und diese zu erhellen in der Lage sind. Dabei empfiehlt es sich nicht, dem Aufbau des LINKEschen Buches streng zu folgen und ausschließlich kapitelweise vorzugehen, weil eine solche Art der Darstellung unnötige Wiederholungen zur Folge hätte und das Verständnis des theoretischen Einleitungskapitels, das als 'Versuch einer methodischen Grundlegung' angesehen wird, erheblich erschweren würde. Hand in Hand mit der theoretischen Entwicklung der methodischen Grundsätze sollte ihre praktische Anwendung an einem Beispiel vorgeführt werden. Daher wird der 'Versuch einer methodischen Grundlegung' zusammen mit einem der die erarbeitete Methode anwendenden Kapitel besprochen, und da bot sich das dritte, dem 'Iwein' gewidmete Kapitel an, weil sich nur an der reichen Überlieferung des 'Iwein' die Vielschichtigkeit der LINKEschen Methode angemessen demonstrieren läßt.

Wer es unternimmt, LINKES Methode der Formkritik nachzuvollziehen, wird zunächst mit Erstaunen feststellen, daß LINKE auf die Klärung einer wichtigen Vorfrage, von deren Beantwortung die Gültigkeit aller weiteren Ergebnisse abhängt, gänzlich verzichtet hat. Es besteht kein Zweifel, daß Initialen nicht immer nur gliedernde Funktion haben, sondern vielfach zugleich auch dem mittelalterlichen Schmuckbedürfnis entsprechen oder gar ausschließlich dekorative Aufgaben wahrnehmen[5] — ein Gesichtspunkt, der bei LINKE überhaupt keine Rolle spielt. Bedenkt man weiterhin, daß es, wie die Erfahrung lehrt, kaum eine ein mhd. Epos überliefernde Hs. gibt, die nicht Initialen oder dergleichen aufwiese, und daß Initialen folglich einen fast notwendigen Bestandteil einer mittelalterlichen Epenhs. zu bilden scheinen und in manchen Hss. auf keiner Seite hätten fehlen dürfen, wird man von der Formkritik, bevor sie sich um die Auswahl der vermutlich authentischen aus der Gesamtzahl der überlieferten Abschnittsgrenzen bemüht, die Beantwortung der Frage erwarten müssen, wie man denn feststellt, ob handschriftliche Initialen einer Dichtung überhaupt etwas mit dem Autor zu tun haben. Denn nach dem eben Gesagten wäre es sehr wohl denkbar, daß ein Autor sein Werk völlig ohne sichtbare Gliederung oder doch ohne sichtbare Kleingliederung belassen und daß, falls die Übereinstimmungen in der Initialenüberlieferung sehr weit gehen, ein Schreiber auf früher Stufe der Überlieferung eine Gliederung bzw. Kleingliederung vorgenommen, d.h. Initialen gänzlich neu eingeführt oder die vielleicht schon vorhandenen einer Großgliederung beträchtlich vermehrt haben könnte. Diese Möglichkeit bleibt außerhalb des

---

[5] Der Schreiber der 'Tristan'-Hs. M hat 'die initialen von fol. 9ᵛ an so auf das blatt' verteilt, 'dass sich auf je 2 aufgeschlagenen seiten immer 6 initialen zu einer regelmässigen figur zusammenfinden' (vgl. FR. RANKE, Die Überlieferung von Gottfrieds Tristan, ZfdA 55 [1917] 157—278. 381—438, hier S. 230).

LINKESchen Gesichtsfeldes[6]. Ohne über seinen Ausgangspunkt zu reflektieren, setzt er voraus, daß überlieferten Gliederungen einer Dichtung selbstverständlich eine Gliederung des Autors zugrunde liegt, die es zurückzugewinnen gelte. Es ist somit nicht auszuschließen, daß LINKES Methode der Formkritik auch solchen Epen eine (Klein-)Gliederung beschert, denen sie der Autor vorenthalten hatte.

Die Gefahr, daß — wie beim Vorliegen eines solchen Falles — Gliederungsversuche der Schreiber in den Rang authentischer Gliederungen erhoben werden, erwächst unvermeidlich auch aus LINKES erstem methodischen Schritt, zumal dieser für das Endergebnis von gar nicht zu überschätzender Bedeutung ist. Auf die Registrierung aller überlieferten Abschnittsgrenzen müsse nämlich 'die Ermittlung des Wertes folgen, den die verschiedenen überlieferten Textgliederungen für die Strukturkritik' (S. 17) haben, und da bestehe der 'erste Versuch, zu einem Urteil über den formkritischen Wert der Handschriften zu gelangen', 'darin, das individuelle Gliederungsprinzip jeder einzelnen von ihnen herauszuarbeiten und sie auf die immanente Konsequenz jeweils i h r e r Gliederung des Erzählinhalts hin zu prüfen, also festzustellen, in welchem Maße jede dieser Gliederungen i n s i c h sinnvoll' sei, 'wie weit sie ihr Prinzip' befolge 'oder gegen ihre eigenen Regeln' verstoße (S. 17/18). 'Einen ersten, noch ganz vorläufigen' — aber, wie sich zeigen wird, außerordentlich folgenreichen — 'Anhalt für den formkritischen Wert einer Handschrift' erhalte 'man nun, indem man die Summe ihrer Gliederungsfehler zu der Anzahl der in ihr überlieferten Abschnittsgrenzen in ein prozentuales Verhältnis' setze (S. 18/19). Die (vorläufig)[7] beste Hs. wäre demnach die mit der geringsten Fehlerquote, mit ansteigender Fehlerquote nähme der formkritische Wert der Hss. ab.

Da es LINKE um die Wiederherstellung authentischer Gliederungen geht[8], kann mit der Ermittlung unterschiedlicher formkritischer Werte der Hss. doch nur

---

[6] Das beträchtliche Interesse des mittelalterlichen Buchwesens an Initialen erlaubt sogar die Annahme, daß mehrere Schreiber unabhängig voneinander so verfahren wären und dabei nicht wenige Übereinstimmungen erzielt hätten. Mit unterschiedlicher Verwirklichung der 'latenten Gliederungsmöglichkeiten' (S. 19) einer Dichtung durch Redaktoren hatte LINKE theoretisch zwar ebenso gerechnet wie mit der Möglichkeit, 'daß verschiedene Handschriften unabhängig voneinander zu der gleichen Lösung kommen' (S. 17), doch hat ihn diese Einsicht nicht darauf aufmerksam zu machen vermocht, daß — selbst bei Übereinstimmungen in der Initialenverteilung — der gesamte überlieferte Initialenbestand einer Dichtung (oder zumindest der größte Teil) sekundär sein kann und mit dem Willen des Autors nicht im Zusammenhang zu stehen braucht.

[7] Bei den 'Gregorius'-Hss. stellt dieser erste Versuch ihrer Wertbestimmung bereits die endgültige Klassifizierung dar — nur wird die Hs. K (in unzulässiger Weise, vgl. unten S. 35) etwas schlechter eingestuft, als es ihrer Fehlerquote entsprechen würde.

[8] So soll — um LINKE selbst zu Wort kommen zu lassen — aus den 'verschiedenen Gliederungen der Manuskripte durch kritisches Abwägen und Vergleichen die eine authentische' herausgefunden werden, 'die auf den Dichter selbst zurückgeht oder ihr doch zumindest so nahe kommt wie irgend möglich' (S. 19).

gemeint sein, daß die formkritisch besseren Hss. der Gliederung des Autors näher stehen als die formkritisch schlechteren. Die authentische Gliederung hat den Maßstab für die Bewertung der Hss. abzugeben, wenn als Ergebnis nicht ein zwar den Vorstellungen gliederungsbewußter Schreiber entsprechendes, mit dem Willen des Autors aber nur in losem Zusammenhang stehendes Abschnittskorpus zutage treten soll. Wie verhält es sich im Hinblick darauf mit LINKES Bestimmung des formkritischen Wertes der Hss.?

Als Textkritiker würde man sich hüten, ein der LINKESchen Methode der Wertbestimmung analoges Verfahren auf die Ermittlung des textkritischen Wertes der handschriftlichen Zeugen anzuwenden, weil man weiß, daß eine Hs., der zahlreiche den Text jeweils ändernde Vorstufen vorausgegangen sind und deren Schreiber selbst mit Eingriffen nicht gespart hat, gleichwohl einen sinnvollen, von störenden Fehlern freien Text bieten kann, sofern ein denkender, bewußt ändernder Schreiber am Werk gewesen ist, daß andererseits die Hs. eines gedankenlosen Schreibers nicht wenige offenkundige Fehler enthalten, auf Grund einer dem Original noch näher stehenden Vorlage im ganzen jedoch einen besseren, d.h. vom Original nicht so stark abweichenden Text überliefern kann. Eine Übertragung von LINKES Verfahren auf die textkritische Bewertung der Hss. würde bedeuten, daß man dem Original fernstehende, aber von sinnstörenden Fehlern weitgehend freie Hss. als wertvoll und dem Original nahe stehende, jedoch mit Versehen behaftete Zeugen als minder wertvoll einstufen müßte[9].

Verhält es sich nun aber im Bereich der Formüberlieferung wesentlich anders als in dem der Textüberlieferung? Zunächst muß man sich vor Augen halten, daß nicht nur mehrere sinnvolle Großgliederungen für ein und dieselbe Dichtung möglich sind — die verschiedenen Aufbauschemata der Strukturanalytiker beweisen das —, sondern daß auch für die Kleingliederung eines Epos mehrere Möglichkeiten zu Gebote stehen, wie ein Vergleich verschiedener Textausgaben oder auch der von LINKES Rekonstruktionsversuchen mit den bisherigen Textgliederungen zeigen könnte. Und da läßt sich nun beobachten, daß Schreiber in ihrem

---

[9] Daß dem tatsächlich so ist, braucht eigentlich nicht an einem Beispiel verifiziert zu werden. Nur ganz kurz soll daher das Verhalten der beiden mit Bedacht gewählten 'Willehalm'-Hss. G und W (= W₂, p) in einem wahllos herausgegriffenen Dreißiger beleuchtet werden. Im 248. Dreißiger weicht der Text von G viermal auf Grund offensichtlicher, sofort als Fehler auffallender Versehen vom kritischen Text LACHMANNS ab, während W nur einen einzigen sinnstörenden Fehler aufweist. Daß der textkritische Wert von W dennoch weit geringer als der von G ist, geht daraus hervor, daß es sich bei weiteren 11 von 15 Fällen, wo W nicht zum kritischen Text stimmt, um Abweichungen vom originalen Wortlaut handeln muß, weil W dort allein steht oder nur eng verwandte Hss. auf ihrer Seite hat — vgl. dazu Verf., Die Überlieferung von Wolframs Willehalm, München 1966. Obwohl also die wirkliche Fehlerquote von W erheblich höher als die von G ist — mögliche, aber nicht sinnstörende Fehler könnten in G nur noch an 2 Stellen vorliegen —, würde man, wollte man die Parallelüberlieferung und die Verwandtschaftsverhältnisse der Hss. außer acht lassen, den Text von W als weniger fehlerhaft und somit als besser als den von G ansehen müssen.

Bestreben, Initialen sinnvoll zu verwenden, durchaus von ihrer Vorlage — und letztlich auch vom Original — abzuweichen vermögen[10] — ein Vorgang, der theoretisch von der originalen Gliederung weg zu einer völlig neuen, aber gleichwohl in sich sinnvollen Gliederung führen kann —, während andere Schreiber der Plazierung von Initialen keine Beachtung schenken, sie in der Regel getreu übernehmen oder aus Gedankenlosigkeit bzw. Nichtachtung ungeschickt verschieben, auslassen oder um unnötige neue vermehren. Dem planmäßig arbeitenden Schreiber wird man, auch wenn er sich stark vom Original entfernt hat, innerhalb seines Systems nur wenige Fehler nachweisen können — der formkritische Wert seiner Hs. wäre demnach hoch zu veranschlagen —, dem gleichgültigen Schreiber werden trotz im ganzen größerer Nähe zum Original deutliche Fehler unterlaufen, die seine Hs. zu einem Formzeugen geringeren Wertes stempeln würden. LINKES erste Bestimmung des formkritischen Wertes der Hss. sagt also nichts über ihren tatsächlichen, an der originalen Gliederung gemessenen formkritischen Wert aus, sondern gibt nur Auskunft über den Grad der Aufmerksamkeit, die der Schreiber einer Hs. der Verwendung der Initialen gewidmet hat. So viel läßt sich daher jetzt schon feststellen: Wie auch immer so ermittelte formkritische Werte der handschriftlichen Zeugen für die Auswahl der authentischen Abschnittsgrenzen nutzbar gemacht werden sollen, das auf ihrer Grundlage erarbeitete Abschnittskorpus wird zwar den Vorstellungen der denkenden Schreiber weitgehend entsprechen, es braucht aber mit dem originalen Bestand an Abschnittsgrenzen nicht auch nur annähernd übereinzustimmen.

Angesichts dieses fundamentalen Einwandes gegen LINKES Methode der Formkritik vermag die Tatsache, daß auch seine Kriterien der Fehlerbestimmung — und zwar jener offensichtlichen Fehler, die herauszufinden man am ehesten für möglich halten würde — nicht über allen Zweifel erhaben sind, nur eine untergeordnete Rolle zu spielen. Damit bei der Bewertung der einzelnen handschriftlichen Gliederungen das nicht ganz auszuschaltende subjektive Moment wesentlich verringert werde, schlägt LINKE vor, 'sich zuvor an Hand derjenigen Abschnittsgrenzen, die alle Handschriften überliefern, einen Begriff von den Gliederungseigenarten' zu bilden, 'die ihnen allen gemein sind' (S. 18), und den so gewonnenen Maßstab an die übrigen Abschnittsgrenzen anzulegen. Nun zeigt aber eine Durchsicht von LINKES Initialenkonkordanzen — und in diesem Punkte unterscheiden sich die Überlieferungen der reich tradierten Werke Hartmanns nicht von der etwa des 'Willehalm' —, daß verhältnismäßig wenig Abschnitts-

---

[10] In der Überlieferung der Werke Hartmanns finden sich, wie die Lektüre von LINKES Buch ergibt, zahlreiche Beispiele dafür, daß gleich sinnvolle Abschnittsgrenzen miteinander konkurrieren. Unter der — von LINKE allerdings nicht bewiesenen — Voraussetzung, daß Hartmann die betreffenden Werke mit einer Gliederung ausgestattet hat, kann immer nur eine Abschnittsgrenze die echte, muß folglich die andere von einem denkenden Schreiber eingeführt worden sein (vgl. auch Verf., Beobachtungen zum Gebrauch der Dreißigerinitialen in der 'Willehalm'-Handschrift G (Cod. Sang. 857), in: Wolfram-Studien, hrsg. von W. SCHRÖDER, Berlin 1970, S. 170—187).

grenzen von allen Hss. überliefert werden. Diese wenigen stellen eine zu schmale Basis dar, als daß man dadurch eine Vorstellung von der einem Epos zukommenden Gliederungseigenart gewinnen und daraus wiederum Kriterien für die Fehlerbestimmung ableiten könnte. LINKE muß auch solche Fälle mit herangezogen haben, wo nur die Mehrheit der Hss. für Abschnittsgrenzen eintritt. Darunter können sich jedoch unursprüngliche Abschnittsgrenzen befinden, auf die mehrere denkende Schreiber unabhängig voneinander verfallen sind; denn gerade denkende Schreiber werden leicht in selbständig gewählten Absätzen übereinstimmen. Zu der Fehlbeurteilung solcher Abschnittsgrenzen — da sie von vermeintlich guten Hss. überliefert werden, wird ihre tatsächliche Fehlerhaftigkeit nicht erkannt — kommt dann also hinzu, daß sie, oder genauer: die Gliederungsvorstellungen denkender Schreiber, als maß-gebend (dies Wort in seiner ursprünglichen Bedeutung zu verstehen) angesehen werden können und die Kriterien für die Beurteilung anderer Abschnittsgrenzen mit beeinflussen.

So neigt die Mehrzahl der Hss. dazu, inhaltlich nicht Zusammengehöriges durch eine Abschnittsgrenze auseinanderzuhalten. Wo es in einer Hs. dennoch zusammengekoppelt ist, müsse Ausfall einer oder mehrerer Abschnittsgrenzen, also ein Fehler, angenommen werden. Wie aber, wenn Hartmann tatsächlich größere, disparate Inhalte vereinigende Textabschnitte geplant, denkende Schreiber aber solche Abschnitte stärker untergliedert hätten? Die in der Minderheit befindlichen Hss. mit der weiträumigeren, möglicherweise originalen Gliederung wären dann nicht in der Lage, sich gegen den Konsens der aus der Feder denkender Schreiber stammenden Hss. zu behaupten.

Als Fehler betrachtet LINKE weiterhin die Abtrennung eines inquit von der direkten Rede — in solchen Fällen lassen die Schreiber einen neuen Abschnitt mit der direkten Rede statt mit der Redeeinführung beginnen. Das Verhalten Wolframs zeigt, daß derartiges nicht unbedingt falsch zu sein braucht. Seine Neigung zu Dreißigerabschnitten kommt u. a. darin zum Ausdruck, daß er im 'Willehalm' in gut 20 Fällen die Reden seiner Personen — und zwar meist einschließlich der Redeeinführungen — 30 bzw. 60 oder 90 Verse hat umfassen lassen[11]; mehrfach beginnen jedoch die Dreißigerabschnitte mit der direkten Rede, während die Redeeinführung gleichsam ausgeklammert ist und dem vorausgehenden Dreißiger angehört. Könnte nicht auch Hartmann beide Möglichkeiten haben gelten lassen?

Es wurde schon betont, daß diese Kritik an LINKES Kriterien der Fehlerbestimmung nicht mehr von ausschlaggebender Bedeutung für die — bereits negativ ausgefallene — Gesamtbeurteilung seines methodischen Ansatzes sein kann. Umgekehrt kann es dann keine Rehabilitierung dieses methodischen Ansatzes bedeuten, wenn man zugesteht, daß LINKES Kriterien der Fehlerbestimmung in einer Reihe von Fällen durchaus die Zustimmung des Lesers finden werden, so

---

11 Vgl. Verf., Beobachtungen, S. 177, Anm.

etwa wenn, um nur ein Beispiel zu nennen, sinnwidrige 'Absatzgrenzen' 'die Satzkonstruktion zerstören oder den Sinn einer Aussage verdrehen' (S. 18).

Im Falle des 'Iwein' ergab sich für LINKE nach der Ermittlung der in jeder Hs. nachweisbaren Fehler und der Berechnung ihres prozentualen Anteils an der jeweiligen Gesamtzahl der Abschnittsgrenzen folgende, nach dem Gesichtspunkt der steigenden Fehlerquoten angeordnete Reihenfolge der vollständigen Hss. (unter den Siglen stehen die Fehlerquoten in %):

b	D	J	c	E	B	p_1	l	r	d	u	A	z	p_2	f	a
11,2	12,6	13,9	14,4	14,4	15,0	15,4	16,7	18,6	19,6	22,9	23,1	25,6	29,6	37,4	39,1

Diese Reihenfolge kann nach dem oben Gesagten natürlich nicht den Anspruch erheben, die tatsächlichen unterschiedlichen formkritischen Werte der Hss. angemessen zum Ausdruck zu bringen.

In dieser Gestalt bildet die erarbeitete Reihenfolge jedoch noch nicht die Grundlage für die vorzunehmende Auswahl der vorläufig echten aus dem Gesamtkorpus der überlieferten Abschnittsgrenzen. Sie erfährt folgende Modifizierungen: Die Hs. u wird nicht mehr berücksichtigt, weil sie eine Abschrift von B ist. 'Ferner ist wenigstens vorderhand auf die Handschriften zp_2fa wegen ihres hohen, ein Viertel z. T. erheblich übersteigenden Fehleranteils keine Rücksicht zu nehmen' (S. 53)! Man will es zunächst nicht glauben, doch ist dem tatsächlich so: auf Grund einer völlig willkürlichen und ungerechtfertigten Entscheidung — die Hss. zp_2fa mögen wertloser als die übrigen Hss. sein, sie sind deshalb aber nicht wertlos! — hat LINKE verfügt, daß Hss., deren Fehlerquote 25 % übersteigt, vorerst eliminiert werden, und es stört ihn dabei nicht, daß etwa A, die eine doppelt so hohe Fehlerquote aufweist wie b, in der Reihe verbleiben darf, während z, deren Fehlerquote diejenige von A nur um 2,5 % übersteigt, auszuscheiden hat. Eine weitere Modifizierung der obigen Reihe besteht darin, daß die Hs. J an das Ende der um zp_2fa reduzierten Reihe gestellt wird. Begründung: 'Wenn man die Grundvoraussetzung unseres formkritischen Verfahrens — daß nämlich das Originale da bewahrt sei, wo alle Handschriften in der Überlieferung übereinstimmen —, wenn man diese Grundvoraussetzung nicht aufgeben will, dann darf man ... der Handschrift J nicht das große Gewicht beimessen, das ihr auf Grund ihrer geringen Fehlerzahl eigentlich zukäme; denn diese Handschrift weist eine überaus hohe Zahl von Absätzen auf, die ... von der Überlieferung aller anderen vollständigen Handschriften erheblich abweicht' (S. 53). Würde aber mit einer ihrer Stellung entsprechenden Berücksichtigung der Hs. J die beschworene Grundvoraussetzung wirklich aufgegeben? Wenn J in der Überlieferung eines Absatzes mit allen übrigen Hss. übereinstimmt, ist nach LINKE das Originale bewahrt, und es kann in diesem Falle nicht unzulässig sein, J zu berücksichtigen. Bringt J aber, was häufig vorkommt, eine sinnvolle Initiale, ohne daß die übrigen Hss. einen Absatz überlieferten, liegt logischerweise kein gemeinsames Votum aller Hss. — für oder gegen eine Abschnittsgrenze — vor, und somit würde die Grundvoraussetzung gar nicht tangiert, wenn man einen solchen Absatz mit J für ursprünglich erklärte. Die Entwertung der Hs. J läßt sich also nicht mit einer vermeintlichen Gefährdung der Grundvoraussetzung rechtfertigen. Eine taugliche Begründung könnte vielleicht der Hinweis darauf sein, daß J auf Grund ihrer Stellung in der Gesamtüberlieferung kaum in der Lage sein dürfte, in einer Vielzahl von Fällen gegen die Übereinstimmung der übrigen Hss. das Originale zu bieten. J zeigt, wie L. WOLFF nachgewiesen hat[12], deutliche Verwandtschaftsbeziehungen mit anderen 'Iwein'-Hss., so daß eine solche Begründung wohl statthaft wäre. Aber gerade darauf hat LINKE verzichtet. Ihm bieten die Ergebnisse der Textkritik keine 'schätzbare Gruppierungshilfe' (S. 51). Dann müßte er aber mit der Möglichkeit rechnen, daß J — wie jede andere Hs. — infolge unauflösbarer Kontaminationen gegen den Konsens der übrigen Hss. das Ursprüngliche bewahrt haben könnte, und es wäre gerade bei ungeklärten Verwandtschaftsverhältnissen riskant, einzelne Hss. zu diskriminieren.

Aus Gründen also, die nicht weniger als das Entstehen der obigen Reihenfolge der vollständigen 'Iwein'-Hss. Bedenken erregen, wird diese Reihenfolge zur '1. Qualitäts-Reihe' modifiziert:

$$b \quad D \quad c \quad E \quad B \quad p_1 \quad l \quad r \quad d \quad A \quad J$$
$$11 \quad 10 \quad 9 \quad 8 \quad 7 \quad 6 \quad 5 \quad 4 \quad 3 \quad 2 \quad 1^{13}.$$

Die dieser Reihe angehörenden Hss. werden als Leithss. bezeichnet.

Wie sieht nun das Verfahren aus, mit dessen Hilfe 'aus den so nach ihrer Güte und Eigenart gewerteten verschiedenen Gliederungen der Manuskripte durch kritisches Abwägen und Vergleichen die eine authentische' herausgefunden werden soll, 'die auf den Dichter selbst zurückgeht oder ihr doch zumindest so nahe kommt wie irgend möglich' (S. 19)? Da wird, wie schon gesagt, zunächst angenommen, daß dort, wo 'alle Handschriften in der Überlieferung einer sinnvollen Abschnittsgrenze übereinstimmen', 'diese natürlich als gesichert zu betrachten' sei, 'es sei denn, sie ließe sich als Eigenmächtigkeit schon des Archetypus erweisen' (S. 19). Man wird einwenden dürfen, daß selbst dann, wenn ein solcher Nachweis nicht geführt werden kann, unursprüngliche Abschnittsgrenzen von allen Hss. überliefert werden können. — Bei Divergenzen in der Formüberlieferung, die zweifellos in der Mehrzahl sind, müsse jeder Textzeuge gegen jeden abgewogen werden. Das gelinge am einfachsten und sichersten, wenn man sich dabei die

---

[12] L. WOLFF, Die Iwein-Handschriften in ihrem Verhältnis zueinander, in: Festschrift Helmut de Boor zum 75. Geburtstag am 24. März 1966, hrsg. von den Direktoren des Germanistischen Seminars der Freien Universität Berlin, Tübingen 1966, S. 111—135, bes. S. 129 ff. = L. WOLFF, Kleinere Schriften zur altdeutschen Philologie, hrsg. von W. SCHRÖDER, Berlin 1967, S. 165—184.

[13] Über den Sinn dieser Zahlen vgl. unten S. 20.

Kenntnis der Verwandtschaftsbeziehungen der Hss. zunutze machen könne, doch befinde man sich bei Hartmann nicht in dieser günstigen Lage — worin wohl der Grund dafür liegt, daß aus LINKES methodischer Grundlegung nicht klar hervorgeht, wie sich 1. Qualitätsreihe und ein mögliches Stemma gemeinsam auswerten lassen[14]. Wo das gleichsam stemmatologische Verfahren nicht anwendbar sei, müsse man sich zu einem anderen, 'mitunter außerordentlich zeitraubenden, im Endeffekt freilich auch erfreulich sicheren Verfahren des Manuskriptvergleichs bequemen' (S. 20). Es beruhe 'auf der Grundannahme, daß das Originale da bewahrt sei, wo, wenn schon nicht die Gesamtheit aller formkritisch guten Handschriften, so doch wenigstens ihre überwiegende Mehrheit gegen die formkritisch schlechten übereinstimmt' (S. 20), mit der Einschränkung jedoch, daß der Konsens der guten Hss. nach Möglichkeit nicht durch Verwandtschaft herbeigeführt worden ist. Die Gültigkeit dieser Annahme wurde bereits in Zweifel gezogen, weil formkritisch 'gute' Hss., die nach dem LINKEschen Bewertungsverfahren vielfach die Hss. planmäßig verfahrender Schreiber sein dürften, unabhängig voneinander zwar sinnvolle, aber dennoch unursprüngliche Abschnittsgrenzen überliefern können.

Für den Vergleich der Manuskripte hat LINKE vier Grundregeln der Formkritik aufgestellt:

'1. Bessere Handschriften gehen vor schlechteren.
2. Ältere Handschriften gehen vor jüngeren.
3. Die formkritische Qualität einer Handschrift wiegt schwerer als ihr Alter.
4. Stehen sich gleich gute Handschriften (oder Handschriftengruppen) gegenüber, so bedarf es zur Entscheidung ... des Hinzutretens weiterer formaler und/oder inhaltlicher Gründe' (S. 21).

Die Anwendung dieser Grundregeln auf eine gegebene Qualitätsreihe führt zu den für das betreffende Werk zu handhabenden spezifischen Prinzipien der Formkritik, wie sie bei der Besprechung des 'Gregorius'-Kapitels vorzuführen sein werden.

Daß sich solche Regeln auf reich überlieferte Werke wie den 'Iwein' nur unter großen Schwierigkeiten anwenden lassen, ist leicht zu sehen. LINKE hat daher

---

[14] Zwei Prinzipien würden einander widerstreiten. Nach LINKE hat sich der Formkritiker grundsätzlich 'sein Urteil über Wert oder Unwert der Handschriften für seinen Gesichtspunkt unabhängig von demjenigen der Textkritik zu bilden' und kann er erst danach 'die Ergebnisse der philologischen Textkritik', soweit sie etwa 'die Herstellung oder die Unmöglichkeit der Herstellung eines Stemmas betreffen' (S. 17), berücksichtigen. Dann kann es nicht ausbleiben, daß eine nach LINKES Beurteilungskriterien gute Hs. einen sehr ungünstigen Platz in der stemmatisch dargestellten Gesamtüberlieferung einnimmt — indem sie etwa einem stark ändernden Hss.-Zweig angehört —, so daß sie überlieferungsgeschichtlich als eine Hs. geringen Wertes anzusehen wäre. Würde LINKE sie dann als gute oder als schlechte Hs. behandeln?

das Verfahren für reiche Überlieferungen abgewandelt und ist bei der Auswahl der in den 'Iwein'-Hss. überlieferten Abschnittsgrenzen wie folgt vorgegangen: 'Um beim Gegeneinander-Abwägen der zahlreichen Handschriften, wie es bei gespaltener Überlieferung erforderlich ist, das Eindringen subjektiver Momente auszuschließen, versieht man am besten jede Handschriftensigle derart mit einem Zahlenwert, daß der besten Leithandschrift der höchste und der schlechtesten der geringste entspricht. Über die Annahme oder Streichung eines Absatzes entscheidet dann stets die größere Summe der Einzelwerte. Der Vorteil dieses mathematischen Verfahrens liegt darin, daß beim Vergleich der verschiedenen Gliederungen Vor-Urteile, die aus der Rücksicht auf den Inhalt der Erzählung erwachsen könnten, jetzt absolut ausgeschlossen sind' (S. 21/22).

Es dürfte nicht unangebracht sein, das hier beschriebene Verfahren, das vornehmlich als Anwendung der 1. Grundregel der Formkritik zu verstehen sein wird und das die zusätzliche Berücksichtigung der 2. und 3. Grundregel nicht auszuschließen scheint, an einigen Beispielen zu erläutern. Der 1. Qualitätsreihe der 'Iwein'-Hss. gehören 11 Hss. an; die nach Ansicht LINKES schlechteste Hs. J erhält den Zahlenwert 1, A den Zahlenwert 2 usw. und b schließlich den Zahlenwert 11[15]. Nachdem dies festgelegt ist, setzt das große Rechnen ein. Die erste Abschnittsgrenze in der 'Iwein'-Überlieferung liegt bei v. 21, sie wird überliefert von BDJbcdlpruz (Summe der Zahlenwerte dieser Hss.: $7 + 10 + 1 + 11 + 9 + 3 + 5 + 6 + 4 = 56$), sie fehlt in A (Zahlenwert: 2) und ist somit gesichert. Ähnlich deutlich läßt sich die Ansetzung von Abschnittsgrenzen beim 31., 43., 59. und 77. Vers positiv oder negativ entscheiden. Die beim 93. Vers von Da (Summe der Zahlenwerte: 10) bezeugte Abschnittsgrenze wird verworfen, weil die Summe der Zahlenwerte der diesen Absatz nicht überliefernden Hss. ABJbcdflpruz deutlich höher liegt (48). Etwas geringer ist die Differenz etwa beim 231. Vers, wo BJbclpu (Summe der Zahlenwerte: 38) mit Erfolg für einen Absatz votieren, der durch die fehlende Bezeugung durch ADadfr (Summe der Zahlenwerte: 19) nicht erschüttert wird, oder — ein letztes Beispiel — beim 1075. Vers, der für einen Absatz nicht in Frage kommt, weil die positive Bezeugung durch Jbcfl (Summe der Zahlenwerte: 26) gegen das Votum von ABDadpruz (Summe der Zahlenwerte: 32) nicht aufkommt. Daß im letzten Fall pr einen Absatz bei 1077 überliefern und daher eigentlich an die Seite von Jbcfl zu stellen sind — das Verhältnis der Summen würde sich dann umkehren —, wird von LINKE nicht bedacht.

Nach Anwendung dieses Rechenverfahrens auf die Gesamtheit der in den 'Iwein'-Hss. überlieferten Abschnittsgrenzen muß sich in 192 Fällen ein höherer Zahlenwert zugunsten einer Abschnittsgrenze ergeben haben; denn dies Verfahren soll 192 vorerst sichere Abschnittsgrenzen zutage gefördert haben. In

---

15 Vgl. oben S. 18. Möglicherweise hat LINKE der Hs. c, deren Fehlerquote mit der von E übereinstimmt, ebenfalls den Zahlenwert 8 verliehen, so daß D mit der Zahl 9 und b mit der Zahl 11 bedacht worden wäre.

weiteren 5 Fällen seien Abschnittsgrenzen möglich, aber nicht zweifelsfrei[16], in 8 Fällen stehe Überlieferung gegen Überlieferung[17].

Setzt man einmal den Fall, daß LINKES 1. Qualitätsreihe der 'Iwein'-Hss. Ergebnis einer akzeptablen Formwertbestimmung und frei von den sonstigen aufgezeigten Mängeln sei, stellt sich jetzt die Frage, ob LINKES rechnerische Handhabung der 1. Qualitätsreihe dem Sachverhalt angemessen ist. Es dürfte keinem Zweifel unterliegen, daß hier unzulässige mathematische Operationen an einem untauglichen Objekt vorgenommen worden sind.

Die Zahlenwerte, die LINKE den Leithss. der 1. Qualitätsreihe verliehen hat, lassen zwar erkennen, daß der formkritische Wert einer Hs. mit einem höheren Zahlenwert (nach Ansicht LINKES) größer ist als der einer Hs. mit geringerem Zahlenwert, die Wertskala $J = 1, A = 2, d = 3 \ldots b = 11$ sagt aber nichts über die Höhe der Fehlerquoten und somit auch nichts darüber aus, um wieviel die Fehlerquote einer Hs. höher oder niedriger als die der benachbarten Hs. ist, und das heißt ja nichts anderes als dies, daß die Zahlen der Wertskala unberücksichtigt lassen, wie hoch der Wert einer Hs. und um wieviel er größer oder geringer als der anderer Hss. ist. Das kann aber nicht gleichgültig sein, wenn der formkritische Wert einer Hss.-Gruppe errechnet, also durch Addition der Einzelwerte bestimmt und dann mit dem Wert einer anderen Hss.-Gruppe verglichen werden soll[18]. Ein konstruiertes Beispiel mit extremen Fehlerquoten als angenommenem Ausdruck ihres formkritischen Wertes macht dies unmittelbar einsichtig. Eine Hs. W habe eine Fehlerquote von 2%, X von 30%, Y von 31% und Z von 32%. Niemand wird auch nur einen Augenblick daran zweifeln, daß der Verbindung WZ der Vorzug vor der Verbindung der beiden formkritisch unbedeutenderen Hss. XY gebührt. Die Wertskala nach LINKES Muster sähe jedoch so aus: $W = 4, X = 3, Y = 2, Z = 1$, und somit erhielte die Verbindung WZ den Zahlenwert 5 und wäre der Verbindung XY, deren Zahlenwert eben-

---

[16] Zum Beispiel 1971: BJabcpr (Summe der Zahlenwerte: 38) plädieren für einen Absatz, ADEdfluz (Summe der Zahlenwerte: 28) versagen ihm die Zustimmung. Die fehlende Bezeugung durch alte Hss. scheint Zweifel erweckt zu haben.

[17] Zum Beispiel 223: ABDJdpuz (Summe der Zahlenwerte: 29) überliefern einen von abcflr (Summe der Zahlenwerte: 29) nicht bezeugten Absatz. Hier hätte sich LINKE eigentlich spontan für einen Absatz entscheiden müssen, wenn er ihn bei 1971 anzweifelt. Denn bei 223 würde sich die Waage infolge des Gewichts der alten Hss. zugunsten eines Absatzes senken.

[18] Man stelle sich vor, jemand würde vier Geldscheine im Werte von 5, 10, 20 und 50 DM als A, B, C und D bezeichnen, die Siglen nach der Reihenfolge ihres zugehörigen Wertes ordnen und der Sigle mit dem höchsten Wert (D) den Zahlenwert 4, C den Wert 3, B den Wert 2 und A den Wert 1 beilegen und es dann noch unternehmen, bei der Bestimmung von Gruppenwerten die verliehenen Zahlenwerte zugrunde zu legen. Die Scheine ABC (Summe ihrer Zahlenwerte: $1 + 2 + 3 = 6$) kämen dann auf einen höheren Wert als D mit dem Zahlenwert 4, während der tatsächliche Wert von D die Summe derer von ABC beträchtlich übersteigt. Nicht anders aber ist LINKE mit den Hss. verfahren!

falls 5 beträge, nicht überlegen[19]. Die Verleihung von Zahlenwerten darf also nicht, wenn schon das Wägen durch Zählen und Berechnen ersetzt werden soll, einfach entsprechend der Reihenfolge der Hss. erfolgen, vielmehr müssen die (für den Wert der Hss. stehenden) Fehlerquoten und damit die unterschiedlichen Wertdifferenzen zwischen den einzelnen Hss. exakt erfaßt werden.

Für die Hss. des 'Iwein' würde das bedeuten: Bevor man die Hss.-Siglen nach Maßgabe der Fehlerquoten mit Zahlenwerten zu versehen versucht, muß man eine Entscheidung darüber treffen, in welchem Verhältnis — ob unverändert, vergrößert oder verkleinert — die Zahlenwerte zu den Fehlerquoten stehen sollen. Der wohl einfachste, allerdings zu hohen Zahlen führende Weg wäre der, einer Differenz der Fehlerquoten von 1 % den Zahlenwert 1 entsprechen zu lassen — wie es in LINKES Reihe für die Differenz zwischen den Fehlerquoten von d (19,6 %) und r (18,6 %) zutrifft: d hat den Zahlenwert 3, r den Wert 4 erhalten. Dann aber geht es weder an, der schlechtesten Hs. den Wert 1 beizulegen, noch auch, die Zahlenwerte der übrigen Hss. trotz unterschiedlicher Differenzen zwischen den Fehlerquoten regelmäßig um 1 ansteigen zu lassen; die Differenz zwischen den Fehlerquoten von A und d z. B. (23,1 % minus 19,6 % = 3,5 %) muß sich in Zahlenwerten, die um 3,5 voneinander unterschieden sind, niederschlagen, wohingegen A bei LINKE mit dem Wert 2 und d mit dem Wert 3 versehen worden ist. A wäre, wenn man mit LINKE die Zahlenwerte der Hss. mit zunehmender Güte der Zeugen ansteigen lassen und somit den prozentualen Anteil der als richtig beurteilten Absätze zum Maßstab nehmen will, der Wert (100 minus 23,1 =) 76,9, d der Wert 80,4, r der Wert 81,4 usw. und b der Wert 88,8 beizulegen. — Eine — grundsätzlich mögliche — Entscheidung für kleine Zahlenwerte ginge auf Kosten der Genauigkeit. Wollte man b (entsprechend der Wertskala LINKES) den Wert 11 zuteilen, würde einer Differenz der Fehlerquoten von 1 % der Zahlenwert (11 : 88,8 =) 0,1238 entsprechen, so daß D mit dem Wert 10,82, c mit dem Wert 10,57 usw. und A mit dem Wert 9,52 auszustatten wäre. Von den durch die ungleiche Berücksichtigung der Stellen hinter dem Komma bedingten Ungenauigkeiten abgesehen, würde die rechnerische Ermittlung der Abschnittsgrenzen auf Grund dieser Zahlen dieselben Ergebnisse hervorbringen, wie sie sich aus der Berechnung mit den obigen Zahlenwerten ergäben, aber zu Übereinstimmungen mit den Ergebnissen LINKES wird es in vielen Fällen nicht kommen können.

---

[19] LINKE könnte, wie die Eliminierung der 'Iwein'-Hss. afp$_2$z zeigt, gegen dies Beispiel einwenden, daß er den schlechten Hss. XYZ gar keine Beachtung schenken würde. Ein als mathematisch ausgegebenes Verfahren muß jedoch auch dann richtige Ergebnisse liefern, wenn die eingegebenen Zahlen das Übliche unter- oder überschreiten. Ist es dazu nicht in der Lage, ist seine Fehlerhaftigkeit erwiesen, und die Anwendung auf weniger extreme Verhältnisse nimmt dem Verfahren nichts von seiner Unbrauchbarkeit, nur liegt die Fehlerhaftigkeit der unter solchen Bedingungen gewonnenen Ergebnisse nicht so offen zutage.

LINKES vermeintlich mathematisches Verfahren hält also einer Nachprüfung nicht stand. Daß dies pseudomathematische Verfahren noch dazu auf ein untaugliches Objekt angewandt wurde, ergibt sich aus der mangelnden Berücksichtigung der Verwandtschaftsverhältnisse der Hss. Zwar gibt es kein Stemma der 'Iwein'-Hss., aber es lassen sich doch — für die verschiedenen Teile des 'Iwein' jeweils verschiedene — Hss.-Gruppierungen erkennen. Wenn L. WOLFF (a. a. O.) festgestellt hat, daß A im ganzen recht selbständig ist, also keiner der übrigen Hss. oder Hss.-Familien zugeordnet werden kann, erhöht sich dadurch die Möglichkeit, daß A auch ohne beträchtliche Zustimmung der übrigen Hss. ursprüngliche Abschnittsgrenzen bewahrt hat. Diesem Umstand wird aber ihr formkritischer Wert 2 in keiner Weise gerecht. Wenn weiterhin J und l insbesondere von v. 4800 an oder b und c bis v. 734 als nahe Verwandte gelten müssen, wird man damit rechnen dürfen, daß eine Reihe der J und l bzw. b und c gemeinsamen Abschnittsgrenzen aus den gemeinsamen Vorlagen *Jl bzw. *bc ererbt sind. J und l bzw. b und c hätten dann für die genannten Textstücke nur den Wert jeweils einer Hs. LINKE hat aber allen seinen Berechnungen die Einzelwerte der Hss. zugrunde gelegt, so daß das gemeinsame Votum von J und l mit dem Wert 6 und gemeinsame Votum von b und c mit dem Wert 20 erheblich überbewertet worden sind. Auf andere Verwandtschaftsgruppen, auf die noch Rücksicht zu nehmen wäre, braucht hier nicht eingegangen zu werden. Daß die unumgänglich notwendige Berücksichtigung von Verwandtschaftsgruppen in vielen Fällen zu anderen als den von LINKE errechneten Abschnittsgrenzen geführt hätte, kann keinem Zweifel unterliegen[20]. Ob sich Rücksichtnahme auf Verwandtschaftsverhältnisse überhaupt mit der mathematischen Methode ver-

---

[20] Ich würde heute wohl nicht mehr wagen, die gesamte Überlieferung von Wolframs 'Willehalm' in einem Stemma darzustellen — vgl. Verf., Die Überlieferung von Wolframs Willehalm, München 1966; Über das Verhältnis der St. Galler Willehalm-Handschrift zu ihren Vorstufen, PBB (Tübingen 1967) 151—209; Zur Frage der Brauchbarkeit eines Handschriften-Stemmas bei der Herstellung des kritischen Textes von Wolframs 'Willehalm', in: Probleme mittelalterlicher Überlieferung und Textkritik. Oxforder Colloquium 1966, hrsg. von P. F. GANZ und W. SCHRÖDER, Berlin 1968, S. 31—48 —, aber dennoch an den ermittelten Verwandtschaftsgruppen festhalten. Die Übertragung von LINKES Verfahren auf die 'Willehalm'-Überlieferung würde bei Außerachtlassen der erkennbaren Verwandtschaftsgruppen paradoxe Ergebnisse hervorbringen. Über weite Strecken des 'Willehalm' sind die drei Hss. GVKa dem erschlossenen Hyparchetypus α und die sieben Hss. BHLKCWWo dem erschlossenen Hyparchetypus β verpflichtet. Selbst wenn sich herausstellen sollte, daß GVKa nach LINKES Beurteilungskriterien die formkritisch wertvollsten Hss. wären und demnach die Zahlenwerte 10, 9 und 8 (Summe: 27) erhalten dürften, wären sie nicht in der Lage, eine ursprüngliche Abschnittsgrenze gegen das Votum der übrigen sieben Hss. zu verteidigen, da diesen die Werte 7, 6, 5 . . . 1 (Summe: 28) zuzuteilen wären. Eigenmächtige Abschnittsgrenzen des β-Schreibers dagegen würden als vermeintlich ursprünglich zu akzeptieren sein, sofern sie von den Nachfolgehss. dieser Gruppenvorlage übernommen worden sind.

einbaren läßt, ist eine andere Frage, die positiv zu beantworten wohl nicht ganz leicht sein dürfte.

Es bleibt also festzuhalten: Selbst wenn LINKES 1. Qualitätsreihe Vertrauen verdiente, kann sein mit ihrer Hilfe auf vermeintlich mathematischem Wege gewonnenes Korpus von 192 vorerst sicheren, 5 möglichen und 8 an Hand anderer Kriterien zu entscheidenden Abschnittsgrenzen keinen Anspruch auf Authentizität erheben, und das um so weniger, als schon der 1. Qualitätsreihe gravierende Mängel anhaften. Daß dies Korpus von LINKE selbst als vorläufig betrachtet und weiteren Revisionen unterzogen wird, hat andere als die hier dargelegten Gründe, und es wird darauf hinzuweisen sein, daß das LINKEsche Korrekturverfahren gar nicht in der Lage ist, den aufgezeigten Fehlerquellen, es sei denn durch bloßen Zufall, entgegenzuwirken.

Der erste korrigierende Schritt besteht darin, jede vollständige Hs. 'daraufhin zu befragen, wie viele der' bisher 'ausgewählten Abschnittsgrenzen in ihr enthalten sind und einen wie hohen Prozentsatz sie im Verhältnis zu den überhaupt in ihr überlieferten Absätzen bilden' (S. 22). Für den nächsten Arbeitsgang habe sich nämlich der formkritische Wert einer Hs. 'nach diesem relativen Anteil, den sie an der Zahl der im ersten Vergleich ermittelten Abschnittsgrenzen' (S. 22) habe, zu bemessen, und das bedeutet, daß die 1. Qualitätsreihe durch eine (1.) 'Quantitäts-Reihe' ersetzt werden muß, in der die Hss. nach ihrem relativen Anteil angeordnet und mit Zahlenwerten entsprechend ihrer Stellung in der Reihe versehen werden. Auf der Grundlage der so entstandenen 1. Quantitätsreihe werden dann noch einmal sämtliche Abschnittsgrenzen mit Hilfe des schon bekannten mathematischen Verfahrens durchmustert, und das so errechnete Abschnittskorpus tritt an die Stelle des früheren, durch diese Operation überholten Bestandes an Abschnittsgrenzen.

Dazu wäre zunächst einmal zu sagen, daß die Gestalt der die Grundlage der weiteren Untersuchung bildenden 1. Quantitätsreihe weitgehend von dem anfangs ausgewählten und dann als Maßstab für die Güte der Hss. dienenden Korpus von Abschnittsgrenzen abhängt, und daraus folgt, daß die 1. Quantitätsreihe in eben dem Maße suspekt ist, in dem das erste Korpus Mißtrauen erweckt. Die mit Hilfe dieser Wertskala gewonnenen Ergebnisse können also von vornherein keinen Anspruch auf Authentizität erheben.

Weiterhin bleibt zu beanstanden, daß auch bei der neuen Wertskala, in der die in die Reihe aufgenommenen Hss. wiederum nur Zahlenwerte gemäß ihrer Position innerhalb der Reihe, also regelmäßig aufsteigend 1, 2, 3 usw., erhalten haben, der unterschiedliche Abstand zwischen den einzelnen Hss. nicht berücksichtigt und daß den Ansprüchen der Verwandtschaftsverhältnisse der Hss. nicht Rechnung getragen wird. So steht A an der Spitze mit dem Zahlenwert 10 und einem Anteil von 88,1 %; der Anteil von D liegt mit 76,7 % um 11,4 % niedriger als der von A, derjenige von B mit 74,7 % nur um 2 % niedriger als der von D. Dennoch wird D der Zahlenwert 9 und B der Wert 8 zugeteilt, wie wenn der

Wertabstand von B zu D derselbe wäre wie der von D zu A. Selbst dann also, wenn die 1. Quantitätsreihe aus einem weitgehend akzeptablen Korpus von Abschnittsgrenzen abgeleitet worden wäre, könnten die mit ihrer Hilfe auf dem LINKEschen Wege errechneten Ergebnisse wenig befriedigen.

Im Falle der 1. Quantitätsreihe der 'Iwein'-Hss. sind neben diesen grundsätzlichen Mängeln weitere Verfahrensweisen geeignet, Bedenken zu erregen. Wie früher mitgeteilt, bestand das erste Abschnittskorpus aus 192 + 5 + 8 Abschnittsgrenzen. Je nachdem nun, ob man den relativen Anteil der einzelnen Hss. an den 192, 197 oder 205 Abschnittsgrenzen ermittelt, ergeben sich leicht unterschiedene Reihenfolgen, in denen insbesondere die Stellung der Hss. b, f und r unsicher ist:

I.	AuDBz	dc	frb	lp_2Ep_1	Ja
II.	AuDBz	cd	rbf	lp_2Ep_1	Ja
III.	ADuBz	r cd	bf	lp_2Ep_1	aJ.

LINKE entscheidet sich vorsichtshalber für die erste Reihenfolge, eliminiert jedoch die Hss. u (als codex descriptus), bfr wegen der Unsicherheit ihrer Stellung und a wegen ihres Unterschusses an Abschnittsgrenzen. Die 1. Quantitätsreihe besteht dann aus

$$A \quad D \quad B \quad z \quad d \quad c \quad l \quad p_2 \quad E \quad p_1 \quad J,$$

wobei A der Zahlenwert 10, J der Zahlenwert 1 zukommt.

So verständlich es ist, daß LINKE den durch die Hss. bfr entstehenden Unsicherheitsfaktor ausräumen möchte, so deutlich ist, daß die Eliminierung dieser Hss. das Moment der Unsicherheit nur vergrößert, anstatt es zu verringern. Denn bei der Aufnahme dieser Hss. in die 1. Quantitätsreihe bleibt, wie sich den drei Reihenfolgen entnehmen läßt, nur ungewiß, ob ihnen die Plätze 6, 7, 8 oder — vielleicht der Hs. r — 10 zuzuweisen sind, Unterschiede also von jeweils 1 oder 2, im Höchstfall 3 Plätzen, die, in Zahlen ausgedrückt, bei knappen Ergebnissen zwar von Bedeutung sein können, auf klare Ergebnisse aber keinerlei Einfluß haben. Bei einem Votum von 45 : 25 etwa würde es keine Rolle spielen, ob man sich bei den Hss. bfr, auf welcher Seite auch immer sie stehen mögen, für die niedrigeren oder für die höheren Zahlenwerte entscheidet, weil die Unterschiede gering sind. Dagegen können neben den knappen auch deutliche Ergebnisse entscheidend verändert werden, wenn man sich mit LINKE dazu entschließt, b, f und r gar nicht zu berücksichtigen und damit einem Votum für oder gegen einen Absatz Zahlenwerte bis zu 23 zu entziehen[21] — was etwa der Fall wäre, wenn das Verhältnis 45 : 25 zugunsten einer Abschnittsgrenze lautete und bfr auf der Seite der einen Absatz überliefernden Hss. stünden. Nach ihrer Wegnahme hieße das Ergebnis 24 : 25 bzw. 22 : 25, obwohl sich das tatsächliche Unsicherheitsmoment lediglich zwischen den Verhältnissen 47 : 23 und 43 : 27 bewegt.

---

[21] In der ersten und zweiten Reihenfolge betrüge der Wert von f, r und b zusammen 8 + 7 + 6 = 21, in der dritten Reihenfolge 10 + 7 + 6 = 23.

Die Aufstellung der 1. Quantitätsreihe und die darauf basierende Neuberechnung des Abschnittskorpus stellen nach LINKE einen den methodischen Ansatz korrigierenden Arbeitsgang dar. Es fällt schwer, darin ein korrigierendes Moment zu erblicken. Da, wie früher gezeigt, dem ersten Abschnittskorpus im Hinblick auf die originale Gliederung keine Verbindlichkeit zukommt und es in erster Linie den Vorstellungen denkender Schreiber entsprechen wird, kann mit einer stärkeren Annäherung an die originale Gliederung in dem Augenblick nicht mehr gerechnet werden, wo dies Korpus als Maßstab für die Bewertung der Hss. (zwecks Ermittlung der 1. Quantitätsreihe) herhalten muß. Im Gegenteil: Es gewinnen jetzt — und das gilt auch für die folgenden ganz ähnlich verlaufenden Arbeitsgänge — solche Hss. zunehmend an Bedeutung, deren Gliederungen zu den in das Korpus eingegangenen Tendenzen stimmen, und da es sich bei diesen Tendenzen vornehmlich um die denkender Schreiber handeln kann, besteht die Möglichkeit, daß die rechnerische Handhabung der 1. Quantitätsreihe ein vom Original noch stärker abweichendes, sich den Gliederungsvorstellungen der Schreiber jedoch weiter annäherndes Abschnittskorpus hervortreten läßt. Die darüber hinaus noch erhobenen Einwände vermögen den Wert des zweiten Abschnittskorpus nicht eben zu erhöhen.

Daß dieses zweite Abschnittskorpus mit dem ersten nicht identisch sein würde, war wegen der Unterschiede, die zwischen der 1. Qualitätsreihe und der 1. Quantitätsreihe bestehen, von vornherein zu erwarten. Damit sei aber der Beurteilung der handschriftlichen Gliederungen, die zur 1. Quantitätsreihe geführt habe, der Boden entzogen. Der relative Anteil der einzelnen Hss. an dem neuen Abschnittskorpus müsse aufs neue ermittelt werden, weil damit zu rechnen sei, daß sich in der Reihenfolge der Hss. Verschiebungen einstellen werden. Tatsächlich ergibt die Neuberechnung des Anteils an den neugewonnenen Abschnittsgrenzen und die Ordnung der Hss. nach ihrem relativen Anteil daran eine von der 1. Quantitätsreihe leicht abweichende 2. Quantitätsreihe, von der nun auch b, f und r nicht mehr ausgeschlossen werden[22].

An Hand dieser aus einem suspekten Abschnittskorpus abgeleiteten und somit selbst suspekten 2. Quantitätsreihe werden — erneut ohne Rücksicht auf die unterschiedliche Größe der Wertdifferenzen und die feststellbaren Verwandtschaftsgruppen — alle überlieferten Abschnittsgrenzen noch einmal durchmustert und dem Rechenverfahren unterzogen, und das Ergebnis ist ein drittes, von dem vorausgehenden leicht unterschiedenes, aber keineswegs vertrauenswürdigeres

---

[22] Es wäre verfehlt zu glauben, daß die jetzige Aufnahme der Hss. b, f und r die oben geübte Kritik an ihrer Eliminierung gegenstandslos gemacht hätte. Hätten nämlich, wie es nötig gewesen wäre, diese drei Hss. der 1. Quantitätsreihe angehört, hätte das zweite Abschnittskorpus anders aussehen müssen, und das hätte wieder zur Folge haben können, daß die aus diesem Korpus abgeleitete 2. Quantitätsreihe nicht mit der 2. Quantitätsreihe LINKES hätte übereinzustimmen brauchen. Es ist also nicht so, daß sich einmal begangene Fehler in späteren Arbeitsstadien völlig wieder auffangen ließen.

Abschnittskorpus, das seinerseits die Neuberechnung des relativen Anteils der einzelnen Hss. an den Absätzen dieses Korpus nötig macht. Das führt zu einer 3. Quantitätsreihe, auf deren Grundlage — mit all den früher gerügten Mängeln — sämtliche Abschnittsgrenzen noch einmal überprüft werden, so daß ein viertes, von dem dritten leicht abweichendes Abschnittskorpus zutage gefördert wird, das trotz seiner komplizierten Geburt an Glaubwürdigkeit nicht gewonnen hat. Die abermalige Berechnung des relativen Anteils der Hss. an diesen Abschnittsgrenzen hat keine Verschiebung innerhalb der Reihenfolge der Hss. mehr zur Folge, und das bedeutet, 'daß bei der Auswahl der originalen Abschnittsgrenzen von Hartmanns 'Iwein' mit dieser Formel' — gemeint ist die 3. Quantitätsreihe — 'das quantitative Maximum an gegenseitiger Übereinstimmung der formkritisch relevanten Leithandschriften erreicht ist' (S. 56/57). Nur zu gern stimmt man LINKES daran anschließender Feststellung zu, daß die 'von ihr bestätigten Absätze' 'deswegen aber noch nicht unbedingten Anspruch auf Echtheit erheben' dürften (S. 57).

Angesichts der methodischen Verfahrenheit der bisherigen Untersuchung wird jedoch niemand mehr erwarten, daß dieser Feststellung eine wirkliche Korrektur des bis jetzt höchst bedenklichen Verfahrens folgen könnte. Immerhin wird ein Gesichtspunkt mit einbezogen, der eine sachgerechtere Bewertung der Hss. zu fördern imstande wäre. Der Wert der Hss. war bisher nach ihrem relativen Anteil an den ermittelten Abschnittsgrenzen bemessen worden. Dabei erhalten z. B. abschnittsarme Hss. einen sehr hohen Wert, sofern die überwiegende Mehrheit ihrer Absätze zu dem Korpus der vorläufig echten stimmt. Wo solche Hss. gegen die Aufnahme einer Abschnittsgrenze votieren, tun sie das bei dem bisherigen Verfahren mit erheblicher Autorität, die ihnen wegen ihres Unterschusses an Abschnittsgrenzen gar nicht zukomme. Daher müsse bei der Wertbestimmung dieser wie natürlich auch der übrigen Hss. auch darauf Rücksicht genommen werden, wie hoch ihr absoluter Anteil an dem Abschnittskorpus sei. Wenn man den relativen wie den absoluten Anteil in Prozenten ausdrücke und den Mittelwert errechne, erhält man nach LINKE den Formwert der Manuskripte. Die daran ausgerichtete Reihenfolge der Hss. führt zu der 2. Qualitätsreihe, die, da sie gegenüber der 3. Quantitätsreihe wiederum einige Unterschiede aufweist, zu erneuter Berechnung aller Abschnittsgrenzen an Hand der der Stellung der Hss. innerhalb der Reihe entsprechenden Zahlenwerte veranlaßt.

Geht man der Frage nach, ob die Berechnung des Formwertes als des Mittels aus relativem und absolutem Anteil korrekt ist, so muß man sie — leider, möchte man sagen — verneinen[23], denn der Notwendigkeit, den absoluten Anteil irgend-

---

[23] Den Beweis dafür erbringt wieder das einfache, aber legitime Verfahren, die Brauchbarkeit von LINKES Mittelwertberechnung an einem extremen Beispiel zu erproben. Eine Hs. A überliefere 10 Absätze, die alle zu einem angenommenen Abschnittskorpus von 100 Absätzen stimmen. Der relative Anteil dieser Hs. daran beträgt 100 %. Da sich der absolute Anteil auf 10 % beläuft, würde diese Hs. mit dem

wie einzukalkulieren, kann man sich nicht verschließen[24]. Entscheidender aber ist, daß man durch Anteilberechnung an einem keineswegs gesicherten Abschnittskorpus nicht zu zuverlässigen Formwerten der Hss. gelangen kann. Daß bei der rechnerischen Ermittlung des fünften Abschnittskorpus auf Grund der 2. Qualitätsreihe die unterschiedlichen Formwertdifferenzen erneut eingeebnet werden — den Hss. A, D, und d z.B. entsprechen die Zahlenwerte 14, 13 und 12 bei den Formwerten 81,4, 80,8 und 76,9 — und daß auch die Verwandtschaftsverhältnisse der Hss. (bis auf die Eliminierung des codex descriptus u) keine Rolle spielen, trägt nicht dazu bei, die Zuverlässigkeit dieses ohnehin nicht vertrauenswürdigen Abschnittskorpus zu erhöhen.

Nach der mit diesem fünften Korpus nötig gewordenen Revision der Skala der Formwerte — des Mittels also aus relativem und absolutem Anteil — ergebe sich die 3. Qualitätsreihe, an der noch einmal die gesamte Überlieferung zu messen sei. Zwar weise das so errechnete sechste Korpus gegenüber seinem Vorgänger leichte Unterschiede auf — Unterschiede, die kaum geeignet sein dürften, die Fragwürdigkeit des ganzen Korpus aufzuheben —, aber die Revision der Wertskala der Hss. verändere ihre Reihenfolge nicht mehr; sie modifiziere ledig-

---

Formwert 55 ausgestattet, mit demselben Formwert, der einer Hs. B zukäme, die 83 Absätze überliefere, von denen 50 mit dem Abschnittskorpus übereinstimmen; denn der relative Anteil von B wäre mit 60 %, der absolute mit 50 % zu veranschlagen, so daß sich der Mittelwert 55 einstellt. Wer aber würde zu sagen wagen, daß die Hs. A mit ihren 10 zwar richtigen, aber 90 fehlenden Absätzen denselben Formwert besitzt wie die Hs. B, die nur die Hälfte der ursprünglichen Abschnittsgrenzen nicht überliefert und bei der auf drei Abschnittsgrenzen zwei richtige kommen? LINKE hat mit der Eliminierung der absatzarmen 'Iwein'-Hs. a aus der 2. Qualitätsreihe wie auch in seinem theoretischen Einleitungskapitel (S. 20/21) zu erkennen gegeben, daß er um die Problematik weiß, er hat es aber versäumt, ihr angemessen zu begegnen. Der von ihm eingeschlagene Weg, sehr stark von den übrigen Zeugen abweichende Hss. nicht zu berücksichtigen, bewahrt nur, wenn er nicht gar neue Unstimmigkeiten verursacht (vgl. oben S. 25), vor den allergröbsten Fehlern, er sorgt aber nicht dafür, daß die übrigen Unstimmigkeiten beseitigt werden, die wegen der unterschiedlichen Zahlen der in den einzelnen Hss. überlieferten Abschnittsgrenzen unvermeidlich sind. Man muß sich diese Unterschiede vor Augen halten — so überliefern z.B. f 115, A 143, B 213 und D 223 Absätze —, um zu ermessen, mit welchen Unsicherheiten LINKES Formwertbestimmung aus relativem und absolutem Anteil verbunden ist.

[24] Es wäre allerdings noch darauf zu verweisen, daß die Berücksichtigung des absoluten Anteils in diesem Stadium der Untersuchung zu spät erfolgt. Schon bei der Berechnung des Anteils an dem ersten Abschnittskorpus hätte auf den absoluten Anteil Rücksicht genommen werden müssen, wenn der an diesem Korpus gemessene Wert der Hss. zuverlässig hätte sein sollen. Dann aber hätte sich die aus diesem Korpus erwachsene Reihe gegenüber LINKES 1. Quantitätsreihe geändert, ein von LINKES zweitem Abschnittskorpus abweichendes Korpus wäre zutage getreten, so daß schließlich infolge aller weiteren unvermeidlichen Veränderungen eine Reihe, die sich mit LINKES 2. Qualitätsreihe deckt, gar nicht — oder nur zufällig — hätte entstehen können. Auf LINKES 2. Qualitätsreihe aber beruhen alle weiteren Arbeitsgänge.

lich einige Formwerte. Als 'vorläufiges Endresultat' habe die 'kombinierte Methode quantitativ-qualitativer Auslese' '189 formkritisch gesicherte Absätze' (S. 59/60) zutage gefördert und die Formwerte der Hss. vorläufig festgelegt. Die weitere Untersuchung habe sich neuer Verfahrensweisen zu bedienen.

In einem neuen Ansatz, der der Heilung von Strukturkorruptelen gewidmet ist, wendet sich LINKE Fällen zu, wo eine nach der 3. Qualitätsreihe nicht qualifizierte Mehrheit von Hss. eine Abschnittsgrenze überliefere, wo aber andere Hss. in unmittelbarer Nähe ebenfalls für einen Absatz plädierten, so daß sich für die Annahme einer Abschnittsgrenze in einem solchen Bereich eine qualifizierte Mehrheit ergebe, nur daß die genaue Stelle erst noch ermittelt werden müsse. In zwei Fällen sei die Überlieferung infolge Schreiberversehens auseinandergegangen, neunmal habe der ursprüngliche Abschnitt mit einem geradzahligen Vers, also Reimbrechung bildend, begonnen, was alle die Schreiber, die die geradzahligen Verse einrückten, veranlaßt habe, andere Verse mit einer Initiale zu versehen — darunter befänden sich vier Fälle, wo eine Redeeinführung einen geradzahligen Vers bilde und wo daher die meisten oder alle Schreiber die Initiale um einen Vers verschoben hätten —, und schließlich hätten, an ebenfalls neun Stellen, inhaltliche Momente zu Divergenzen in der Abschnittsüberlieferung geführt, denen mit inneren Gründen zu begegnen sei.

Das Argument des graphischen Zwanges ist zweifellos einleuchtend, doch wird man sich des Vorgehens Wolframs erinnern und nicht so sicher sein, daß Hartmann eine reimbrechende Redeeinführung unbedingt zur direkten Rede hat schlagen wollen. Über die neun aus inneren Gründen zu entscheidenden Fälle läßt sich diskutieren, was schon allein daraus hervorgeht, daß LINKES Entscheidung in 7 von 9 Fällen mit der der Herausgeber LACHMANN/WOLFF[25] übereinstimmt.

Mit der Heilung der Strukturkorruptelen habe jetzt das Korpus von 189 Abschnittsgrenzen in vier Fällen eine Veränderung und eine Erweiterung um 16 Abschnittsgrenzen erfahren. Mit dem so Erreichten sei die Aufgabe der Formkritik jedoch noch keineswegs gelöst. 'Denn wir kennen nun zwar' — man höre und staune: — 'ganz oder nahezu vollständig die authentischen Abschnittsgrenzen, wissen aber noch nicht, welcher Rang jeder einzelnen von ihnen zukommt' (S. 25). Die einzelnen Abschnittsgrenzen hätten ja durchaus unterschiedliche Bedeutung. 'Was bisher geschaffen wurde, bildet daher nur die Grundlage jener höheren Formkritik, die sich über dieser Basis erst noch erheben soll' (S. 25).

Im Rahmen der höheren Formkritik bemüht sich LINKE zunächst um 'die Erforschung der rein inhaltsbestimmten', von ihm als Werkstruktur bezeichneten 'Gliederung' (S. 25). Allgemeinverbindliche methodische Regeln gebe es dafür nicht, es sei lediglich zu fordern, daß der Bauplan der Werkstruktur 'ausschließ-

---

[25] Hartmann von Aue: Iwein, mit Anmerkungen von G. F. BENECKE und K. LACHMANN, 6., von L. WOLFF durchges. Ausg., Berlin 1962.

lich auf den bisher kritisch gesicherten Abschnittsgrenzen' (S. 27) aufbaue. In der Praxis zeigt es sich aber dann, daß die Ausschließlichkeit dieser Forderung nicht zu halten ist. Linkes auf Grund inhaltlicher Interpretation entstandenes Schema der Werkstruktur des 'Iwein', auf das hier nicht näher eingegangen und bei dem nur daran erinnert wird, daß Linke in seinem die frühere Forschung polemisch abwertenden Einleitungskapitel selbst betont hatte, daß Aufbauschemata, die nur auf der Deutung des Inhalts einer Dichtung basierten, 'in der Regel keinerlei Verbindlichkeit' (S. 13) hätten, dies Schema enthält 29 Abschnittsgrenzen, von denen 23 dem erarbeiteten Abschnittskorpus angehören, während die übrigen sechs zwar handschriftlich bezeugt, aber nicht von einer qualifizierten Mehrheit gemäß der 3. Qualitätsreihe überliefert sind. Die Argumente, mit denen die Aufnahme dieser nur schwach bezeugten Abschnittsgrenzen begründet wird, scheinen plausibel, doch bleibt zu fragen, ob sie nicht vielleicht aus den Gliederungsvorstellungen der Schreiber statt aus denen Hartmanns gespeist sind.

Zu denken gibt die Tatsache, daß 6 von 29, das sind über 20 % der Werkstrukturgrenzen, nicht in dem Maße überliefert sind, daß die Formkritik, letztlich repräsentiert durch die 3. Qualitätsreihe, sie hätte ans Licht bringen können. Wenn aber die 3. Qualitätsreihe nur knapp 80 % der Werkstrukturgrenzen zu sichern vermag, bei denen es sich logischerweise um die deutlichsten Einschnitte handelt und die sich demnach in der Überlieferung als weit widerstandsfähiger erweisen dürften — und es im 'Willehalm' z. B. auch tun — als die große Masse der unauffälligeren Binnenstrukturgrenzen, dann kann man daraus doch nur schließen, daß weit mehr als 20 % der Binnenstrukturgrenzen in dem auf der Grundlage der 3. Qualitätsreihe gewonnenen Abschnittskorpus nicht enthalten bzw. falsch plaziert sind. Eine so beträchtliche Korrektur dieses Korpus hätte erhebliche Veränderungen in der zu revidierenden Qualitätsreihe zur Folge, die ihrerseits eine Neuberechnung der Abschnittsgrenzen notwendig machen und ein von Linkes Korpus deutlich unterschiedenes erwarten lassen würde.

Als zweite der höheren Formkritik gestellte Aufgabe betrachtet Linke die Erarbeitung der Vortragsgliederung. Dazu sei hier nur so viel gesagt, daß dem Forscher wie dem mittelalterlichen Rezitator für das Auffinden der Erzähleinsätze die aus ihrer spezifischen Aufgabe erwachsenen Kriterien an die Hand gegeben seien. Von dem Forscher sei wiederum zu verlangen, daß er die Erzähleinsätze aus dem Korpus der gesicherten Abschnittsgrenzen auswähle.

In seine Schemata der Vortragsgliederungen hat Linke jeweils auch die große Masse der binnengliedernden Strukturgrenzen aufgenommen. Das Schema der Vortragsgliederung des 'Iwein' enthält demnach das mit Hilfe der 3. Qualitätsreihe errechnete, aber durch die Heilung der Korruptelen modifizierte und insbesondere vermehrte Abschnittskorpus, weiterhin jedoch 16 Absätze, deren handschriftliche Bezeugung allein nicht stark genug gewesen sei, 'um sie vor dem Maßstab der 3. Qualitäts-Reihe bestehen zu lassen' (S. 77). Ihre Ursprünglichkeit ergebe sich daraus, daß sie nicht zusammengehörende Inhalte voneinander trennen. Mit einer Ausnahme tauchten sie alle 'nur im Bereich der untergliedernden Binnenstrukturen' (S. 77) auf. Von den 10 Erzähleinsätzen, die LINKE im 'Iwein' aufgedeckt hat und die als die eigentliche Vortragsgliederung zu werten sind, wäre demnach nur einer schwach bezeugt.

Nachdem LINKE ausführlich auf das Verhältnis von Werkstruktur und Vortragsgliederung eingegangen ist, kehrt er noch einmal zur Formkritik des 'Iwein' zurück, um die Hss. und die Überlieferungslage abschließend zu würdigen. Die Aufnahme der aus inhaltlichen Gründen gegen das Votum der 3. Qualitätsreihe für ursprünglich erklärten Abschnittsgrenzen verändere nämlich den relativen und absoluten Anteil einer Hs. an den formkritisch vertretbaren Abschnittsgrenzen und damit auch ihren Formwert. Es werde daher nötig, ihn neu zu berechnen. Für die abschließende Feststellung des Wertes der Hss. genüge aber auch dieser neu errechnete Formwert nicht, denn er bringe nur zum Ausdruck, wie viele, nicht aber, was für formkritisch verwendbare Abschnittsgrenzen die jeweilige Hs. überliefere. Zwei Faktoren seien daher mit zu berücksichtigen: einmal, bis zu welchem Grade die 29 Absätze der Werkstruktur, zum anderen, bis zu welchem Grade die 10 Erzähleinsätze der Vortragsgliederung in den einzelnen Hss. überliefert seien. Nachdem man unter jedem der drei Gesichtspunkte (Formwert, Bewahrung der Werkstrukturgrenzen, Erhaltung der Erzähleinsätze) eine Reihenfolge aller Hss. aufgestellt und in jeder Reihe die einzelnen Manuskripte durch Zahlen entsprechend ihrer Stellung innerhalb der Reihe gekennzeichnet habe, erhalte man durch Addition der drei Stellenwerte einer Hs. die Zahl, die ihre Bedeutung für die Formkritik ausdrücke. Im Falle der 'Iwein'-Hss. ergäben sich aus den drei Reihen

I. Formwert:	B	D	A	d	c	(u)	b	r	z	E	l	J	f	p	a
	15	14	13	12	11	10	9	8	7	6	5	4	3	2	1

II. Werksruktur:	J	b	D	c	B	d	l	E	A	r	(u)	z	f	a	p
	12	11	10	9	8	7		6	5		4		3	2	1

III. Erzähleinsätze:	E	B	D	(u)	A	J	b	c	d	l	r	z	f	a	p
	6	5			4				3		2			1	

folgende Kritikwerte der einzelnen Hss., deren Ordnung zugleich die 4. Qualitätsreihe begründe:

D	B	b	c	A	d	J	E	r	l	z	f	a	p
29	28	24		22		20	18	16	15	14	8	4	

Diese Zahlen, die der Neuberechnung des Abschnittskorpus zugrundezulegen seien, brächten 'in mathematischer Verschlüsselung, die den störenden Einfluß subjektiver Bewertung' (S. 28) ausschlösse, den Anteil eines Textzeugen an der kritischen Rekonstruktion der Abschnittsgrenzen überhaupt wie auch der Werkstruktur und Vortragsgliederung zum Ausdruck.

An dieser Feststellung LINKES erstaunt zunächst, daß er das subjektive Element aus den Kritikwerten verbannt glaubt. Nun sind aber die Kritikwerte von der Gestalt der Werkstruktur und Vortragsgliederung mitgeprägt, und zumindest bei der Erforschung der Werkstruktur, in gewissem Grade aber auch bei der der Vortragsgliederung, kann man nicht anders als subjektiv — LINKE sagt: 'individuell' (S. 25) — verfahren, so daß die subjektive Bewertung selbstverständlich auch in den Kritikwerten ihren Niederschlag gefunden hat.

Eine Beurteilung der 4. Qualitätsreihe hätte den schon häufig gemachten Einwand zu wiederholen, daß der Formwert der Hss. als einer der den Kritikwert bestimmenden Faktoren unbrauchbar ist, weil er erstens auf ein ungesichertes Abschnittskorpus bezogen, zweitens ohne Berücksichtigung der unterschiedlichen Formwertdifferenzen bestimmt worden und schließlich unter Außerachtlassung der Verwandtschaftsverhältnisse der Hss. zustande gekommen ist. Die unvermeidliche Ungenauigkeit des Formwertes muß sich auch auf die Brauchbarkeit des Kritikwertes negativ auswirken. Darüber hinaus wird dessen Brauchbarkeit noch dadurch in Frage gestellt, daß der Gesamtwert einer Hs. nicht durch einfache Addition ihrer Einzelwerte erfaßt werden kann. Wiederum soll ein konstruiertes Beispiel dazu dienen, das höchst Bedenkliche an LINKES Vorgehen ins Licht zu rücken. Eine Hs. A möge ganze 15 von über 200 Abschnittsgrenzen eines Epos überliefern, doch soll es sich bei diesen Absätzen um die 15 Erzähleinsätze der Vortragsgliederung handeln. Eine andere Hs. B bezeuge gerade diese 15 Erzähleinsätze nicht, sie habe aber die übrigen ca. 200 Abschnittsgrenzen bewahrt. Der Formwert der Hs. A als sicherlich schlechtester Hs. würde 1 betragen, der der Hs. B als vermutlich bester Hs. könnte sich auf 15 belaufen, wenn die Reihe aus 15 Hss. besteht. In der die Bezeugung der Vortragsgliederung zum Ausdruck bringenden Reihe erhielte A den Stellenwert 15, solange nicht mehrere Hss. die gleiche Anzahl von Erzähleinsätzen beglaubigen, und B den Stellenwert 1. Läßt man die aus der Werkstruktur resultierende Reihe der Einfachheit halber einmal beiseite, betrüge der Kritikwert von A wie der von B 16. Bei der Berechnung des Gros der Abschnittsgrenzen, für die die Kritikwerte ermittelt worden sind, käme demnach der Hs. A dasselbe Gewicht wie der Hs. B zu, obwohl es doch offensichtlich ist, daß A für die Bestimmung der großen Masse der Absätze nahezu belanglos, B dagegen von allergrößter Bedeutung ist. — Von diesem Beispiel aus ist leicht zu sehen, worin die Unzulänglichkeit des Verfahrens begründet ist. Die obigen drei Reihen beziehen sich auf verschieden umfangreiche Abschnittsbestände. Sobald das der Fall ist, geht es nicht mehr an, den Wert einer Hs. in der einen Reihe dem entsprechenden Wert einer anderen Hs. in einer anderen Reihe gleichzusetzen — was die Voraussetzung für die Berechtigung des Additionsverfahrens darstellen würde —, und damit entfällt die Möglichkeit, einen der drei Reihenwerte auf die Festlegung der den beiden anderen Reihen zugrunde liegenden Abschnittsgrenzen von Einfluß werden zu lassen.

Führt man sich die geradezu abenteuerliche Entstehungsweise der 4. Qualitäts-reihe vor Augen, wird man mit ehrlicher Verwunderung zur Kenntnis nehmen, daß 'nach der Überprüfung der gesamten Absatz-Überlieferung an Hand der neuen Formel' 'der bisher erarbeitete Bestand formkritisch zu verantwortender Abschnittsgrenzen nahezu völlig erhalten' (S. 93) bleibe. Die geringen Verände-rungen hätten jedoch einige Korrekturen der Formwerte der Hss. zur Folge, die die Erstellung einer neuen Formwertreihe nach sich zögen. Daraus ergebe sich die Notwendigkeit, den Kritikwert der Hss. (als Summe der drei Stellenwerte) neu zu bestimmen, womit gleichzeitig die endgültigen Kritikwerte ermittelt wären. Nach ihrer Ordnung läge die 5. und endgültige Qualitätsreihe vor, end-gültig deshalb, weil die 'nochmalige Kontrolle aller überlieferten Absätze mit dieser Güteformel' (S. 94) keine Veränderung des formkritisch erarbeiteten Be-standes an Abschnittsgrenzen mehr erbrächte.

'Hartmanns 'Iwein' enthält also endgültig insgesamt 226 Abschnittsgrenzen' (S. 95). 'Das Verhältnis der mit Sicherheit wiedererkannten' — weil von 'der nach dem Maßstab der 5. Qualitäts-Reihe bewerteten handschriftlichen Überlie-ferung' gedeckten Abschnittsgrenzen — 'zu den bloß mit — wenn auch hoher — Wahrscheinlichkeit erschlossenen originalen Strukturgrenzen beträgt demnach' 'selbst bei strengster Kritik — wenn nämlich den Emendationen nur Wahrschein-lichkeit, nicht Gewißheit zugestanden wird —' '187 : 39 = 82,7% : 17,3%! Das ist ein Ergebnis, das selbst das schon überraschend gute der wiedergewon-nenen 'Gregorius'-Absätze noch übertrifft! Angesichts eines derartigen Resul-tats wird es unabweisbar, die Abschnittsgliederungen unserer kritischen Ausgaben einer gründlichen Revision zu unterziehen' (S. 95).

Frappierend ist LINKES Zuversicht, mit der er die Originalität des von ihm erarbeiteten, auf Grund vorliegender Nachprüfungen jedoch mit zahllosen Un-sicherheiten behafteten und daher völlig unverbindlichen Abschnittskorpus be-hauptet. Auch sollte ihn das 'gute' Ergebnis, auf das er mit Staunen verweist — nämlich das günstige Verhältnis der nach seiner letzten Formel errechneten Ab-schnittsgrenzen zu den erschlossenen —, gar nicht wundern. Wenn man bestimmte Vorstellungen wie die Annahme, daß disparate Inhalte nicht in einem Abschnitt vereinigt werden dürfen, zum Maßstab für die Bewertung von Hss. macht und bei der Auswahl der Abschnittsgrenzen den diesen Vorstellungen am nächsten kommenden Hss. das meiste Vertrauen schenkt, gelangt man selbstverständlich zu einem den anfänglichen Vorstellungen weitgehend entsprechenden Abschnitts-korpus, das mancherlei Unzulänglichkeiten aufweisen mag, aber gerade solcher Korrekturen nur in geringem Maße bedürfen wird, die — wie bei den meisten der 39 gegen die 'bessere' Überlieferung entschiedenen Fälle — aus eben den Vorstellungen erwachsen, die zu diesem Korpus geführt haben.

Wie mag es nun, so könnte man besorgt fragen, um Linkes Wiedergewinnung der originalen Abschnittsgrenzen des 'Gregorius' bestellt sein, wenn das Ergebnis des 'Gregorius' zwar 'gut', aber immerhin schlechter als das des 'Iwein' sein soll? In der Tat ist die Sorge nicht unbegründet. Doch ist zunächst darzulegen, wie Linke mit den Hss. des 'Gregorius' umgegangen ist. Nach der Registrierung des überlieferten Abschnittsbestandes versucht Linke, die Gliederungsfehler in jeder einzelnen Hs. herauszufinden. Ihre Zahlen werden zu denen der überhaupt in jeder Hs. überlieferten Absätze in Beziehung gesetzt, so daß sich aus den unterschiedlichen Fehlerquoten eine Reihenfolge der vollständigen[26] Hss. nach ihrem formkritischen Wert aufstellen läßt (unter den Hss.-Siglen stehen die Zahlen der in jeder Hs. überlieferten Absätze):

$$A = 4,4\% \qquad K = 8,7\% \qquad E = 10,5\% \qquad B = 10,65\% \qquad I = 26,2\%$$
$$136 \qquad\qquad 275 \qquad\qquad 105 \qquad\qquad 169 \qquad\qquad 126.$$

Eine Nachprüfung der von Linke in den einzelnen Hss. festgestellten Gliederungsfehler ergab, daß der größte Teil dieser Fälle in der Tat als Fehler zu beurteilen sein wird[27]. Nun bemißt sich aber der Wert der Hss. nach diesen festgestellten Gliederungsfehlern, und da wäre, wie schon bei der Ordnung der 'Iwein'-Hss., ein entscheidender Einwand geltend zu machen. Nicht als Fehler gebucht werden alle die Fälle, wo Schreiber die Abschnitte planmäßig und sinnvoll verändert haben. Erneut können also die Hss. stark in die Gliederungsverhältnisse der Vorlagen eingreifender Schreiber auf Grund ihrer nur wenigen offensichtlichen Fehler an die Spitze der Wertskala geraten, während die Manuskripte gedankenloser, die Vorlage bis auf Versehen wiedergebender Schreiber am Ende der Wertskala stehen. Da die oben genannte Reihe bis auf die noch zu behandelnde Umstellung von K bereits die endgültige darstellt, kann die Anwendung der Grundregeln der Formkritik auf diese Wertskala — wonach etwa 'bessere' Hss. vor 'schlechteren' gehen usw. — in einem nicht abschätzbaren Umfang zur Auswahl unursprünglicher Abschnittsgrenzen führen.

Linke selbst war es aufgefallen, daß in allen Hss. des 'Gregorius' mehr oder weniger die Neigung zum Ausdruck komme, Redeeinsätze durch Initialen zu markieren, ohne daß solche Fälle, da ein System dahinter zu stehen scheine, als Fehler hätten veranschlagt werden dürfen. Linke hatte den Verdacht, daß Schreiber hier eine natürlich auch von Hartmann genutzte Möglichkeit, Redeeinsätze mit Abschnittsgrenzen zusammenfallen zu lassen, eigenmächtig übertrieben hätten, und er empfahl eine gewisse Vorsicht, wenn eine oder wenn

---

[26] Linke wendet seine Methode der Formkritik im wesentlichen nur auf vollständige Hss. an — eine u. U. folgenreiche Vernachlässigung. Wenn, wie beim 'Gregorius', Fragmente doch einmal in die Untersuchung einbezogen werden, bleiben sie aus der vorliegenden Darstellung aus Gründen der Einfachheit ausgeschlossen.

[27] Die mehrmals begegnende Abtrennung einer Redeeinführung von der direkten Rede wird man gegen Linke doch wohl nicht grundsätzlich als Gliederungsfehler betrachten dürfen.

mehrere durch eine solche Vorliebe geprägte Hss. an entsprechenden Stellen für Abschnittsgrenzen votieren. Unter der Voraussetzung, daß nicht schon Hartmann eine solche Vorliebe besessen hat — und das wäre erst noch zu beweisen —, wäre dem durchaus zuzustimmen, nur wäre dann grundsätzlich die bei LINKES Bewertung der Hss. nicht einbezogene Möglichkeit zugestanden, daß sich denkende Schreiber über die Gliederungsverhältnisse ihrer Vorlagen hinweggesetzt haben können, ohne dabei Fehler (im Sinne LINKES, nicht im Sinne der Überlieferung) gemacht zu haben.

Die an Hand der Fehlerquoten ermittelte Reihenfolge AKEBI reicht nach LINKE als Grundlage für die Formkritik noch nicht aus. K habe mit 275 Absätzen fast oder mehr als doppelt so viel Abschnittsgrenzen wie die übrigen vollständigen Hss. K könne daher nicht die Autorität für sich beanspruchen, die ihr auf Grund der geringen Fehlerzahl beizumessen wäre. Daher rücke sie hinter B, aber vor die wegen ihrer hohen Fehlerquote zu vernachlässigende Hs. I. Für die Formkritik entscheidend seien demnach AEB, K habe als Bestätigung dieser Texte Gewicht, während I, ohne Einfluß auf die Formkritik auszuüben, nur so mitlaufe.

Woher weiß LINKE, daß das engmaschige Netz von Abschnittsgrenzen, das in K über den 'Gregorius'-Text gelegt ist, nicht der Absicht Hartmanns entspricht? LINKE verzichtet auch bei den 'Gregorius'-Hss. darauf, das fruchtbar zu machen, was wir von den Verwandtschaftsverhältnissen der Hss. wissen, weil sich die Herstellung eines Stemmas als unmöglich erwiesen habe. Wenn man aber keinerlei hilfebringende Hss.-Gruppierungen mehr erkennen zu können glaubt, gewinnt jede Hs. an Bedeutung, und LINKE hätte dann damit rechnen müssen, daß K auch isoliert dem Original näher stehen kann als der Konsens der übrigen Hss.

Schließt man sich aber der Annahme LINKES an, daß der ursprüngliche Abschnittsumfang etwa dem der übrigen Hss. entspricht — nur unter dieser Voraussetzung ist ja die Entwertung von K vertretbar —, dann müßte man von etwa 130 Abschnittsgrenzen ausgehen, und das würde bedeuten, daß über die Hälfte der 275 Absätze in K Fehler wären, so daß K nicht vor, sondern hinter I zu stellen wäre.

Das läßt nun erahnen, wie weit LINKES Wertskala von einer dem wirklichen Wert der Hss. entsprechenden Reihenfolge entfernt ist. E hat 105 Absätze und eine Fehlerquote von 10,5 %, B hat 169 Absätze und eine Fehlerquote von 10,65 %. Nach LINKE besitzen diese beiden Hss. in etwa denselben formkritischen Wert. Wie hoch immer sich die ursprüngliche Zahl der Absätze belaufen mag, die tatsächliche Fehlerquote zumindest einer, wahrscheinlich sogar beider Hss. muß ganz anders aussehen. Hatte der 'Gregorius' ursprünglich etwa 105 Absätze, könnte die Fehlerquote von E stimmen, aber die von B — diese Hs. hätte über 50 Abschnittsgrenzen zuviel! — müßte über 30 % betragen (und die von A über 20 %). Umgekehrt würde bei einer ursprünglichen Abschnittszahl von ca. 170, bei der LINKES Fehlerquote von B das Richtige treffen könnte, die Fehlerquote von E infolge 60 fehlender Absätze bei 60 % liegen müssen (und die von A bei über 20 %). Setzt man etwa 135 ursprüngliche Abschnittsgrenzen an, ergäbe sich für E und B eine Fehlerquote von annähernd 30 % bzw. 20 %. Je nachdem also, welche ursprüngliche Abschnittszahl zugrunde gelegt wird, kommt man, selbst wenn man im Bereich der überlieferten Abschnittszahlen bleibt, zu völlig verschiedenen Fehlerquoten, so daß, da diese Überlegungen auch für die nicht genannten Hss. gelten, nicht einmal der Zufall es einzurichten vermöchte, daß LINKES Fehlerquoten, nach denen sich für ihn der formkritische Wert der Hss. bemißt, den tatsächlichen Fehlerquoten auch nur ungefähr nahe kommen können. Gemessen am ursprünglichen Abschnittsbestand, können allenfalls ein oder zwei von LINKES Fehlerquoten zutreffen und müssen die übrigen weit an der Wahrheit vorbeigehen.

Wenn LINKE jetzt — anders als beim 'Iwein', wo wegen der großen Zahl der Hss. die Wertskala in eine Zahlenreihe umgewandelt und ein höchst fragwürdiges Rechenverfahren eingeführt wurde — die Grundregeln der Formkritik auf die 'Gregorius'-Hss. anwendet und daraus die Prinzipien der Formkritik herleitet, wird man diesen Prinzipien nicht nur deshalb, weil die Verwandtschaftsbeziehungen der Hss. wiederum überhaupt keine Rolle dabei spielen, von vornherein mit allergrößtem Mißtrauen begegnen. Denn wenn LINKES Wertskala in jedem Falle ins Wanken gerät, von welcher ursprünglichen Abschnittszahl auch immer man ausgeht — bei einer niedrigen Abschnittszahl muß E besser als A und muß I besser als B sein; ist, wie LINKE annimmt, K besser als I, muß sie auch besser als A und E sein usw. —, sieht man sich nicht in der Lage, LINKES Anweisungen, daß z.B. AEB vor KI oder AE vor B oder AB vor E den Vorzug verdienten, oder daß, wenn eine Entscheidung zwischen AE und BKI oder zwischen A(K) und EB(I) zu treffen sei, zusätzlich innere Gründe vonnöten seien, irgendeine Verbindlichkeit zuzugestehen. Die tatsächliche Wertskala muß ein anderes Gesicht haben, und dementsprechend haben auch die Prinzipien der Formkritik anders zu lauten.

LINKE aber stellt fest: 'Nach der Anwendung der oben geregelten Methode kritischen Vergleichens und Aussonderns bleiben 137 Abschnittsgrenzen übrig, die mit der zur Zeit zu erreichenden größtmöglichen Sicherheit für authentisch gelten dürfen' (S. 34). Es braucht kein Zufall zu sein, daß LINKES Verfahren eine Abschnittszahl hervorgebracht hat, die der von A (136) recht nahe kommt: Als beste Hs., als welche A bei LINKE gewertet wird, setzt sie sich am häufigsten durch. Im Gegensatz zu LINKE kann man es auch gar nicht erstaunlich finden und darin erst recht nicht eine Bestätigung für die Brauchbarkeit des Verfahrens sehen, daß es nur in 6 Fällen, d.h. bei 4,4 % der 'kritisch rekonstruierten Abschnittsgrenzen' (S. 34), nötig gewesen sei, von den Prinzipien der Formkritik abzuweichen und gegen schwächere handschriftliche Bezeugung Absätze zu postulieren. Man muß sich nur erinnern, daß die beste und damit ausschlaggebende

Hs. A lediglich 7 (= 4,4%) deutliche Fehler aufweist. Es ist augenfällig, wie stark A das ausgewählte Abschnittskorpus geprägt hat[28]. Das verdankt diese Hs. ihrem denkenden Schreiber, der sich kaum offenkundige Fehler hat zuschulden kommen lassen. Hätte er das in größerem Maße getan, hätte eine andere Hs. das Korpus entscheidend beeinflußt. Wer aber will sagen, was so erarbeitete Abschnittsbestände mit der ursprünglichen 'Gregorius'-Gliederung, sofern es sie gegeben hat, gemein haben?

Für Formkritik, um deren Nachprüfung es hier allein geht, ist bei der Behandlung des 'Erec' wenig Platz. LINKE will zwar 'auf die überlieferte Absatzgliederung Rücksicht nehmen' (S. 107), er räumt aber ein, daß inhaltliche Gesichtspunkte und der Vergleich mit der afrz. Vorlage 'hier eine Bedeutung' gewännen (S. 107), die ihnen in den bisherigen Untersuchungen nicht zugekommen sei. Ein solches Vorgehen, der Gliederung der einzigen Hs., wo es angeht, zu folgen und sich nur dort gegen die Hs. zu entscheiden, wo innere Gründe es nahelegen, ist durchaus gutzuheißen, nur darf damit nicht der Anspruch verbunden werden, daß dies Verfahren dem Formkritiker die originale Gliederung mit einiger Sicherheit zu erschließen erlaube. Es ist nicht das erste Mal, daß LINKE die Tragfähigkeit seines methodischen Ansatzes überschätzt. Denn obwohl er — nachdem der Vergleich mit dem afrz. 'Erec' nur der Großgliederung (Werkstruktur und Vortragsgliederung) zugute gekommen war — eingesehen hat, daß 'jegliche Möglichkeit, die Binnengliederung der Fitten ... sicher zu rekonstruieren' (S. 116) fehle, so daß er sich notgedrungen dazu entschließen mußte, 'sich so eng wie irgend möglich an die überlieferte Abschnittseinteilung anzuschließen' (S. 116), kann er doch nicht umhin, seinen Wiederherstellungsversuch als einen Fortschritt gegenüber dem bisherigen Vorgehen in den Ausgaben des 'Erec' zu bezeichnen, der in der 'erheblich gesteigerten Überlieferungsnähe' (S. 126) bestehe. Diese Überlieferungsnähe, die darin ihren Ausdruck finde, daß LINKE 248 von 279 (= 88,9%) Abschnittsgrenzen der Hs. beibehalten und insgesamt nur 306 Absätze gefordert habe, von denen also 81% durch die Hs. gedeckt seien, diese Überlieferungsnähe ist doch nur e i n e Möglichkeit des Vorgehens in einer so ausweglosen Situation, und sie wird ja gar nicht einmal die sein, die eine dem Original auch nur mit einiger Wahrscheinlichkeit entsprechende Gliederung hervorzubringen vermag. Denn von den 15 Absätzen der Werkstruktur hat A nur 8 (= 53,3%) und von den 16 Erzähleinsätzen nur 10 (= 62,5%) überliefert. Wenn LINKE die schlechte Überlieferung der Erzähleinsätze zwar mit dem geringen Alter der Hs. erklären zu können glaubt — die Funktion der Erzähleinsätze habe man nach 300 Jahren nicht mehr erkannt —, so gibt doch zu denken, daß nahezu die Hälfte der Werkstruktur- und Vortragsgrenzen auf dem Überlieferungswege verlorengegangen sind. Hat aber A sogar diese wichtigen Abschnitts-

---

[28] Es ist allerdings nicht so, daß die Gliederung von A bis auf die 7 Gliederungsfehler vollständig in die von LINKE rekonstruierte Abschnittsgliederung eingegangen wäre.

grenzen nur zur guten Hälfte überliefert, wie viele der unbedeutenden ursprünglichen Binnenstrukturgrenzen wird man dann vergebens in A suchen, und welchen Fortschritt kann es dann bedeuten, sich möglichst eng an diese Hs. angeschlossen zu haben?

Dieselbe Kritik ist auch an LINKES Auswertung der Überlieferung des 'Armen Heinrich' angebracht. Drei vollständige Hss., A, Ba und Bb, überliefern das Werk, wobei Bb als Abschrift von Ba gilt. A hat 45 Absätze bei 18 (= 40,0 %) Gliederungsfehlern, die Zahl der Absätze in Ba beträgt 23, in Bb 21 und die ihrer Gliederungsfehler 14 (= 60,9 %) bzw. 13 (= 61,9 %). Angesichts des deutlichen Vorsprungs, den A vor Ba habe, bleibe nichts anderes übrig, als sich an die Hs. A zu halten, solange nicht schwerwiegende Gründe dagegen sprächen. Nur einen der 45 Absätze von A brauche man gänzlich zu verwerfen (1083), vier weitere ließen sich durch leichte Verschiebung emendieren (593. 903. 1279. 1435), weil sie aus graphischem Zwang oder versehentlich falsch gesetzt worden seien, während die restlichen 40 Absätze ohne weiteres übernommen werden könnten, nur müsse man zusätzlich weitere 15 Abschnittsgrenzen einschalten, von denen 5 durch Ba(Bb) bestätigt würden. Mit einem Korpus von 59 Abschnittsgrenzen, von denen nur 10 erschlossen seien, sei gegenüber den kritischen Ausgaben eine stärkere Annäherung an die Überlieferung erreicht, und darin sieht LINKE auch 'eine stärkere Annäherung an das verlorene Original' (S. 130).

Es ist doch deutlich, daß alle Hss. eine weitmaschigere Gliederung bezeugen, als LINKE sie Hartmann zuerkennen möchte. Ob LINKE damit Recht hat, ist vorerst nicht ausgemacht. Schließt man sich LINKE einmal an, bliebe festzustellen, daß A 15 von 59 Absätzen (= 25 %) glatt übergangen hätte, und das sieht nicht so sehr nach Versehen als vielmehr nach Absicht aus. Ist es aber dann wahrscheinlich, daß — die versehentlich oder unter Zwang verschobenen Abschnittsgrenzen mit eingerechnet — 44 von 45 Absätzen der Hs. A der Gliederung des Originals entsprechen, wie LINKE annehmen möchte? Oder hat es nicht größere Wahrscheinlichkeit für sich, daß sich die Eingriffe des Schreibers oder der Schreiber auch auf die überlieferten Abschnittsgrenzen erstrecken, so daß man sie gerade nicht alle übernehmen dürfte? Gegen den Grundsatz, sich eng an die Hs. A anzulehnen, wird man nichts einwenden, nur wäre es verfehlt zu glauben, daß er ein dem Original annähernd entsprechendes Ergebnis garantiere.

Überblickt man abschließend LINKES Methode der Formkritik in ihrer Anwendung auf die Werke Hartmanns und vergegenwärtigt man sich die Vielzahl und das Gewicht der grundsätzlichen und speziellen Einwände, die zu erheben waren, wird man LINKE nicht bescheinigen können, daß er das selbst gesteckte Ziel erreicht habe. Noch ist die deutsche Philologie des Mittelalters nicht im Besitze einer brauchbaren Methode der Formkritik. LINKES Rückgriff auf die Strukturüberlieferung, die aber nicht nur S t r u k t u r überlieferung zu sein braucht, ist zweifellos zu begrüßen, und er hat auch eine Reihe guter Einzelbeobachtungen ermöglicht. Jedoch wird es noch vieler Anstrengungen und ins-

besondere der Berücksichtigung der Überlieferung anderer Werke bedürfen, wenn
die — und da ist LINKE Recht zu geben — notwendige Aufgabe der Entwicklung
einer Methode der Formkritik einer brauchbaren Lösung entgegengeführt werden
soll.

LINKE beurteilt das bisher Erreichte freilich anders. Für ihn hat sich der Rückgriff auf die Strukturüberlieferung u. a. deshalb gelohnt, weil er 'die Anfänge
einer strukturkritischen Methode', 'die auf mittelalterliche Dichtungen anwendbar ist', 'hervorgerufen' und 'damit die Bestimmung und Sicherung eines Grund-
bestandes ursprünglicher Abschnittsgrenzen in Hartmanns Erzählungen nach
Maßstäben ermöglicht' habe, 'die so weitgehend objektiv sind, wie das die besonderen Umstände der Texttradierung eben' erlaubten (S. 152). Ohne auch nur den
Anflug eines Zweifels spricht LINKE von dem 'Corpus so wiedergewonnener
originaler Abschnittsgrenzen' (S. 152) oder von der gelungenen 'Wiederherstellung' der 'auf Hartmann selbst zurückgehenden Abschnittsgliederung, deren
Authentizität dadurch überraschend weitgehend beweisbar' sei, 'daß sie sich in
unerwartet großem Umfang aus der Anwendung der strukturkritischen Grundsätze von selbst' ergebe (S. 153), und geradezu überwältigt scheint LINKE von
der Bedeutung seiner Ergebnisse, wenn er bekennt, daß 'Strukturkritik und
Strukturanalyse' 'reichere Frucht getragen' hätten, als er 'je zu hoffen gewagt'
habe (S. 152). Seine der Formkritik gewidmeten Kapitel geben jedoch zu solch
optimistischer Beurteilung keinen Anlaß.

DER HÖFISCHE DICHTER ALS ÜBERSETZER

von

CARL LOFMARK (Lampeter)

Die Werke der mittelhochdeutschen erzählenden Literatur werden gewöhnlich nicht als Übersetzungen, sondern als Dichtungen betrachtet. Unsere wissenschaftlichen Bemühungen zielen deshalb vor allem auf die Erfassung der dichterischen Eigenart des höfischen Erzählers. Wir wissen, daß er nach einer Quelle arbeitete, aber Quellenhörigkeit paßt nicht zu unserer Vorstellung vom Dichter, und unsere Quellenvergleiche suchen daher in erster Linie die Unterschiede gegenüber der Vorlage, damit das Eigene des deutschen Dichters sichtbar werden kann. Erst wo er selbständig ist, wird uns der Dichter interessant; darum möchte man ihn nicht als Übersetzer seiner Quelle betrachten, sondern höchstens als deren Bearbeiter, der über dem Stoff steht und in dessen Umgestaltung etwas Neues und Eigenes schafft. Wir haben heutzutage ein starkes Gefühl für dichterisches Privateigentum: wer das Werk eines anderen benützt, ohne es derart umzuformen, daß es Persönliches ausdrückt, heißt ein Plagiator, weil gerade das Eigene am Dichter uns wichtig ist. Es kann uns also nur befremden, wenn selbst Wolfram, dessen Originalität wir loben, Eide anbietet, daß er seine ganze Geschichte von einem andern übernommen habe ('Parz'. 15,10 ff.): wir nennen ihn dann lieber einen Lügner als einen Übersetzer aus dem Französischen, aber sein Lügen scheint uns unzweckmäßig. Denn wir erwarten vom Dichter, daß er Dinge erfindet, die nicht wirklich geschehen sind, während das Plagiat ihm strengstens verboten ist; in höfischer Zeit galt jedoch gerade das Umgekehrte: man erwartete, daß der Erzähler seinen Stoff dem Werk eines anderen entnahm, aber er durfte keine Lügengeschichten erfinden.

Die höfischen Dichter selbst vertreten eine Haltung, die derjenigen unserer Zeit fast entgegengesetzt ist. Wenn sie von ihrer Arbeit oder von der Arbeit ihrer Kollegen sprechen, rühmen sie wohl Sprache und Verskunst, aber sie sagen nichts von einer schöpferischen Neugestaltung des Stoffes, und sie nennen immer wieder als ihre eigentliche Aufgabe das treue Übersetzen der Vorlage, bei dem nichts Bedeutendes ausgelassen und nichts Eigenes eingefügt wird. Schon der Pfaffe Lamprecht, wohl der erste von ihnen, beabsichtigt ganz einfach, das Gedicht des Alberic ins Deutsche zu übersetzen:

> AL 16 *Er hetez in walhisken getihtet.*
> *Nû sol ich es iuh in dûtisken berihten.*

Ähnlich der Pfaffe Konrad, der seine Quelle zuerst ins Lateinische übertragen hatte:

RL 9080 *Alsô iz an dem bûche geschriben stât*
in franczisker zungen,
sô hân ich iz in die latîne bedwungin,
danne in di tûtiske gekêret.
ich nehan der niht an gemêret.
9085 *ich nehan der niht uberhaben.*

9032 *. . . daz man iz vur brâhte*
in tûtiske zungin bekêret.

Veldeke beschreibt seine poetische Aufgabe als *ût den welsche kêren, in dûtschen berihten* u. ä.[1], und Hartmann benützt ähnliche Ausdrücke:

Greg. 171 *der dise rede berihte,*
in tiusche getihte,
daz was von Ouwe Hartman.

A. H. 16 *nû beginnet er iu diuten*
ein rede, die er geschriben vant.

Wolfram versteht sich als Übersetzer seines Kyot, und am Schluß jener Quelle darf er nichts Eigenes hinzufügen:

Pz. 416,28 *swaz er en franzoys dâ von gesprach,*
bin ich niht der witze laz,
daz sage ich tiuschen vürbaz.

827,12 *niht mêr dâ von nû sprechen wil*
ich Wolfram von Eschenbach,
wan als dort der meister sprach.

Der Dichter sollte übersetzen; darum besteht Wolfram darauf, daß er übersetzt, obwohl wir es ihm schwerlich glauben. Nicht weniger verdächtig ist Heinrich von Freiberg, der am Ende seines Werkes etwas ungeschickt vortäuschen möchte, er habe die wahre Tristangeschichte des Thomas übersetzt, und zwar aus dem ursprünglichen Lombardischen:

Tr. 6842 *als Thômas von Britania sprach*
von den zwein süezen jungen
in lampartischer zungen,
alsô hân ich die wârheit
in diutsche von in zwein geseit.

---

[1] Mehrfach in den Epilogen der 'Eneide' und des 'Servatius', vgl. 'Servatius' 178 ff.: *dat ich sente Servases leven   also mute duden   den ungelerden luden   alse't gode wale geteme.*

Konrad von Würzburg ist keineswegs geneigt, sein Dichtertum zu unterschätzen, bezeichnet sich aber wiederholt als Übersetzer aus dem Lateinischen:

Engelh. 6492   *von Wirzeburc ich Kuonrat*
hân ez von latîne
ze tiuscher worte schîne
geleitet und gerihtet.

Silv. 85   *daz ich diz buoch verrihte*
und ez in tiusch getihte
bringe von latîne

Alex. 18   *sô daz sîn leben ûz genomen,*
daz in latîne stât geschriben,
werde in tiusch von mir getriben

1390   *daz ich von latîne hân*
diz mære in tiusch gerihtet.

Otte 751   *in rîme hât gerihtet*
unde in tiusch getihtet
von latîne.

HvKempten 755   *dirre kurzen rede werc,*
daz ich dur den von Tiersberc
in rîme hân gerihtet
unde in tiusch getihtet
von latîne, als er mich bat.

Pant. 2144   *mit sîner miete lône*
brâht er si von latîne
ze tiuscher worte schîne,
dar umbe daz die liute
vernæmen dran ze diute
daz er kan trûren stœren.

---

 [2] Der Pleier: *disiu vremde mære   hât der Pleiære   von der wälsche an die tiutsche brâht* ('Tandareis' 18304 ff.); Ulrich von Türheim (über Wolfram): *ôwê   daz er uns niht des buoches mê   in tiutsche hât gesprochen* (MSH IV, 206b); Konrad Fleck: *ez hât Ruopreht von Orlent   getihtet in welschen   mit rîmen âne velschen   des ich in tiuschen willen hân* ('Floire' 142 ff., vgl. 7971—7); Johann von Würzburg: *mannen unde wîben   die êren walten, den ichs hân   getütschet* ('Wilhelm von Österreich' 19566 ff.); Rudolf von Ems: *der hiez mich durch den willen sîn   ditz mære in tiutsch berihten* ('Guter Gerhard' 6836 ff.); Reinbot: *und sprâchen zuo mir 'Reinbot,   du solt ein buoch tihten,   in tiutsche sprâche rihten* ('Georg' 20 ff.), vgl. (über Wolfram): *von Dürngen lantgrâf Herman   in franzoys geschriben vant   daz er in tiutsche tet bekant   von Wilhalm von Narribôn* (ebda. 34 ff.); Eilhart, 'Tristrant' 9522 f.; Herbort, 'Liet von Troie' 47—70; Ulrich von Zatzikhoven, 'Lanzelet' 9321 ff. Ähnlich geben sich viele mittelenglische Dichter als Übersetzer aus (Beispiele bei F. AMOS, Early Theories of Translation, New York 1920); altfranzösische Dichter sehen sich als Übersetzer aus dem Lateinischen, Beispiele unten S. 58 Anm. 41.

Ganz einfach als Übersetzer stellen sich noch viele andere Dichter vor[2], und wenn Thomasin sie alle loben will, lobt er sie als Übersetzer:

> W. G. 1135 *dâ von ich den danken wil,*
> *die uns der âventiure vil*
> *in tiusche zungen hânt verkêrt.*
> *guot âventiure zuht mêrt.*

Den Dichtern scheint es selbstverständlich, daß ihre Aufgabe vor allem im Übersetzen besteht; das geht besonders aus jenen Stellen hervor, wo der Dichter eine Quelle vortäuscht[3], denn eine solche Fiktion hat erst einen Sinn, wenn Gönner und Publikum treues Übersetzen erwarten. Deshalb scheint es zunächst verwunderlich, daß die Forschung ihre Haltung wenig beachtet, ihre Werke niemals als Übersetzungsarbeiten gewürdigt, sondern eine selbständige Eigenart an ihnen gesucht hat, die den Dichtern selbst anscheinend nicht wichtig war. Wir laufen Gefahr, im Geist der Zeiten nur unseren eigenen Geist zu entdecken, wenn wir die Werke der mittelhochdeutschen Meister nach einem Kunstideal zu werten und zu deuten versuchen, das zu unserer Zeit gehört; zum Beurteilen der höfischen Literatur eignen sich besser die Vorstellungen und Werte, die jene Dichter anzustreben gewohnt waren. Demnach müssen wir ihre Aussage ernst nehmen, daß sie den Inhalt ihrer Vorlagen nicht wesentlich umgestalten, sondern getreu in die Form eines neuen Kunstwerks umgießen wollten.

Wollen wir die Dichter recht verstehen, so muß auch unser Begriff vom Übersetzen derjenige ihrer Zeit sein, und nicht der moderne. Übersetzen bedeutet heutzutage die genaue Wiedergabe des ganzen Textes: man darf nichts einschieben, muß jede Einzelheit bewahren und den Sinn präzise treffen. So etwas hätte der mittelalterliche Gönner unmöglich erwarten können, besonders da die Arbeit in Reimpaaren geliefert wurde und vor allem unterhalten sollte. Der Übersetzer war noch nicht zum Sklaven seiner Vorlage geworden, wie wir ihn heute kennen; der übersetzende Dichter fühlt sich seinem Vorgänger durchaus gleichwertig, und seine Fachausdrücke *diuten, ze diute sagen, ze diutsche kêren* lassen ihm mehr Spielraum für eigene Kunst als das moderne 'übersetzen'; ebenso das mittelenglische und altfranzösische *translate, translation,* das sogar das Nacherzählen der Versromane bezeichnet und noch in Werken Chaucers begegnet[4]. Wolframs Worte *ein mære wil i'u niuwen* versprechen eher eine Nacherzählung als eine Übersetzung im modernen Sinne. FRIEDRICH PANZER hat zeigen können, daß

---

[3] Beispiele bei F. WILHELM, Über fabulistische Quellenangaben, PBB 33 (1908) 286 bis 339.

[4] Vgl. H. CHAYTOR, From Script to Print, Cambridge 1950², S. 88 f. U. MÖLK, Französische Literarästhetik des 12. und 13. Jahrhunderts, Tübingen 1969, gibt viele Beispiele (z. B. S. 75: *Et Beneois de Sainte Moire De Troies translata l'estoire,* u. ä.); neben *translater* auch häufig *de latin en romanz traire.* Wace zitiert aus Geoffrey of Monmouth nur das Verläßliche und benützt andere Quellen, sagt jedoch *meistre Guaces l'a translaté* ('Brut' 7).

sogar das Zitat im Mittelalter den Urtext nicht genau wiedergeben mußte[5], und jedermann kennt die Freiheit des Abschreibers, der beim Kopieren einer Handschrift eine andere Mundart benützt und allerlei Kleinigkeiten auf eigene Faust verbessert. Wenn Wolfram die Rumolt-Episode aus dem Nibelungenlied zitiert, darf er den *küchenmeister* als einen *koch* bezeichnen und anschauliche Details hinzudichten; und die wundertätige Frage, die das Leid des Anfortas heilen kann, heißt zunächst *hêrre, wie stêt iwer nôt?* ('Parz'. 484,27), aber im XVI. Buch *œheim, waz wirret dir?* (795,29). Man war in schriftlichen Angelegenheiten nicht so pedantisch wie heute, und eine Kopie mußte im Wesentlichen, doch nicht auch in allen Einzelheiten stimmen. Die deutsche Volkssprache besaß noch nicht einmal Wörter, die genaue Entsprechung deutlich von bloßer Ähnlichkeit zu unterscheiden erlaubt hätten: für beide Vorstellungen diente *gelîch,* und es mag bedeutsam erscheinen, daß die klare Abgrenzung von 'gleich' und 'ähnlich' auf Kepler zurückgeführt wird[6], dessen mathematische Physik den Weg für Newton und unsere Welt der Technik bereitete. Beim höfischen Dichter, der für neue Hörer eine alte Geschichte übersetzt, können wir unmöglich eine Genauigkeitsnorm voraussetzen, die aus der Sphäre der Universität stammt und in unserer mathematisch berechnenden und schriftgewohnten Welt zu Hause ist.

Freiheit für den Übersetzer gewährte auch die Regel, daß er den Sinn der Vorlage übersetzte, nicht die Worte. Es gab zwar im Mittelalter ein streng wörtliches Übersetzen, und wir kennen im Althochdeutschen Meisterstücke der Pedanterie wie den deutschen Text der Murbacher Hymnen oder im St. Galler Paternoster die Wendung *chumftig ist* für *venturus est.* Das entspricht einer geistlichen Übersetzungstradition, die auf die Kirchenväter zurückgeht und besonders in der Geschichte der Bibelübersetzung eine große Rolle gespielt hat[7]. Der Bibelübersetzer mußte, da er seit Origenes an die Vieldeutigkeit der heiligen Vorlage glaubte und jedes Wort, sowie auch dessen Stellung im Text, als aus göttlicher Inspiration eingegeben betrachtete, ihm verborgene, doch gottgewollte Bedeutungen bewahren, seinen geistlichen Sinn, den er selbst vielleicht mißverstanden oder nicht beachtet hatte. Darum empfiehlt Augustinus nachdrücklich das wörtliche Übersetzen, das zwar Stil und Ausdruck verderben, aber dem heiligen Sinn nichts anhaben kann[8]; er nennt als einzige Ausnahme den Fall, daß auch der Übersetzer vom heiligen Geist inspiriert ist, wie es die Verfasser der Septuaginta

---

[5] F. PANZER, Vom mittelalterlichen Zitieren, Sitzungsberichte der Heidelberger Akad. der Wiss., phil.-hist. Klasse, 1950.

[6] PANZER, a. a. O.; F. KLUGE/W. MITZKA, Etymologisches Wörterbuch der deutschen Sprache, unter 'ähnlich'; vgl. O. HÖFLER, Festschrift Kralik, Horn 1954, S. 39 f.

[7] W. SCHWARZ, Principles and Problems of Biblical Translation, Cambridge 1955, s. bes. S. 42 f. mit dem Hinweis auf Origenes, 'Ep. ad Afric.' 2: δουλεύων τῇ Ἑβραϊκῇ λέξει, und dessen Bedeutung für die Übersetzungstheorie bei Hieronymus und Augustinus.

[8] SCHWARZ, ebda.; Augustinus, 'De Doctr. Christ.' II, 19—20 und III, 2—3.

waren[9]. Aber schon Hieronymus, der streng philologisch auf das hebräische Original zurückgreift und sich allmählich überzeugt, daß die Septuaginta keine inspirierte Übersetzung ist, vertritt zugleich ein ganz anderes Prinzip, nach welchem der Übersetzer allein auf den Sinn zu achten habe und für dessen Ausdruck eigene Worte im eigenen Stil frei wählt[10]. Hieronymus beruft sich auf eine Stelle bei Horaz, die als Stütze freier Übersetzung immer wieder zitiert wird[11], und auf Cicero, der die griechischen Redner *ut orator* und nicht *ut interpres* übersetzt[12]. Auch der Evangelist Markus habe das freie Übersetzen vertreten, wenn er *talata cumi* ('Mädchen, stehe auf') als 'Mädchen, ich sage dir, stehe auf' wiedergibt[13], und die Verfasser der Septuaginta seien bei der Übersetzung ihrer hebräischen Vorlage sehr frei im Streichen oder Einschieben eigener Worte gewesen, wenn sie dadurch den Sinn besser verständlich machen konnten. Die Ausdrucksweisen verschiedener Sprachen seien verschieden; darum gebe der Übersetzer den Sinn der Vorlage wieder und nicht die Worte, die die andere Sprache brauchte, um jenen Sinn auszudrücken. Mit dieser Haltung vermittelt Hieronymus aus der Antike ein literarisches Übersetzungsideal, das im ganzen Mittelalter nachwirkte und ebenso deutlich in den Homilien Aelfrics[14] und in der Boethius-Übersetzung König Alfreds[15] wie in Luthers 'Sendbrief vom Dolmetschen' begegnet. Obwohl Hieronymus selbst inkonsequent ist, manchmal wörtliches und manchmal freies Übersetzen empfiehlt[16], gilt er im ganzen Mittelalter als Auto-

---

9 SCHWARZ, ebda.; Augustinus, 'De Civ. Dei' XVIII, 42—43. Die Bitte um Beistand des heiligen Geistes, die in den Anfangsversen der ahd. und frühmhd. geistlichen Dichtungen immer wieder vorkommt, zeugt noch von dieser augustinischen Vorstellung, daß die bei nichtwörtlicher Übersetzung notwendig eintretende Textverderbnis allein durch Inspiration zu überwinden sei.

10 SCHWARZ, Principles, S. 34; Hieronymus, 'Ep.' 57, MIGNE PL XXII, col. 571 f.

11 'Ars Poetica' 133 f.: *non verbum verbo curabis reddere fidus interpres.*

12 'Libellus de optimo genere oratorum' 5, 14.

13 Hieronymus, 'Ep.' 57; Markus 5, 41.

14 Hom. 1,1 (Vorrede): *nec ubique transtulimus verbum ex verbo, sed sensum ex sensu.*

15 Proem 1 ff. Wie Aelfric möchte auch Alfred dem Widerspruchsvollen in den Aussagen des Hieronymus gerecht sein: *hwilum he sette word be word, hwilum andgit of andgit, swa swa he hit þa sweotolost ond andgitfullicast gereccan mihte.* Vgl. im 13. Jahrhundert Jean d'Antioche beim Übersetzen der 'Rhetorica' Ciceros: *il convint... de translater aucune fois parole par parole, et aucune fois et plus sovent sentence por sentence et aucune fois... sozjoindre et acreistre* (u. ä., s. MÖLK, Literarästhetik, S. 106).

16 Siehe SCHWARZ, Principles, S. 34 ff. In manchen Prologen zur Bibelübersetzung und in seiner Praxis unterscheidet er nicht zwischen weltlicher Literatur und Bibelwort, aber manchmal empfiehlt er bei der Bibelübersetzung das wörtliche Prinzip und im Pammachiusbrief ('Ep.' 57) nennt er die heilige Schrift als Ausnahme zur sonst gültigen Regel, daß allein der Sinn zu übersetzen ist: *ego non solum fateor, sed libera voce profiteor me in interpretatione Graecorum absque scripturis sanctis, ubi et verborum ordo mysterium est, non verbum e verbo, sed sensum exprimere de sensu.* Vgl. R. KLOEPFER, Die Theorie der literarischen Übersetzung, München 1967, S. 28—35, der aber einen Widerspruch leugnet.

rität für das Übersetzen nach dem Sinn allein. Wer Wort für Wort vorgehen will, muß sich mit seiner Argumentation auseinandersetzen (so im 6. Jahrhundert Boethius am Anfang seiner Übersetzung der 'Isagoge' des Porphyrius, im 9. Jahrhundert Johannes Scotus beim Übersetzen von 'De Coelesti Hierarchia' des Dionysius Areopagiticus)[17]; noch im 15. Jahrhundert zitiert Bokenham Hieronymus als Autorität für die Praxis, Gedanken und nicht Worte zu übertragen ('St. Agnes'):

> 680 *Not wurde for wurde — for that ne may be*
> *In no translation, aftyr Jeromys decree —*
> *But fro sentence to sentence.*

Das Ideal des strengen Übersetzens setzt voraus, daß der Sinn am Wortlaut eines unbestreitbar wahren Textes hängt, der in einer einzigen als gültig anerkannten Fassung vorliegt, so daß jede Abweichung davon einen Verlust an Wahrheit bedeuten muß. Nicht einmal in der extrem konservativen Tradition der Bibelübersetzung, wo jene Voraussetzungen gegeben waren[18], konnte dieses Ideal jedoch unangefochten bleiben, da die Lehre gerade des größten Bibelübersetzers Hieronymus ihm widersprach: außerhalb des geistlichen Bereiches war es von vornherein weniger wirksam.

Im deutschen Rechtswesen, wo Gesetze und Urkunden normalerweise deutsch verfaßt, aber lateinisch niedergeschrieben wurden, deutschsprachige Gerichte also mit lateinischen Dokumenten zu arbeiten hatten[19], spielten Übersetzungen eine sehr große Rolle, und sie mußten ganz genau stimmen. Trotzdem scheint man auf dem strengen Übersetzen, das unter geistlichem Einfluß im frühen Mittelalter gebräuchlich war[20], nach 1200 nicht mehr bestanden zu haben. Die weitgehende Freiheit des juristischen Übersetzers im 13. Jahrhundert zeigt HANS HATTENHAUER am Beispiel einer lateinischen Urkunde über Grundbesitz, die mit einer deutschen Übersetzung aus der gleichen Zeit versehen ist[21]: alles Wichtige wird ganz richtig erklärt, aber Stil und Ausdrucksweise sind wesentlich geändert, ganze Sätze werden ausgelassen oder eingeschoben, unbedeutende Einzelheiten und rhetorische Floskeln, die den Laien nicht interessieren, werden gestrichen, und manches wird hinzugefügt, was den Text verständlicher und anschaulicher

---

[17] Beide sagen, sie müßten die *culpa fidi interpretis* begehen, um den Sinn völlig getreu wiedergeben zu können, s. W. SCHWARZ, The Meaning of *Fidus Interpres* in Medieval Translation, Journal of Theological Studies 45 (1944) 73—78.

[18] Eine einzige Bibeltextüberlieferung hatte es zwar für Hieronymus noch nicht gegeben, s. SCHWARZ, Principles, S. 27.

[19] P. HECK, Übersetzungsprobleme im frühen Mittelalter, Tübingen 1931, bes. S. 4 ff.

[20] HECK, Übersetzungsprobleme, S. 9 ff. Die bekannten ahd. Beispiele (Straßburger Eide, 'Exhortatio ad plebem christianam' u. ä.) sind im allgemeinen treu übersetzt.

[21] H. HATTENHAUER, Zum Übersetzungsproblem im hohen Mittelalter, Zs. der Savigny-Stiftung für Rechtsgeschichte 81 (1964), Germ. Abt., S. 341 ff.

machen könnte[22]. Weder Worte noch Sätze werden genau übersetzt; nur das wird wiedergegeben, was der Leser wissen muß oder möchte.

War in der Bibelübersetzung und in der Rechtspraxis, wo Genauigkeit unentbehrlich ist, der hochmittelalterliche Übersetzer dem genauen Wortlaut seiner Vorlage nicht immer verpflichtet, so konnte er es im Bereich der Dichtung viel weniger sein, denn die Quelle barg hier weder juristische Feinheiten, die über Recht und Unrecht entscheiden konnten, noch von Gott eingegebene Mysterien, die bei freier Übersetzung verlorengehen mußten. Sie mochte als Geschichtserzählung historische Wahrheit enthalten, aber diese steckte im Kunstwerk eines französischen Dichters, der deuten, belehren und unterhalten wollte: der verbindliche Stoff darin mußte erst erkannt werden, denn die Form, die Worte, und meistens auch die Deutung, waren die eines früheren Dichters. Darum finden wir die größte Freiheit in der literarisch-historischen Übersetzung, gerade in dem Bereich, wo auch die Antike die Theorie des freien Übersetzens entwickelt hatte[23]: was falsch ist, wird korrigiert (da das Werk belehren soll); was unbedeutend ist, wird ausgelassen; was man aus anderen Quellen weiß, wird eingeschoben — das trifft besonders für die Zeit nach 1200 zu[24]. Nicht die Worte und Sätze der unmittelbaren Vorlage interessieren das Publikum, sondern der Gehalt, den sie vermitteln; darum paßt hier die moderne Regel nicht, daß überhaupt nichts geändert werden darf. Der Übersetzer sollte seine Vorlage nicht, wie heute, in der anderen Sprache nachahmen, sondern er mußte alles, was für sein Publikum darin wichtig war, in künstlerischer Form neu ausdrücken. Er mußte soweit getreu übersetzen, daß Stoff und Sinn nicht verdorben würden, war aber an den Wortlaut des Textes nicht gebunden: er konnte und sollte eigene Worte wählen. Besonders der Versübersetzer brauchte Freiheit, auch bei der heiligsten Quelle, wie es um 1200 der englische Homiliendichter Orm schön ausdrückt ('Ormulum'):

> 41 *Icc hafe sett her o thiss boc*
> *Amang Godspelles wordess,*
> *All thurrh me selfenn, manig word*
> *The rime swa to fillenn.*

---

[22] Zum Beispiel *universi singuli presentes et futuri = alle; presencium inspectores = die disen brief horen, sehen oder lesen; memoratus urgente me debitorum meorum onere ad vendicionem = han verkaft;* u. ä.

[23] Ausführliches Belegmaterial für das Verwerfen der wörtlichen Übersetzung im literarisch-historischen Bereich bei Cicero, Horaz, Seneca, Largius Designatianus, Terenz, dem jüngeren Plinius und Quintilian: KLOEPFER, Theorie, S. 20 ff., bes. Anm. 11 (typisch ist Schol. Pers., sat. 1, 4: *Labeo transtulit Iliadem et Odyssiam verbum ex verbo ridicule satis, quod verba potius quam sensus secutus est*).

[24] Siehe J. MONFRIN, Humanisme et Traductions au Moyen Age, Journal des Savants 1963, S. 161 ff. Das soll aber nicht heißen, daß man das wörtliche Übersetzen aufgegeben hätte; es bleibt bis zum 18. Jahrhundert noch in Übung, s. KLOEPFER, Theorie, S. 21.

Hartmann übersetzt, wenn er für das Lateinische *media vita in morte sumus* die Umschreibung bietet: *daz wir in dem tôde sweben,   sô wir aller beste wænen leben.* Er hat Kleinigkeiten geändert, neue Worte eingeführt (*aller beste, wænen*), aber seine Verse geben tatsächlich den echten Sinn des Originals wieder; Umschreibung war nötig, da er Reime finden mußte, und war gestattet, da er nicht wörtlich und nicht pedantisch genau zu übersetzen brauchte. Das läßt sich in seiner Behandlung französischer Quellen immer wieder beobachten, z. B. im Brunnenabenteuer des 'Iwein':

Yv. 372 *N'an reviendroies pas sans painne*
      Se tu li randoies son droit.
	Iw. 555 *zwâre und kumestu dar,*
	      und tuostu ime sîn reht gar,
	      tuostu dan die widerkêre
	      âne grôze dîn unêre,
	      sô bistu wol ein vrum man:
	      dâne zwîvel ich niht an.

Was er hier hinzugefügt hat, ist bedeutungslos: die Stelle ist nur frei übersetzt, und wir können unmöglich im Eingeschobenen Hartmanns dichterische Originalität suchen. Diese Versuchung wird aber ernst, wenn der Satz länger ist und die Umgestaltung dementsprechend freier wie in den Anfangsversen des 'Iwein'. Chrétien sagt, die Tapferkeit des König Artus lehre uns, tapfer und höfisch zu sein:

> *Artus, li buens rois de Bretaigne,*
> *la cui proesce nos ansaigne*
> *que nos soiens preu et cortois . . .*

Hartmann, der lieber vom Allgemeinen zum Besonderen führt, teilt das in zwei Sätze auf; er spricht im ersten die Morallehre aus und sagt im zweiten, daß wir sie am Beispiel des König Artus lernen können:

> *Swer an rehte güete*
> *wendet sîn gemüete,*
> *dem volget sælde und êre.*
> *des gît gewisse lêre*
> 5 *künec Artus der guote,*
> *der mit ritters muote*
> *nâch lobe kunde strîten.*

Das sieht nun ganz anders aus, ist aber doch nur Übersetzung. *Artus li buens rois* ist *künec Artus der guote, la cui proesce* entspricht *der mit ritters muote nâch lobe kunde strîten, nos ansaigne* heißt *des gît gewisse lêre, preu et cortois* sein ist *an rehte güete wenden sîn gemüete.* Die Entsprechungen sind zwar ungenau, und die syntaktische Umgestaltung hat den Nachdruck verschoben: die Morallehre wird nun stärker betont und eine Belohnung wird erwähnt. Man könnte wohl einen tieferen Sinn darin entdecken, daß Hartmann von *rehter güete* spricht, nicht von Tapferkeit und Höfischsein, daß er *sælde und êre* erwähnt, daß er *Bretaigne* ausläßt, und man könnte damit zeigen, wie er von Anfang an Gehalt und Sinn der Erzählung verwandeln möchte. Aber solche Änderungen entstehen ganz natürlich beim reimenden Übersetzen des wesentlichen Sinnes, den aus Hartmanns Sicht der Text enthielt. *Bretaigne* kann er als unbedeutend auslassen: jedermann weiß, wo Artus herrschte. Lob, Glück und Ehre werden als Lohn der Tapferkeit erwähnt, weil die Morallehre für Hartmann wichtig ist und Nachdruck braucht; erst seine neue Satzgestaltung schafft den Raum dafür, der im französischen Nebensatz gefehlt hatte. Und *rehte güete* kann tatsächlich *proesce* übersetzen, denn Artus heißt bei beiden Dichtern gut, weil er im Kampfe tüchtig ist. Ein genauer Vergleich auch der folgenden Sätze würde zeigen, wie Hartmann an der Einleitung Chrétiens gearbeitet hat: er hat sie nicht durch Eigenes und Anderes ersetzt, sondern er hat das Wichtige am Inhalt frei, doch getreu übersetzt und den Sinn für sein Publikum kommentierend erklärt und deutlich gemacht.

Bei seinem Übersetzen hatte der höfische Dichter also große Freiheit; aber er hatte unvergleichlich mehr im anderen Teil seiner Aufgabe, beim Erzählen. Wir lernen heutzutage, daß Form und Inhalt einer Dichtung eins seien und niemals getrennt werden könnten; darum müsse der Übersetzer auch den Stil des Originals berücksichtigen und wenn möglich nachahmen. Aber das Mittelalter unterschied unbekümmert zwischen Form und Inhalt: den Inhalt mußte der übersetzende Dichter bewahren, aber die Worte waren seine eigenen, und er wurde gelobt, wenn er den alten Stoff gefällig und unterhaltsam darbieten konnte. Der Zweck aller Dichtung war zweifach, zu belehren und zu gefallen, *prodesse et delectare*[25]. Eine Erzählung kann durch den Sinn belehren, durch die Worte gefallen, und die Worte verantwortet der Erzähler selbst. Er verwendet dazu rhetorische Mittel, Stilornamente und Beschreibungen, führt auch Gesprächsszenen ein, um die Handlung lebhaft zu gestalten. Wo die Quelle eine Begebenheit kurz erwähnt, wird der deutsche Dichter sie gern im Einzelnen anschaulich machen: Hartmann beschreibt ausführlich die Ausrüstung Erecs, das Schloß des Guivreiz, das Zelt Mabonagrins, die Chrétien nur erwähnt hatte; Gottfried schildert den Kampf des Truchsessen mit dem toten Drachen, wo Thomas nur gesagt hatte, daß er ihm den Kopf abschnitt[26]. Lange Dialoge und Beschrei-

---

[25] Die berühmte Formel nach Horaz, Ars Poetica 333 f.: *aut prodesse volunt aut delectare poetae   aut simul et iucunda et idonea dicere vitae* (vgl. 343 f.: *omne tulit punctum qui miscuit utile dulci,   lectorem delectando pariterque monendo*). Belege aus mhd. Literatur bei F. Tschirch, Das Selbstverständnis des mhd. Dichters, Miscellanea Mediaevalia 3 (1964) 239 ff.; auch K. Vietor, PBB 46 (1922) 90. Vgl. (im 12. Jahrhundert) Bernardus Silvestris, Commentum Aeneid. Virg., ed. Riedel, S. 2: *Poetarum quidam scribunt causa utilitatis, ut satirici, quidam causa delectationis, ut comedi, quidam causa utriusque, ut historici.* Ähnlich noch Dr. Johnson, Preface to Shakespeare: *The end of writing is to instruct; the end of poetry is to instruct by pleasing.*

[26] So nach der Saga und F. Piquet, L'Originalité de Gottfried de Strasbourg, Lille 1905, S. 194.

---

bungen der Quelle können dagegen auf das Wesentliche reduziert werden: wenn Eneas die gerade erzählte Geschichte seiner Abenteuer für Evander nochmals erzählen muß, übersetzt Veldeke die 36 Verse der Quelle in einem kurzen Satz:

> En. 6119   *du segede heme Eneas*
> *wanne'r vur ende we'er was*
> *ende war umbe he dare quam.*

MICHEL HUBY hat festgestellt, daß Veldeke und Hartmann die Beschreibungen und Gespräche ihrer Vorlagen meistens kürzen, aber sehr gern die Gelegenheit zur Schilderung ergreifen, wo die Quelle sie nicht ausgenützt hatte[27]: im Ausschmücken und im Gestalten, gerade wenn es die Quelle unterlassen hatte, konnten sie eigene Kunst zeigen. Solches Umgestalten betrifft nicht den Stoff, sondern dessen Darstellung, und darin ist der Dichter frei. Gottfried bringt zahllose neue Gespräche und Schilderungen und benützt im Gegensatz zu Thomas einen geschmückteren rhetorischen Stil, aber es fällt ihm nicht ein, daß er dadurch den Stoff ändern könnte, den er treu bewahren will. Er bleibt der Vorlage selbst dann noch treu, wenn er den Empfang Tristans durch Floræte beschreibt, den Thomas nicht erwähnt hatte, denn er weiß durch seine *sinne*, daß Floræte, wie sie Thomas beschrieben hat, so gehandelt haben muß:

> Tr. 5240   *ich weiz wol, dazs ir geste*
> *niht eine mit dem munde enpfie* ...
>
> 5248   *ich weiz wol, daz sie über bort*
> *vil geselleclichen giengen*
> *dâ si die geste enpfiengen* ...
>
> 5256   *entriuwen des erkenne ich mich*
> *an manegen und genuogen*
> *ir tugenden unde ir vuogen,*
> *die ich von der sælegen las.*

Das Wort, mit dem Gottfried den Romandichter nennt, ist *verwære* (v. 4691), denn er soll dem gegebenen Text Schönheit und Farbe schenken; die Geschichte gehört ihm nicht, ihm gehört aber das Erzählen. Die vortrefflichste Kunst ist zu finden, wo der Sinn der Geschichte und die Erzählweise des Dichters harmonisch zusammenpassen, wie bei Bligger von Steinach:

---

27 M. HUBY, L'Adaptation des Romans courtois en Allemagne au XII et au XIII siècle, Paris 1968, S. 148, 220 u. ö.; s. auch HUBY, L'Adaptation Courtoise: Position des Problèmes, Moyen Age et Littérature Comparée, Poitiers 1967, S. 21 f. Vgl. im mengl. 'Partenope of Blois' 5144 ff.: *Her bewte descry fayne wolde I Affter the sentence of myne auctowre, But I pray yowe of this grette laboure I mote at thys tyme excused be.*

Tr. 4705 *sîn zunge, diu die harpfen treit,*
diu hât zwô volle sælekeit:
daz sint diu wort, daz ist der sin:
diu zwei diu harpfent under in
ir mære in vremedem prîse.

Worte und Sinn sollen zusammenwirken, wie auch der doppelte Zweck, zu belehren und zu gefallen, erst in solcher Eintracht erfüllt werden kann. In der Wahl seiner Worte zeigt unser Dichter seine Kunst als Erzähler; im Erklären des Sinnes tut er seine Pflicht als Übersetzer. Beides muß er tun, aber das Erzählen steht meistens dem Übersetzen nach. Er mag wohl als Erzähler seine Schwächen bekennen und andere loben, die es besser sagen könnten, er kann wie Wolfram Witze über seinen Stil machen; aber er bekennt niemals eine Schwäche im Übersetzen und spaßt nicht über seine Untreue gegenüber dem Stoff. Seine Pflicht dem Stoff gegenüber ist wichtiger als die Demonstration eigener Kunst; die wahre Geschichte gilt mehr als jeder Reiz des Erzählens. Treues Übersetzen ist demnach wichtiger als kunstvolles Erzählen.

Der Übersetzer muß seinen Text zuerst völlig verstehen und dann das Verstandene neu ausdrücken; seine Arbeit besteht nicht in der Nachahmung, sondern im Erfassen und im Deutlichmachen. Deutung des Textes ist darum unentbehrlich; der Übersetzer kann schließlich nur das ausdrücken, was ihm der Text bedeutet. Heutzutage wird der Text durch Gelehrte und Kritiker gedeutet, und der bloße Übersetzer muß deren Fachgebiete respektieren: er hat die eigentlich unmögliche Aufgabe, den Sinn genau wiederzugeben, ohne ihn zu interpretieren. Der höfische Dichter jedoch muß selbst sein Werk verstehen und deuten. Eine Tradition des deutenden Übersetzens gab es im Deutschen seit Notker, und die Dichter beschreiben ihre Arbeit gern als *diuten,* was sowohl 'erklären' als auch 'übersetzen' bedeutet[28]. Sie sollen unterhaltsam erzählend den Sinn der Quelle erfassen, wie es Gottfried in seinem Lob Hartmanns sagt: *wie er mit rede figieret der âventiure meine!* Bei diesem deutenden Übersetzen, das zugleich poetisch gestalten muß, wird dem Text ein oft ansehnlicher Kommentar hinzugefügt. Der Vorgang läßt sich bei Gottfried beobachten, wenn er seine Quelle einmal zitiert:

Tr. 12563 *Isot, Isot la blunde,*
marveil de tu le munde.

---

[28] Siehe die Wörterbücher (LEXER, BMZ, GRIMM): 'erklären' ist manchmal gemeint (vgl. 'Tristan' 4682 ff.: gewisse Dichtungen sind ohne *diutære* unverständlich; die Wendung *allegorice diuten*), aber häufig auch 'übersetzen' (vgl. 'Arm. Heinr.' 94: *daz bediutet sich alsus...*; u. ä.). Dichten heißt *eine rede diuten,* u. ä. ('Arm. Heinr.' 16 f.; 'Willehalm' 237, 8 f.: *seht waz ich an den reche, den ich diz mære diuten sol*). Das Wort ist mit *diet, diutsch* verwandt, und die Ausgangsbedeutung war nach KLUGE/MITZKA, Etym. Wb., und J. TRIER, PBB 66 (1942) 238 'volksverständlich machen'; so läßt es sich noch im Mhd. verstehen.

12565   *Isôt diu ist besunder*
       über al die werlt ein wunder.
       ez ist wâr, daz man dâ saget
       von dirre sæligen maget,
       si gît der werlte wunne

12570   *gelîche alsam diu sunne.*
       ezn gewunnen elliu rîche
       nie maget sô wunneclîche.

Auf das kurze Reimpaar des Thomas folgt zunächst eine einfache Übersetzung, dann ein rhetorischer Kommentar, in welchem Gottfried umständlich erklärt, was der Text bedeutet. Solches Ausarbeiten des Textes wurde von der gelehrten Poetik gefordert, und deren Kenntnis könnte auch das Musterbeispiel in Hartmanns 'Erec' erklären: den Vers *povre estiez, or serois riche* übersetzt Hartmann zuerst einfach (*ê wâret ir arm, nû sît ir rîch*), füllt dann die nächsten 23 Verse mit einer Liste von ähnlichen Antithesen aus, die immer mit *ê* und *nû* gebaut sind: *ahî, wie der diu mære ... durchverwet und durchzieret!*[29] Dieses Ausarbeiten wurde mehr bewundert als ein Kürzen der Vorlage: es fällt auf, daß die Methoden der *amplificatio* bei FARAL und ARBUSOW jeweils den größten Teil des Buches beanspruchen, diejenigen der *abbreviatio* kaum eine Seite[30]. Darum ist die Übersetzung immer länger als ihre Quelle, der Deutsche immer langatmiger als der Franzose[31]. Das nannte FOURQUET *une fatalité du genre*[32], deutsche Germanisten sprechen lieber von psychologischer Vertiefung. Im Wort 'Vertiefung' deutet der Forscher sein positives Urteil über die kommentierenden Stellen an, denn hier ist der deutsche Dichter selbständig, enthüllt er seine eigenen Ansichten und Gefühle und seine Stellung zum Erzählstoff. Wer ihn als wirklichen Dichter sehen will, und nicht als Übersetzer, schätzt vor allem die Stellen, wo er am wenigsten im modernen Sinne übersetzt. Dabei wird gern übersehen, daß seine Erweiterungen oft Gemeinplätze enthalten, sein Kommentar häufig die Ausarbeitung eines Sinnes darstellt, den er in der Quelle gesehen hatte und als Übersetzer deutlich machen mußte.

Als Erzähler ist der höfische Übersetzer natürlich geneigt, neue Details einzuführen, die seine Geschichte interessanter oder bedeutsamer machen können; vor

---

[29] J. FOURQUET, Erec, Iwein, Paris 1944, S. 28, beschreibt den Erec als *un vaste exercice scolaire fait par un élève bien entraîné aux techniques littéraires par l'étude des auteurs latins.*

[30] E. FARAL, Les Arts Poétiques du XII et du XIII siècle, Paris 1962 (*abbreviatio* S. 85); L. ARBUSOW, Colores Rhetorici, Göttingen 1963[2] (*abbreviatio* S. 28).

[31] Nach HUBY, L'Adaptation, S. 198, ist das Durchschnittsverhältnis 1,75; die doppelte Verszahl wird niemals erreicht. Der einzige Fall gründlicher Kürzung ist Herborts von Fritzlar 'Liet von Troie', s. J. BUMKE, Die romanisch-deutschen Literaturbeziehungen im Mittelalter, Heidelberg 1967, S. 29.

[32] FOURQUET, Erec, Iwein, S. 27.

allem möchte er idealisieren. Das letztere gilt besonders für die Charaktere, da die Dichtung durch Vorbilder belehren wollte: sie werden durch konsequentes Idealisieren oft gründlich verändert. Bei Hartmann werden sie zurückhaltender, beherrschter, vernünftiger; Gottfried macht Tristan gewandter und höflicher, und seine Brangæne ist weniger Isoldens Dienerin als ihre Vertraute und Freundin, vielleicht nach dem Muster von Hartmanns Lunete. Die 'Bataille d'Aliscans' nennt jeden Sarazenenfürsten häßlich, grausam und abscheulich, während Wolfram die gleichen Personen mit Lob und Bewunderung einführt. Wir können nicht mehr von treuem Übersetzen reden, wenn etwa Baufumés, *un roi paien de molt grant cruauté*, als der *junge clâre süeze gast* vorgestellt wird, und die ersten Worte über Haucebier, *en tot le mont n'ot paien si felon*, in ihr Gegenteil verwandelt werden:

> Wh. 46,10 *sîn hôher prîs vor schanden*
> *was ie mit werdekeit behuot:*
> *in wîbe dienste het er muot.*

Anscheinend betrachten die deutschen Dichter Charaktereigenschaften als nicht zum Stoff gehörig, sondern als Meinungsangelegenheit: man formt eine eigene Ansicht auf Grund der Taten der Person, welche überliefert sind. Darum können Hartmann und Wolfram den Charakter Keis verschieden sehen, und die Ansicht Chrétiens, daß er nichts taugte, besitzt keine Autorität. Die Quelle lehrt, was die Personen taten; man zieht eigene Schlüsse auf ihren Charakter. Das Gleiche gilt bei der Motivierung: man darf selber raten, w a r u m sie das alles taten, und obwohl jeder Erzähler Beweggründe angeben muß, um den Handlungsverlauf verständlich zu machen, braucht er nicht die gleichen zu nennen wie seine Quelle. Er wird oft neue Motive finden, die zum vorbildlich gewordenen Charakter besser passen, auch wenn Stoffliches deshalb modifiziert werden muß. Bei Gottfried darf Tristan nicht nach dem Liebestrank greifen und trinken, sondern er gibt ihn als Gentleman erst Isolde; die abgeschnittene Drachenzunge darf er nicht mehr in seine Hose stopfen, sondern er trägt sie an seiner Brust (denn die Damen müssen sie nachher entdecken). Bei Wolfram darf Gyburg nicht mehr vor Schreck umfallen, wenn sie die eigenen Truppen in der Ferne herankommen sieht, sondern sie wird ohnmächtig vor lauter Freude. Und wenn Rennewart mit jener Armee eintrifft, geht er zum Pferdestall, und nicht in die Küche. Das ändert zwar den Handlungsverlauf, aber nur in Einzelheiten der Darstellung, denn der Dichter ist an die Darstellung seiner Vorlage nicht gebunden, besonders wo sie Unstimmigkeiten enthält. Seine eigene Darstellung wird auch bedeutsame Einzelheiten bringen; Hartmann erfindet z. B. das Detail, daß Erecs Helmriemen nicht mehr in Ordnung ist, wenn er sich nach dem langen *verligen* zum neuen Ausritt rüsten will ('Erec' 3067 ff.). Die neu eingeführten Schilderungen und Dialoge bringen zahllose Änderungen mit sich, die zusammen den Charakter der Dichtung verwandeln können, aber der Erzähler braucht Freiheit, wenn er gefällig darstellen soll. Unsere Dichter müssen die Balance halten zwischen den

Forderungen des Erzählens und des Übersetzens; in ihrer Kunst zeigen sie selbst jene *mâze*, die sie so gerne gepredigt haben. Wenn sie zu gewissenhaft übersetzen, wird kein Kunstwerk daraus, das den Hörern gefällt; geben sie aber als Erzähler ihrer Phantasie zu viel Raum, können sie als Übersetzer verdächtig werden.

Als Beispiel für diese Kunst des übersetzenden Erzählens empfiehlt sich aus Gottfrieds 'Tristan' die Szene im Baumgarten, nicht etwa, weil Gottfried besonders quellentreu vorgegangen wäre (er ist eigentlich unabhängiger als andere im Neugestalten seines Stoffes), sondern weil wir hier mit einiger Verläßlichkeit einen authentischen Text der wirklichen Vorlage besitzen. Nach dem Cambridger Fragment des Thomas wird Marke durch seinen Zwerg in den Baumgarten geführt, wo er Tristram und Yseut findet; er läßt den Zwerg als Wächter zurück und geht, um Zeugen zu holen. Tristram wacht auf, begreift die Lage, weckt Yseut und sagt ihr, er müsse sie verlassen. Er verabschiedet sich mit einem Kuß, und sie gibt ihm einen Ring, der ihn an ihre Liebe erinnern soll.

Das wird bei Gottfried sehr ausgeschmückt; er braucht etwa 150 Verse, wo Thomas bloß 55 nötig hatte. Er ändert wichtige Einzelheiten: der Zwerg wird nicht erwähnt, und Marke geht allein in den Baumgarten; Brangæne (die Thomas nicht erwähnt) hält Wache, aber sie paßt nicht auf, und er findet Tristan und Isolde im Schlaf zusammen. Angesichts solcher Änderungen könnten wir Gottfried bezichtigen, sich mit dem Stoff Freiheiten erlaubt zu haben. Aber hier mu ß te er sinnvoll korrigieren, denn obwohl der Zwerg Wache hält, tut er nichts, Tristans Flucht zu verhindern, und sagt Marke nachher kein Wort von den Treuegelübden und dem Ring; er scheint gar nicht da zu sein. Thomas brauchte ihn nur, um Marke in den Baumgarten zu führen, und Gottfried ist durchaus berechtigt, eine bessere Motivierung zu finden, die das, was Marke tut, ohne Widerspruch erklärte. Dadurch, daß Marke nun allein in den Baumgarten kommt, wird die Notwendigkeit, Zeugen zu holen, erst plausibel. Während Gottfried durch die Ausschaltung des Zwerges den Vorgang anders motiviert, gibt er bei der Einführung Brangænes nur weitere Einzelheiten. Natürlich wird Brangæne Wache gehalten haben, weil das zu ihrer durch die Quelle beglaubigten Rolle gehört; ihre Nachlässigkeit ist darum auch an dieser Katastrophe schuld, wie schon am Mißbrauch des Liebestrankes. Das widerspricht der Quelle nicht, zeigt aber eine Seite der Situation, die der kürzere Bericht des Thomas nicht erwähnte. Marke holt seine Ratgeber als Zeugen, denn er muß als König die Verbrecher vor das Gesetz bringen, aber nach Gottfrieds Ansicht hat er in jenem Augenblick nicht Rachedurst, sondern Schmerz und Besorgnis gefühlt; er kann sie nicht haben verbrennen wollen, darum streicht Gottfried diese Drohung. Die Umarmung und Markes Gefühle beschreibt er ausführlich, er erweitert die Rede Tristans und läßt Isolde ihn mit einer Frage unterbrechen. Sein Tristan beschwert sich nicht über die Mühsale, die ihm bevorstehen, und bricht nicht in Tränen aus, denn die deutschen Dichter erwarten mehr Zurückhaltung von ihren Helden. Sonst bleibt Gottfried dem Cambridger Fragment sehr nahe, er schmückt nur aus und kommentiert. Natürlich hat er die Episode verwandelt: er hat eine wahrscheinlichere Motivierung der Ereignisse eingeführt, mehr beschrieben und den Dialog erweitert, die Gefühle der Personen beleuchtet und sie moralisch in besserem Licht gezeigt. Den Stoff aber nimmt er treu aus seiner Quelle, denn seine Aufgabe ist zu erklären und zu erzählen und nicht zu erfinden[33].

Wenn wir fragen, w a r u m die höfische Gesellschaft lieber übersetzte Geschichten hörte als frei erfundene und ihre Dichter zur strengen Bewahrung der ursprünglichen Version veranlaßte, so lautet die Antwort, daß diese Geschichten noch in der Blütezeit als wahr gelten sollten. Der deutsche Dichter sagt oft ausdrücklich, daß er Wahres erzählt, und wer von der bekannten Überlieferung abweicht, wird ein Lügner gescholten. Gelegentlich will der Dichter mühsame Quellenforschungen unternommen haben, um die wahre Geschichte zu finden und alle falschen Versionen auszuscheiden (so Gottfried im Tristanprolog), und wenn Wolfram behauptet, daß Kyot nach solchen Quellenforschungen die einzig richtige Version des Parzivalstoffes entdeckte, findet er strenge Worte für die Lügendichter:

> Pz. 338,17 *valsch lügelîch ein mære,*
> *daz wæne ich baz noch wære*
> *âne wirt ûf eime snê,*
> *sô daz dem munde wurde wê*
> *derz ûz für wârheit breitet.*

Die Dichter lehnen es grundsätzlich ab, eine gute, aber unwahre Geschichte zu erzählen oder die Geschichte durch stoffliche Änderungen zu bessern; stattdessen wird die Frage der Wahrheit mit Ernst und mit Nachdruck besprochen, und es bleibt ihnen sehr wichtig, daß das Erzählte als Wahrheit aufgefaßt werde. Das mag uns seltsam erscheinen, wenn wir an den fabulösen Inhalt der Erzählungen denken, mit ihren Riesen und Zwergen und Helden, deren Vorbildlichkeit kaum zu glauben ist; noch seltsamer, wenn wir bedenken, daß man höfische Romane nicht wegen des Wahrheitsgehaltes hören wollte, sondern weil sie unterhielten und belehrten und das Rittertum verklärten. Daraus dürfen wir schließen, daß die Forderung nach richtigem Übersetzen nicht aufgestellt wurde, um den Wahrheitsgehalt des Romans zu bewahren. Sie wurde aus weit älteren Traditionen übernommen, und die neue Literatur mußte sich einem alten literarischen Brauch fügen.

Vor der Zeit des höfischen Romans hatte der deutsche Adel an erzählender Dichtung Heldendichtung und geistliche Literatur gekannt, und beide Gattungen erzählten von wahren Begebenheiten. Die Heldendichtung sollte ursprünglich die Erinnerung an die Geschichte des Volkes bewahren, wie HÖFLER nachgewiesen

---

[33] Eingehender Vergleich dieser Stelle bei Gottfried und Thomas: HUBY, L'Adaptation, S. 442 ff.; PIQUET, L'Originalité, S. 39 ff.; WAPNEWSKI, Fs. Trier, Böhlau 1964, S. 335—363.

hat[34], und die Geschichtsschreiber des frühen Mittelalters zeigen ihr Vertrauen in deren Verläßlichkeit, wenn sie sie als Quellenmaterial zitieren[35]. Dichtung und Historie erfüllten in verschiedener Sprache eine ähnliche Aufgabe: beide erzählten von der Vergangenheit, fanden ihren Stoff in alter Überlieferung, suchten nach dessen Sinn und schmückten ihn stilistisch aus; beide bezeichneten sich als *historia*[36]. Seit dem 11. Jahrhundert wollen sich zwar die Historiker immer mehr von der Dichtung lösen, aber die Dichter erheben noch im 13. Jahrhundert den Anspruch auf historische Glaubwürdigkeit für ihre Stoffe, und die alte Heldendichtung lebt nur so lange, als jener Anspruch noch ernstgenommen wurde. Obwohl die historische Wahrheit des Stoffes für ihn nicht mehr wesentlich ist, erbt auch der höfische Romandichter, der von antiker Überlieferung oder von britischer Geschichte erzählt, diesen Anspruch; darum muß auch er wie ein Historiker vorgehen: erst die authentische Quelle entdecken, dann nach ihrer Autorität den Verlauf der Geschichte treu wiedergeben. Wie der Historiker muß er deuten, muß den Charakter der Personen und deren Beweggründe erklären und den Sinn der Geschichte suchen: *der âventiure meine*. Und seine Vorstellung von der Wahrheit ist auch die des Historikers. Der Historiker entdeckt seine Wahrheit in glaubwürdigen alten Dokumenten; ebenso beweist der höfische Dichter die Wahrheit seiner Aussagen durch Berufung auf eine Quelle, die er für vertrauenswürdig erklärt hat. Die Forderung nach Quellentreue, die zur Geschichtsschreibung notwendig gehört, schien auch für den Roman zu gelten, weil auch diese Stoffe historisch waren; was man von Troja und Alexander erzählte, war Geschichte, wenn auch diejenige eines fremden Volkes. Veldeke behandelt seinen Eneas als einen wirklichen Menschen, der in alter Zeit lebte; er ordnet ihn genau in die Reichs- und Kaisergeschichte ein und vergleicht sein Hochzeitsfest mit dem Mainzer Fest der eigenen Zeitgenossen — beide waren in der gleichen Weise historische Ereignisse. Von der Antike war der Schritt nicht weit zu König Artus und dem Gral und Tristan; diese Stoffe waren auch als fremde Geschichte überliefert, und Artus war genau so ein wirklicher König gewesen wie Karl der Große oder Dietrich von Bern. Chrétien präsentiert den Artusroman als schriftlich beglaubigte Vorzeitkunde in seinem 'Cligès'[37]:

---

[34] O. HÖFLER, Die Anonymität des Nibelungenliedes. Zur germanisch-deutschen Heldensage, hg. v. K. HAUCK, Darmstadt 1961, S. 330 ff.

[35] So Cassiodorus, Beda, Paulus Diaconus, Widukind von Korvey, Saxo Grammaticus, Snorri Sturluson u. a., vgl. H. GRUNDMANN, Geschichtsschreibung im Mittelalter. Deutsche Philologie im Aufriß, hg. v. W. STAMMLER, Berlin 1962[2], Bd. 3, col. 2224 ff.

[36] Der höfische Roman heißt *historje* 'Tristan' 450; 'Trojanerkrieg' 17644; 'Partenopier' B 228; Ulrich v. Türheim, 'Willehalm' 270 d; Rudolf v. Ems, 'Alex.' 15780; vgl. *ystoire, estoire* sehr häufig in französischer Dichtung (*estoire par rime ordener* = 'dichten').

[37] Vgl. auch Wace, 'Rou' 1 ff.: *Pur ramembrer des ancesurs   Les feiz e les diz e les murs ... Deit l'um les livres e les gestes   E les estoires lire as festes.   Si escripture ne fust feite   E puis par clers litte e retraite,   Mult fussent choses ubliées   Ki de viez tens sunt trespassés.*

24   *Li livres est mout anciiens,*
     Qui tesmoigne l'estoire a voire;
     Por ce fet ele miauz a croire.
     Par les livres que nos avons
     Les fez des anciiens savons
     Et del siecle qui fu jadis.

Auch Gottfried spricht von den Helden solcher Romane wie von wirklichen Menschen, die vor sehr langer Zeit lebten[38]:

Tr. 12320   *swaz iemen schœner mære hât*
          von vriuntlîchen dingen,
          swaz wir mit rede vür bringen
          von den, die wîlent wâren
          vor manegen hundert jâren,
          daz tuot uns in dem herzen wol.

Wir dürften beim Artusstoff erwarten, daß der Erzähler seinen Anspruch auf historische Wahrhaftigkeit endlich aufgäbe, da das Phantastische in jener verzauberten Welt auch den Leichtgläubigsten überfordern müßte. Aber die Aussagen über Wahrheit und Quellentreue bleiben eindeutig, und obwohl sie manchmal bezweifelt und bestritten wurden, scheint man sie keineswegs als lächerlich empfunden zu haben: mit dem Artusroman ist die Grenze des historisch Glaubhaften erst erreicht, noch nicht überschritten. Den Begründer der Artusüberlieferung, Geoffrey of Monmouth, hatten seine gelehrten Zeitgenossen mit Recht angegriffen, weil sie fürchteten, die Nachwelt werde seine Fabelgeschichte für historische Wahrheit nehmen[39]; auch der recht skeptisch veranlagte Chronist Wace muß das Land Britannien nach dem Brunnen der Laudine durchsuchen, bevor er die wundervolle Erzählung Calogrenants verwerfen kann[40]. Für die Allgemeinheit, die keinen Grund zum Zweifeln hatte, konnte es noch weniger selbstverständlich sein, daß der Artusstoff unglaublich war, namentlich in einer Zeit, wo Skepsis nicht als Zeichen der Aufgeklärtheit galt, sondern als gefährliche Sünde. Die Grenzen des Möglichen in dieser Welt, und damit des historisch Glaubbaren, sind uns heute bewußt und wohlbekannt, weil wir sie empirisch feststellen können; aber das Mittelalter kannte sie noch nicht, und eine Begebenheit, die sonst nicht vorkam, hieß nicht unmöglich, sondern ein Wunder. Daß es Wunder in dieser Welt tatsächlich gab, wußte man aus Heiligenleben und aus der Bibel selbst, die auch eine schriftliche Autorität und ohne jeden Vorbehalt zu glauben war. Die sichere Wahrheit der göttlichen Wunder kam auch dem Dichter

---

[38] Vgl. 'Tristan' 14241 ff. und 18455 ff., wo er Fabeln verwirft, um nur Wahres zu erzählen.

[39] So William of Newburgh und Giraldus Cambrensis.

[40] 'Rou' 6395 ff. Nach Wace ist die Artusüberlieferung im Grunde wahr, aber teils verdorben, da die Erzähler viele Fabeln hinzugedichtet haben, 'Brut' 1247—59. Das ist auch die Haltung Gottfrieds gegenüber dem Tristanstoff.

gelegen. Wenn Hartmann sagt, daß sein Gregorius an einem Felsen gekettet siebzehn Jahre lang nur von Wasser lebte, kann er mit dem Hinweis auf Gottes Allmacht Glauben fordern:

> Greg. 3132 *daz dunket manegen niht wâr:*
> *des gelouben velsche ich,*
> *wan got ist niht unmügelîch*
> *ze tuonne swaz er wil.*
> *im ist keines wunders ze vil.*

Dieses Argument läßt sich ebenso gut bei weltlichen Geschichten anwenden, wie es Konrad von Würzburg im 'Schwanenritter' tut:

> 1328 *man sol für eine wârheit*
> *diz mære wizzen und verstân:*
> *got der hât wunders vil getân*
> *daz noch unmügelîcher was.*

> 1346 *ich wil hie biten unde manen*
> *alt unde junc besunder,*
> *daz si diz fremde wunder*
> *niht haben gar für eine lüge*
> *und si gelouben, daz got müge*
> *erzeigen grôz unbilde.*

Geistliches Gedankengut gehörte von Anfang an zur Tradition des höfischen Romans, denn die ersten Romane, die nachher gattungsbestimmend wirkten, waren das Werk von Männern mit religiöser Ausbildung: Pfaffe Lamprecht, Pfaffe Konrad, Wace, Chrétien de Troyes, Heinrich von Veldeke, Hartmann von Aue. Der Geistliche ist wie der Historiker gewohnt, seine Wahrheit in vertrauenswürdigen alten Schriften zu finden. Besonders im 12. Jahrhundert haben viele Kleriker ihre historischen und religiösen Quellen für ein Laienpublikum in deutsche Verse übersetzt[41]. Obwohl sie zunächst der weltlichen Literatur abge-

---

41 Vgl. B. NAUMANN, Dichter und Publikum in deutscher und lateinischer Bibelepik des frühen 12. Jahrhunderts, Nürnberg 1968, S. 107 ff. Auch in Frankreich waren die weltlichen Dichtungen durch Kleriker für Laien übersetzt worden, vgl. Alexandre de Bernay, 'Alex.' 30 f.: *L'estoire d'Alixandre vos vuel par vers traitier   En romans qu'a gent laie doive auqués porfitier;* Benoît, 'Roman de Troie' 33 ff.: *E por ço me vueil travaillier   En une estoire comencier,   Que de latin, ou jo la truis,   Se j'ai le sen e se jo puis,   La voudrai si en romanz metre,   Que cil qui n'entendent la letre   Se puissent deduire el romanz;* Isopet, Epilog 14 ff.: *Et pour ce l'e je translaté   Pour les gens layes seulement   L'ai du latin trait en rommant;* Gautier de Coinci, 'Miracles' 6 ff.: *Miracles que truis en latin   translater voel en rime et metre   que cil et celes qui la letre n'entendent pas puissent entendre;* Robert de Blois, 'Beaudous' 285 ff.: *A Tors ou moustier sain Martin   le trovai escrit en latin.   Or le vuel je en romanz metre   tot ensi com conte la letre,   que je del mien rien n'i metrai   fors tant ke par rime dirai,   por ce que ceus le vuel aprendre   qui ne sevent latin entendre;* Beispiele sind bei MÖLK, Literarästhetik,

neigt waren (manche Geistliche haben auch später alle höfische Dichtung als Sünde und Lüge verworfen), begründeten sie dadurch eine Tradition der erzählenden Versübersetzung, die mit der Zeit zum antiken Roman und zu König Artus führen sollte. Ihre doppelte Absicht, zu unterhalten und zu belehren, ist auch die der höfischen Dichtung, und es gibt Ähnlichkeiten in der Wahl und Behandlung des Stoffes: das Leben des heiligen Servatius besteht aus einer Kette von wunderbaren Abenteuern, die der Held immer mit glänzendem Erfolg besteht (es gibt sogar Episoden mit Attila und den Hunnen). Die Wahrheit solcher Geschehnisse ist wichtig, weil sich Gottes Macht in ihnen offenbart; darum betont der Dichter immer wieder, daß seine Quelle die Wahrheit enthalte und er sie nur übersetzen wolle. Derselbe Mann übersetzt später den 'Roman d'Eneas', und sein Werk wird zum Vorbild für spätere höfische Dichter; er betont auch im zweiten Werk Wahrheit und Quellentreue, obwohl sie hier eigentlich nicht unerläßlich wären. So wirkt geistliche Tradition auf die höfische Literatur ein. Die Geschichtsschreiber waren fast immer Geistliche, und der Stoff einer geistlichen Erzählung war fast immer historisch; die Heiligen hatten wirklich gelebt und jene Taten getan, das wußte man durch ehrwürdige Dokumente, und wer hätte ihr Zeugnis von Gottes Wundermacht bezweifelt? Den Wahrheitsbeweis auf Grund von schriftlicher Autorität, der die Heiligenleben beglaubigte, ließ der Kleriker schließlich auch bei weltlichen Geschichten gelten. Darum kann Veldeke, der die Wunder des Servatius durch den Hinweis auf das Buch bewiesen hatte, auch die Abenteuer seines Eneas in der gleichen Weise bestätigen[42]. Auch der Verfasser der 'Kaiserchronik', der die weltliche Dichtung ablehnt, prüft Wahrheit in dieser Weise:

> 14176 *swer nu welle bewæren*
> *daz Dieterîch Ezzelen sæhe,*
> *der haize daz buoch vur tragen.*

Selbst das Unglaubliche muß man glauben, wenn es in den Schriften steht, wie es im Straßburger Alexander heißt:

> 4031 *daz wære ungelouplîch*
> *iemanne ze sagene,*
> *ne wæriz uns vil ebene*
> *in den bûchen niht geschriben*
> *und von der wârheite bliben.*

---

leicht zu finden. Die Autorität des geistlichen Übersetzers wird sogar für die *chanson de geste* beansprucht, wenn der Verfasser des 'Bueve de Hantone' die verderbten Versionen der *jongleurs* verwirft, um *la droite estoire* anzubieten, *si comme fu en romans translatee et par un clerc nos fu renouvelee* ('Bueves' 14 f., vgl. 20 ff.: *les saiges clers ... en firent les croniques ... puis ont esté extraictes ... de latin en rommant*).

[42] 'Eneide' 376 ff.: *weme so des wundert, wille he't versuken, he kome tut den buken di men da heitet Eneide. na suliker warheide alse't dar ane gescreven is, so mach er's werden gewis.*

Man war gewohnt, an Wunder zu glauben, insofern sie schriftlich beglaubigt waren, und die Wunder im höfischen Roman waren keineswegs phantastischer als die Wunder der Zoologie, die man im 'Physiologus' fand, oder die geographischen Wunder, die bei Plinius und Solinus aufgezeichnet waren, oder die wunderbaren Wissenschaften der Magie und der Sterndeutung. Die meisten Wahrheiten jener Zeit muten uns Heutige unglaublich an, weil bei uns die herrschenden Kriterien der Wahrheitsfindung letzten Endes empirische sind, diejenigen des Mittelalters vorwiegend autoritäre. In einem Spruch sagt der Meißner (MSH III, 100 b):

> *swer sanc daz pelicânus tœte sîniu kint,*
> *er hât gelogen, er lese baz diu buoch.*

Es fällt ihm nicht ein, die Sache empirisch oder logisch zu prüfen; er sagt nicht, man könne es anders beobachten, oder daß der Pelikan bei einem solchen Verhalten schon längst ausgestorben wäre. Er denkt nur an einen Beweis: die Bücher lesen. Im ausgehenden Mittelalter muß Chaucer diesen Autoritätsglauben verteidigen, wenn er sagt, er sei sicher, daß es im Himmel Freude gibt und in der Hölle Pein, obwohl kein lebender Mensch jene Bereiche besucht habe: das wisse man nicht aus Erfahrung, sondern aus den Büchern; da man längst Vergangenes nicht selbst erfahren könne, müsse man altbewährten Geschichtsüberlieferungen (*these olde appreved stories*) verständig glauben[43]. Jene Haltung war in seiner Zeit umstritten, aber sie hatte im 12. Jahrhundert den Erzähler zum Übersetzer seiner Quelle gemacht, der die Geschichte und damit die Gültigkeit des dem Stoff innewohnenden Sinnes zu verantworten hatte[44].

Im Laufe des 13. Jahrhunderts läßt die höfische Erzählkunst ihren geistlichen und historiographischen Ursprung immer mehr hinter sich, widmet sich mehr dem unterhaltenden oder belehrenden Erzählen und weniger der strengen Kunst des deutenden Übersetzens. Eine solche Entwicklung war wohl nicht zu vermeiden, da die Quellentreue nicht vom Wesen des Romans her gefordert, sondern aus älterer Tradition übernommen war, und nur bei dieser war sie notwendig gewesen. Der höfische Roman konnte wirken, konnte die höfische Gesellschaft ebenso gut unterhalten und belehren, ihre Ideale ebenso vorbildlich darstellen, auch ohne historisch wahr zu sein. Es gibt schon in der Blütezeit Zeichen dafür, daß die vom Publikum erwartete Quellenhörigkeit manchem Dichter lästig wird, und die Dichter sind von Anfang an weniger besorgt, die Wahrheit zu entdecken als Unwahrheiten im Werk nicht selber verantworten zu müssen. Die Verant-

---

[43] 'Legend of Good Women' 1 ff.

[44] So verwirft Gottfried als empirisch unwahrscheinlich das seiner Quelle widersprechende Motiv von der Schwalbe, die ein goldenes Haar über das Irische Meer trug, sagt aber auch *waz rach er an den buochen, der diz hiez schrîben unde lesen?* ('Tr.' 8622 f.) und bewahrt vieles Unwahrscheinliche, was in seiner eigenen Quelle stand. Wolfram nennt die Heldentaten Witeges unmöglich, beschreibt aber als wahr diejenigen Rennewarts, die eine verläßliche Schrift überlieferte.

wortung für eventuelle Fehler schieben sie immer gern auf ihre Vorlagen[45]. Wenn der Dichter seine Quellentreue beweisen muß, geht es ihm weniger um die Wahrheit der Geschichte als um den Beweis, daß er persönlich der Vorlage treu gefolgt ist und daher nicht gelogen hat; deswegen wird ihm richtiges Übersetzen wichtiger als historische Wahrheit. Das stellt aber die Forderung nach Quellentreue selbst in Frage, denn sie hatte nur dazu gedient, diese Wahrheit zu schützen, und indem sie diesen ihren eigentlichen Sinn verlor, wurde sie immer weniger eine ernst gemeinte Forderung. Schließlich kam die Zeit der Epigonen, wo die Wahrheitsfrage oft als ganz unbedeutend beiseitegeschoben wurde, wie bei Johann von Würzburg ('Wilhelm von Österreich')[46]:

> 19506   *ez sî lüge oder wârheit,*
>   *sagt ez ouch von êren tât,*
>   *ain ieglîchs daz sich verstât*
>   *bezzerunge nimt dâ von.*

Dann braucht der Erzähler nicht mehr eine wahre Quelle übersetzt zu haben.

In der Blütezeit aber stand der höfische Erzähler noch in der geistlich-historiographischen Tradition seiner Kunst und fühlte sich als Versübersetzer, der den Sinn einer wahren Quelle richtig erklärte[47] und dessen persönliche Leistung hauptsächlich in Darstellung und Verskunst bestand[48]. Die erzählende Dichtung hatte erst begonnen, sich von der Tradition einer Geschichtsschreibung loszulösen, die man sich anders und weit umfassender als unsere moderne Geschichtsschreibung vorstellen muß. Im Mittelalter, wie in der Antike, sollte der Historiker nicht nur geschehene Ereignisse aufzeichnen, sondern den Sinn der Geschehnisse deuten, die Menschen (auch moralisch) belehren und ein Sprachkunstwerk in

---

[45] Pfaffe Lamprecht über Alberic: *niemen enschulde sîn mich, louc er, sô liuge ich* ('Alex.' 17 f.); 'Eneide' 4581: *of uns Virgilius nine louch* (vgl. schon 'Linzer Antichrist' 114, 39: *ez in si daz diu buch habin glougin*); u. ä.

[46] Vgl. Thomasin, 'W. G.' 1118 ff., 1131 ff.; Der Meißner, MSH III, 603[b], 4: *ist guotiu kunst und Gotes gâbe sünde, der man gebezzert wirt und niht geergert?*; Heinr. v. Neustadt, 'Gottes Zuk.' 69: *ob ich lihte schribe mê dann in latin geschriben stê: daz tuon ich niht dann umbe daz daz in gluoste dester baz*; Der Teichner, Liedersaal II, S. 51: *tiutsch latin ze machen und latin ze tiutschen sachen, daz ist niht ain tihtikait.* H. Fischer, Studien zur deutschen Märendichtung, Tübingen 1968, S. 252, zitiert 'Bertha' 1 ff.: *Ich seite iu gerne ein mære: sô wil man, daz ichs bewære Und daz ich ez erziuge; oder man spricht, ich liuge ... wer mirs niht welle glouben, der geb mir nû ein houben, Sô enruoch ich, swaz er jiht, er engloub ez, oder niht.*

[47] Hartmann beschreibt folgendermaßen den Dichter am Anfang des 'Armen Heinrich': er ist gelehrt und hat die Quellen gelesen, unter denen er schließlich die rechte findet, er will die Menschen unterhalten und ihnen gefallen, dabei auch Gott ehren, und er erwartet einen Lohn; darum will er *diuten eine rede, die er geschriben vant.*

[48] Nach Wolfram ist der Erzähler *ein man, der âventiure prüeven kan und rîme künne sprechen, beidiu samnen unde brechen* ('Parz.' 337, 23 ff.); vgl. Veldeke als *der wîse man der rehte rîme alrêst began* (Rud. v. Ems, 'Alex.' 3113 f.); vgl. im Französischen *rimoier, metre avanture en rime*; u. ä.

gutem Stil schaffen[49]; so unterscheidet Cicero zwischen dem Tatsachenbericht des bloßen Annalisten und der Kunst des Historikers, der zwar auch Wahres berichtet und Annalen gebraucht, aber mit ihnen sinnvolle und stilistisch gefällige, bildende Literatur macht[50]. Die Vorstellungen des mittelalterlichen Dichters über seine Kunst, über deren Verhältnis zu Geschichte und historischer Wahrheit und über seine eigene Aufgabe können nicht ohne Bedeutung sein für unser Studium seiner Werke: unser Denken darf nicht ins zufällige Geleise moderner Begriffsbildungen geraten, nach welchen Literatur und Geschichte, Dichtung und Übersetzung unvereinbar sind. Der höfische Dichter schafft wohl ein Kunstwerk, aber er geht selbstverständlich vom Übersetzen aus. Beurteilt man das Werk eines Übersetzers, dann bewundert man zunächst die Gabe, den Sinn des Originaltextes mit eigenen Worten treffend wiederzugeben, und man gibt keine besonders gute Note für originelle Einfälle. Um diese Kunst richtig beurteilen zu können, müßten wir daher Text und Vorlage nebeneinander betrachten können, damit uns nicht nur die bedeutenden Änderungen auffallen, sondern auch die Stellen, wo treu und sinnvoll übersetzt wurde. Dann fiele uns auch auf, wie oft die Gedanken des Dichters durch den Sinn seiner Vorlage angeregt wurden und wie er sich bei seiner Arbeit weniger mit eigenen philosophischen und ethischen Problemen auseinandersetzt als mit der strengen Aufgabe, in wohlgebauten Versen ausschmückend und kommentierend den Sinn der Quelle klar verständlich zu machen. Das war die *arebeit,* von der er gelegentlich spricht[51], und sie künstlerisch erfüllt zu haben, war keine geringzuschätzende Leistung. Dichtendes Übersetzen steht der dichterischen Erfindung unserer Zeit keineswegs nach und verdient nicht weniger als diese unser Verständnis[52].

---

[49] Belege aus Antike und Mittelalter bei T. A. DOREY, Latin Historians, London 1966, S. x—xiii. Vgl. auch GRUNDMANN, Geschichtsschreibung im Mittelalter, bes. col. 2221, 2263 f.

[50] 'De Oratore' II, 51—64; die wahren Historiker heißen *exornatores rerum,* vgl. Gottfried über die Dichter.

[51] *Hartman, der sîn arebeit   an diz mære hât geleit,   got unde iu ze minnen* ('Greg.' 3989 ff.); *dô dise nôt nam an sich   von Zatzikhoven Uolrîch,   daz er tihten begunde in tiutsche, als er kunde,   diz lange vremde mære* ('Lanz.' 9340 ff.); *wizzet für wâr, ez tût wê,   swer grôze mære tihtet* (Türh. 'Rennewart' 33156 f.).

[52] Ich bin Prof. A. T. HATTO und Dr. H. SIEFKEN für freundliche Kritik dieses Aufsatzes sehr zu Dank verpflichtet.

PROLOG, EPILOG UND DAS PROBLEM DES ERZÄHLERS

von

Olive Sayce (Oxford)

Das Problem des Erzählers in der mittelalterlichen Dichtung soll im folgenden im Zusammenhang mit Prolog und Epilog untersucht werden. Die prinzipielle Frage lautet: Läßt sich der Begriff der Erzählerperson als eine vom Dichter getrennte Gestalt, die Verkörperung einer vom Dichter angenommenen Rolle, auch auf die mittelalterliche Literatur anwenden? Die Auffassung eines autonomen Erzählers läßt sich treffend in den Worten Prousts formulieren: *le personnage qui raconte, qui dit «Je» (qui n'est pas moi)*[1], und sie ist in der Kritik moderner Literaturwerke, insbesondere des Romans, schon fest eingebürgert. Der Frage des Erzählers in der deutschen Literatur des Mittelalters ist noch verhältnismäßig wenig Aufmerksamkeit geschenkt worden, aber in der englischen Chaucer-Kritik z. B. ist vielleicht, weil bei Chaucer der Erzähler sehr stark hervortritt, der Begriff des Erzählers schon so sehr Mode geworden, daß vielfach dagegen protestiert wird[2]. Das Problem wird besonders akut, wenn man Prolog und Epilog betrachtet, Teile des Werks, in denen das Persönlich-Autobiographische sich auszudrücken scheint und die sich oft eher auf den Dichter selbst als auf einen vermeintlichen Erzähler zu beziehen scheinen.

Bevor wir Prolog und Epilog näher betrachten, müssen wir uns gewisse grundsätzliche Überlegungen vor Augen halten. Erstens: es ist unangebracht, die seit der Romantik übliche Auffassung von der Literatur als Ausdruck des Subjektiven und Persönlichen auf das mittelalterliche literarische Werk anzuwenden. Dieses ist eher der Ausdruck des Typischen und Allgemeinmenschlichen, nicht des Einzigartig-Individuellen. Das läßt sich sehr gut an der mittelalterlichen Lyrik zeigen — einer Gattung, wo wir am ehesten geneigt sind, Persönliches zu erwarten. Zweitens: wie Kritiker wie Wellek[3] und Wimsatt[4] gezeigt haben, ist die biographische Deutung des literarischen Werks grundsätzlich fragwürdig, da sie die Gleichsetzbarkeit von Kunst und Leben voraussetzt und die entscheidende

---

[1] Marcel Proust, Textes Retrouvés, edd. P. Kolb/ L. B. Price, University of Illinois Press 1968, S. 218.

[2] Zum Beispiel D. R. Howard, PMLA 80 (1965) 337: 'The fact of a disparity between the narrator and Chaucer himself has become a kind of premise or dogma of Chaucer criticism.'

[3] R. Wellek/A. Warren, Theory of Literature, London 1949, S. 67—74.

[4] W. K. Wimsatt/M. C. Beardsley, The Verbal Icon, University of Kentucky Press 1954.

Rolle der literarischen Tradition übersieht. Da für die meisten mittelalterlichen Dichter nur die allerdürftigsten oder gar keine biographischen Daten vorhanden sind, ist die Versuchung um so größer, Biographien aus den Werken selbst herauszulesen und diese hinwiederum zur Deutung der Werke zu gebrauchen. Es gibt aber Anzeichen dafür, daß das Persönliche im engeren autobiographischen Sinn im Mittelalter als ungehörig betrachtet wurde. So entschuldigt sich Ulrich von Lichtenstein[5], daß er von seinen eigenen ritterlichen Taten spricht, und im 'Convivio'[6] bittet Dante ebenfalls um Nachsicht, daß er sich selbst so oft erwähnt: schon die Tatsache, daß er diesem Thema fast ein ganzes Kapitel widmet, zeigt, daß sein Vorhaben ungewöhnlich war. Drittens: es darf nicht vergessen werden, daß die Ich-Erzählung eine traditionelle epische Erzählform ist, die sich wohl letzten Endes auf die Praxis des mündlichen Vortrags zurückführen läßt. Darin unterscheidet sich ja das Epische von der Lyrik oder vom Drama, daß es immer einen Erzähler voraussetzt.

Der Ich-Erzähler ist eine strukturelle Konvention der Erzähltechnik, die eine lange Tradition hinter sich hat. Sie kann auch formelhaft da erscheinen, wo eine Erzählerfigur nicht oder kaum hervortritt. Dies läßt sich sehr gut an epischen Eingangsformeln beobachten, die sehr oft in die Ich-Form gekleidet sind: Vergil: *arma virumque cano*; Spenser: *Lo I, the man whose Muse whylome did maske As time her taught, in lowly shepheards weeds*; Milton, 'Paradise Regained': *I who ere while the happy garden sung*; Dante: *Nel mezzo del cammin di nostra vita mi ritrovai per una selva oscura*. Daß dies eine Konvention des Eingangs ist, zeigt sehr deutlich Vergil, der alle anderen Bücher seines Epos rein erzählend einleitet. Dasselbe läßt sich auch an den erstarrten Eingangsformeln der älteren germanischen Literatur beobachten: Hildebrandslied: *Ik gihorta ðat seggen*; Wessobrunner Gebet: *Dat gafregin ih mit firahim*; Ae. 'Phönix': *Hæbbe ic gefrugnen þætte is feorr heonan*; Ae. 'Seefahrer': *Mæg ic be me sylfum soð-giedd wrecan*. Auch wo die Ich-Form nicht direkt erscheint, z.B. in der *invocatio*, ist sie implizite darin enthalten, wie bei Homer und Milton, 'Paradise Lost': *Of man's first disobedience ... Sing heav'nly Muse ... I thence invoke thy aid to my adventrous song*. Diese altererbte Tradition zeigt, wie fest die Ich-Form mit der Erzählung, insbesondere mit dem Eingang verknüpft ist. Dieser Punkt scheint mir für die Beurteilung von Prolog und Epilog wichtig.

Das klassische Epos und die ihm im Mittelalter verwandten Typen, hauptsächlich *chanson de geste*[7] und Heldenepos, führen nach einer kurzen Einleitungsformel, oft in Ich-Form, sofort *in medias res*. Hier kommt es vor allem auf die Handlung an, und der Erzähler ist relativ unwichtig. Im Gegensatz dazu haben

---

[5] Edd. K. LACHMANN/T. VON KARAJAN, Berlin 1841, S. 593: *ich weiz wol daz ez missestât daz mîn munt von mir selben hât getihtet ritterlîche tât*.

[6] Kap. 5.

[7] Vgl. M. GSTEIGER, Note sur les préambules des chansons de geste, Cahiers de Civilisation mediévale 2 (1959) 213—220.

andere mittelalterliche Typen, vor allem das höfische Epos und religiöse und didaktische Werke, meist einen ausgedehnten Prolog[8], oft auch einen Epilog[9], wo ein Ich spricht und wo in der Erzählung ein Ich entsprechend hervortritt, d. h. der Erzähler tritt meist in engster Verbindung mit Prolog und Epilog hervor.

Schon im Altertum gibt es eine Theorie und Praxis des Prologs und, im beschränkten Ausmaß, des Epilogs. In der Praxis sind es vor allem der Prolog[10] im Drama und das Prooimion oder Exordium der Rede, die in Betracht kommen. Die antike Theorie behandelt die Rede und deren Teile, aber von da aus gingen ihre Vorschriften in alle Gattungen der Dichtkunst über und werden in den rhetorischen Handbüchern des Mittelalters ausdrücklich auf die Literatur angewandt. Hauptzweck des Exordiums ist es, den Leser aufnahmebereit zu machen und ihn günstig zu stimmen — *benivolum, attentum, docilem* in den Worten Ciceros[11]. Dieser Zweck wird dadurch erreicht, daß das Exordium eine kurze Exposition bringt, Neues oder Interessantes verspricht und die Person des Redners oder Dichters in günstigem Lichte zeigt. Ja, die Einführung von persönlichen Einzelheiten wird ausdrücklich als Mittel zur *captatio benevolentiae* empfohlen[12]. Die rhetorische Theorie widmet der *conclusio* oder *peroratio*[13] weniger Aufmerksamkeit. Sie dient vor allem dazu, das Gesagte noch einmal zusammenzufassen. Im Mittelalter haben sich die Motive des Epilogs zum Großteil aus denen des Prologs entwickelt, mit besonderer Bevorzugung des Moralischen und Religiösen am Schluß des Werks. Manche Motive können sowohl im Prolog als

---

[8] Allgemeines zum Prolog: E. STADLER, Prolog in: MERKER/STAMMLER, Reallexikon, Berlin 1967[2]; E. R. CURTIUS, Prologe und Epiloge, ZfrPh 63 (1943) 245—255; Europäische Literatur und lateinisches Mittelalter, Bern 1948, S. 93—97; H. SCHREIBER, Studien zum Prolog in mittelalterlicher Dichtung, Würzburg 1935; R. RITTER, Die Einleitungen der altdeutschen Epen, Diss. Bonn 1908; E. LANGE, Die Eingänge der afrz. Karlsepen, Diss. Greifswald 1904 (mir unzugänglich); R. HALPERSOHN, Die Eingänge im altfranzösischen Kunstepos, Diss. Heidelberg 1911; GERTRUD SIMON, Untersuchungen zur Topik der Widmungsbriefe mittelalterlicher Geschichtsschreiber bis zum Ende des 12. Jhs., Archiv für Diplomatik 4 (1958) 52—119, 5/6 (1959/60) 73—153; P. J. JONES, Prologue and Epilogue in Old French Lives of Saints before 1400, Philadelphia 1933; G. STRUNK, Kunst und Glaube in der lateinischen Heiligenlegende. Zu ihrem Selbstverständnis in den Prologen, Medium Aevum 12, München 1970; F. OHLY, Wolframs Gebet an den Heiligen Geist im Eingang des Willehalm, ZfdA 91 (1961/2) 1—37, mit Nachtrag in: Wolfram von Eschenbach, hg. v. H. RUPP, Darmstadt 1966, S. 455—518.

[9] Zum Epilog: E. R. CURTIUS, Europäische Literatur, S. 97—99; KÄTHE IWAND, Die Schlüsse der mhd. Epen, Germanische Studien 16, Berlin 1922; M. NAETSCHER, Die Schlüsse der chansons de geste, Diss. Würzburg 1929.

[10] F. STOESSL, Prologos, in: PAULY/WISSOWA, Realencyclopädie der classischen Altertumswissenschaft, Bd. 45, 632—641; Bd. 46, 2311—2440.

[11] De Inventione I, 15.

[12] De Inventione I, 16; Ad Herennium I, 5.

[13] De Inventione I, 52; Ad Herennium II, 3.

auch im Epilog vorkommen, aber besonders häufig sind im Epilog Angabe von Dichtername und Titel, moralische Nutzanwendung und Gebet. Die Theorie des Exordiums wird in den rhetorischen Traktaten des Mittelalters weitergeführt. Konrad von Hirsau z. B. unterscheidet zwischen *titulus,* wo der Dichter sich selbst und seinen Stoff einführt, und *prologus,* der den Leser günstig stimmt:

> *sed inter prologum et titulum hoc interest, quod titulus auctorem et unde tractet breviter innuit, prologus vero docilem facit et intentum et benivolum reddit lectorem vel auditorem. Est enim omnis prologus aut apollogeticus aut commendaticius; vel enim se excusat aut commendat; denique ... prologus et quid et quomodo vel quare scriptum vel legendum sit explicat*[14].

Wieder ist die Einführung des Persönlichen mit der praktischen Nutzanwendung verbunden.

Betrachten wir nun einmal die Praxis. Schon im Altertum sind ganz bestimmte Motive mit dem Prolog verbunden: Bitten um geneigtes Zuhören, Angabe des Dichternamens, des Titels und der Quelle, Exposition, Zweck der Dichtung, Polemik gegen Konkurrenten. Dieser Grundstock von Motiven lebt im Mittelalter weiter, mit Variationen je nach dem Typus des Werks. Es gibt zum Beispiel spezialisierte Eingangsmotive für religiöse Werke. Was aber vor allem auffällt, ist erstens die homogene Tradition seit dem Altertum, sowohl in der Theorie als auch in der Praxis, und zweitens die ständige Wiederholung derselben Motive. Es ist klar, daß allen mittelalterlichen Prologen ein festes Schema zugrunde liegt. Variation kann nur in der Auswahl unter den möglichen Motiven, je nach der Gattung des Werks, bestehen — hier ist vielleicht das Individuelle zu sehen —, nie aber in der Durchbrechung des Schemas. Je mehr man sich mit mittelalterlichen Prologen beschäftigt, desto klarer wird es, daß sie sich in festgelegten Bahnen bewegen, die das wirklich Persönliche und Individuelle im modernen Sinn nicht zulassen. Theorie und Praxis scheinen also das Persönlich-Autobiographische auszuschließen, und mögliche Gründe für das Hervortreten des scheinbar Persönlichen in Prolog und Epilog wären erstens die alte Tradition der Ich-Erzählung und zweitens die ästhetische Wirkung, die durch die Einführung von persönlichen Einzelheiten erstrebt wird.

Die Frage, ob wir es in Prolog und Epilog mit dem Dichter selbst oder mit der Figur eines Erzählers zu tun haben, ist auf den ersten Blick nicht so leicht zu beantworten, da diese Teile des Werks oft den Dichter und seinen Gönner mit Namen, Stand und Herkunft nennen, manchmal sogar ein Abfassungsdatum angeben — also lauter Realien, wie es scheint, die einen Eindruck von Glaubwürdigkeit erwecken. Sind wir also berechtigt, andere Äußerungen des Dichters in Prolog und Epilog biographisch zu verwerten?

Das Problem wird besonders klar, wenn wir mittelalterliche Dichtungen betrachten, die Traumvisionen oder Ähnliches beschreiben und wo der Dichter

---

[14] Dialogus super auctores, ed. R. B. C. Huygens, Brüssel 1955, S. 16.

selbst, oft mit Namen genannt, in der Haupthandlung erscheint. Zu diesem beliebten mittelalterlichen Typus gehören unter anderem 'Le Roman de la Rose',
Gowers 'Confessio Amantis', Chaucers 'Book of the Duchesse', 'The Legend of
Good Women', 'The Parlament of Foules', 'The House of Fame' und Dantes
'Divina Commedia'. In allen diesen Beispielen spielt der Dichter in der Handlung eine Rolle, d. h. er wird zur poetischen fiktiven Gestalt innerhalb der Erzählung. Es ist von vornherein klar, daß diese Gestalt nicht restlos mit dem
wirklichen Dichter identifiziert werden kann, sondern daß sie eine schöpfe-
rische Projizierung seines Ich in die Dichtung darstellt.

Ein instruktives Beispiel bietet Gowers 'Confessio Amantis'[15]. Das erste Buch
beginnt mit lateinischen Versen über die Allmacht der Liebe. Der Dichter kündet
seine Absicht an, ein der ganzen Menschheit bekanntes Thema zu behandeln,
nämlich die Liebe. Dann folgen allgemeine Sentenzen, in denen die Liebe mit
Fortuna, der Liebhaber mit dem Würfelspieler verglichen werden. Um die
Macht der Liebe zu beweisen, zitiert sich der Dichter selbst als Exempel:

> 61 *And forto prouen it is so,*　　　*As forto speke of this matiere,*
> *I am miseluen on of tho,*　　　*I may yov telle, if ye woll hiere,*
> *Which to this Scole am vnderfonge.*　　　*A wonder hap which me befell,*
> *ffor it is siththe go noght longe,*　　　*That was to me both hard and fell.*

Darauf folgt die Traumvision, wo der Dichter in einer Mailandschaft Venus
und Cupido begegnet und am Schluß von den Banden der Liebe freigesprochen
wird. Das *argumentum* des ganzen Gedichts wird in lateinischen Randbemerkungen wiedergegeben, und es ist bezeichnend, daß unter diesen folgende
erscheint: *Hic quasi in persona aliorum, quos amor alligat, fingens se auctor
esse Amantem, varias eorum passiones variis huius libri distinctionibus per sin-
gula scribere proponit.* Ob diese Randbemerkung von Gower selbst oder einem
Schreiber herrührt, ist unwichtig[16]. Die Hauptsache ist, daß sie die poetische
Fiktion klar zu erkennen gibt. Doch im letzten Buch nennt sich der Liebende
mit dem Namen des Dichters, John Gower, und der Epilog schließt ein Gebet
für den wirklichen Gönner des Dichters, den englischen König, ein — also auf
einmal ein Stück Wirklichkeit. Dieser Fall zeigt, wie sehr im mittelalterlichen
Werk Wirklichkeit und Dichtung verflochten sein können, aber vor allem beweist
er ganz klar, daß das sprechende Ich hier ein Erzähler ist, der, obwohl mit
gewissen Attributen des Dichters ausgestattet, doch eine poetische Figur ist. Daß
der Dichter sich selbst als Beispiel für die Macht der Liebe zitiert, genau wie
Hartmann in seiner 'Klage', geschieht gewiß nur, um das Thema anschaulich
zu machen. Dieser Fall zeigt auch, daß das Vorhandensein von Faktischem —
hier sind es der Name und die Beziehung zu einer historischen Persönlichkeit —

---

[15] Ed. G. C. MACAULAY, Oxford 1901.
[16] Die lat. Randbemerkungen kommen in den meisten Hss. vor. Der Herausgeber
(S. 462) scheint sie dem Dichter zuzuschreiben.

uns nicht dazu verleiten sollte, anderes, was nicht faktisch kontrollierbar ist und was sich genügend aus poetischen Konventionen und bekannten Motiven erklären läßt, auf den Dichter selbst zu beziehen. Es ist sogar wahrscheinlich, daß der Dichter nur deswegen das Faktische betont, um der poetischen Handlung wenigstens einen Schein von Glaubwürdigkeit zu verleihen. Die Figur des Dichters in der beliebten mittelalterlichen Traumvision scheint mir ohne jeden Widerspruch die Tatsache eines fiktiven Erzählers zu beweisen.

Nicht minder ist in allen mittelalterlichen Dichtungen, wo scheinbare persönliche Äußerungen des Dichters vorkommen, größte Vorsicht geboten. Sobald diese Äußerungen bekannte Motive sind, die sich auch anderswo an ähnlicher Stelle finden — und besonders in Prolog und Epilog gibt es wohl kaum ein Motiv, das sich nicht mehrfach mit ähnlichen, auch in anderssprachigen Literaturen vergleichen läßt —, müssen wir mit der Möglichkeit oder Gewißheit rechnen, daß sie nicht autobiographisch gemeint und daß sie Äußerungen des Erzählers sind. Also das, was dem unbefangenen Leser auf den ersten Blick als ein ergreifendes persönliches Dokument erscheinen könnte, erweist sich oft als ein traditionelles Motiv, das stark stilisiert ist.

Ein Beispiel dafür bieten die weitverbreiteten Bekenntnisse der Reue für sündhafte weltliche Werke und die Hinwendung an einen religiösen Gegenstand, wie im Prolog zu Hartmanns 'Gregorius'. Diese Stelle ist sehr oft biographisch gedeutet worden und wird sogar als Zeugnis für die Reihenfolge der Werke Hartmanns verwendet, aber SCHWIETERINGS lange Liste von ähnlichen Schuldbekenntnissen in lateinischer, deutscher und französischer Sprache[17] hätte endgültig davor warnen sollen, dieses traditionelle Motiv als Stütze für die Chronologie zu verwerten. Sie zeigt, daß dieses Motiv als geeigneter Eingangstopos für religiöse oder didaktische Werke galt. Eine ähnliche Confessio erscheint im Epilog von Chaucers 'Canterbury Tales'[18], wie beim 'Gregorius' in direktem Anschluß an Themen von Reue und Buße. Diese Stelle hat der Kritik viel Kopfzerbrechen verursacht, weil das Motiv in der mittelenglischen Literatur vereinzelt zu sein scheint und sicher aus Chaucers sehr guter Kenntnis der französischen Literatur stammt. Ein Blick auf Chaucers Formulierungen aber zeigt, daß er sehr sorgfältig die Titel der zu verwerfenden Werke nennt — und sie machen fast sein ganzes Schaffen aus — und die anderen Werke, die ihm Lohn eintragen sollen, mit Ausnahme eines einzigen Titels, nur in sehr vagen Worten erwähnt, weil diese Kategorie tatsächlich kaum seinen Werken entspricht. Man kann sich nicht des Eindrucks erwehren, daß es ihm mehr darum zu tun ist, die Titel seiner Werke bekannt zu machen, als sie als sündhaft zu verwerfen. Die

---

17 Die Demutsformel mhd. Dichter, Abh. der Königl. Ges. der Wiss. zu Göttingen, Phil.-hist. Kl., Neue Folge 17, Berlin 1921.

18 Ed. F. N. ROBINSON, London 1957, S. 265. Vgl. meinen Aufsatz: Chaucer's 'Retractions': the conclusion of the 'Canterbury Tales' and its place in literary tradition, Medium Aevum (erscheint 1972).

ganze Stelle, in die diese Konfession eingebettet ist, zeugt von höchster Ironie und Vieldeutigkeit. Das ist wieder ein Fall, wo die biographische Deutung zu Fehlschlüssen geführt hat, wo von einer Bekehrung auf dem Sterbebett und dergleichen mehr die Rede gewesen ist[19]. Wir müssen also annehmen, daß in diesen und ähnlichen Beispielen das Ich, das seine weltlichen Werke bereut, nicht so sehr der Dichter als der Erzähler ist. Der Erzähler erscheint in einer Rolle, die dem Thema genau angepaßt ist.

Es kann natürlich nicht ausgeschlossen werden, daß hinter diesen stark stilisierten traditionellen Motiven Persönliches stehen kann, daß Persönliches sozusagen in bereitstehende Formen gegossen wird. Eine Parallele bilden wohl alle liturgischen Formeln, in denen ein Ich spricht, so zum Beispiel das Schuldbekenntnis des *Confiteor*. Als liturgische Formel ist das Ich dieses Gebets überpersönlich, allgemein-menschlich, aber das schließt nicht aus, daß es mit stark persönlichem Gehalt gefüllt und zur 'autobiographischen' Konfession werden kann. Die Schwierigkeit liegt aber darin, daß wir im Falle der mittelalterlichen Literatur nur Traditionell-Konventionelles vor uns haben. Wir können die Existenz von Persönlichem dahinter bestenfalls ahnen, nie beweisen, und wir sind jedenfalls nicht berechtigt, es ohne weiteres anzunehmen, und erst recht nicht, weitere Beweisführungen darauf aufzubauen.

Auch innerhalb des Motivs der Reue für sündhafte weltliche Werke ist eine starke Stilisierung bemerkbar. In sehr vielen Beispielen werden die weltlichen Werke als Sünden der Jugend abgetan. Es ist aber kaum glaublich, daß in so vielen Fällen eine direkte lineare Entwicklung von Weltlichem zu Didaktisch-Religiösem geführt hat. Wahrscheinlich ist es eher eine symbolische Gleichung, wo Jugend mit Torheit und Weltlichkeit, und Alter mit Weisheit gleichgesetzt wird. Ich gebe ein paar Beispiele, die alle innerhalb desselben Topos in einem Prolog vorkommen: Arator: *Cura mihi dudum fuerat puerilibus annis   Versibus assiduum concelebrare melos* —[20]; Sidonius Apollinaris: *Nec recordari queo, quanta quondam   scripserim primo iuvenis calore;   unde pars maior utinam taceri   posset et abdi*[21]; André de Coutances: *Seignors, mestre André de Costances,   Qu'a mout amé sonez e dances,   vos mande qu'il n'en a mès cure, quer son aage qui maure   Le semont d'aucun bien tretier*[22]; 'Vie de St. André': *Ju ai foluet en ma jovent;   En altre liu or ai m'entent.   Cant jovenes fui teil chose fis   Et mon pensier en teil liu mis   Dont moi repent et vul retraire*[23]; 'Vie de St. Edmund': *Les jurs jolifs de ma joefnesce   S'en vunt, si trei jeo a*

---

[19] Vgl. J. D. GORDON, Chaucer's Retraction: A Review of Opinion, Studies in Medieval Literature, hg. v. M. LEACH, Philadelphia 1961, S. 81—97.

[20] PL 68,251.

[21] MGH auct. antiq., Bd. 8, S. 171.

[22] L'Évangile de Nicodème, edd. G. PARIS/A. BOS, Paris 1885, S. 73.

[23] P. MEYER, Documents manuscrits de l'ancienne littérature de la France, Paris 1871, S. 205.

veilesce, Si est bien dreit ke me repente[24]; Jean de Meun: *J'ai fait en ma jo-
nesce maint diz par vanité, ou maintes gens se sont pluseurs fois délités*[25].
Ähnlich nennt Hartmann *diu tumben jâr* als für seine weltlichen Dichtungen verantwortlich. Diese Altersangaben sind sicher nicht biographisch zu deuten, sondern entsprechen dem Thema. Es gibt andere Beispiele in der mittelalterlichen
Literatur für die symbolische Bedeutung von Jugend und Alter. So nennt sich
Hartmann im Prolog zu seiner 'Klage' einen *jungelinc*, weil dieses Alter der
Rolle des Liebenden, die er im Werk verkörpert, angemessen ist. In der 'Confessio Amantis' erscheint der Liebende, sobald die Liebe ihn freigesprochen hat,
als alter Mann, und dementsprechend entschuldigt sich der Erzähler im Epilog
als angesichts von Alter und Krankheit unfähig, in Zukunft über die Liebe zu
schreiben. Aber davon war in den früheren Teilen des Werks nicht die Rede
gewesen, und Kritiker haben diese unvermittelte Veränderung oft als Kon-
struktionsfehler bemängelt. Sie ist aber durch das Thema bedingt und ist erst
recht nicht auf das tatsächliche Alter des Dichters zu beziehen, sondern nur auf
die Erzählerrolle. Schließlich sei erwähnt, daß in der Troubadourlyrik *joven*
'Jugend' ein völlig symbolischer Begriff ist[26]. Er erscheint häufig unter den
stereotypen Attributen der Dame wie *cortezia* usw. und ist ein Werturteil eher
als eine objektiv meßbare Tatsache.

Diese Beispiele müssen genügen, um zu zeigen, daß das scheinbar Persönliche
oft nur eine dem Thema angepaßte Äußerung des Erzählers ist. Was sich für
Prolog und Epilog als wahr erweist, läßt sich auch erhärten, wenn wir die Rolle
des Erzählers innerhalb der Erzählung betrachten. Hier ist wieder eine starke
Stilisierung zu beobachten. Was sofort auffällt, ist die strukturelle Rolle des
Erzählers. Es ist zum Beispiel bei Hartmanns 'Gregorius' der Fall, daß abgesehen
von unbedeutenden Wahrheitsbeteuerungen und dergleichen die wichtigsten
Äußerungen des Erzählers immer einen neuen Abschnitt einleiten[27]. Auch bei
Chaucer, wo der Erzähler sehr stark hervortritt, spielt er eine ähnlich strukturelle Rolle an Erzählungseinschnitten, wo ein neuer Faden aufgenommen oder
ein alter fallengelassen wird[28]. Das zeigt wieder, daß der Ich-Erzähler ein tech-
nisches Mittel der Erzählkunst darstellt, daß er nicht persönlich, sondern thematisch und strukturell wichtig ist.

Zum Schluß noch ein grammatischer Punkt, der für die Existenz des Erzählers
zu sprechen scheint. Es ist bekannt, daß die Dichter gern in Prolog und Epilog
den eigenen Namen nennen. Weitaus die meisten dieser Namensnennungen,
wenigstens bis zu Wolfram, geschehen in der dritten Person. In seinem Aufsatz

---

24 La Vie Seint Edmund le Rei, ed. H. KJELLMAN, Göteborg 1935.

25 Testament, ed. M. MÉON, Paris 1814, S. 1.

26 Vgl. E. KÖHLER, Sens et fonction du terme *jeunesse* dans la poésie des trouba-
dours, Mélanges Crozet, hgg. v. P. GALLAIS/Y.-J. RIOU, Poitiers 1966, Bd. 1, S. 569—583.

27 Zum Beispiel 1, 35, 51, 923, 2622, 3402.

28 Vgl. H. LÜDEKE, Die Funktion des Erzählers in Chaucers epischer Dichtung, Studien zur Englischen Philologie 72, Halle 1928, bes. S. 144.

'Duzen und Ihrzen im Mittelalter'[29] bringt EHRISMANN Beispiele für die verschiedenen Möglichkeiten der Namensnennung und Anrede an das Publikum; weitere Beispiele verzeichnet KÄTHE IWAND in ihrer Dissertation[30]. Eine Übersicht über das Material zeigt, daß der Dichter oft innerhalb von Prolog oder Epilog von der üblichen Ich-Form der Erzählung zur Er-Form übergeht. Ein gutes Beispiel bietet Hartmanns 'Gregorius', wo der Prolog in der Ich-Form gehalten ist, bis auf die letzten Zeilen, wo der Dichter sich selbst einführt: *der dise rede berihte   in tiusche getihte,   daz was von Ouwe Hartman.* Nach der in der Ich-Form erzählten Geschichte erscheint eine ähnliche Stelle im Epilog: *Hartman, der sîn arbeit   an ditz liet hât geleit   gote und iu ze minnen.* In seinem Aufsatz erklärt GROSSE[31] die Ich-Form in dem Schuldbekenntnis am Anfang für persönlich, die Er-Form dagegen in der Namensnennung für offiziell. LINKE[32] scheint mir aber eher das Richtige zu treffen, indem er die Ich-Form auf den Erzähler und die Er-Form auf den Dichter bezieht.

Die Stelle bei Konrad von Hirsau zeigt, daß eine theoretische Scheidung zwischen *titulus* — Einführung des Autors — und *prologus* — Empfehlung des Werks — bestand. Dieser Unterschied drückt sich oft sprachlich im Wechsel der pronominalen Formen aus. Es kann sogar vorkommen, daß ein *prologus* in Ich-Form von einem *titulus* in Er-Form unterbrochen wird, wie bei Albrecht von Halberstadt[33], der traditionsgemäß mit der ersten Person anfängt (*Arme unde rîche   den ich willeclîche   mînes dienstes bin bereit*), Namen und Herkunft in dritter Person einführt und sofort wieder zur Ich-Form der Erzählung zurückkehrt. Hartmann nennt sich nur in der dritten Person, und dieser Typus ist sehr häufig. Von Wolfram an wird die Form ich + Name häufiger. Wenn es diese Formen, ich + Name, nicht gäbe, könnte man glauben, daß der Name, als objektive Nennform, die syntaktische Verbindung mit der dritten Person notwendig herbeiführt. Das wird aber von diesen Formen als falsch erwiesen. Der Grund muß anderswo liegen. Es ist eher wahrscheinlich, daß die Dichter sich nicht allzu direkt nennen wollen. Die Er-Form schafft eine gewisse Distanz, ist formeller und weniger persönlich. Eine ähnliche Distanz wird durch das Verstecken des Namens in einem Akrostichon geschaffen[34]. Wo aber Autorenstolz und das Bewußtsein der literarischen Persönlichkeit stärker werden, wie bei Wolfram und den späteren Dichtern, scheut sich der Dichter nicht, auch in der Namensnennung als Ich aufzutreten. Die vielen Namensnennungen in der dritten Person, neben einer Ich-Form in Prolog und Epilog und der Erzählung selbst,

---

29 ZfdWortf. 5 (1903/4) 142 f.
30 Siehe Anm. 9; hier S. 138, Anm. 70.
31 Beginn und Ende der erzählenden Dichtungen Hartmanns von Aue, PBB 83 (Tüb. 1961) 137—156.
32 Epische Strukturen in der Dichtung Hartmanns von Aue, München 1968, S. 35.
33 Ed. K. BARTSCH, Quedlinburg/Leipzig 1861.
34 Zum Beispiel Rudolf von Ems, Barlaam und Josaphat, ed. PFEIFFER, v. 16151 ff.

scheinen mir, wie LINKE es für den 'Gregorius' erwägt, tatsächlich darauf hinzuweisen, daß das Ich sich auf den Erzähler und nicht auf den Dichter bezieht.
Paradoxerweise ist dieses Ich weniger persönlich als das Er der Namensnennung. Die altbewährte Tradition der Ich-Erzählung genügt, um diesen schein-
baren Widerspruch zu erklären.

Ich fasse zusammen: Die Tradition der Ich-Erzählung und insbesondere die
feste Verknüpfung der Ich-Form mit dem Anfang, die Einführung von Persönlichem im Prolog als Mittel zur *captatio benevolentiae,* die starke Stilisierung
von herkömmlichen Motiven in Prolog und Epilog und ihre genaue Anpassung
an das zu behandelnde Thema, so daß sie unlösbar mit dem Thema verbunden
sind —, das alles genügt vollkommen, um das Vorhandensein von scheinbar
Persönlichem in Prolog und Epilog zu erklären. Gerade die Teile des Werks
also, die auf den ersten Blick am persönlichsten scheinen, erweisen sich bei näherer
Betrachtung als überpersönlich und traditionsbedingt. Sie dürfen nicht auf die
Person des Dichters bezogen werden, sondern auf die Erzählerfigur, die eine
bewußte Rolle übernimmt. Auch wenn sie mit Attributen des Dichters ausgestattet ist, gehört diese Figur der fiktiven Welt der Erzählung und nicht der
Wirklichkeit an.

VERSUCH ÜBER DEN SPÄTEN CHRESTIEN UND DIE ANFÄNGE WOLFRAMS VON ESCHENBACH

von

KARL BERTAU (Genf)

I

— *Mestre, molt m'avrïez garie,*
Mes l'empereres me marie,
Don je sui iriee et dolante,
3100 *Por ce que cil qui m'atalante*
Est niés celui que prendre doi.
Et se cil a joie de moi,
Donc ai ge la moie perdue,
Ne je n'i ai nule atandue.
3105 *Mialz voldroie estre desmanbree*
Que de nos deus fust remanbree
L'amors d'Ysolt et de Tristan,
Don mainte folie dit an,
Et honte en est a reconter.
3110 *Ja ne m'i porroie acorder*
A la vie qu'Isolz mena.

'(Geliebte) Amme! Ohne jede Frage hätten Sie mich (mit Ihren ärztlichen Zauberkünsten von meiner Krankheit) heilen können. / Indes: Der Kaiser (Alis) wird mich heiraten, / was mich in Empörung wie in Verzweiflung stürzt. / Denn derjenige, der mich an sich fesselt, / ist (niemand anders als) der Neffe dessen, den ich zum Manne nehmen muß. / Und wenn jener von mir beglückt wird, / so ist all mein Glück dahin, / und ich hab ihn auf ewig verloren. / Lieber ließe ich mich vierteilen, / als daß ich mit anhöre, wie von uns beiden (Cligès und mir) geklatscht wird unter Anspielung auf / die Liebe von Ysolt und Tristan; / darüber erzählt man ja soviel Unsinn, / daß man sich nachgerade schämt, davon zu reden. / Mir wäre es (jedenfalls) unmöglich, / mich an den Lebensstil der Isolt zu gewöhnen'.

Mit solchen Worten läßt Chrestien de Troyes in seinem Roman 'Cligès'[1] die Gestalt der schönen Fénice ihre Isolden-Rolle ablehnen. Der Roman muß eine andere Wendung nehmen. Die Zauberamme Thessala wird einen Anti-Liebestrank brauen, der den Kaiser Alis in die Illusion versetzt, Fénice in Liebe zu besitzen, ihn aber in Wirklichkeit unfähig macht, sie zu berühren. Chrestiens 'Cligès' ist nicht nur, wie besonders ANTHIME FOURRIER gezeigt hat[2], eine lite-

---

[1] Les Romans de Chrétien de Troyes, édités d'après la copie de Guiot (Bibl. nat. fr. 794), II, Cligès, ed. A. MICHA (CFMA 84), Paris (Champion) 1965, v. 3097—3111.

[2] A. FOURRIER, Le Courant Réaliste dans le Roman Courtois en France au Moyen-Age, I, Paris (Nizet) 1960.

rarische Parodie auf den Tristan-Roman des Thomas von Bretagne[3], sondern er ist überhaupt höfischer Roman als Parodie des höfischen Romans. Sagenhaftes Griechenland mit Kaiser Alexander, märchenhafte Vorzeitwelt der *matière de Bretagne* mit König Artus, imperiale Gegenwart in Köln und im Schwarzwald mit deutschem Kaiser und rivalisierendem Sachsenherzog werden aufgeboten und durcheinandergewirbelt, Anti-Liebesträke werden gemischt, Romanfiguren protestieren gegen ihre Rollen, rhetorische Kunststücke werden mit ironischer Meisterschaft vorgeführt in diesem Roman, der 1176/77 gedichtet sein dürfte[4].

Mes trespassé vos dui avoir *Ce qu'a trespasser ne fet mie.*	Aber beinahe hätte ich Ihnen (eine Szene) unterschlagen, / die man nicht auslassen darf.

Damit[5] leitet Chrestien die große Abschiedsszene zwischen Cligès und Fénice ein und hält gleichzeitig das Bewußtsein wach, daß die Wirklichkeit des Romans erzählte Wirklichkeit ist, daß das, was nun folgt, als literarisches Gebilde betrachtet sein will. Es ist ein scholastischer Diskurs über jene Liebe, welche sich nicht zu erklären wagt. Cligès selbst vermag nur zu stammeln: *Je sui toz vostres* — 'Madame, ich bin Ihnen ganz zu eigen'![6] Doch die arme Fénice weiß nicht, woran sie mit einer solchen Erklärung ist. Solche Worte gehören eben durchaus als Formel in den Bereich gesellschaftlicher Fiktion.

Mes ce me resmaie de bot *Que c'est une parole usee, ...* *Car tiex i a qui par losange* *Dïent nes a la gent estrange* *'Je sui vostres, et quanque j'ai'*[7]	'Was mich vor allem beunruhigt (— monologisiert sie —) ist, / daß dies ein ganz abgegriffener Ausdruck ist, / ... denn es gibt (ja doch) Leute, die aus bloßer Höflichkeit / selbst zu wildfremden Personen sagen: / 'Madame, ich bin Ihnen ganz zu eigen, mit allem, was mein ist' ...'

Hier wird, wie schon beim Anti-Liebestrank, der falsche Schein selber thematisch — und zwar auch der falsche Schein des gesellschaftlichen Benehmens. Zu dieser Welt des gesellschaftlichen Scheins gehört aber auch der höfische Roman mit seinen Formen. Und deswegen sind diese Formen und Formeln hier als Spielbälle benutzt. Das möchte mit Hilfe eines vorläufig letzten Beispiels verdeutlicht werden. Es ist der Gebrauch der rhetorischen *descriptio personae*, deren Muster-

---

[3] Thomas, Les Fragments du Roman de Tristan, poème du XIIᵉ siècle, ed. BARTINA H. WIND (Textes Littéraires Français 92), Genève (Droz) / Paris (Minard) 1960. Vgl. A. FOURRIER (Anm. 2), S. 124—154. Die zentrale Stelle, 'Cligès', v. 541—544, ist durch Gotfrid von Straßburg, 'Tristan', v. 11986 ff. für Thomas von Bretagne gesichert, in dessen Fragmenten sie zufällig nicht erhalten ist.

[4] Vgl. A. FOURRIER (Anm. 2), S. 173.

[5] 'Cligès', v. 4244 f.; vgl. auch: Chrétien de Troyes, Cligès, Roman traduit de l'ancien français par A. MICHA, Paris (Champion) 1957, S. 121.

[6] 'Cligès', v. 4367 f.; vgl. v. 4283.

[7] 'Cligès', v. 4388—4389 und 4391—4393.

formel im Theoderich-Portrait des Apollinaris Sidonius[8] gefunden wurde[9]. An einer Stelle seines 'Cligès' nun übernimmt der Dichter die Arbeit dieser Schönheitsbeschreibung nicht selbst, sondern er überläßt sie seinem ersten Helden Alixandre, dem Vater des Cligès. Alixandre sagt:

Or vos reparlerai del dart	Jetzt will ich Ihnen davon sprechen, wie
Qui m'est comandez et bailliez,	beschaffen und geschnitten der (Liebes-)
Comant il est fez et tailliez[10].	Pfeil ist, (der mich durchs Auge getroffen
	hat und) den ich hüte und bewahre.

Dieser Pfeil nun, so stellt sich heraus, ist nichts anderes als die rhetorische *descriptio personae* der schönen Soredamors. Wohlgemerkt, nicht ihre Person, sondern ihre rhetorische Person! Befiedert ist der Pfeil, befiedert ist Soredamors mit goldenen Haaren. Und dann läuft das Spielwerk der Rhetorik: Haar, Stirn, Augen, Nase, Teint, *Natura artifex*[11], Mund, Zähne. Nun müßte der Körper an die Reihe kommen[12]. Aber Alixandre bekennt:

Tant com il a des la chevece	Soweit wie vom Halsausschnitt / bis zur
835 *Jusqu'au fermail d'antroverture,*	Agraffe die Öffnung des Gewandes es er-
Vi del piz nu sanz coverture	laubt, / sah ich die unbedeckte Brust, /
Plus blanc que n'est la nois negiee.	weißer als frischer Schnee. / Mein (Lie-
Bien fust ma dolors alegiee,	bes-) Schmerz würde sich wohl lindern, /
Se tot le dart veü eüsse. . . .	wenn ich den ganzen Pfeil gesehen hät-
845 *Ne m'an mostra Amors adons*	te. / . . . (Aber) Amor hat mir bis jetzt /
Fors que la coche et les penons,	nur den Hals und seine Befiederung ge-
Car la fleche ert el coivre mise:	zeigt. / Der Schaft des Pfeiles aber war in
C'est li bliauz et la chemise,	dem Köcher, / will sagen: in Chlamys und
Don la pucele estoit vestue[13].	Tunika gehüllt, / womit das Mädchen be-
	kleidet war.

---

[8] C. Sollius Apollinaris Sidonius, ed. P. MOHR, Leipzig (Teubner) 1895, S. 2 f. (Epistolae I, II, 2—3). Bei der im 'Tusculum-Lexikon griechischer und lateinischer Autoren des Altertums und des Mittelalters', bearbeitet von W. BUCHWALD, A. HOHLWEG und O. PRINZ, Darmstadt (Wiss. Buchgesellschaft) 1969, S. 458 angeführten Ausgabe der 'Episteln' durch A. LOYEN von 1960 handelt es sich vielmehr um die 'Carmina' (Sidoine Apollinaire, I, Poèmes, texte établi et traduit par A. LOYEN, Paris [Belles Lettres] 1960). Sidonius lebte als Rhetor und zuletzt als Bischof im römischen, westgotischen und burgundischen Südgallien wahrscheinlich zwischen 431 und 486, vgl. die Einleitung von A. LOYEN in der zitierten Neuausgabe.

[9] So von Galfred von Vinosalvo, dem um 1210 verstorbenen Lehrer des Königs Richard Löwenherz, vgl. E. FARAL, Les Arts Poétiques du XIIe et du XIIIe siècle, Paris (Champion) 1924, S. 80.

[10] 'Cligès', v. 762—764.

[11] Zum *Deus artifex*- und *Natura artifex*-Topos vgl. E. R. CURTIUS, Europäische Literatur und lateinisches Mittelalter, Bern (Franke) 1948, S. 187 f. und S. 529 ff.

[12] Zur Reihenfolge in Schönheitsbeschreibungen vgl. wieder E. FARAL (Anm. 9), S. 80.

[13] 'Cligès', v. 834—839 und 845—849.

Soviel ist vielleicht deutlich: der 'Cligès' ist alles andere als eine naive Dichtung. Er ist 1176/77 Zeugnis einer reifen und problematischen Literatursituation, bei der man sich fragen möchte, wie es denn eigentlich danach solle weitergehen können mit dem höfischen Roman in Frankreich — und gar in Deutschland.

Der Versuch dieses Vortrags geht dahin, die mittelhochdeutsche höfische Literatur von der literarischen Problematik der französischen höfischen Romandichtung her zu betrachten. Die Begriffe von 'Übernahme' und 'Verschiedenheit', von denen wir gemeinhin bei einer komparatistischen Betrachtung ausgehen, werden in ihrer Statik vielleicht doch den Werken nicht ganz gerecht. Es könnte zu denken geben, daß die Dichter einander immer wieder verantwortlich machen gerade für Momente ihrer Werke, die aus Vorlagen übernommen worden sind. So spricht ja beispielsweise Wolfram Hartman von Ouwe namentlich auf das Verhalten seiner Dame Enîte, seiner Königin Ginovêr, seines Königs Artûs und auch der Zofe Lûnete an[14]. Wenn aber 'Übernahme' nicht von der Verantwortung für das Übernommene befreit, dann wird einerseits fraglich, ob das Subtraktionsergebnis — Werk minus Vorlage erbringe als Rest das Originalgenie — richtig sei. Anderseits würde die Zurechenbarkeit auch des Übernommenen besagen, daß eben das Gleiche in verschiedenen Werken und verschiedenen historischen Augenblicken nicht mehr das Gleiche sei. Das hieße dann: die zu vergleichenden Werke müßten in ihrer verschiedenen historischen Bedingtheit und Einwurzelung aufgefaßt werden, das Historische wäre ihnen nicht als äußerlicher Kontext umzuhängen. Auch der Stil dieser Werke müßte als historisch vermittelt begriffen werden. Es kann sich dabei wohl immer nur um Versuche handeln. Und für einen solchen Versuch möchte ich Ihre Aufmerksamkeit erbitten.

Letzten Endes soll es hier darauf ankommen, einen Blick auf den literarischen Ansatz Wolframs zu gewinnen. Dazu glaubte ich aber weiter ausholen zu müssen, bis zum 'Cligès'. Man liest sonst den späteren Chrestien leicht zu glatt. Doch auch der 'Cligès' ist mit seiner reifen und problematischen Literatursituation nicht unvermittelt da. Deswegen möchte ich möglichst kurz zu sagen versuchen, wie ich mir das Zustandekommen der Cligès-Situation vorstelle, dann mit Hilfe eines Beispiels die literarische Situation des höfischen Romans in Deutschland vor Beginn des 'Parzival' beleuchten, um schließlich die Welt des späten Chrestien und die Welt des anfangenden Wolfram zu betrachten.

Wir versuchen also, die literarische Situation des 'Cligès' zu vergegenwärtigen, um abmessen zu können, was nach dem 'Cligès' noch literarisch möglich sein konnte. 'Über die Liebe von Isolt und Tristan', so hatte Chrestien seine Fénice sagen lassen, 'erzählt man ja so viel Unsinn, daß man sich nachgerade schämt, davon zu sprechen'[15]. Das mag auf seinen großen Kollegen Thomas von Bretagne gemünzt gewesen sein. Im 'Cligès'-Prolog fällt eine andere Bemerkung.

---

14 Vgl. 'Parzival', III, 143,21 ff., V, 253,10 ff., IX, 436,4 ff.
15 'Cligès', v. 3108 ff.; vgl. oben S. 73.

Nachdem der Dichter u. a. von der *translatio militiae*[16] berichtet hat, daß Ritterschaft zuerst bei den Griechen daheimgewesen, dann zu den Römern gewandert und schließlich heute in Frankreich angekommen sei, heißt es:

Car des Grezois ne des Romains	Aber von Griechen und Römern / spricht
40 *Ne dit an mes ne plus ne mains,*	man heute überhaupt nicht mehr. / Alle
D'ax est la parole remese	Darstellungen über sie haben aufgehört /
Et estainte la vive brese[17].	und die lebendige Glut ist erloschen.

Mit dieser Bemerkung[18] wird wohl zugleich über die französischen Versromane mit antikisierender Thematik aus der vorigen Generation (Eneas, Theben, Troja) der Stab gebrochen. Das ist für die deutsche Literatur insofern interessant, als diese im Westen bereits altmodischen Stoffe hier eine gewisse Nachblüte erfahren sollten. Für Chrestien heißt es: Er ist sich, wenn er schreibt, sowohl dessen bewußt, was neben ihm geschrieben wird, als auch dessen, was vor ihm geschrieben wurde. Denn, was war seinem 'Cligès' nicht alles vorhergegangen! Mit der Thronbesteigung Heinrichs II. von England 1154 war aus dem anglo-normannischen Königtum, dem festländischen Lehnsbesitz des Hauses Anjou und dem Erbe der Eleonore von Aquitanien das große angevinische Reich entstanden, dessen geographischer Horizont von der irischen See bis an die Pyrenäen reichte. Den geschichtsmythischen Traditionshintergrund dieses Reiches, welcher über den Poitou- und Britannien-Entdecker Brutus, über Aeneas bis nach Troja hin sich erstreckte, hatten anglo-normannische Romane gezeichnet[19]. So der Brutus-Roman[20], den der Clericus Wace 1155 der skandalhaft geschiedenen Eleonore, nunmehr Königin von England, widmete[21]; ebenso die Romane von Aeneas,

---

16 Als *translatio humanae potentiae* in ganz entsprechender Weise formuliert im Prolog des fünften Buches von Otto von Freising, Chronica sive Historia de duabus civitatibus, edd. A. Hofmeister/W. Lammers, Darmstadt (Wiss. Buchgesellsch.) 1961, S. 372. Zu den verschiedenartigen Translationen vgl. die dort in der Einleitung S. LV f. nachgewiesene Literatur. Zur Aufnahme der Thematik im Prolog des 'Moriz von Craûn' vgl. K. Stackmann, Die mhd. Versnovelle 'Moriz von Craun', Diss. (Masch.) Hamburg 1947.

17 'Cligès', v. 39—42.

18 In der Perspektive einer typologischen Überlegenheit des Christlich-Ritterlichen, die E. Köhler, Trobadorlyrik und höfischer Roman, Berlin 1962, S. 10 ff. und S. 16 f. entwickelt, würde diese Stelle auch einen weiteren Sinn haben. Wieweit indes die 'universalienrealistische' Auskonstruktion des ganzen Begriffsfeldes nicht am Ende die historischen Verhältnisse doch unangemessen stilisiert, ist eine andere Frage. Vgl. dazu noch unten Anm. 92.

19 Vgl. namentlich R. R. Bezzola, Der französisch-englische Kulturkreis und die Erneuerung der europäischen Literatur im 12. Jahrhundert, ZRPH 62 (1942) 1—18; ders., Les origines et la formation de la littérature courtoise en Occident (500—1200), II, La société féodale et la transformation de la littérature de cour, Paris 1960; auch E. Köhler (Anm. 18), S. 10.

20 Le Roman de Brut de Wace, ed. I. Arnold, Paris (SATF) 1938—1940, 2 Bde.

21 Dies ist bekannt nur aus: Layamon, Brut, Brit. Mus. Ms. Cotton Caligula A IX and Brit. Mus. Ms. Cotton Otho C. XIII, edd. G. L. Brook/R. F. Leslie, London/Oxford 1963 ff., v. 20—23.

von Troja und vom Normannenherzog Rollo[22]. Aber auch antike Stoffe außerhalb der Herkunftssage, wie Theben-Roman[23] und 'Metamorphosen' des Ovid[24], waren im Zuge der angevinischen Renovatio zu Pergament gekommen. Der neue Vers, der Achtsilbler, wird die distinguierte Form einer neuen Gesellschaftsdichtung, die von dem rustikalen Zehnsilbler der Jongleurs- oder Pseudo-Jongleurs-Epen unterscheidet. Rhetorische Kunstformen, Descriptionen, Reden, Gespräche, Briefe ziehen das Gewand der französischen Vulgärsprache an — im angevinischen Reich und in Flandern-Champagne, während das Königtum der Capetinger nach der Ehescheidung von 1152 seine Macht wieder auf die Krondomäne der Isle-de-France reduziert sieht. Dort halten, in politischer Ohnmacht, Chanson-de-Geste-Dichtungen die Illusion und Problematik einer Karlsnachfolge wach[25], welche das Imperium im Osten 1165 in spektakulärer Weise für sich reklamiert[26].

Aus formalen und stofflichen Elementen der anglonormannischen Herkunftsromane hatte sich besonders im angevinischen Reich und im Attraktionsfeld des

---

[22] Eneas, Roman du XIIᵉ siècle, ed. J.-J. SALVERDA DE GRAVE (CFMA 44 und 62), Paris (Champion) 1964² (tome I) und 1929 (tome II); Le Roman de Troie par Benoit de Sainte-Maure, ed. L. CONSTANS, Paris (SATF) 1904—1912, 6 Bde.; Maistre Wace's Roman de Rou et des Ducs de Normandie, ed. H. ANDRESEN, Heilbronn 1877—1879, 2 Bde.

[23] Le Roman de Thèbes, ed. L. CONSTANS, Paris (SATF) 1890, 2 Bde.; jetzt: Le Roman de Thèbes, ed. G. RAYNAUD DE LAGE, I (CFMA 94), Paris 1966.

[24] Die Geschichte von Philomela aus den 'Metamorphosen', VI, 412—674, ist Grundlage eines mutmaßlichen Jugendwerkes von Chrestien de Troyes, Philomela, ed. C. DE BOER, Paris 1909; vgl. auch J. FRAPPIER, Chrétien de Troyes, Paris (Hatier) 1957, S. 66—71.

[25] Etwa: Le Couronnement de Louis, ed. E. LANGLOIS (CFMA 22), Paris (Champion) 1966²; Le Charroi de Nîmes, ed. J.-L. PERRIER (CFMA 66), Paris (Champion) 1931; La Chanson de Guillaume, ed. D. McMILLAN, Paris (SATF) 1949—1950, 2 Bde.; Aliscans, edd. E. WIENBECK/W. HARTNACKE/P. RASCH, Halle 1903. Zur Existenzform dieser Epen im XII. Jahrhundert vgl. A. MICHA, Überlieferungsgeschichte der französischen Literatur des Mittelalters, in: Geschichte der Textüberlieferung, Zürich (Atlantis) 1961—1964, II, S. 202 ff. Vgl. ferner P. E. SCHRAMM, Der König von Frankreich, Darmstadt (Wiss. Buchgesellsch.) 1960², I, S. 137 ff.

[26] *Nos igitur ... Karoli et Ludowici vestigiis inherentes ...*, so lautet eine der anspruchsvollen Formeln Barbarossas wenige Monate vor dem Heiligsprechungsakt (MGH Const. I, Nr. 227). Auch die Korrespondenz mit dem Grafen Heinrich von Troyes (MGH Const. I, Nr. 223) und die Beziehungen zu Balduin von Hennegau, wozu A. FOURRIER (Anm. 2), S. 185—202 und R. FOLZ, Souvenir (s. u.) S. 221, verdeutlichen Zusammenhänge. Allgemein vgl. G. RAUSCHEN, Die Legende Karls des Großen im 11. und 12. Jahrhundert. (Publikationen d. Gesellsch. f. Rheinische Geschichtskunde VII), Leipzig 1890; R. FOLZ, Le Souvenir et la Légende de Charlemagne dans l'Empire germanique médiéval, Paris 1950; ders., Etudes sur le culte liturgique de Charlemagne dans les Eglises de l'Empire, Paris 1951. (Daß, auch in germanistischen Darstellungen, gelegentlich 1166 als Jahr steht, erklärt sich aus dem Nativitätsjahr der kaiserlichen Kanzlei. Das Datum der Heiligsprechung ist der 29. XII. 1165, Vigil des König Davids-Tages.)

Hauses Champagne dann ein höfischer Ritterroman entfaltet. Dessen Helden idealisierten jenen geckenhaft gewordenen Kriegerstand, jene *militia saecularis*, die nach Bernhard von Clairvaux richtiger *malitia* heißen sollte[27]. Gerade die Dinge, die Bernhard am Ritterwesen leidenschaftlich abwertete, wurden in diesen Romanen als vorbildlich aufgewertet:

Operitis equos, et pendulos nescio quos panniculos loricis superinduitis; depingitis hastas, clypeos et sellas; frena et calcaria auro et argento, gemmisque circumornatis: et cum tanta pompa pudendo furore et impudenti stupore ad mortem properatis. Militaria sunt haec insignia, an muliebria potius ornamenta? Numquid forte hostilis mucro reverebitur aurum, gemmis parcet, serica penetrare non poterit? Denique, quod ipsi saepius certiusque experimini, tria esse praecipue necessaria praelianti, ut scilicet strenuus industriusque miles et circumspectus sit ad se servandum, et expeditus ad discurrendum, et promptus ad feriendum: vos per contrarium in oculorum gravamen femineo ritu comam nutritis, longis ac profusis camisiis propria vobis vestigia obvolvitis, delicatas ac teneras manus amplis et circumfluentibus manicis sepelitis. Super haec omnia est, quod armati conscientiam magis terret, causa illa nimirum satis levis ac frivola, qua videlicet talis praesumitur et tam periculosa militia. Non sane inter vos aliud bella movet, litesque suscitat, nisi aut irrationabilis iracundiae motus, aut inanis gloriae appetitus, aut terrenae qualiscunque possessionis cupiditas[28].

Ihr behängt Eure Pferde mit Seidentuch, Ihr bedeckt Eure Rüstungen mit ich weiß nicht was für Stoffbahnen, bemalt Eure Lanzen, Eure Schilde und Sättel. Euer Zaumzeug und Eure Steigbügel verziert Ihr mit Gold und Silber, ja mit Edelsteinen! Und in solchem Aufzug eilt Ihr in schamlosem Eifer und leichtfertigem Mut den Tod versuchen! Sind das etwa Kennzeichen von Rittertum oder ists nicht viel eher Weiberflitter? Wird denn etwa der feindliche Pfeil das Gold respektieren, die Edelsteine verschonen, Seide nicht durchdringen können? Endlich, das habt Ihr selbst oft genug und höchst gewiß erfahren: drei Dinge sind dem Streitenden unerläßlich: Kraft, Gewandtheit und Umsicht in der Verteidigung, Behendigkeit im Lauf, Raschheit der Klinge! Ihr dagegen, auf daß sie Eure Augen belästige, nach Weibersitte laßt Ihr Euch eine Haarmähne wachsen, mit langen und ausladenden Gewändern behindert Ihr selber Eure Schritte, Eure zartgepflegten Hände begrabt Ihr unter weiten und fließenden Ärmeln. Aber mehr noch! Was ritterliche Gewissen zutiefst entsetzen sollte: nicht leichtfertig und frivol genug können jene Motive sein, aus denen derart halsbrecherisches Rittertreiben angefangen wird. Nichts anderes bewegt Euch zum Krieg, läßt Gewalttat entstehen, als eine unvernünftiglaunenhafte Zornanwandlung, eitle Ruhmsucht oder Gelüsten nach irgendwelchem irdischen Besitztum.

---

[27] De laude novae militiae II, 3 (MPL 182, 923 B).
[28] De laude novae militiae II, 3 (MPL 182, 923 B—D).

Das ist nicht einfach so hingepredigt. Es war schon eine unbeschreiblich raffinierte und lasterhafte Gesellschaft, die sich von Thomas von Bretagne, von Marie de France und von Chrestien de Troyes Unterhaltung machen ließ und die sich im Spiegel der ritterlichen Märchenwelt um König Artus verklärt sehen wollte. Wenn im 'Cligès' die Formen und Formeln dieser Unterhaltung in ihrer Scheinhaftigkeit dargestellt werden, versucht die Kunst zwar, die Wirklichkeit der Unterhaltungssituation ironisch zu überspielen[29], jedoch nur, um damit einen neuen, raffinierteren Reiz zu liefern. In dieser Form konnte der höfische Roman in Frankreich für einen Dichter wie Chrestien kaum weitergehen. Der späte Chrestien wird einen anderen Stil suchen. — Doch sehen wir nun nach Deutschland hinüber.

II

Seit etwa 1170 und bis etwa 1185 dichtet in deutscher Vulgärsprache Heinrich von Veldeke den 20 Jahre älteren französischen Aeneas-Roman nach. Hier erscheinen die damals neu erworbenen rhetorischen Figuren noch in kunsthandwerklicher Naivität. Veldekes Roman[30], der — verglichen mit seinen französischen Zeitgenossen — gründlich und langweilig wirkt, bietet vor allem eine Sammlung literarischer Muster in sauberen deutschen Versen: Pferdebeschreibungen[31], Waffenbeschreibungen[32], Schönheitsbeschreibungen[33], Grabmalsbe-

---

[29] A. FOURRIER (Anm. 2), S. 491, sieht den 'Cligès' allerdings im Rahmen eines allgemeineren, rein literarischen Realismus-Protests gegen das Wunderbare der matière de Bretagne: 'Ainsi, dès le XIIᵉ siècle, se fait jour un mouvement de réaction contre les mirages du merveilleux, et notamment du merveilleux breton'. Die weitere literarische Entwicklung erscheint dann als eine Art Synthese aus Realismus und Mirabilismus. E. KÖHLER, Ideal und Wirklichkeit in der höfischen Epik, Tübingen 1956, findet in dieser Literatur politisch-soziale Verhältnisse bestimmter feodaler Gruppen in Form von Widerspiegelung repräsentiert, also inhaltlich-thematisch. Das Erzählklima der Texte selbst ist bei ihm, wenn ich recht sehe, nicht Gegenstand historischer Interpretationsversuche. Gewiß generalisiert E. KÖHLER vielfach auch in bedenklicher Weise, aber die Einwände A. FOURRIERS, AfdA 71 (1958/1959) 176 oben, werden der Situation des capetingischen Königs zwischen seinen immer gefürchteten und immer gefährlichen, wechselnden Bundesgenossen so wohl auch nicht gerecht. Vgl. dazu noch M. PACAUT, LOUIS VII et son Royaume, Paris (SEVPEN) 1964, S. 179 ff. und A. CARTELLIERI Philipp II. August, König von Frankreich, I, Leipzig 1899—1900.

[30] Henric van Veldeken, Eneide, edd. GABRIELE SCHIEB/TH. FRINGS (DTM 58/59), I. Einleitung. Text, II. Untersuchungen, Berlin 1964/1965. Dazu jetzt am besten K. RUH, Höfische Epik des deutschen Mittelalters I. Von den Anfängen bis zu Hartmann von Aue, Berlin 1967, S. 67—84.

[31] Zum Beispiel das Pferd der Kamille, v. 5241—5292; vgl. RE. (= Roman d'Eneas, Anm. 22) v. 4047—4084.

[32] Zum Beispiel Bewaffnung des Eneas, v. 5671—5824; vgl. RE. v. 4415—4542.

[33] Zum Beispiel die Schönheit der Kamille, v. 5142—5240; vgl. RE. v. 3959—4046.

schreibungen[34], Zeltbeschreibungen[35], Monologe[36], Dialoge[37], Briefe[38] und szenische Genera[39]. Und der Name Veldekes wird von Späteren besonders dann beschworen werden, wenn es sich darum handelt, eine Form der literarischen Kunstrede durch einen Unsagbarkeitstopos einzuleiten[40]. Wo heute gern mit einem Goethe-Zitat geschlossen wird, berief man sich damals vielleicht auf Veldeke.

In den ausgehenden 1170er Jahren, wohl besonders nach der Stabilisierung der politischen und wirtschaftlichen Verhältnisse durch den Frieden von Venedig, dann nach dem Sieg Barbarossas über Heinrich den Löwen, also im literarischen Augenblick des 'Cligès', werden repräsentative Spielformen der westlichen Ritterkultur in deutscher Vulgärsprache imitiert. Allgemeiner charakteristisch für die Situation scheint die ritterliche Lyrik des Diplomaten Friedrich von Hausen, dem namentlich die Verbindung zum hennegauischen Hof anvertraut ist[41].

---

[34] Zum Beispiel Grabtempel und Epitaph des Pallas, v. 8273—8400; vgl. RE. v. 6409—6524.

[35] Zum Beispiel das Zelt des Eneas, v. 9205—9235; vgl. RE. v. 7293—7330.

[36] Zum Beispiel Dido, v. 2395—2422; vgl. RE. v. 1974—2006; auch Lavine, v. 10064—10388; vgl. RE. v. 8083—8380.

[37] Zum Beispiel das Gespräch: Königin — Lavine, v. 9789—9868; vgl. RE. v. 7857 bis 8020.

[38] Zum Beispiel der Liebesbrief der Lavine, v. 10794—10805; vgl. RE. v. 8789 bis 8792.

[39] Etwa Liebeszenen oder feodale Beratungszenen, z. B. v. 1819—1865, v. 67—104; vgl. RE. v. 1507—1529, v. 61—77.

[40] Vgl. *daz alle, die nu sprechent, daz die den wunsch da* (sc. bei Veldeke) *brechent von bluomen* . . .: Gottfried von Straßburg, Tristan und Isold, ed. F. RANKE, Berlin 1930, v. 4747—4749; *ôwê daz sô fruo erstarp von Veldeke der wîse man! der kunde se* (sc. Antikonîe) *baz gelobet hân*: Wolfram von Eschenbach, ed. K. LACHMANN, Berlin 1926[6], 'Parzival', VIII, 404,28—30; *sold ich gar in allen wîs von ir zimierde sagen, sô müese ich mînen meister klagen, von Veldek: der kundez baz. der wære der witze ouch niht sô laz, er nand iu baz denne al mîn sin, wie des iewedern friwendin mit spæcheit an si leite kost*: 'Willehalm', II, 76,22—29; *das pette mocht wol pesser sein. so kan aber ich nicht gesagen bas. wann lat es sein als das. an seiner güete geleich. das von Veldegke maister Hainreich. machte hart schone. dem künig Salomone*: Moriz von Craûn, ed. U. PRETZEL (ATB 45), Tübingen 1962[2], v. 1156—1162 des Handschriftenabdrucks.

[41] Am 10. November 1188 reitet der Minnesänger von Erfurt aus als offizieller Vertreter Barbarossas mit dem hennegauischen Kanzler, Abt Gislebert von Mons, und dem Abt Arnulf von Vicogne an den Hof des Grafen Balduin von Hennegau, der zugleich der Schwiegervater des französischen Königs ist. Mit Balduin zusammen geht Friedrich von Hausen dann über Visé, Aachen, Koblenz (— ein diplomatisch heikles Itinerar! —) nach Worms, wo beide gegen den 20. Dezember 1188 eintreffen. Am 22. Dezember findet durch König Heinrich die Belehnung Balduins mit der Markgrafschaft Namur statt und damit zugleich dessen Erhebung in den Reichsfürstenstand, wobei der Minnesänger unter den Zeugen ist (vgl. W. v. GIESEBRECHT, Geschichte der deutschen Kaiserzeit, Bd. 6, Leipzig 1895, S. 196—200, S. 683; Hauptquelle ist: La chronique de Gislebert de Mons, ed. L. VANDERKINDERE, Bruxelles 1904). Anscheinend

Gerade der Hennegau, in weiterem Sinne dann der Raum der zweisprachigen Erzdiözesen Köln, Reims und Trier, scheint die Schleuse für das Eindringen westlicher Gesellschaftskultur zu sein. Dorthin richten sich auch u. a. die Interessen des Herzogs Berthold IV. von Zähringen (1152—1186), dessen Mutter aus dem Hause Namur stammt[42]. In diesem Zusammenhang denken wir uns auch den jungen Hartmann von Ouwe dort. Denn, soviel wird man sich klarmachen: Die Sprache der westlichen Kultur konnte man damals schwerlich aus Lehrbüchern erwerben[43]. Als Hartmann, wohl gegen 1185, den ersten deutschen Artus-Roman dichtet, ist die Vorlage, der 'Erec' des Chrestien, bereits 20 Jahre alt. Aber, was er dort überträgt, entspricht durchaus nicht mehr dem literarischen Stand des Chrestien von 1165.

Gegen Ende seines Romans gibt Hartman die ausführliche Beschreibung eines Wunderpferdes — 477 Verse lang[44]. Als der Sattel an die Reihe kommt, verzweifelt der Autor zünftig im Unsagbarkeitstopos: er sei halt ein unerfahrener Knappe:

> *und ob ichz aber rehte*
> *iu nû gesagen kunde,*
> *sô wærez mit einem munde*
> *iu ze sagenne al ze lanc.*
> 7485 *ouch tuot daz mînem sinne kranc,*
> *daz ich den satel nie gesach:*
> *wan als mir dâ von bejach*
> *von dem ich die rede hân,*
> *sô wil ich iuch wizzen lân*
> 7490 *ein teil wie er geprüevet was,*
> *als ich an sînem buoche las,*
> *sô ich kurzlîchest kan.*
> *'nû swîc, lieber Hartman:*
> *ob ich ez errâte?'*

und selbst, wenn ich tatsächlich fähig wäre, / Ihnen das angemessen darzustellen, / mit einem einzigen Mundwerk / würde diese Schilderung doch viel zu lang werden. / Schließlich ist mir noch etwas hinderlich: / Ich habe nämlich den Sattel nie selbst gesehen. / Ich weiß davon nur, / was mir jener Autor berichtet, / dem ich diesen Roman verdanke. / Und so will ich denn Sie wenigstens teilweise ins Bild setzen darüber, / wie dieser Sattel beschaffen war, / — nach jenem Roman — / und so kurz wie möglich. /
X.: 'Einen Augenblick, lieber Hartman! /

---

ist Friedrich von Hausen schon seit längerem am hennegauischen Hof wohlbekannt. Gislebert von Mons, S. 411, nennt ihn einen Familiaren und Sekretär des Kaisers. Vgl. auch MF, S. 324—326 (erste Ausgabe).

[42] Vgl. W. v. GIESEBRECHT (Anm. 41), Bd. 6, S. 69 und S. 199.

[43] Hartmann von Aue, Gregorius, ed. F. NEUMANN, Wiesbaden 1965[2], v. 1575 bis 1578, (*swelch ritter ze Henegouwe, ze Brâbant und ze Haspengouwe ze orse ie aller beste gesaz, sô kan ichz mit gedanken baz.*) erwähnt u. a. den Haspengau für seine vorbildliche Ritterschaft. K. BAEDEKER, Belgique et Hollande, Leipzig 1891, S. 57, bezeugt die Kampfeslust der Bewohner dort mit dem lebendigen Sprichwort: *Qui passe dans l'Hasbain, est combattu l'endemain.* Wie kommt ein schwäbischer Ritter zur Kenntnis dieser kleinen belgischen Landschaft um Waremme? In den Jahren 1184 bis 1188 ist am Zähringerhof gewiß oft von Haspengau, Hennegau und Brabant die Rede gewesen, im Zusammenhang mit den Erbschaftsverhandlungen (vgl. Anm. 42). Vgl. auch die Erwägungen von K. RUH (Anm. 30), S. 104 f.

[44] Hartmann von Aue, Erec, edd. A. LEITZMANN/L. WOLFF (ATB 39), Tübingen 1967[4], v. 7290—7766.

7495 *ich tuon: nû sprechet drâte.*
'ich muoz gedenken ê dar nâch.'
nû vil drâte: mir ist gâch.
'dunke ich dich danne ein wîser
                man?'
jâ ir. durch got, nû saget an.
7500 *'ich wil dir diz mære sagen.'*
daz ander lâze ich iuch verdagen.
'er was guot hagenbüechîn.'
jâ. wâ von möhte er mêre sîn?
'mit liehtem golde übertragen.'
7505 *wer mohte iuz doch rehte sagen?*
'vil starke gebunden.'
ir habet ez rehte ervunden.
'dar ûf ein scharlachen.'
des mac ich wol gelachen.
7510 *'sehet daz ichz rehte errâten kan.'*
jâ, ir sît ein weterwîser man.
'dû redest sam ez sî dîn spot.'
wê, nein ez, durch got.
'jâ stât dir spotlîch der munt.'
7515 *ich lache gerne zaller stunt.*
'sô hân ichz doch errâten?'
jâ, dâ si dâ trâten.
'ich hân lîhte etewaz verdaget?'
jâ enwizzet ir hiute waz ir saget.
7520 *'enhân ich danne niht wâr?'*
niht als grôz als umbe ein hâr.
'hân ich danne gar gelogen?'
niht, iuch hât sus betrogen
iuwer kintlîcher wân.
7525 *ir sult michz iu sagen lân*[45].

(Willst Du mich nicht probieren lassen,)
ob ich (die Descriptio) vielleicht errate?' /
H.: 'Gewiß, sprechen Sie nur los!' /
X.: 'Ich muß erst einen Moment nach-
denken.' /
H.: 'Aber bitte fix, ich hab es eilig!' /
X.: 'Hältst Du mich denn für einen Ge-
bildeten?' /
H.: 'Na freilich! Aber um Gottes willen
so fangen Sie doch an!' /
X.: 'Ich werde Dir also diese Descriptio
deklamieren!' /
H.: 'Das übrige bitte ich Sie, zu ver-
schweigen.' /
X.: 'Jener (Sattel) war aus bestem Hain-
buchenholz ...' /
H.: 'Ja, woraus denn wohl sonst?' /
X.: 'Mit strahlendem Gold verklei-
det ...' /
H.: 'Wer hätte Ihnen das besser sagen
können?' /
X.: 'Ganz fest gefugt.' /
H.: 'Da haben Sies aber getroffen!' /
X.: 'Scharlach oben darauf!' /
H.: 'Das ist freilich lustig!' /
X.: 'Sehen Sie, ich weiß es doch richtig zu
raten!' /
H.: 'Ja, ja! Sie sind ein ausgekochter
Meteorolog!' /
X.: 'Du redest gerade, als ob Du Dich
lustig machen wolltest!' /
H.: 'Ich? Um des Himmels willen!' /
X.: 'Du schmunzelst aber.' /
H.: 'Ich lächle halt immer! (Das ist so
meine Art!)' /
X.: 'Hab ichs also doch richtig getrof-
fen?' /
H.: 'Ja, wo sie alle hintreffen!' /
X.: 'Hätte ich vielleicht etwas ausgelas-
sen?' /
H.: 'Sie ahnen wohl heut nicht, was Sie
sagen.' /
X.: 'Hab ich denn nichts richtig?' /
H.: 'Nicht ums Haar!' /
X.: 'Hätte ich etwa ganz gelogen?' /

---

[45] 'Erec' (Anm. 44), v. 7481—7525.

H.: 'Nicht doch! Nur Ihre Naivität / hat
Ihnen einen Streich gespielt. / Gestatten
Sie mir, daß ich die (Descriptio) selber
mache.'

Und dann folgt Hartmans eigene Prunkrede. Natürlich ist der Sattel aus Elfenbein, und der ganze Aeneas-Roman und noch mehr ist darauf dargestellt. Dabei sieht Hartman wohl nicht nur auf Chrestien, sondern auch auf Veldeke[46]. Für die zitierte Hartman-Stelle möchte ich festhalten: Hier wird nicht nur der Fluß des epischen Berichts unterbrochen durch den Einschub eines rhetorischen Genus, der Descriptio, sondern die rhetorische Form selbst wird durch das eingeschobene Gespräch zum Gegenstand der Darstellung. Hartman versucht an dieser Stelle, den 'Erec' von 1165 auf dem literarischen Niveau des 'Cligès' von 1176/77 zu übertragen. Der Versuch bleibt inselhaft, er läßt sich östlich des Rheins nicht durchspielen. Der fingierte Redepartner duzt den Dichter herablassend[47] und ist doch ein prototypischer Tor. Naivität gegenüber literarischen Dingen wird vom Dichter apostrophiert, ohne daß sein Publikum damit zu mehr als nur vorgeblichem Literaturverständnis genötigt werden könnte.

Verglichen mit der Situation der Ritterkultur im Westen, die jetzt besonders durch den feodalen Heiratsbetrug des englischen Königs im Fall 'Adelaide und Vexin' (1160—1191)[48] und durch die bis in die Literatur hinein empörende

---

46 Vgl. Les Romans de Chrétien de Troyes, édités d'après la copie de Guiot (Bibl. nat. fr. 794), I, Erec et Enide, ed. M. ROQUES (CFMA 80), Paris (Champion) 1955, v. 5271—5305; Veldeke (Anm. 30), v. 5241—5292; Roman d'Eneas (Anm. 22), v. 4047 bis 4084. Chrestien hatte für sein Wunderpferd auf das bunte Pferd der Camille aus dem 'Roman d'Eneas' zurückgegriffen. Aber seine Descriptio ist von etwas lustloser Kürze. Bei Hartman hat sie, wie K. RUH (Anm. 30), S. 132 errechnet, annähernd vierzigfachen Umfang. Eine Körperbeschreibung hatte Hartman bei Chrestien nicht vorgefunden. Es gab sie bei Veldeke in Verbindung mit der Farbverteilung. Es gab sie auch im 'Roman d'Eneas'. Hartmans Verse (Anm. 44) 7356—7358 (*mit dürrem gebeine, ze grôz noch ze kleine: diu wâren vlach unde sleht,*) scheinen mir 'Roman d'Eneas', v. 4067, (*lo pié copé, les james plates*) zu erinnern; in unserem Veldeke-Text verlautet nichts dergleichen. Aber im ersten Pferdeportrait des 'Erec' (Anm. 44), v. 1426 bis 1453, das bei Chrestien (ed. M. ROQUES, v. 1367—1382) ohne rhetorische Entsprechung bleibt, bringt Hartman die Körperteile in einer Reihenfolge, die zu Veldeke stimmt, und schließt seine Descriptio abkürzend mit dem Satz: *die darmgürtel wâren borten;* dies erinnert an Veldekes: *di darmgurdele waren sidin... dat waren dure borden* ('Eneide' [Anm. 30], v. 5280 und v. 5284).

47 Mit Ausnahme von v. 7510, wo er sich vielleicht auf dem Höhepunkt seiner rhetorischen Leistung glaubt.

48 Für die Belehnung des späteren Heinrichs II. von England hatte Ludwig VII. von Frankreich 1151 den normannischen Teil der Grafschaft Vexin erhalten. 1160 verlobt Ludwig VII. seine Tochter Margarete mit einem Sohn Heinrichs II., Jung-Heinrich. Als Mitgift wird das normannische Vexin ausgemacht. 1169 verlobt Ludwig VII. seine Tochter Adelaide mit Richard Löwenherz, dem jüngeren Sohn Heinrichs II., Mitgift soll die Stadt Bourges sein. Beide Bräute hatte Heinrich II. gleich im Säuglingsalter zur

Kreuzzugssteuer der *dîme Saladine* (1188 ff.)[49] beleuchtet wird, liegen die Verhältnisse im Osten, im Imperium, ähnlich und doch wieder anders. Zwar sind auch hier feodale Formen und pecuniäre Interessen in Widerstreit — man denke nur an die Unterredungen von Chiavenna 1176 und Haldensleben 1179[50] und an das Institut der 'Scheinleihe' in der Heerschildordnung[51] —, zwar sieht sich auch hier das Bild idealer Ritterlichkeit von der Wirklichkeit kompromittiert, namentlich in Gestalt Kaiser Heinrichs VI.[52], — aber die Phänomene sind hier

---

Erziehung an seinen Hof genommen. Die zweieinhalbjährige Margarete hatte er noch 1160 von einem durchreisenden Kardinal mit dem fünfjährigen Jung-Heinrich trauen lassen und das Vexin besetzt. Seit dem Tode seiner Geliebten Rosamunde Clifford (1176) nahm Heinrich II. Adelaide, die Braut seines Sohnes Richard, zu Bett. Seine Gattin Eleonore hielt er seit 1174 in Gefangenschaft. 1177 forderte Ludwig VII. die Einlösung des Heiratsversprechens für Adelaide; Heinrich II. verlangte zuvor die Stadt Bourges und das französische Vexin. 1180 stirbt Ludwig VII. 1183 stirbt Jung-Heinrich. Philipp II. August von Frankreich fordert jetzt die Mitgift seiner verwitweten Schwester Margarete zurück, außerdem die Heirat zwischen Richard und Adelaide. Heinrich II. will das normannische Vexin als Mitgift auf Adelaide übertragen und verspricht baldige Heirat, so vertraglich 1186. 1189 stirbt Heinrich II. Wenige Tage später gelobt Richard anläßlich der Belehnung durch den König von Frankreich erneut Heirat der Adelaide. Als auf dem gemeinsamen Kreuzzug 1190/1191 die inzwischen wieder befreite 70jährige Eleonore dem sizilianischen Winterlager des englischen und französischen Königs mit Berengaria von Navarra als Braut für ihren Sohn Richard naht, versucht Philipp August Richard zur Einlösung seines Eheversprechens zu zwingen. Da erklärt dieser öffentlich, Adelaide habe bereits einen Sohn von seinem Vater, dessen Mätresse sie gewesen sei; er werde sie nicht heiraten. Vgl. A. CARTELLIERI (Anm. 29), Bd. 1, S. 206—211; Bd. 2, S. 163 f. und passim.

49 Vgl. den Wortlaut der Verordnungen von Le Mans (fürs angevinische Reich) und Paris (für Frankreich) bei A. CARTELLIERI (Anm. 29), Bd. 2, S. 59 ff. und S. 66 ff. Das einkommende Geld wird statt für die Kreuzfahrt für den Lehnskrieg benutzt. Literarische Empörung darüber drückt sich aus u. a. bei Peire Vidal, ed. J. ANGLADE (CFMA 11), Paris (Champion) 1965², Nr. XXII, Strophe 5; Nr. XLII, Strophe 6; Bertran de Born, ed. A. STIMMING (Roman. Bibl. 8), Halle 1892, Nr. 21; Maistre Renaut, in: Chansons de Croisade, edd. J. BEDIER/P. AUBRY, Paris 1909, Nr. VII, Strophe 2; Peirol, ed. S. C. ASTON, Cambridge 1953, Nr. XXXI, Strophe 5; Conon de Béthune, ed. A. WALLENSKÖLD (CFMA 24), Paris (Champion) 1968², Nr. V mit Echo bei Friedrich von Hausen, MF. 53,31 ff.

50 Vgl. K. BERTAU, Das deutsche Rolandslied und die Repräsentationskunst Heinrichs des Löwen, DU 20/2 (1968) 28.

51 Zum Beispiel: Ein Feodaler höheren Heerschildes veranlaßt einen seiner Vasallen, ein von ihm gekauftes Grundstück von dem Verkäufer niederen Heerschildes als Lehen zu empfangen, damit sein eigener Heerschild nicht gemindert wird. Jener Vasall überläßt dann die Verwaltung und Nutzung des so Erworbenen seinem Herrn 'zu treuen Händen'. Vgl. J. FICKER, Vom Heerschilde, Innsbruck 1862, S. 8 ff.; H. MITTEIS, Lehnrecht und Staatsgewalt, Darmstadt (Wiss. Buchgesellsch.) 1958², S. 465 und S. 637. Bei solchen 'Umgehungsgeschäften' (H. MITTEIS) muß sich das Kaufgeschäft der begrifflichen Realität der Heerschildordnung fügen.

52 Der Kaiser bekam den gefangenen Kreuzfahrer Richard Löwenherz von Herzog Leopold von Österreich für in Aussicht gestellte 50 000 Mark (d. h. Barren) Silber, er ließ ihn frei gegen eine einmalige Zahlung von 150 000 Silbermark Kölner Gewichts,

schon rein geographisch viel weniger allgemein als in Frankreich und England. Denn die ritterlichen Höfe sind hier ländlich, nicht städtisch[53], der Kaiser wie die Fürsten residieren in der Regel nirgends, sondern regieren 'aus dem Sattel'; und nicht zuletzt setzt die Sprache des Landes einer rhetorischen Kultur andere Widerstände entgegen als die französische Vulgärsprache, wo man wie einst den neuen Glauben, so jetzt die literarischen Figuren nur aus dem lateinischen ins romanische Gefäß überzugießen brauchte. Wir dürfen wohl nicht vergessen, daß von langer Hand her im Westen eine offene, von römischer Kolonisation geprägte Kulturlandschaft mit zahlreichen Städten, im Osten hingegen eine kaum erschlossene Rodelandschaft als Erbe des karolingischen Imperiums zurückgeblieben war[54].

Aber auch hier entsteht eine Literatur, die sich als Literatur weiß und die eigenartige Realität der fingierten und imaginierten Wort-Welt entdeckt. Wir erinnern nur an die Prologstelle des 'Iwein', welche in strikter Umkehrung der Vorlage das Erzählen und Anhören höher einschätzt als die krude Realität der vergangenen *res gestae*[55], an das Erwachen Iweins in eine ungeglaubte Ritterwirk-

---

eine jährliche Zahlung von 5000 Pfund Sterling, 50 Galeeren und gegen Leistung des Lehnseides für England. Vgl. MGH Const. I, Nr. 354 und A. CARTELLIERI (Anm. 29), Bd. 3, S. 35, 40, 54, 69. *Pauc pretz emperador Escas ni raubador* — 'Gering achte ich einen geizigen und diebischen Kaiser', singt Peire Vidal (Anm. 49), Nr. XXXVIII, Strophe 3 (vgl. auch Lied XXXII, 4), 'weder ritterlich noch vornehm' nennt K. HAMPE die Handlungsweise des Kaisers (vgl. K. HAMPE/F. BAETHGEN, Deutsche Kaisergeschichte, Heidelberg 1949[10], S. 225).

[53] Walthers und Wolframs Eisenach darf man sich nicht als 'Stadt' vorstellen. Es ist das 1150 dorthin verlegte Dorf Alt-Eisenach, ohne Kathedrale und Kathedralschule, mit Stadtrecht frühestens zwischen 1227 und 1247; vgl. H. HELMBOLD, Geschichte der Stadt Eisenach, Eisenach (Kühner) 1936. Auch Neidharts Landshut, 1204 gegründet, war damals kaum mehr als ein befestigtes Kuhdorf unter dem Schloß Trausnitz; vgl. H. HIRSCH, Die hohe Gerichtsbarkeit im deutschen Mittelalter, Prag 1922, TH. HERZOG, Stadt Landshut, Landshut 1948, J. F. KNÖPFLER, Burg Trausnitz ob Landshut, Landshut 1924. Wien, auch kein Bischofssitz, wäre die Ausnahme, aber der Herzog verlegte die Residenz in den Wald nach Klosterneuburg, sehr zum Leidwesen des Sängers; vgl. K. OETTINGER, Die Babenberger Pfalz in Klosterneuburg, MIÖG 55 (1944), S. BEYSCHLAG, Walther von der Vogelweide und die Pfalz der Babenberger, Jahrbuch für fränkische Landesforschung 19 (1959) 377—388. Allgemein: A. BORST, Das Rittertum im Hochmittelalter. Idee und Wirklichkeit, Speculum 10 (1959) 223.

[54] Vgl. H. LÖWE, Deutschland im fränkischen Reich, in: B. GEBHARDT, Handbuch d. deutschen Geschichte, Bd. 1, Frühzeit und Mittelalter, hrsg. v. H. GRUNDMANN, Stuttgart 1954[8], S. 143; K. BOSL, Staat, Gesellschaft, Wirtschaft im deutschen Mittelalter, in: B. GEBHARDT, Bd. 1, S. 610 ff.

[55] 'Iwein', Eine Erzählung von Hartmann von Aue, edd. G. F. BENECKE/K. LACHMANN, Neu bearbeitet von L. WOLFF, Berlin 1968, v. 54—58. Vgl. Les Romans de Chrétien de Troyes, édités d'après la copie de Guiot (Bibl. nat. fr. 794), IV, Le Chevalier au Lion (Yvain), ed. M. ROQUES (CFMA 89), Paris (Champion) 1960, v. 29—32. Wenn TH. CRAMER, Hartmann von Aue, Iwein, mit Übersetzung und Anmerkungen, Berlin 1968, S. 172 diese Zeilen 'für ein Mißverständnis Hartmanns' hält, so stellen sie eben doch eine charakteristische, interpretationsfähige Fehlleistung dar, deren Inten-

lichkeit, in die er nicht zögert als ritterlich verkleideter Bauer einzutreten[56]. Wir erinnern an Reinmars Satz: *Sô wol dir, wîp, wie reine ein nam!*, wo Wirklichkeit zum Wort hin konvergiert[57] und an Morungens

daz ich durch mîn ouge schouwe	daß ich solchen Schmerz mit meinen Au-
solche nôt,	gen sehe, / wie ein Kind, das unbedacht /
sam ein kint daz wîsheit	sein Spiegelbild in einem Quell erblickte /
unversunnen	und dies lieben mußte bis es starb . . .*,
sînen schaten ersach in einem	
brunnen	
und den minnen muose unze an	
sînen tôt[58].	

wo die Wirklichkeit der Phantasmagorie von todbringender Kraft wird. Von da aus führt ein Weg zu Gotfrids radikalem Satz *ine meine ir aller werlde niht*[59]. Aber nun Wolfram.

Die ritterliche Literatur in deutscher Vulgärsprache steht im Augenblick, da Wolfram seinen 'Parzival' beginnt, in einer künstlerischen Situation, vergleichbar derjenigen Chrestiens nach dem 'Cligès', in einer Situation, in der man sich fragen konnte: wie soll es überhaupt weitergehen? Wie es nach 1176/77 bei Chrestien weitergegangen ist und wie es jetzt, etwa 1195/97, bei Wolfram anfängt, möchte nun vergleichend betrachtet werden[60].

---

tion zur nächsterwähnten (vgl. Anm. 56), von Hartman über Chrestien hinaus erfundenen Stelle stimmt.

[56] 'Iwein' (Anm. 55), v. 3505—3596 mit den Schlußversen: *als er bedahte die swarzen lîch, dô wart er einem rîter glîch.* Besonders diese scheinen mir deutlich werden zu lassen, daß, wenn es hier, wie M. WEHRLI, Formen mittelalterlicher Erzählung, Zürich 1969, S. 181 vermutet hat, 'um das Ipsum des Menschen' geht, dieses sich doch eben als eine ritterliche Existenz 'im Status der Uneigentlichkeit' (ebda S. 182) wiederfindet.

[57] MF. 165,28. Die Realität *wîp* erscheint als eine in das Wort *wîp* kristallisierte und entrückte Realität.

[58] MF. 145,21 ff.

[59] 'Tristan' (Anm. 40), v. 50.

[60] Ein Datum für den Beginn der Arbeit am 'Parzival' läßt sich nur als Hypothese behaupten, nicht 'errechnen', wie gerne unter Hinweis auf L. WOLFF, Chronologisches zu Wolfram, ZfdA 61 (1924) 181—192, gesagt wird. Der Qualitätssprung, der ein System vieler Vielleichts, deren jedes in seiner Positivität bestritten werden könnte, zu einer positiven Gewißheit werden läßt, ist trügerisch. Denn eine zahlenmäßige Größenordnung eines Jahrespensums von 1900 Versen (L. WOLFF, S. 190) oder 2100 Versen (K. HELM, nach L. WOLFF, ebda.) kann als sicherer Faktor in solche Rechnung so wenig eingesetzt werden wie der Begriff eines gleichmäßigen Fortschreitens der Arbeit. Allein die ebda., S. 190, Anm. 2 genannten Zahlen ergäben so schwankende Jahresdurchschnitte wie 1627 (Heinrich von Kröllwitz) und 17702 Verse (Thomasin von Zirklaere) als vielleicht nicht einmal extreme Möglichkeiten. Weitere Faktoren treten in die Rechnung mit ein: Erwägungen auf Grund eines neuzeitlichen psychologischen Verhaltens und Vorstellungen von einer moralisch motivierten politischen Parteigängerschaft (S. 188), nicht näher begründete Gewißheiten von anderswoher (S. 189 Mitte), die Vermutung einer Kriegsteilnehmerschaft Wolframs (S. 190) und anderes, auch in der

III

Freilich, sicher ist für Wolframs 'Parzival' nur, daß dieses Riesenwerk allmählich entstand. Wachstumsnarben sind allenthalben erkennbar[61]. Deshalb scheint es uns in literar-historischer Betrachtung nötig, die Welt des 'Parzival' als eine allmählich entstehende Welt vorzustellen. Indes, an welcher Stelle Wolfram sein Gedicht begonnen hat, läßt sich mit Bestimmtheit nicht sagen. Es bleibt nichts übrig, als hier eine Hypothese aufzustellen.

Wolframs Werk ist umfangreicher als Chrestiens 'Perceval'. Wolframs Werk gibt eine vollendete Welt, Chrestiens Welt ist fragmentarisch, wesentlich fragmentarisch, schon von Anfang an, wie wir meinen. Wolfram hat zwei 'Bücher' dem Anfang von Chrestiens Geschichte vorausgeschickt[62]. Wir meinen, die Notwendigkeit dazu müsse sich ihm erst nachträglich ergeben haben, halten es für wahrscheinlich, daß sein Überlegen und Dichten zunächst als Auseinandersetzung mit dem Anfang von Chrestiens 'Perceval' begann, d. h. mit KARL LACHMANNS III. Buch. Soweit die Hypothese. — Wir setzen hinzu, daß wir keineswegs sicher sein können, daß der Anfang bei Wolfram uns in seiner ursprünglichen Gestalt vorliegt. Aber angefangen, als Anfänger angefangen muß Wolfram dennoch haben. Der Modus wäre, insofern er Grundlage auch des Späteren ist, noch in der vollendeten Form enthalten zu denken.

Aber ich möchte jetzt auf den Text sehen. Im Anfangsstück bei Chrestien heißt es von dem jugendlichen Helden:

Liste der für eine absolute Chronologie fündigen Stellen (S. 190—192), die die Möglichkeit einer interpolierenden Bearbeitung durch den Dichter nicht erwägt. Die Aufstellungen L. WOLFFs sind eine kohärente, modifizierbare Hypothese mit viel Wahrscheinlichkeit.

[61] Erinnert sei nur an den Prolog, die sogenannte 'Selbstverteidigung' 114,5 bis 116,4, den Widerruf des Trevrizent XVI, 798,1—30, den Epilog des VI. Buches, die Zahl der Frimutel-Kinder in V, 251,11 ff. gegenüber IX, 476,12 ff., den Schwertsegen V, 254,15 ff. gegenüber IX, 434,28, die Farbe der Rüstung VI, 333,4 gegenüber VII, 383,24, *senesch(l)ant* der Bücher III und IV gegenüber *seneschalt* in Buch VI (vgl. GESA BONATH, *Scheneschlant* und *scheneschalt* im 'Parzival', in: Wolfram-Studien, hg. v. W. SCHRÖDER, Berlin 1970, S. 87—97), die Worte der Sigûne III, 140,1 f., die sich kaum zum Vorhergehenden fügen, die Nennung des Helden III, 140,16 gegenüber I, 39,26, das nach II, 71,6 überlieferte Stück II, 69,29—70,6, der Zusammenhang des auf Buch II zurückweisenden VIII, 399,27—400,18 mit VIII, 400,19 ff. Auch Namen wie Brandelidelîn, Cidegast, Prîenlascors, Ascalûn, Lähelîn, Gurnemanz und Gâwân als Kleinkind (II, 66,15) beim Turnier von Kanvoleiz kann wohl erst schätzen, wer die späteren Bücher kennt. Vgl. ferner W. SCHRÖDER, Zur Chronologie der drei großen mittelhochdeutschen Epiker, DVjs 31 (1957) namentlich 283 ff.

[62] Ob er sich dabei einer Nebenquelle bediente oder nicht, ändert nichts an diesem Sachverhalt. Denn allenfalls hätte er sich mit Gründen für die Benutzung der Nebenquelle entschieden, aber eben entschieden. Vgl. auch F. PANZER, Gahmuret. Quellenstudien zu Wolframs 'Parzival', Sitzungsberichte der Heidelberger Akademie der Wissenschaften, Phil.-hist. Klasse, 1939—40; W. SNELLEMAN, Das Haus Anjou und der Orient in Wolframs 'Parzival', Nijkerk 1941; E. CUCUEL, Die Eingangsbücher des Parzival und das Gesamtwerk (Deutsche Forschungen 30), Frankfurt a. M. 1937.

85 *Ensi en la forest s'en entre,*
Et maintenant li cuers del ventre
Por le dolç tans li resjoï,
Et por le chant que il oï
Des oisiax qui joie faisoient;
90 *Toutes ces choses li plaisoient*[63].

So tritt er in den Wald ein, / und das Herz im Leibe freute sich jetzt / an dem schönen Wetter / und an dem Gesang, den er hörte, / von den Vögeln, die ihre Freude laut werden ließen. / All diese Dinge ergötzten ihn.

Bei Wolfram wird schließlich daraus:

Eins tages gieng er den weideganc
an einer halden, diu was lanc:
er brach durch blates stimme en
zwîc[64].

Eines Tages ging er seinen Jagdgang / längs eines großen Berghanges. / Er riß einen Zweig ab, um auf dem Blatt zu pfeifen.

Die Lust des Herzens und das Wohlgefallen an der Natur waren bei Chrestien, sagen wir 'abstrakt'. Bei Wolfram gewinnen sie 'konkreten' Ausdruck. Sein Held verspürt nicht Freude, sondern er pfeift auf einem Blatt. Ebenso ist der Wald nicht mehr bloß abstrakte Kulisse 'Wald', sondern genauer benannte Landschaftsform: Jagdpfad am Berghang; und das Tun des Helden ist nicht bloß 'in den Wald reiten', sondern 'seinen Waidgang gehen'. Bei Wolfram wird Detail konkret und endlich, welches bei Chrestien abstrakt gewesen war — um einer unendlichen Rätselperspektive willen, wie noch zu zeigen ist.

Sehen wir zunächst die Fortsetzung dieser Stelle weiter an, und zwar bei Chrestien:

Por la douçor del tans serain
Osta au chaceor le frain,
Si le laissa aler paissant
Par l'erbe fresche verdoiant[65].

Wegen der Milde des heiteren Wetters / nahm er dem Jagdpferd die Zügel ab / und ließ es weiden / ᾿ im frischen, grünenden Grase.

Das scheint konkret, realistisch. Aber das weidende Pferd illustriert die amöne und zugleich heroische Stimmung der Milde des heiteren Wetters, vereinigt *pascua* und *equus* der *rota Virgilii*[66]. Es stammt aus der Rhetorikschule, ist Realismus, der vom abstrakten Schema herkommt. Der ländlich-ungelehrte Wolfram hat darauf verzichtet. Was bei Chrestien Konkretisierung des literarischen Schemas war, ist für ihn wohl nur Konkretes mit abstrakt leerlaufendem Sinn, literarische Feinschmeckerei. Das Moment des Distanznehmens von der literarischen Konvention bei Chrestien goutiert Wolfram nicht, weil es dem Ministerialen in seiner deutschen Rittergesellschaft von 1195 nicht goutierbar ist. Chrestien fährt fort:

---

63 Chrétien de Troyes, Le Roman de Perceval ou Le Conte du Graal, publié d'après le ms. fr. 12576 de la Bibliothèque Nationale, ed. W. Roach (Textes Littéraires Français 71), Genève (Droz) 1956, im folgenden 'Perceval', v. 85—90.

64 'Parzival', III, 120,11—13.

65 'Perceval', v. 91—94.

66 Vgl. E. Faral (Anm. 9), S. 87.

95 *Et cil qui bien lancier savoit*	Und er, der gut zu werfen wußte /
Des gavelos que il avoit,	mit den Wurfspeeren, die er hatte, /
Aloit environ lui lanchant,	ging umher und warf um sich, /
Une eure (arriere,) l'autre avant,	einmal nach rückwärts, einmal nach
Une eure bas et autre haut,	vorn, / bald nach unten, bald nach oben, /
100 *Tant qu'il oï parmi le gaut*	bis er durch den Wald / fünf bewaffnete
Venir cinc chevaliers armez,	Ritter kommen hörte, / in voller Rüstung.
De totes armes adoubez[67].	

Der Realismus des geschilderten Speerwerfens verrät seinen rhetorisch-abstrakten Ausgangspunkt durch die vier Richtungen des Werfens. Man kann nach unten doch wohl nur werfen, wenn man oben steht. Vollends, daß der Held f ü n f Bewaffnete h ö r t, geht über den auditiven Wahrnehmungsinhalt hinaus. Hier tut der Dichter aus seinem Wissen der Wahrnehmung des Helden den Rest hinzu und enthüllt den realistischen Schein als Instrument rhetorischer Meisterschaft. Denn solches Umspringen mit der Perspektive ist wohl meisterhaft-übermütig. Es geschieht hier, weil etwas, vielleicht eine Vorstellung von rhythmischem Wohlklang, die an Wace erinnert, den Meister zur Descriptio verlockt:

Et molt grant noise demenoient	Und groß Getöse machten / die Waffen
Les armes de ciax qui venoient,	von denen, die kamen. / Denn vielfach
105 *Que sovent hurtelent as armes*	stießen gegen die Waffen / die Äste von
Li rain des chaines et des carmes.	Eichen und Buchen. / Die Lanzen stießen
Les lances as escus hurtoient	gegen die Schilde, / und alle Panzerhem-
Et tout li hauberc fresteloient;	den klirrten. / Es klingen die Schäfte,
Sonent li fust, sone li fers	es klingt das Eisen, / so von den Schilden
110 *Et des escus et des haubers*[68].	wie von den Panzern.

Erst danach geht Chrestien in freier, 'clerischer' Meisterschaft wieder auf die Perspektive seines Helden zurück, der wohl hört, aber nicht sieht. Wir folgen Chrestien noch ein Stück, um zu beobachten, wie sich die Exposition entwickelt:

Li vallés oit et ne voit pas	Der Junker hört aber sieht nicht / jene,
Ciax qui vers lui vienent le pas;	die zu ihm herantraben. / Sehr verwundert
Molt se merveille et dist:'Par m'ame,	er sich und spricht: 'Bei meiner Seel! /
Voir se dist ma mere, ma dame,	Wahres sprach meine Mutter, die Her-
115 *Qui me dist que deable sont*	rin, / die mir sagte, daß die Teufel / das
Les plus laides choses del mont;	scheußlichste Zeug von der Welt sind; /

---

[67] 'Perceval', v. 95—102.
[68] 'Perceval', v. 103—110. Ich denke an die dipodischen Achtsilbler bei Wace, etwa die berühmten Verse im 'Rou' (Anm. 22) über den Märchenwald und Wunderbrunnen von Brocéliande: *Merueilles quis, mais nes trouai, Fol m'en reuinc, fol i alai, Fol i alai, fol m'en reuinc, Folie quis, por fol me tinc* (v. 6417—6420) — 'Wunder gesucht, entdeckt jedoch keine, Narr kehrt ich heim, Narr zog ich hin, Narr zog ich hin, Narr kehrt ich heim, Narrheit gesucht, mich zum Narren gehalten'.

Et si dist por moi enseingnier	und sie sagte so, um mir beizubringen, /
Que por aus se doit on seingnier,	daß man sich vor ihnen bekreuzigen
Mais cest ensaing desdaignerai,	muß. / Doch diese Lehre will ich verach-
120 *Que ja voir ne m'en seingnerai,*	ten, / und will wahrlich nicht das Kreuz
Ains ferrai si tot le plus fort	schlagen, / sondern will sogleich den
D'un des gavelos que je port,	stärksten unter ihnen / so treffen mit
Que ja n'aprochera vers moi	einem der Speere, die ich trage, / daß mir
Nus des autres, si com je croi.'	keiner mehr nahen soll / von den andern,
125 *Einsi a soi meïsme dist*	weißgott!' / — Also sprach zu sich selbst /
Li vallés ains qu'il les veïst,	der Junker, ehe er sie sah. / Doch als er
Et quant il les vit en apert,	die offen erblickte, / die bisher der Wald
Que du bois furent descovert,	verbarg, / und sah die klirrenden Panzer /
Et vit les haubers fremïans . . .	. . .

— Der Glanz- und Farbeneffekt wird jetzt ausführlicher beschrieben —

Si li fu molt bel et molt gent,	. . . da ward ihm ganz froh und freudig
Et dist: 'Ha! sire Diex, merchi!	zumute, / und er sprach: 'Ah, Herr Gott,
Ce sont angle . . .'[69]	das sind Engel . . .'

Erst hier erfahren wir übrigens, daß den Knaben seine Mutter etwas lehrte. Einer
der Ritter kommt dann freundlich zu ihm heran, weil er meint, der Junge sei aus
Angst zu Boden gesunken. Er klärt ihn darüber auf, daß er nicht Gott, sondern
ein Ritter sei. Da fragt ihn der Knabe über das Ritterwesen aus, antwortet aber
nicht auf die Fragen des Ritters. Schließlich kommen die vier andern Ritter
hinzu:

Si li dïent isnellepas:	und sprechen sogleich: / 'Herr, was sagt
235 *'Sire, que vos dist cist Galois?'*	dieser Waleis zu Euch?' / — 'Er kennt
— 'Il ne set pas totes les lois,	nicht die Umgangsformen (unserer Ge-
Fait li sire, se Diex m'amant,	sellschaft)', / erwidert der Fürst, 'somir-
C'a rien nule que li demant	gotthelf! / Denn auf nichts, was ich ihn
Ne me respont il ainc a droit,	frage, / antwortet er mir, wie sichs ge-
240 *Ains demande de quanqu'il voit*	hört, / sondern er fragt bei allem, was
Coment a non et c'on en fait.'	er sieht, / wie man das nennt und was
— 'Sire, sachiez tot entresait	man damit macht.' / — 'Herr, das wißt
Que Galois sont tot par nature	Ihr ja doch: / Die Waleisen sind von
Plus fol que bestes en pasture; . . .'[70]	Natur noch dümmer als das Vieh auf der
	Weide . . .'

Damit wären wir wieder im, ironisch verwandelten, amönen Bereich. Erst allmählich erfährt der Leser das Ausmaß der Torheit des jungen Helden.

---

[69] 'Perceval', v. 111—129 und v. 136—138. Zu dem merkwürdigen Zug, daß der
Knabe nicht das Kreuzzeichen schlagen will, vergleiche das Erlebnis des Zisterzienser-
bischofs Guy de Carcassonne mit dem Ritter, der von einem solchen Kreuzzeichen
beileibe keine Hilfe wünscht, bei: M.-H. VICAIRE, Histoire de Saint Dominique, I,
Paris (Cerf) 1957, S. 122 und Anm. 37 und 38, mit Literatur.
[70] 'Perceval', v. 234—244.

Wir haben die Szene bei Chrestien kürzen müssen. Aber bei Wolfram, dem man gemeinhin einfach 'Längung seiner Vorlage' nachsagt, ist dies alles viel knapper gefaßt:

120	*Eins tages gieng er den weideganc*	Eines Tages ging er seinen Jagdgang /
	an einer halden, diu was lanc:	längs einer weiten Berghalde. / Er riß
	er brach durch blates stimme en zwîc.	einen Zweig ab und wollte auf dem Blatt
	dâ nâhen bî im gienc ein stîc:	pfeifen. / Ganz nahe bei ihm lief ein
15	*dâ hôrter schal von huofslegen.*	Pfad. / Dort hörte er Schall von Huf-
	sîn gabylôt begunder wegen:	schlägen. / Sogleich schwang er seinen
	dô sprach er 'waz hân ich vernomn?	Wurfspeer. / Dann sagte er: 'Was hab ich
	wan wolt et nu der tiuvel komn	da gehört? / Wenn doch jetzt der Teufel
	mit grimme zorneclîche!	kommen wollte / mit wilder Wut! / Den
20	*den bestüende ich sicherlîche.*	würde ich bestimmt besiegen! / Meine Mut-
	mîn muoter freisen von im sagt:	ter erzählt mir Schauriges von ihm. /
	ich wæne ir ellen sî verzagt.'	Aber sie hat wohl keinen rechten Mut.' /
	alsus stuont er in strîtes ger.	So stand er voller Lust zum Kampf. /
	nu seht, dort kom geschûftet her	Jetzt — s e h e n S i e ! — dort kamen
25	*drî ritter nâch wunsche var,*	herangaloppiert / drei Ritter, ganz herr-
	von fuoze ûf gewâpent gar.	lich glänzend, / von Kopf bis Fuß ge-
	der knappe wânde sunder spot,	rüstet. / Der Knabe glaubte wahrhaftig, /
	daz ieslîcher wære ein got.	daß jeder von ihnen ein Gott sei. / Da
	dô stuont ouch er niht langer hie,	hielt es ihn auch nicht länger hier. / Er
	in den phat viel er ûf sîniu knie.	stürzte auf den Weg und fiel in die Knie. /
121	*lûte rief der knappe sân*	Laut rief der Knabe sofort: / 'Hilf, Gott,
	'hilf, got: du maht wol helfe hân.'	Du kannst gut helfen!' / — Dem ersten
	der vorder zornes sich bewac,	(der Ritter) wallte Zorn auf, / als der
	dô der knappe im phade lac:	Knabe ihm dergestalt im Weg lag: / 'Die-
5	*'dirre tœrsche Wâleise*	ser dumme Waleise / stört uns den eili-
	unsich wendet gâher reise.'	gen Ritt.' / (Hier) muß ich den Waleisen
	ein prîs den wir Beier tragn,	nachsagen / jenen Ruf, den wir Bayern
	muoz ich von Wâleisen sagn:	haben. / Sie sind dümmer als Bayernker-
	die sint tœrscher denne beiersch her,	le / und doch wacker im Kampf. / Wer
10	*unt doch bî manlîcher wer.*	in diesen beiden Ländern wächst, / bringt
	swer in den zwein landen wirt,	reife Weltgewandtheit hervor, / daß man
	gefuoge ein wunder an im birt.	staunt. / — Da kam laisiert / und schön
	Dô kom geleischieret	zimiert / ein Ritter . . .
	und wol gezimieret	
15	*ein ritter, . . .*[71]	

Wie oben bei der *cernas*-Formel 'Jetzt — sehen Sie! — dort . . .', so zerreißt hier bei der Bayernbemerkung das Gewebe der erzählten Welt zum Durchblick auf Gegenwärtiges. Wenn Chrestien durch ironische Rhetorik und nachträgliches Konkretisieren die erzählte Welt als überlegen gestaltete Kunstwelt von ihrem Erzählinhalt abhebt, so wird zwar auch bei Wolfram Distanz zwischen Erzähl-

---

[71] 'Parzival', III, 120,11—121,15.

vorgang und Erzähltem geschaffen[72], aber nicht durch ein Zurschaustellen rhetorischer Kniffe, sondern hier durch stofflich-thematische Sprünge — in dieser
Hinsicht vielleicht gröber und östlicher. Aber die Zeit ist anders, die Gesellschaft
ist plumper[73] und der Dichter ist kein Clerc. Auch da, wo Wolframs 'konkreter
Stil' andere Mittel des Distanzierens findet, scheint der hier gemeinte Unterschied
erhalten zu sein.

Nun ist freilich mit 'konkreter Darstellung' etwas Widersprüchliches bezeichnet. Denn 'konkret' in strengem Sinn wäre eher das, was undargestellt existiert:
der wirkliche Wald usw. Werden solche Dinge z. B. sprachlich abgebildet, sind
sie in der Abbildung als Dinge nicht mehr konkret. Das heißt: Der mit dem Wort
bezeichnete Gegenstand und der Vorgang des Ausdrückens selbst stehen miteinander auf gespanntem Fuß, sozusagen. In dem, was wir bei Wolfram etwas hilf-
los 'konkreten Stil' nennen[74], bringt sich die Spannung zwischen Wirklichkeit und
Darstellung hervor als Spannungsverhältnis von Erzählung und Gegenwart,
indem das Moment des Ausdrückens selbst in anderer Weise als bei Chrestien
profiliert wird. Als stofflicher Sprung z. B. in der Bayernbemerkung, ferner in
jeder Anspielung auf Gegenwärtiges. Aber auch, wenn es von Parzivâl heißt:
Er brach durch blates stimme en zwîc (III, 120,13), ist nicht allein das Blatt und
der Ton eingebrachte Wirklichkeit, sondern mehr noch die abkürzende, ent-
schiedene Art des Sagens. In ihr ist der Erzähler gegenwärtig in seiner besonderen
Weise. Wörtlich übersetzt hieße die Stelle: 'Er riß einen Zweig ab, um des Er-
schallens des Blattes willen.' Das 'Blatt' ist mit dem 'Erschallen' (*stimme*) durch
seine Genitivform verbunden. In *blates stimme* ist, wie in einem dafür denkbaren

---

[72] Vgl. aber auch W. Mohr, Zu den epischen Hintergründen im 'Parzival', in:
Mediaeval German Studies. Festschrift für Frederick Norman, London 1965, S. 186.

[73] 'Meiner Meinung nach sind die Deutschen ungebildet und grob; wenn einer von
ihnen kommt und sich einbildet, er sei höfisch, fühlt man sich zu Tode bestraft und
heftig bekümmert. Ihre Sprache klingt wie Hundegebell. Deswegen möchte ich auch
um nichts (in der Welt) bei den Friesen König sein. Immer das Quäken dieser lästigen
Kerle anhören! Da bin ich doch lieber bei den lustigen Lombarden, an der Seite meiner munteren Herrin mit ihrer weichen, weißen Haut', singt Peire Vidal (Anm. 49),
Nr. XXXVII, Strophe 2: *Alamans trob deschauzitz e vilans; E quand negus si feing
esser cortes, Ira mortals cozens et enois es; E lor parlars sembla lairars de cans; Per
qu'ieu non vuoill esser seigner de Frisa, C'auzis tot jor lo glat dels enois: Anz vuoill
estar entre'ls Lombartz joios, Pres de midonz qu'es gaia, blanc' e lisa.*

[74] W. Mohr (Anm. 72), S. 185, formuliert, indem er ähnliches beobachtet: 'Die
weise und hohe Künstlichkeit von Chrestiens streng funktionaler Aventürehandlung
setzt er (sc. Wolfram) in Lebensformat um'. Von der strengen Funktionalität der
Aventürehandlung kann ich mich gerade im 'Perceval' allerdings nicht ganz überzeu-
gen. W. Kellermann, Aufbaustil und Weltbild Chrestiens von Troyes im Percevalroman, Tübingen 1967[2], S. 27, spricht von einem 'geringen Zusammenhang der Gau-
vainepisoden', sieht (S. 33) die Schwierigkeiten der Zeitstruktur und konstatiert S. 47:
'Chrestien benutzt in keinem seiner Werke die Methode des unruhigen Schauplatz-
wechsels so wie im Percevalroman'. Freilich ergibt sich uns immer wieder die Versuchung, Chrestien tout court auf cartesischen Geist hin zu stilisieren.

durch blatliche stimme, ein Eigenschaftsverhältnis zwischen *blat* und *stimme* dargestellt. Die *stimme,* der Ton aber vertritt als sinnlich Wahrnehmbares den Vorgang seiner Hervorbringung, das Pfeifen. Wolfram setzt das Resultat für die Tätigkeit. Der Prozeß des Darstellens ist in solcher Ausdrucksweise selbst so deutlich wie die benannten Gegenstände. Das abbildende Verfahren des Dichters und das benannte Gegenständliche sind zusammen die Spannung dieses 'konkreten Stils'. Bei Wolfram wie bei Chrestien sind erzählte und gegenwärtige Welt ständig aufeinander bezogen. Aber bei Chrestien ist die Gegenwärtigkeit die rhetorische Erzählsituation des Literaten, die hervorgehobene, wenn auch nach dem 'Cligès' vielleicht sich selbst problematische Meisterschaft; bei Wolfram dagegen ist die Gegenwärtigkeit bei aller eigensinnigen Schwerzüngigkeit des Sagens stoffliche, materiale, ja gesellschaftliche Unterschiedenheit des kleinritterlichen Erzählers von der idealritterlichen Fiktion[75] — trotz der Beteuerung *schildes ambet ist mîn art,* welcher Satz ja auch die Nötigung bezeugt, unarbeitsteilige Ritterkultur als existent zu beschwören[76].

Man könnte freilich bei Chrestien und bei Wolfram von 'unterschiedlichen stilistischen Prinzipien' sprechen. Aber deutlich ist vielleicht auch, wie sie aus jeweils anderem historischem Boden wachsen. Wir versuchen, den Finger auf die Stelle zu legen, aus der sich die grundsätzliche Verschiedenheit der literarischen Welten beim späten Chrestien und bei Wolfram ergibt, versuchen zu begreifen, inwiefern Wolframs Erzählen für sich eine andere Welt fordert als die, die Chre-

---

[75] Das scheint manifest z. B. in der konkreten Umformung des Unsagbarkeitstopos, 'Parzival', XV, 735,9—11: *ez ist wunder, ob ich armer man   die rîcheit iu gesagen kan,   die der heiden für zimierde truoc.* Auch IV, 184,27—185,11 konfrontiert *mære* und eigene Wirklichkeit. Wolframs *arme rîter* und *armman,* die als gehrende Statisten bei großen Turnieren fungieren (vgl. 'Parzival', II, 70,8; II, 100,29; XV, 785,7), scheinen mit scharfsichtiger Sympathie gezeichnet, wie dann namentlich jene, die den großen Herren die Kastanien selbst aus epischen Feuern holen müssen: *swâ man des vil von künegen sagt,   dâ wirt armmannes tât verdagt.   arme rîter solten strîten: ein künec wol möhte bîten,   unz er vernæm diu mære,   wie der furt versichert wære* 'Willehalm' (Anm. 40), IX, 428,3—8 (vgl. auch 'Parzival', IV, 205,15). Daß jemand wie *Heimrîch der schêtis* dazu gehört, hebt das Sozialprestige der *milites captivi* in vielleicht erwünschter Weise. Diese Eben-noch-Ritter sind zwar 'nicht unbedingt ein Irgendwer ohne Familie', ihre 'große Menge' aber ist 'in den untersten Rängen des ritterlichen Soldatentums zu finden', wie W. MOHR, *arme ritter,* ZfdA 97 (1968) 128 und 133 schreibt. Davor, Söldner dieser Zeit allzusehr vom Bild des braven Soldaten her zu denken, könnte warnen: H. GRUNDMANN, Rotten und Brabanzonen, Deutsches Archiv 5 (1942) 419—492. Wenn D. H. GREEN, Der Auszug Gahmurets, in: Wolfram-Studien, hg. v. W. SCHRÖDER, Berlin 1970, besonders S. 82 ff. den Weg Gahmurets aus materieller und lehnrechtlicher Gebundenheit in die Freiheit romanhafter Idealität als Symbol eines moralischen Läuterungsprozesses deutet, scheint mir doch ein sehr schillerscher Freiheitsbegriff für einen Gehalt Pate gestanden zu haben, der vielleicht eher als wunschbildhafte Projektion zu fassen ist, der Erde an den Füßen klebt.

[76] 'Parzival', 115,11: 'Ritterlicher Dienst ist mir angeboren', d. h. ich will beileibe nicht für einen Literaten gelten. Dennoch ist das von unten herauf gesprochen und seine mehr als 40 000 Verse bedürfen solcher Affirmation.

stien aufgebaut hatte. Über solche Konsequenzen kann uns vielleicht ein kurzer Blick auf den Erzählvorgang auch bei Chrestien einiges lehren.

IV

In seinem Chrétien-Buch hatte JEAN FRAPPIER treffend festgestellt, daß der Dichter seinen 'Perceval' vor allem aus der Perspektive des Helden heraus erzähle[77]. Wo der Held nicht mehr weiß, weiß auch der Leser nicht mehr. Diese Technik des beschränkenden Horizontes ist ein bekannter Kunstgriff. Auch Conan Doyle gebraucht ihn ja, wenn er Doktor Watson die Taten des dann und wann Geige spielenden Sherlock Holmes berichten läßt.

Wir haben andrerseits bereits beobachtet, wie Chrestien diese beschränkende Perceval-Perspektive gelegentlich auch fallen lassen kann. Etwa wenn er zeigt, daß er, der Dichter, mehr sieht und hört, als sein Held zu sehen und zu hören in der Lage ist. Wir erinnern nur an die fünf Ritter. Der Dichter scheint nicht Gefangener seiner literarischen Formenwahl, scheint vielmehr mit seinen Formmöglichkeiten frei zu spielen. Aber dokumentiert sich hier wirklich noch weiterhin jene Meisterschaft distanzierender Darstellung, die im 'Cligès' ihren Höhepunkt erreichte? Ein Blick auf den Anfang des Romans läßt anscheinend anderes erkennen:

Ce fu au tans qu'arbre foillissent,	Das war zur Zeit, wenn alle Bäume blü-
70 *Que glai et bois et pre verdissent,*	hen, / wenn Schilf und Wald und Wiese
Et cil oisel en lor latin	grünen, / und wenn die Vögel in ihrem
Cantent doucement au matin	Latein / in der Frühe lieblich singen, /
Et tote riens de joie aflamme,	und jedes Ding vor Freude flammt, /
Que li fix a la veve fame	daß der Sohn der Witwe vom wüsten
75 *De la gaste forest soutaine*	Wald / sich erhob...
Se leva,...[78]	

Rätselhaft wird er nur als 'Sohn der Witwe vom wüsten Wald' bezeichnet. Wessen Witwe und wer diese Frau ist, auch ihren Namen — all das weiß man nicht. 'Sohn der Witwe' ist eine abstrakte Bezeichnung, eine Bezeichnung nur nach der Funktion. Dies abstrakte Benennen, das Chrestien ja überhaupt liebt, ist hier im 'Perceval' Teil des Geheimnisses, das sich erst Schritt für Schritt, am Ende dann aber gar nicht lichtet. Schritt für Schritt teilt der Dichter dem Publikum jetzt Elemente mit, mit deren Hilfe sich das Rätsel wenigstens etwas zu klären beginnt:

...et ne li fu paine	... und er legte ohne Mühe / (— er ist
Que il sa sele ne meïst	also gewandt! —) den Sattel / auf sein
Sor son chacheor et preïst	Jagdroß (— er ist also kein Bauer oder
Trois gavelos, et tout issi	Köhler! —) und nahm / drei Wurfspieße
80 *Fors del manoir sa mere issi.*	zur Hand. (— aber er hat altertümlich-

---

[77] J. FRAPPIER (Anm. 24), S. 174.
[78] 'Perceval', v. 69—76.

Il pensa que veoir iroit
Herceors que sa mere avoit,
Qui ses avaines li semoient;
Bués doze et sis herces avoient[79].

bäurische Waffen! —) Und so / verließ er das Haus seiner Mutter. / Er dachte, er würde / die Feldarbeiter aufsuchen, die seine Mutter hatte, / und die ihr eben den Hafer säten; / sie hatten wohl zwölf Ochsen und sechs Eggen. (— Seine Mutter ist also eine Grundherrin! —)

Hier herrscht eine beschränkende Perspektive im Detail. Aber sie ist auf andere Weise veranstaltet, ist nicht aus dem subjektiv beschränkten Horizont des Helden gewonnen. Sie scheint vielmehr in neuem Entschluß aus der freien epischen Allwissenheit des Dichters herausgesetzt. Es gibt so neben der beschränkenden Helden-Perspektive noch eine beschränkende Erzähl-Perspektive, mit deren Hilfe eine nicht völlig überschaubare, rätselhafte Welt gestaltet wird. Chrestien veranstaltet das Rätselhafte auf verschiedene Weise. Auch das plötzliche Auftauchen von Realobjekten, die genau bestimmt sind, gehört in den Zusammenhang solcher Veranstaltung, ob man nun an den *vaironnet* (v. 3010), das 'ellritzenähnliche Fischlein' denkt, das an der Angel des Fischerkönigs zappelt, oder an unsere Stelle, wo der konkrete Hafer und die konkreten zwölf Ochsen inselhaft mitten in einem Unbekannten stehen, als Objekte, an denen die wesentliche Rätselhaftigkeit dieser Welt nur um so deutlicher abgelesen werden kann. Daß hier parallel gerichtete Formen (beschränkende Perspektiven, Objektinseln) sich einstellen und überlagern, könnte zu denken geben. Es wirkt wie eine formale Obsession, die sich immer wieder anders meldet. Was als Freiheit der Formenwahl erscheint, beschränkende Perspektive so oder so einzusetzen, könnte sehr wohl zwanghaft sein.

85 *Ensi en la forest s'en entre,*
   Et maintenant li cuers del ventre
   Por le dolç tans li resjoï,
   Et por le chant que il oï
   Des oisiax qui joie faisoient[80];

So tritt er in den Wald ein, / und das Herz im Leibe freute sich jetzt / an dem milden Wetter, / und an dem Gesang, den er hörte, / von den Vögeln, die Freude zwitscherten.

Die Lust des Herzens und das Wohlgefallen an der Natur blieben bei Chrestien vielleicht vor allem deshalb vergleichsweise abstrakt, weil sie im Dienste eines neuen, abstrakten Zweckes stehen, weil sie die 'Fluchtlinien'[81] einer Rätselwelt bezeichnen, von welcher der Dichter obsediert ist.

Daß der Dichter dieser Rätselwelt nicht mächtig ist, zeigt sich, meine ich, auch dort, wo er selbst auf einige seiner Rätselfragen Antwort gibt. Wen man mit dem Graale bedient? Percevals Großvater, einen Mann, der nur von Hostien

---

[79] 'Perceval', v. 76—84.
[80] 'Perceval', v. 85—89.
[81] J. FRAPPIER (Anm. 24), S. 203, spricht von den 'lignes fuyantes de l'arrière-plan mythique'.

lebt[82]. Aber was ist mit solcher Auskunft des Einsiedlers denn nun gewonnen? Charakteristisch scheint, daß hier im 'Perceval' die Fragen größer sind, als es die Antworten je sein können. Die Lösung der Rätsel bietet nicht die erwartete Weisheit, sondern Weisheitssurrogate. Mit den beschränkenden Erzählperspektiven des 'Perceval' hat es nicht bloß dies auf sich, daß sie im Roman wirkungsvoll auf eine zweite Welt angewendet werden, die über ihren Horizont hinausliegt (— die Rätselwelt des Graalshofes —), und daß auf diese Weise hervorgebracht wird das Motiv des Wissenwollens, des ritterlichen Forschens und Fragens an der Grenze, der *queste* — und das zentrale Motiv des Nichtwissens[83]; sondern auch die Allwissenheit des Epikers erweist sich als der Beschränkung unterworfen, zeigt sich als eine objektiv beschränkte Perspektive, für welche mögliche Antworten auf die übergroßen Fragen außerhalb des Horizontes liegen. Die beschränkende Helden-Perspektive ist zugleich unwillkürlicher Ausdruck und Zeichen der gleichfalls nicht mehr ausreichenden Allwissenheit des Erzählers. Sagten wir oben unter Berufung auf JEAN FRAPPIER: Wo der Held nicht mehr weiß, weiß auch der Leser nicht mehr, so sollten wir jetzt hinzusetzen: Wo der Autor nicht mehr weiß, kann auch der Leser nicht mehr erfahren, obgleich beide noch viel mehr wissen möchten. Der Autor tut nur so, als sei er des Geheimnisses noch mächtig, das er in der Rätselwelt des 'Perceval' gestaltet.

In der Welt des späten Chrestien hat sich etwas verändert. Die ironische Durchsichtigkeit und Heiterkeit der Form, die noch im 'Cligès' herrschte, ist gewichen. Bezeichnenderweise sind die beiden letzten Werke des Meisters von Troyes, 'Lancelot' und 'Perceval', Fragment geblieben.

Im 'Lancelot' ist das Gericht über den Artushof initiales Thema. Ein unritterlicher Ritter ist vor dem König erschienen, hat die Königin vor aller Augen mit sich fortgeführt und hat den mutigsten der Paladine zum Zweikampf gefordert, der allein die Königin retten könnte. Der Seneschalk Keu, der für die Königin eintreten wollte, ist ohne viel Federlesens besiegt worden. Lancelot vom See und Gauvain mit den feinen Manieren nehmen die Verfolgung auf. Aber Gauvain ist nicht in der Lage, sein angelerntes gutes Benehmen zu überwinden. Er wird scheitern. Der Held Lancelot muß auf den Schandkarren steigen, um die Königin retten zu können, muß in der Lage sein, seine formalisierte ritterliche Ehre abzulegen. Und weil er nur so lange zögert wie man braucht, um zwei Schritte zu

---

[82] Vgl. 'Perceval', v. 6413 ff.

[83] Es tritt ins Relief nicht nur mit dem Wahrsprechen ohne zu wissen bei der Namensfrage (vgl. 'Perceval', v. 3572—3577), sondern vor allem bei der Mitteilung der Sünde 'von der Du gar nichts weißt' (v. 6393) durch den Einsiedler; dies ist gratis, denn in Wahrheit weiß Perceval längst durch das unglückliche Fräulein, daß sein plötzliches Aufbrechen die Mutter getötet hat und daß diese Schuld ihn die Erlösungsfrage versäumen ließ (v. 3591—3595). Das Schläfchen Homers verrät die Dringlichkeit des Motivs. Chrestiens Blick auf das Netz von geheimen Wirkungen, die kein Handelnder weiß, erzeugt vielleicht für das Ganze dieses Romans ein Klima, in dem gar nicht sicher ist, was alles Wirkung und was Ursache sein könnte.

tun, wird er schwere Sühne zu erdulden haben[84]. Der Held gelangt an einen Punkt, wo er selbst nicht mehr weiß, 'ob er existiert oder ob er nicht mehr existiert'[85], und der Weg führt in das Königreich von Gorre, 'von wo keiner zurückkehrt'[86]. All dies sind bedeutsame Zeichen. Hier in diesem Werk entsteht vor den Augen des Lesers ein seltsamer, pessimistisch und distanziert anmutender Symbolismus. Wir erinnern besonders an die geheimnisvolle Grabschrift ('Lancelot', v. 1900—1909), an das Wort der Königin:

Mialz voel vivre et sofrir les cos que morir et estre an repos[87].	Lieber leben und leiden die Schläge (des Schicksals), / als sterben und (ewig) ruhen.

— auch die merkwürdige Anrufung:

por ce Deu qui est filz et pere et qui de celi fist sa mere qui estoit sa fille et s'ancele[88].	(Begnadigt mich, ich bitte Euch,) im Namen jenes Gottes, der da ist Sohn und Vater / und der zu seiner Mutter machte, / die da war seine Tochter und seine Magd.

Die Distanz zum Erzählten scheint sich gegenüber dem 'Cligès' noch weiter vergrößert zu haben. Es gibt hier einen Standort, von dem aus der Erzähler nicht mehr genau zu sehen vorgibt, was seine Gestalten tun:

A l'autre fenestre delez estoit la pucele venue, si l'i ot a consoil tenue mes sire Gauvains an requoi une piece, ne sai de quoi[89];	Ans Nebenfenster / war das Hoffräulein getreten, / und dort hatte ihr etwas zugeflüstert / Herr Gauvain, gar heimlich, / ziemlich lange. Was, weiß ich nicht.

Und dann kommt die Stelle des Bruches selbst. Chrestien bricht seinen Roman ab. Er läßt seinen Helden in den Händen des Bösen, läßt ihn eingemauert in einem Turm. Und er bittet einen Kollegen, den Clerc Godefroiz de Leigni, das

---

[84] Vgl. Chrétien de Troyes, Le Chevalier de la Charrette (Lancelot), Roman traduit de l'ancien français par J. FRAPPIER, Paris (Champion) 1967, S. 19; dazu: Christian von Troyes, Sämtliche Werke, IV, Karrenritter und Wilhelmsleben, ed. W. FOERSTER, Halle 1899, v. 362 ff.; die Verse 363 f. dieser Ausgabe fehlen in: Les Romans de Chrétien de Troyes, édités d'après la copie de Guiot (Bibl. nat. fr. 794), III, Le Chevalier de la Charrete, ed. M. ROQUES (CFMA 86), Paris (Champion) 1965, im folgenden 'Lancelot', vgl. v. 360 ff.

[85] *ne set s'il est, ou s'il n'est mie* 'Lancelot', v. 716; daneben tritt dann im 'Perceval', v. 4202: *Si pense tant que il s'oblie* der Blutstropfenszene. 'Erec et Enide' (Anm. 46), v. 3748 f. und namentlich 'Yvain' (Anm. 55), v. 2697 ff. sind beiläufiger als 'Lancelot'.

[86] Vgl. 'Lancelot', v. 641 und v. 1906.

[87] 'Lancelot', v. 4243 f.; vgl. die Übersetzung von J. FRAPPIER (Anm. 84), S. 122, die noch stärker akzentuiert.

[88] 'Lancelot', v. 2821—2823, eine Formel, die, so pointiert, in vulgärsprachlicher Literatur sonst wohl erst später begegnet.

[89] 'Lancelot', v. 544—548.

Werk zu Ende zu schreiben, und der tut es[90]. Was sich im 'Lancelot' als Tendenz andeutet, artikuliert sich im 'Perceval'. Beide Werke sind Fragment, beide beginnen aber mit einem Gönner-Prolog, als ob sie fertig wären — eine (vielleicht nur für uns bestehende) Merkwürdigkeit, die sie schließlich u. a. auch mit Gotfrids Tristan-Fragment teilen. Mit der realen höfischen Welt im Prolog verbunden, mit Marie de Champagne, mit Graf Philipp von Flandern, der 1182/83 vielleicht mit allzuviel Glück um die verwitwete Marie de Champagne geworben hatte[91], aus uns unbekannten Gründen abgebrochen, lösen sie die Welt höfisch-ritterlicher Fiktion in einen rätselvollen Symbolismus auf. Im Prolog zum 'Lancelot' hat man bezeichnenderweise die Formel *matiere et san*, 'Auftrag und Inspiration', als hermeneutisches Begriffspaar von 'Stoff und Gehalt' verstehen wollen[92]. Man

---

[90] Etwa v. 6146 ff.; vgl. 'Lancelot', v. 7098—7112.

[91] Vgl. A. CARTELLIERI (Anm. 29), Bd. 1, S. 134.

[92] J. RYCHNER, Le prologue du 'Chevalier de la charrette', Vox Romanica 26 (1967) 1—23, hat den mich überzeugenden Nachweis geführt, daß in der Huldigung des 'Lancelot'-Prologs der Dichter Chrestien seiner Gönnerin dankt für den Auftrag und die Beflügelung seines Genies, nicht für Fabel und mitgelieferten Gehalt, wie die gängige Interpretation von *matiere et san* bisher gewollt hatte. Von den Beweisen, die W. NITZE in seiner grundlegenden Studie '*Sans et matiere* dans les oeuvres de Chrétien de Troyes', Romania 46 (1915—1917) 14—36, für den vulgärsprachlichen Gebrauch von *san* im Sinne von 'Bedeutung' gegeben hatte, hält einzig ein Beleg aus den 'Quatre livres des Reis' kritischer Nachprüfung stand (vgl. J. RYCHNER, S. 11 f.), und dieses Werk stammt aus dem Anfang des XIV. Jahrhunderts, wäre also vielleicht nicht zufällig gleichzeitig mit Dantes Brief an Cangrande (zwischen 1314 und 1317). J. RYCHNERS Opposition gegen eine fraglos gewordene Interpretation von *matiere et san* läßt zugleich die Problematik der Annahme eines geistig und geistlich autonomen Gehaltes weltlicher Dichtung in der Vulgärsprache sichtbar werden. Darf ein solcher Gehalt für alle Zeiten und Bereiche des Mittelalters überhaupt als selbstverständliche Möglichkeit von moderner Interpretation gesetzt werden? Es wäre seltsam, wenn der Investiturstreit, der das Amt des Kaisers zu dem eines Laien macht, der bei Ivo von Chartres die begriffliche Scheidung von *temporalia* und *spiritualia* ermöglicht, der z. B. mit dem Argument des Gaunilo von Marmoutier Sein und Begriff auseinanderdenken läßt, der eine weltliche Laienliteratur in der Vulgärsprache im strengen Sinne erst ermöglicht, am Selbstverständnis dieser Literatur spurlos vorübergegangen sein sollte. Zwischen den Versuchen einer Vergeistlichung weltlicher Stoffe durch geistliche Autoren und einem geistlichen Sinnanspruch weltlicher Stoffe von der Art der *matière de Bretagne* durch Laien wäre vielleicht strenger zu scheiden. Es ist auffallend, daß Interpretationen, die weltliche Werke einer geistlichen Sinndeutung unterwerfen, von einem sehr generellen Mittelalterbegriff auszugehen und Belegmaterial ohne historische Differenzierung anzuführen pflegen. Warnende und skeptische Stimmen dazu sind gerade in jüngster Zeit laut geworden. 'Die konsequente Theologisierung der großen mittelalterlichen Dichtung ist nicht minder mittelalterfremd als die rein ästhetische Wertung', schrieb jetzt K. RUH (Anm. 30), S. 80. Der von J. RYCHNER aufgedeckte und in seiner Studie 'Le prologue du Chevalier de la charrette et l'interprétation du roman, in: Mélanges offerts à Rita Lejeune, Gembloux 1969, II, S. 1121—1135 weiter verfolgte erstaunliche Konsensus im interpretierenden Hineinlesen einer literaturwissenschaftlichen Terminologie in Chrestiens Text sollte seinerseits zu denken geben. Der Wahrheitsgehalt dieses Irrtums ist aber wohl der, d a ß man gemeint hat, das Be-

sollte aber wohl doch nicht unter Berufung auf diese Stelle das Gesamtwerk Chrestiens moraliter zu deuten versuchen. Daß solche Deutung systematisch und nicht bloß allegorice einem nichtgöttlichen Text in der Vulgärsprache zuteil wird, ist wohl erst für den Dante-Kommentar des Bambaglioli von 1324 und den des Guido da Pisa zwischen 1325 und 1328 festzustellen. Aber stillschweigend erhoben wird solcher Deutungsanspruch vielleicht doch schon seit dem 'Lancelot', auch in der gleichzeitigen Theorie[93]. Erst jetzt scheint reine Vordergründigkeit des höfischen Romans von einst abgründig und unbestimmt bedeutsam zu werden.

In dem Maße wie sich die ritterlichen Weltverhältnisse komplizieren und sich der Durchschaubarkeit und Beherrschung durch den Einzelnen entziehen, wird von einem geheimnisvollen Schlüsselwort jene wunderbare Lösung erwartet, die sich der Taghelle des Verstandes versagt. Das scheint mir die Situation von Chrestiens Graalsroman, der die Berührung des Geheimnisvollen bezeichnet, ohne dieses selbst gestalten zu können. Von seiner ästhetischen Situation her tendiert sein Werk zur symbolistischen Darstellung einer unendlichen Änigmatik. Sie ist gleichzeitiger literarisch-gesellschaftlicher Ausdruck jener historischen Konstel-

---

griffspaar von 'Stoff und Gehalt' im Lancelot-Prolog finden zu können. Der Symbolismus des späten Chrestien fordert dazu heraus. Was sich jetzt an religiöser Laienschriftstellerei und Laienbewegung vollzieht, bedeutet wohl ἐποχή (vgl. auch H. GRUNDMANN, Religiöse Bewegungen im Mittelalter, Darmstadt (Wiss. Buchgesellsch.) 1961², der allerdings Phänomene wie Robert de Boron, Hartmans 'Gregorius' oder Wolframs Laienschriftsteller Trevrizent (vgl. 'Parzival', IX, 462,11 ff.) nicht im Blick gehabt hat). Wie sich im Symbolismus des späten Chrestien Spuren einer neuen Existenzdeutung lesen lassen, so auch bei Gotfrid von Straßburg, der ja seine Minnegrotte selbst *allegorice*, wenn auch nicht geistlich ausdeutet (die ganze Passage, 'Tristan', v. 16909—17138, mit J. FOURQUET, Etudes Germaniques 18 (1963) 275 Anm., dem Dichter abzusprechen, besteht wohl kein zwingender Anlaß). Thomasin von Zirclaria, Der wälsche Gast, edd. H. RÜCKERT/F. NEUMANN, Berlin 1965², läßt im Jahre 1215 auf 1216 für vulgärsprachliche Romane allenfalls didaktischen Wert gelten (*der tiefe sinne niht verstên kan, der sol die âventiure lesen* v. 1108 f. und *guot âventiure zuht mêrt* v. 1138), an eine geistliche Bedeutung scheint er nicht einmal als Möglichkeit gedacht zu haben. Über einen 'christlichen Artusritter' mit typologischem Sinn wäre der Chorherr aus Aquileja gewiß nicht wenig erstaunt gewesen. Vgl. auch die von E. KÖHLER (Anm. 18), S. 233 f., Anm. 51—54 angeführten Stellen.
93 B. SANDKÜHLER, Die frühen Dantekommentare und ihr Verhältnis zur mittelalterlichen Kommentartradition (Münchner Romanistische Arbeiten 19), München 1967, S. 44, konstatiert im Hinblick auf den mehrfachen Schriftsinn: 'Im 12. Jahrhundert taucht die konsequente Unterscheidung der Sinnschichten auch in außerbiblischen Kommentaren auf, wenn auch zunächst nur vereinzelt und in Erklärungen zu Werken, die der Bibel nahestehen'. In einem Traktat um 1200 ist stillschweigend 'die Lehre von den vier Sinnschichten auf die außertheologische Philosophie übertragen worden' (S. 45), aber erst 'in der ersten Hälfte des 14. Jahrhunderts findet mit Dante und seinen Erklärern der vierfache Schriftsinn auf breiter Front Eingang in die außertheologische Exegese' (S. 46). Zu diesem schwierigen Kapitel ist trotz H. DE LUBAC, Exégèse Médiévale, Lyon 1959, das letzte Wort gewiß noch nicht gesprochen. Die Forderung nach historisch differenzierender Interpretation scheint sich gerade hier nachdrücklich zu stellen.

lation, die sich u. a. im Veroneser Ketzeredikt von 1184 dokumentierte[94]. Im Jahre 1183 hatte auch Graf Philipp von Flandern, der Gönner Chrestiens, Ketzer verbrennen lassen[95]. Nicht, daß ich meinte, Chrestien selbst sei der Häresie zu verdächtigen, mit dem schon für damals zu Mont-Aimé in der Champagne vermuteten Katharer-Bistum[96] in Verbindung zu bringen, oder der Symbolismus seines Spätwerkes sei aus einer Berührung mit Häretikern herzuleiten. Vielmehr: Auftreten vielfältiger häretischer Bewegungen allenthalben und die Wendung in Chrestiens Spätwerk fanden Nahrung in dem Boden ein und derselben Zeit und Gegend. Ich meine, wir sind genötigt, das zusammenzudenken, dürfen es nicht, um der leichteren Ordnung willen, in getrennten geistigen Schubfächern liegen lassen. Chrestiens Roman ist Fragment geblieben. Dadurch wurde sein änigmatischer Grundzug nur verstärkt, nicht erzeugt[97]. Auf seine Rätselwelt antworten in Frankreich jetzt die zahlreichen Perceval-Fortsetzungen — eine krauser und läppischer anmutend als die andere, aber letztlich wohl doch von einem seltsamen, utopisch-chiliastischen Geist erfüllt[98]. Das ist zugleich die Situation, in der Wolfram von Eschenbach antritt.

V

Wenn Wolfram statt des änigmatisch-abstrakten Wohlgefallens an der amönen Natur jägerhaft-konkretes Blattpfeifen setzt, dann heißt das zugleich, daß er die

---

[94] Vgl. W. v. GIESEBRECHT (Anm. 41), Bd. 6, S. 92 ff.; H. GRUNDMANN (Anm. 92), S. 67 ff.; A. BORST, Die Katharer (Schriften der Monumenta Germaniae historica 12), Stuttgart 1953, S. 116 und passim.

[95] Nach der Continuatio Aquicinctina zu Sigebert von Gembloux, MGH SS 6, 421 und den Annalen von Floreffe (bei Namur), MGH SS 16, 625, die beide von L. C. BETHMANN herausgegeben sind; vgl. W. v. GIESEBRECHT (Anm. 41), Bd. 6, S. 621.

[96] Vgl. A. BORST (Anm. 94), S. 91 f., S. 123 Anm. 14 und S. 231.

[97] Besonders wäre noch auf die Diskordanz der Zeitebenen zwischen Einsiedlerszene und Gauvainhandlung hinzuweisen, die schon W. KELLERMANN (Anm. 74), S. 33 bemerkt. Für die Suche im Prosa-Lancelot hat U. RUBERG, ZfdA 92 (1963/64) 142 festgestellt: 'Der Ablauf der Suche ist durch kalendarisch genau fixierte Endpunkte eingegrenzt. ... Die Spanne zwischen den Begrenzungspunkten erscheint als geschlossenes Zeitkontinuum'. Auch Wolfram wird seinerseits kalendarisch ordnen und Chrestiens rätselhafte Zeitinsel der Einsiedlerszene dem Ganzen integrieren; vgl. auch H.-H. STEINHOFF, Die Darstellung gleichzeitiger Geschehnisse im mittelhochdeutschen Epos (Medium Aevum 4), München 1964, S. 52 f. Solche systematisierende Tendenz des beginnenden XIII. Jahrhunderts, welche die bei Chrestien aufgebrochenen Strukturen schließt, möchte ich mir nicht nur, wie H.-H. STEINHOFF, S. 118 f., als abstrakten Fortschritt epischer Technik denken, sondern auch als Ausdruck eines Versuchs, zerbrochene Gesamtwirklichkeit zu reintegrieren (vgl. U. RUBERG, S. 122); denn es besteht wohl Anlaß, ästhetische Formen nicht bloß als 'technisch' zu deuten.

[98] Daß hier, wie in den religiösen Bewegungen des XIII. Jahrhunderts, das Geschichtsbild Joachims von Fiore wirksam wird, hat K. RUH, Der Gralsheld in der 'Queste del Saint Graal', Wolfram-Studien, hg. v. W. SCHRÖDER, Berlin 1970, S. 240 bis 263 gezeigt. Die Thematik der Zeitwende in der 'Queste', verbunden mit einem endzeitlich-ritterlichen Erlöser, erscheint wohl im Rahmen der Selbststilisierung eines noch lange sterbenden Rittertums.

Rätselstruktur von Chrestiens Stil und Welt im 'Perceval' in seinem eigenen Werk nicht mitmachen will, und so muß sich das Werk von Grund auf ändern.

Bei Chrestien erfährt der Leser erst im Verlauf der Ritterbegegnung, daß die Mutter den Knaben im Glauben unterwies; erst allmählich wird deutlich, daß und warum sie die Waldeinsamkeit suchte und ihren Sohn in Unwissenheit hielt. Wenn Wolfram den Weg dieses fortschreitenden Enthüllens, dieser nachgeholten Exposition nicht mitgehen kann, dann wird er den Anfang seines Romans anders disponieren müssen. Dann wird er sagen, wie die Witwe heißt und wessen Witwe sie ist, dann muß er noch vor Parzivâls Begegnung mit den Rittern die Mutter ihre Glaubensunterweisung geben lassen — wie er es dann getan hat. Bei Wolfram geht der Weg nicht aus dem völlig Unbekannten ins allmählich entdeckte Rätselhafte der Welt, sondern bei ihm wird chronologisch exponiert. Alle Elemente einer bei Chrestien unendlich rätselhaften Welt werden bei Wolfram, der Tendenz nach, zu konkreter und motivierter Gestalt auskonstruiert. Alle Dinge werden möglichst gleich bei Namen genannt.

Wenn jedoch alle rätselhaften Einzelheiten von Chrestien auskonstruiert und ausmotiviert, wenn sie konkret gemacht werden sollen, dann ist das nicht mit einem Schlage möglich. Zunächst müssen hie und da Reste bleiben, die erst einer späteren Bearbeitung motivierbar werden. Und so enthält diese stilistische Eigentümlichkeit Wolframs notwendig auch ein entstehungsgeschichtliches Moment.

Daß Wolfram die Rätselstruktur Chrestiens nicht übernehmen will, erscheint zunächst als eine Art persönlicher Entschluß[99]. Doch, was wie Resolutheit des kleinritterlichen Dichters gegenüber der idealritterlichen Fiktion aussieht, hat wohl mehr als nur persönliche Gründe. Der Versuch kommt, wenn ich recht sehe, aus dem objektiv erfahrbaren Gegensatz von literarischer Idealität und Wirklichkeit. Wolfram weiß, daß mit seinem Parzivâl dem *meienbæren* König Artûs etwas Fremdes ins Haus schneit, und er ruft dafür Hartman von Ouwe ironisch zum Zeugen an[100]. Wenn sich aber im Laufe des Werkes herausstellt, daß Wolfram seinen Vorsatz des Aussprechens ohne Umschweif in letzter Rechnung nicht wahrmachen k a n n [101], dann stehen wir plötzlich auch hier vor dem allgemeineren Phänomen einer rätselvollen Totalität, wie sie in Frankreich beim späten Chrestien spürbar und dann in der 'Queste del Saint Graal' manifest wurde.

Es scheint, als habe Wolfram die Unbegreiflichkeit der Welt endlich darstellen wollen. Das aber hatte zur Folge die Entstehung eines Weltgewebes. Das Konkret- und Endlich-Machen bei Wolfram geschieht nicht, weil seine Welt endlich und ohne Rätsel wäre, sondern weil er die komplizierte Welt anläßlich seiner literarischen *matière* versuchsweise zunächst einmal beim Wort fassen möchte.

---

[99] Vgl. auch 'Parzival', V, 241,8: *ich sage die senewen âne bogen.*

[100] 'Parzival', III, 143,21—24: *mîn hêr Hartman von Ouwe, frou Ginovêr iwer frouwe und iwer hêrre der künc Artûs, den kumt ein mîn gast ze hûs.*

[101] Fürs Sprachliche formuliert Wolfram selbst die Einsicht: *mîn tiutsch ist etswâ doch sô krump* 'Willehalm', V, 237,11.

Das letzte Ergebnis bei Wolfram ist dann eine neue Welt von einer nahezu unendlich anmutenden Verflochtenheit aller Elemente. Allein ein flüchtiger Blick auf ein Schema der komplizierten Verwandtschaftsverhältnisse nur der Grals- und Artus-Familie bei Wolfram gibt schon eine erste Idee von jenem Weltgewebe, welches zu schaffen der Dichter angetreten ist. Aber nicht nur jene 78 Menschen sind miteinander verbunden, sondern nahezu alle Helden, alle Einzelheiten, sogar die Pferde. Mein Freund PETER JOHNSON setzte an das Ende einer Studie über 'Lähelîn and the Grail Horses'[102] zur Charakterisierung des unheimlichen Beziehungsgewebes bei Wolfram die Worte von Büchners Valerio aus 'Leonce und Lena': *Wahrhaftig ich bekomme Angst, ich könnte mich so ganz auseinanderschälen und -blättern* (Akt III, Szene 3).

Konsequenterweise ersetzt Wolfram auch die beschränkende Perspektive Chrestiens durch die Weltsicht des allwissenden Epikers, wohl weil er die Herausforderung der undurchschaubar gewordenen Welt annimmt. Er will sie im Werk durchschaubar machen. Aber das Ergebnis wird ein Werk, welches selbst Abbild der kaum noch durchschaubaren Welt ist. Wolfram unternimmt es — ähnlich wie Dante, wie Balzac —, eine literarische Welt zu bauen, um die nichtliterarische bauend zu deuten. Ein Riesenprojekt! Aber die Bedingung dafür ist, daß alles Einzelne sogleich 'konkret' ergriffen wird. In dieser Weise denken wir uns Wolframs Tendenz zum gegenständlichen Ausdruck mit dem Umstand vermittelt, daß er die Perspektive des Epikers Chrestien nicht übernehmen kann.

'Konkretmachen', 'chronologisch Exponieren' und 'Weltgewebe' sind die Stichwörter für drei stilistische Modalitäten in Wolframs 'Parzival', die sich unserer Betrachtung ergeben. Diese hat versucht, einen historischen Hinblick auf den Ansatz des 'Parzival' zu gewinnen, seine Welt als eine entstehende Welt und deren Entstehungsprozeß nicht so sehr als private Angelegenheit eines Genies, sondern mehr als Teil eines allgemeineren historischen Prozesses aufzufassen.

Unsere Vorstellung von den stilistischen Modalitäten glauben wir gewonnen zu haben, indem wir einerseits von einer Hypothese der literarisch-historischen Situation der ritterlichen Dichtung in Frankreich und in Deutschland und der historisch-prozeßhaften Bedingtheit der literarischen Formen ausgingen und indem wir andrerseits Begriffe wie 'abstrakt' und 'konkret' auf eine vergleichende Betrachtung der Texte angewendet haben. Indem wir von diesen Begriffen annahmen, daß sie nicht schon von vornherein treffen, sondern erst in ihrer Entgegensetzung zum literarischen Text und seiner historischen Existenzform Inhalt bekommen, haben wir versucht, diese Begriffe nicht starr sein zu lassen, sondern veränderlich. Wir versuchten sie zu vermitteln mit Größen wie rhetorischer Schullehre und literarisch gebildetem Publikum, kleinritterlicher Existenz und unerzogen-ländlichem Hörerkreis, mit der Künstlichkeit und Bedrohtheit einer literarischen und historischen Situation, mit dem literarischen Selbstbewußtsein

---

[102] MLR 63 (1968) 617.

vulgärsprachlichen Dichtens und möglicher Ernüchterung vor der ritterlichen Wirklichkeit, mit literarischen Techniken wie der Handhabung von Erzählperspektive. Weil wir die literarischen Formen von vornherein als Zeugnisse allgemeinerer Weltverhältnisse angesehen haben, hat sich zuletzt der Hinblick auf ein solches Weltverhältnis besonders konzentriert: der auf das Fragwürdig- und Rätselhaftwerden der höfisch-ritterlichen Welt[103] in den literarischen Formen der Texte. Wir haben eine Deutung versucht, die von den in einer bestimmten, hypothetischen Weise gesehenen Sachen und Texten ausgeht, aber nicht bei den Sachen und Texten stehen bleibt, sondern sie in Beziehung und in Bewegung bringt, sie in jenem historischen Prozeß vorzustellen versucht, der bis zu uns und über uns hin andauert. Wir können so ziemlich sicher sein, daß Chrestien und Wolfram diesen Prozeß in seiner Weite nicht haben sehen können. Insofern ist die hier versuchte Deutung diesen Texten gewiß nicht adäquat, sondern für einen andern, späteren, für unsern Horizont bestimmt. Aber mit einem, ja zutiefst problematischen, objektiven Verständnis historisch-hermeneutischer Gegenstände, welches nicht für uns bestimmt wäre, wären solche Gegenstände wohl selbst verfehlt. Wir könnten nichts damit anfangen, und die reine adäquate Interpretation wäre für Tote, für Engel oder für Steine. Die Spannung zwischen der Vergangenheit der Texte und Sachen und einer Gegenwart zu vermitteln, wäre ja wohl das Ziel einer historischen Interpretation. Eine solche wird nie zu einem endgültigen Ergebnis kommen und ein Werk ein für allemal erledigen, weil sie im historischen Prozeß immer wieder neu zu machen ist.

Aber was ist bei all dem aus der allmählichen Entstehung des 'Parzival' geworden? Die Begriffe des 'Konkretmachens' und des 'chronologisch Exponierens' haben prozessualen Charakter, der sich auch genetisch fassen ließe. Die Tendenz zum konkreten Ausdruck, zum Aussprechen dessen, was ist, wird von Anfang an zu Wolframs Eigenart gehört haben, wie sie zur Eigenart seiner Tageliedlyrik gehört. In der Konsequenz dieser Modalität liegt die zweite, die Tendenz gegen rätselhaftes Verhüllen und zur chronologischen Disposition des Werkes. Realisierbar ist dies aber erst, wenn der ganze Stoff Chrestiens erfahren worden ist, d. h. für Wolfram wohl: konkret erfahren in einer ersten Bearbeitung. Weiträumiges Umdisponieren und Auskonstruieren ist ein zweites Stadium. Es bedeutet zugleich ein Auflösen des Rätselhaften in ein konkretes Weltgewebe. Das dritte Stadium und das zweite gehen Hand in Hand. Aber in dem Maße wie sich das dritte, das Weltgewebe vollendet, wird die Vollendung selbst zum Problem. Vom Stadium des Auskonstruierens an scheint sich auch die sogenannte 'religiöse Vertiefung' zu vollziehen. Die weitgespannten Detail-Korrespondenzen und der raum-, d. h. distanzschaffende Humor[104] sind wohl entscheidend daran beteiligt,

---

[103] Vgl. auch W. SCHRÖDER, AfdA 80 (1969) 36.
[104] Dazu auch M. WEHRLI, Wolframs Humor, in: Wolfram von Eschenbach, hg. v. H. RUPP (Wege der Forschung 57), Darmstadt (Wiss. Buchgesellsch.) 1966, S. 104 bis 124.

daß Parzivâls Schicksal und Schuld nicht mehr als etwas Ausweglos-Absolutes, sondern als Abwendbar-Relatives, der Hoffnung Zugängliches erscheinen können. Aber zugleich werden auch die literarischen Formen höfischer *vröude* zu Formeln, in dem weitgespannten epischen Crescendo vor dem XVI. Buch, in den Happy-end-Repetitionen des Gâwân- und Artûs-Schlusses. Und solche Formalisierung macht auch vor dem letzten Schluß des 'Parzival' nicht halt. Die spontane Frage, die als solche verfehlt worden war, kann als spontane nicht mehr gestellt werden, das unformale, unvermittelte Mitleid kann sich nur noch dialektisch-antithetisch ausdrücken als bereits Vorgeformtes, Formalisiertes, welches dann doch wieder im letzten durch die infinitesimale Spontaneität überspielt wird, die die festgelegte Frage *'hêrre, wie stêt iwer nôt?'* ('Parzival', IX, 484,27) zu *'œheim, waz wirret dier?'* ('Parzival', XVI, 795,29) differenziert. So weiß sich der Dichter der problematischen Vollendung opernhaft[105] abstrahierter Formen zu bedienen zum Ausdruck dessen, was wohl schon hier über die kategorialen Möglichkeiten des höfischen Romans hinausliegt.

Als historischer Moment ließe sich dieser Punkt wohl auch bei anderen zeitgenössischen Autoren beobachten und in der allgemeinen Geschichte bezeichnen: nach dem Irrgang des vierten Kreuzzuges, den STEVEN RUNCIMAN treffend den 'Kreuzzug gegen die Christen' nennt[106]. 1205 hat Franziskus von Assisi sein entscheidendes religiöses Erlebnis, das ihn vom stutzerhaften Ritterwesen weg zum Dienst für seine Dame, die Armut[107], führt. Seit 1209 beginnen sein Beispiel und seine Predigt mächtig zu wirken. 1208 wird der Legat Petrus von Castelnau von einem Familiaren des Grafen von Toulouse ermordet, womit der Ketzerkreuzzug zur französischen Einigung beginnt[108]. Wenige Monate später schneidet der irrsinnige Otto von Wittelsbach in der Bischofspfalz zu Bamberg König Philipp von Schwaben den Hals durch[109]. Dies und vieles andere mögen wohl auch Zeichen einer Zeit (ca. 1205—1209) sein, in deren Zustand auch die Vollendung des 'Parzival' zu denken wäre. Aber das liegt bereits jenseits des hier gewählten Rahmens.

---

105 Vgl. Goethe, Über Wahrheit und Wahrscheinlichkeit der Kunstwerke, Hamburger Ausgabe, Bd. 12, S. 68.

106 S. RUNCIMAN, Geschichte der Kreuzzüge (übers. v. P. DE MENDELSSOHN), München 1960, Bd. 3, S. 111.

107 So im Siena-Testament und im 'Lobpreis der Tugenden', vgl. Franziskanische Quellenschriften, Bd. 1, Die Schriften des Hl. Franziskus von Assisi, edd. K. ESSER/ L. HARDICK, Werl 1963³, S. 99 und S. 168.

108 Vgl. M.-H. VICAIRE (Anm. 69), Bd. 1, S. 178; A. BORST (Anm. 94), S. 117 f. Gegen die Katharer, vor allem aber gegen die Nordfranzosen, die Occitanien unter dem Vorwand des Ketzerkrieges erobern, eingestellt ist die 'Chanson de la Croisade Albigeoise', ein heute dreibändiges, nach der Melodie der 'Chanson d'Antioche' gesungenes Epos (ed. E. MARTIN-CHARBOT, Paris (Belles Lettres) 1960²).

109 Vgl. E. WINKELMANN, Philipp von Schwaben und Otto IV. von Braunschweig, Bd. 1, König Philipp von Schwaben, Leipzig 1873, S. 464 f.

Auf den späten Chrestien und die Anfänge Wolframs von Eschenbach ist ein historischer Hinblick versucht worden. Gerade für Raffael, bei dem man heute leicht nur Harmonie, Glattheit und Langeweile sieht, ist die Bemerkung Goethes bezüglich der Kartone zu den sixtinischen Teppichen erstaunlich: *denn wir ahnen die furchtbaren Bedingungen, unter welchen allein sich selbst das entschiedenste Naturell zum Letztmöglichen des Gelingens erheben kann*[110]. Vielleicht läßt der hier unternommene Versuch[111] etwas von jenen 'furchtbaren Bedingungen' ahnen, unter denen sich die Werke auch dieser sogenannten Klassiker, Chrestien und Wolfram, haben erheben müssen.

---

[110] Italienische Reise, Hamburger Ausgabe, Bd. 11, S. 363.

[111] Ursprünglich für die Jahresversammlung Schweizerischer Hochschulgermanisten am 26. Oktober 1969 in Bern als Vortrag arrangierter Ausschnitt einer vorhabenden Arbeit. Ich habe mich bemüht, möglichst überall mein Verständnis der jeweiligen Textbeispiele in moderner Sprache auszudrücken; dabei wurden gelegentlich die vorliegenden Übersetzungen von K. SANDKÜHLER, Chrestien de Troyes, Perceval, Stuttgart 1963; W. STAPEL, Parzival, München/Wien 1964; A. MICHA (Anm. 5) und J. FRAPPIER (Anm. 84) dankbar genutzt.

BEOBACHTUNGEN ZU WOLFRAMS EPENVERS

von

Helmut Lomnitzer (Marburg)

Wohl auf keinem Gebiet der älteren deutschen Philologie herrscht gegenwärtig mehr Unsicherheit als auf dem der Metrik. Den bahnbrechenden editorischen Leistungen Karl Lachmanns und seiner auf umfassende Sprachkenntnisse und feines Stilempfinden gegründeten textkritischen Meisterschaft werden wir zwar immer dankbare Bewunderung bewahren[1]. Seine metrischen Lehren können wir jedoch heute zu großen Teilen nicht mehr aufrechterhalten, zumal erwiesen ist, daß der Meister und seine Schüler allzu oft nur im Interesse dieser Theorien und nicht selten gewaltsam den Text umgeformt haben, auf den Überlieferung und sonstige Überlegungen führen[2]. Aber auch das scheinbar so festgefügte Gebäude der Heuslerschen Versgeschichte, das sich im Mittelalter-Abschnitt[3] mehr an den Handschriften als an metrisch zurechtgestutzten Editionen orientierte, weist inzwischen Risse auf, die zu kitten nach Lage der Dinge kaum noch möglich sein dürfte. Selbst das früher nie ernsthaft in Frage gestellte Bild von der formalen Glätte und Regelmäßigkeit der mhd. Lyrik hat sich auf Grund neuerer, aus der Zusammenschau von Wort und Weise gewonnener und daher besonders gewichtiger Erkenntnisse[4] als revisionsbedürftig herausgestellt, ohne daß es die Sache erlauben würde, feste Richtlinien für eine solche Revision im allgemeinen und für jeden Einzelfall im besonderen zu formulieren. Hinzu kommen die grundsätzlichen Schwierigkeiten, die einer adäquaten Beurteilung von Versgebilden der Vergangenheit stets im Wege gestanden haben und dem freien Zugang zu objektiver Erkenntnis stets im Wege stehen werden, allem voran die letztlich historisch bedingte Rolle, die die Subjektivität des jeweiligen Betrachters spielt.

---

[1] Vgl. die jüngsten Würdigungen durch P. F. Ganz, Lachmann as an Editor of Middle High German Texts, in: Probleme mittelalterlicher Überlieferung und Textkritik. Oxforder Colloquium 1966, hg. v. P. F. Ganz und W. Schröder, Berlin 1968, S. 12—30, und L. Wolff, Vorwort zur neu bearbeiteten, siebenten Ausgabe des 'Iwein' Hartmanns von Aue, Bd. 1, Berlin 1968, S. V—X.

[2] Dazu zuletzt L. Wolff in den Anmerkungen zur 'Iwein'-Ausgabe, Bd. 2, Berlin 1968, passim.

[3] A. Heusler, Deutsche Versgeschichte (Grundr. d. germ. Philologie 8), Bd. 2, Berlin 1956².

[4] Am wichtigsten K. H. Bertau, Sangverslyrik. Über Gestalt und Geschichtlichkeit mhd. Lyrik am Beispiel des Leichs (Palaestra, Bd. 240), Göttingen 1964.

Dieses Moment der Subjektivität läßt sich zwar durch methodische Umsicht und kritische Reflexion einschränken, jedoch nie gänzlich eliminieren, weil eben Vorwissen und Kenntnisse, ästhetische Vorstellungen und Vorerwartungen, die jeder Metriker seinem Gegenstand stillschweigend, aber zwangsläufig entgegenbringt, den Blick auf die aus den Quellen zu rekonstruierende historische Wirklichkeit entscheidend vor- und mitbestimmen.

So mag es wissenschaftsgeschichtlich nicht ganz unverständlich erscheinen, wenn heute die Neigung wächst, vor Fragen des mhd. Versbaus, insbesondere bei nicht melodiegebundener oder — vorsichtiger gesagt — bei nicht mit Melodie überlieferter Dichtung, die Segel zu streichen, und kritische Texteditionen neueren Datums gegenüber dem früher geübten metrischen Rigorismus in der Bescheidung vielfach weitergehen, als es eigentlich nötig wäre.

Nehmen wir z.B. die Marienlegenden aus dem 'Alten Passional' mit ihrer unverkennbaren Tendenz zum regelmäßig alternierenden Vers. In HANS-GEORG RICHERTS ATB-Ausgabe[5] findet sich, vermutlich in Übereinstimmung mit den Handschriften, stets einsilbiges *dienst*. Wäre dies und nicht zweisilbiges *dienest* die Form des Dichters, würde schwerlich in sämtlichen Fällen eine Hebungssilbe darauf folgen. Auch einsilbiges iktentragendes *und* läßt der Herausgeber nicht selten vor betonter Silbe, d.h. in beschwerter Hebung stehen, obwohl die Formen *und* und *unde* im kritischen Text wie in den Handschriften gleichberechtigt nebeneinander erscheinen, vom doppeldeutigen handschriftlichen Kürzel *vñ* ganz zu schweigen. Warum sollte der 'Passional'-Dichter ausgerechnet mit dem Wörtchen *und* so viele einsilbige Takte gebildet haben? Man würde, glaube ich, weder seinem Willen noch der Überlieferung Gewalt antun, wenn man bei solchen und ähnlichen Konstellationen als Editor glättend eingriffe.

Die Verhältnisse liegen natürlich nicht immer so einfach, auch nicht im 'Passional'. Die Schwierigkeiten häufen sich, je weiter man im 13. Jahrhundert zurückschreitet, und mit den sich häufenden, oftmals überlieferungs- und sprachbedingten Schwierigkeiten wachsen die Skrupel, Textänderungen metri causa vorzunehmen oder auch nur in Erwägung zu ziehen. Selbst Gottfrieds 'Tristan' scheint sich bei aller ebenmäßigen Harmonie seiner Verse, die sich noch in den jüngeren Handschriften spiegelt, in unseren Ausgaben glatter zu präsentieren, als er es von der Überlieferung her gewesen sein dürfte. Daß schließlich für Wolframs Epenvers Freiheiten auch größeren Ausmaßes anzunehmen seien, ist die communis opinio seit langem[6]. Über präzise und durch systematische Befragung

---

[5] ATB 64, Tübingen 1965. Zum folgenden vgl. L. WOLFFs Rezension, PBB 88 (Tüb. 1965) 209—211, bes. 211 mit weiteren Beispielen. Entsprechende Einwände hat WOLFF, PBB 85 (Tüb. 1963) 413 f. zu Recht auch gegen J. A. ASHERS Edition des 'Guoten Gêrhart' Rudolfs von Ems (ATB 56, Tübingen 1962) vorgebracht.

[6] Siehe die knappen Zusammenfassungen des Forschungsstandes in G. EHRISMANNS Literaturgeschichte, Teil II/2,1, Nachdr. München 1965, S. 269 f., und in J. BUMKES Metzler-Bändchen, Stuttgart 1966², S. 14.

des Gesamtmaterials hinreichend gesicherte Vorstellungen verfügt freilich im Augenblick, fürchte ich, niemand[7].

Es lag daher nahe, im Zusammenhang mit der in Marburg vorbereiteten Neuausgabe des 'Willehalm'[8] den offenen Fragen in umfassenderem Zugriff erneut nachzugehen, dabei unsere Erkenntnismittel und Erkenntnismöglichkeiten kritisch zu durchdenken, lautgewordene Zweifel — etwa an der Verbindlichkeit des Vierhebers[9] — zu überprüfen und gegebenenfalls zu versuchen, unser herkömmliches metrisches Instrumentarium zu verfeinern bzw. neue Ansätze zu erproben. Wie mühsam eine solche Arbeit angesichts des immensen Materials und der in der Natur der Sache liegenden Imponderabilien sein kann, wird nur der recht ermessen, der sich an ähnlichem versucht hat. Elektronische Hilfsmittel können, soweit ich sehe, das vorsichtige Abwägen aller relevanten Umstände und das darauf zu gründende metrische iudicium einstweilen nicht ersetzen, wenngleich man den möglichen Fehlerquellen zum Trotz endlich darangehen sollte, mhd. Texte nur noch mit durchgehender metrischer Skandierung in Lochstreifen bzw. Lochkarten zu verwandeln[10].

An brauchbaren und wirklich verläßlichen Vorarbeiten zum Versbau Wolframs ist wenig zu nennen[11]. Als symptomatisch mag gelten, daß die letzte umfangreichere Spezialstudie, OTTO PAULS dem dreisilbigen Auftakt gewidmete Dissertation aus dem Jahre 1928[12], sich nur auf knapp 85 % der Belege stützt, wie genaue Nachprüfung ergeben hat, und den meisten voraufgegangenen Untersuchungen gleich überall dort, wo die Sache heikel zu werden beginnt, mit dem

---

7 Vgl. jetzt auch J. BUMKE, Die Wolfram von Eschenbach-Forschung seit 1945. Bericht und Bibliographie, München 1970, S. 90, wo von dem mangelnden Interesse an den 'sprachlichen und metrischen Problemen, mit denen sich die Forschung im 19. Jahrhundert beschäftigt hat', die Rede ist, 'obwohl sie keineswegs als gelöst gelten können'.

8 Über den Stand des Unternehmens unterrichtet W. SCHRÖDER in Vor- und Nachbemerkung zum Probeabdruck: 'Willehalm' 306—310, in: Wolfram-Studien, hg. v. W. SCHRÖDER, Berlin 1970, S. 136—169.

9 Vgl. BUMKE, Wolfram-Forschung, S. 90. Siehe auch unten S. 128 mit Anm. 73.

10 Das für die Computer-Auswertung bereitgestellte Material wäre nicht nur, wie bisher, zur Herstellung von Wortindices und Konkordanzen geeignet, sondern ließe sich auch im Interesse des Metrikers nutzen. Ich denke vor allem an die durch C. VON KRAUS, Metrische Untersuchungen über Reinbots Georg (Abh. d. Kgl. Ges. d. Wiss. zu Göttingen, Phil.-hist. Klasse, N. F. VI, 1), Berlin 1902, erstmals mit Konsequenz angewandte Methode, vom einzelnen Wort auszugehen und dasselbe, nach Wortarten getrennt, in seinen verschiedenen Verwendungsmöglichkeiten im Vers — als Senkungssilbe, als Hebungssilbe und als beschwerte Hebungssilbe — zu betrachten. Die maschinell zu gewinnenden, nach Bedarf abrufbaren Informationen — für metrische Untersuchungen auch heute noch unentbehrlich — würden langwierige und mechanische Bestandsaufnahmen ersparen.

11 Vgl. U. PRETZEL/W. BACHOFER, Bibliographie zu Wolfram von Eschenbach, Berlin 1968[2], Nr. 218—228. 791—795.

12 O. PAUL, Der dreisilbige Auftakt in den Reimpaarepen Wolframs von Eschenbach. Mit einem Ausblick auf das Vorkommen des zweisilbigen Auftaktes, Diss. München 1928.

nicht näher definierten und wohl auch nicht näher definierbaren 'Ethos der Verse' operiert. Natürlich fehlt es in der reichen Wolfram-Literatur nicht an einschlägigen und nützlichen Beobachtungen, die vom am Rande vermerkten Aperçu bis zur statistischen Bestandsaufnahme stilistischer und damit zugleich metrisch relevanter Details reichen[13]. Die Sachverhalte in konsequentem Rückgriff auf die handschriftliche Überlieferung zu verifizieren, ist jedoch meines Wissens noch nicht versucht worden.

Wenn ich im folgenden einige wenige Aspekte und Überlegungen hervorhebe, die vielleicht von weiterreichendem Interesse sein könnten, so geschieht das mit dem Vorbehalt der Vorläufigkeit, an dem bis zum Abschluß meiner Untersuchungen festzuhalten sein wird. Ich werde also kaum mehr als eine Zwischenbilanz andeuten können und gestehe vorab, daß ich auf viele gewichtige Fragen bis heute keine Antwort zu geben weiß. Die an sich spröde Materie nötigt mich ebenso wie die Komplexität der Probleme, auf möglichst einfache Belege zurückzugreifen und selbst dabei noch manches wesentliche Detail zu übergehen. Überdies muß ich es mir aus Gründen der Raumersparnis versagen, das für viele meiner Vermutungen und Wahrscheinlichkeitsschlüsse ausschlaggebende Beweismaterial im einzelnen vorzuführen. Ich sehe mich auch nicht in der Lage, meinen Ausführungen eine Theorie des mhd. Epenverses voranzustellen, wenngleich soviel doch sicher sein dürfte, daß kein Anlaß besteht, an der Bedeutung der sprachlichen Hebungen für den Verscharakter und an ihrem geregelten, wenn auch nicht im modernen Sinne normierten Verhältnis zu zweifeln. Nach wie vor darf der vierhebige Vers als das angestrebte, in der Regel eingehaltene Normalmetrum gelten, ein buntes, der Reimprosa nahekommendes Gemisch von Zwei-, Drei-, Vier-, Fünf- und Sechstaktern als unwahrscheinlich von vorneherein ausgeschlossen werden.

Daß die tiefgehenden Unterschiede im dichterischen Wesen unserer drei großen Meister des höfischen Epos sich auch in ihrer Verskunst spiegeln, ist seit jeher betont worden (wobei allerdings vorläufig offenbleiben muß, in welchem Ausmaß die dichterische Wirkung von der jeweiligen rhythmischen Linie abhängig gewesen sein mag). Entsprechend sind die Fragen, die dem Metriker Kopfzerbrechen bereiten, bei Hartmann, Wolfram und Gottfried durchaus verschiedene. Während bei Hartmann die schmale, vielfach magere Versfüllung Schwierigkeiten macht[14] und der vom Dichter offensichtlich nicht allein zur

---

[13] Die in Betracht kommenden Arbeiten verzeichnen Pretzel/Bachofer, a. a. O., unter den Rubriken 'Sprache und Stil'.

[14] K. Schacks, Metrische Beobachtungen zu Hartmann von Aue. Fragen der Taktfüllung, insbesondere in den kurzen Versen, Diss. (Masch.) Berlin 1955; ders., Beschwerte Hebungen bei Otfried und Hartmann, in: Festgabe für U. Pretzel, Berlin 1963, S. 72—85; K. Zwierzina, Mhd. Studien 14. Die beschwerte Hebung in Hartmanns Versen, ZfdA 45 (1901) 369—393; vgl. jetzt auch Ursula Hennigs Untersuchung der beschwerten Hebung im 'Erec': Untersuchungen zur frühmhd. Metrik am Beispiel der 'Wiener Genesis' (Hermaea N. F., Bd. 24), Tübingen 1968, S. 187—241.

Versauffüllung gesuchten Technik des Hebungspralls und der beschwerten Hebung zum Trotz zur Annahme von Dreitaktern zwingt[15] — nach meinem Dafürhalten gelegentlich noch im 'Iwein' —, resultiert der neuralgische Punkt des Wolframschen Versbaus aus dem genau umgekehrten Sachverhalt: überladene Auftakte, lange Verse, schwere, oftmals vielsilbige Taktfüllungen. Gottfrieds Vers[16] steht in dieser Hinsicht demjenigen Hartmanns sehr viel näher, scheint jedoch, in teilweise schroffem Gegensatz zu Hartmann und Wolfram und möglicherweise unter verstärktem romanischen Einfluß[17], immer wieder die durch den sprachlichen Akzent und den Sinn vorbestimmte natürliche Deklamation dem Alternationsprinzip unterzuordnen. Soweit Tonverschiebungen und Akzentversetzungen im Verseingang betroffen sind — Fälle, denen man herkömmlicherweise mit 'schwebender Betonung' beizukommen versucht —, trifft sich Gottfried eher mit seinem großen Antipoden Wolfram als mit Hartmann. Allen dreien gemeinsam ist die auch in den übrigen Gattungen der mhd. Versdichtung anzutreffende Unterordnung von Pronomina, Zahlwörtern, Adverbien und Konjunktionen, auch oder gerade wo ihnen nach dem Prosarhythmus die logische Betonung zukommen müßte[18]. Vielleicht verbergen sich hier durch besondere syntaktische Gegebenheiten determinierte oder an bestimmte Inhalte gebundene Verstypen sui generis, wie ich sie für die verschiedensten Arten von Aufzählversen, *unde-*, *oder-* und *alse-*Formeln mit Gewißheit annehmen möchte. Evident ist schließlich, daß sich die großen Drei auch in ihren ohrenfälligsten metrischen Eigentümlichkeiten als eigenständige Individuen voneinander abheben, wiewohl keiner als Alleinbesitzer der betreffenden Eigenheit angesehen werden kann. Der für Hartmanns Verse so charakteristische, von der Forschung lange vernachlässigte Mitteleinschnitt[19], der oft noch durch eine syntaktische Zäsur oder eine Pause betont ist, so daß die erste Vershälfte mit einer Starktonsilbe endet und die zweite Hälfte ohne vorausgehende Senkungssilbe wieder mit einer hebungstragenden Tonsilbe einsetzt, läßt sich zwar auch bei Gottfried nachweisen[20], doch in so geringer Zahl, daß die Folgerung erlaubt ist, er habe diese seinem

---

[15] So entgegen SCHACKS u. a. U. PRETZEL, Deutsche Verskunst, in: Dt. Phil. i. Aufr. III, Berlin 1962², Sp. 2424 f.; L. WOLFF, Hartmann von Aue. Vom Büchlein und Erec bis zum Iwein, DU 20/2 (1968) 45; U. HENNIG, a. a. O., S. 242—246.

[16] C. VON KRAUS, Wort und Vers in Gottfrieds Tristan, ZfdA 51 (1909) 301 bis 378; FR. RANKE, Zum Vortrag der Tristanverse, in: Festschrift P. Kluckhohn und H. Schneider, Tübingen 1948, S. 528—539.

[17] Vgl. dazu W. MOHR, AfdA 76 (1965) 149.

[18] Ein treffendes 'Parzival'-Beispiel interpretiert U. PRETZEL, Vers und Sinn. Über die Bedeutung der 'beschwerten Hebung' im mhd. Vers, Wirk. Wort 3 (1952/53) 328 f. (= Wirk. Wort, Sammelband II, Düsseldorf 1963, S. 238 f.).

[19] Mit besonderem Nachdruck hat allein L. WOLFF auf diese für Hartmann so bezeichnende Erscheinung aufmerksam gemacht, z. B.: Hartmann von Aue, Wirk. Wort 9 (1959) 19 f. (= Sammelband II, S. 191 f.); DU 20/2 (1968) 45; Anm. zu Iw. 109 (Bd. 2, Berlin 1968⁷, S. 17).

[20] Zum Beispiel v. 13336. 15399. 15405 u. ö.

Hang zum ausgewogenen Fluß deutlich widersprechende rhythmische Kurve bewußt gemieden. In gleicher Weise darf das harte, die Versgrenze überspielende und das Gehörserlebnis des Viertakters relativierende Enjambement als typische Eigenart Wolframs gelten[21]. — Soweit, auf einfache und vergröbernde Formeln gebracht, was sich als die wesentlichsten versstilistischen Charakteristika unseren Editionen und metrischen Darstellungen entnehmen läßt.

Alle bisher angedeuteten Schwierigkeiten und Unwägbarkeiten potenzieren sich, wenn wir nun die handschriftliche Überlieferung der Epen Wolframs nach ihrer metrischen Seite befragen. Und der erste Eindruck, den man gewinnt, ist der, daß es sehr viel leichter ist, den Ruf nach unvoreingenommener Prüfung der Verhältnisse an Hand der mittelalterlichen Manuskripte anzustimmen, als diesem Ruf folgend sich vor dem Ertrinken in den kodifizierten Widersprüchen zu retten. Was ist rein graphische Variante, was wirkliche Lautung, was gehört der Sprache des Schreibers, was möglicherweise der des Dichters an, wann, wo und warum ändert der Schreiber entgegen seinen sonstigen Gewohnheiten, was verdankt sich davon der Vorlage usw., alles Fragen, die nicht nur den Textkritiker, sondern zugleich den Metriker betreffen[22].

Daß es notwendig ist, auf die einzelne Handschrift selbst zurückzugehen, und nicht erlaubt sein kann, sich auf die in den kritischen Apparaten verzeichneten Lesarten zu beschränken (wie in metrischen Untersuchungen leider allgemein üblich, sofern sie überhaupt über den kritisch und metrisch geformten Text hinausgreifen), erhellt aus dem immer wieder zu beobachtenden Umstand, daß auf Grund weiterer, nicht verzeichneter lautlicher oder graphischer Varianten im jeweiligen Vers einer Handschrift ganz andere Akzentgegebenheiten vorliegen können, als sie der Apparat vermuten läßt. Auf der anderen Seite muß nachdrücklich davor gewarnt werden, mittelalterliche Handschriften nach den engen LACHMANNschen Regeln zu skandieren. Vor allem Handschriftenbeschreibungen und Handschriftenuntersuchungen, die ja gewöhnlich auch ein Metrik-Kapitel aufweisen, verfallen allzu leicht in diesen Fehler und buchen unter der Rubrik Metrum-Störungen zahlreiche Fälle, die nur so lange Störungen sind, solange etwa an dem Gesetz der einsilbigen Senkung festgehalten wird.

Obwohl also der Metriker über weite Strecken gemeinsam mit dem Textkritiker zu marschieren hat, in der Regel auch mit diesem durch Personalunion verbunden ist, kann er doch im allgemeinen sein Untersuchungsmaterial wesentlich eingrenzen. Auf Grund gewandelter sprachlicher Voraussetzungen dürfen die

[21] Vgl. BLANKA HORACEK, Die Kunst des Enjambements bei Wolfram von Eschenbach, ZfdA 85 (1954/55) 210—229; Kunstprinzipien der Satz- und Versgestaltung. Studien zu einer inhaltbezogenen Syntax und Metrik der deutschen Dichtersprache (Sb. d. Österr. Akad. d. Wiss., Phil.-hist. Klasse, Bd. 258/1), Wien 1968, S. 108—125.

[22] Einen trefflichen Eindruck von der Kompliziertheit der Materie wie von den Wegen, die zur Klärung der offenen Fragen beitragen können, vermittelt H. SCHANZE, Über das Verhältnis der St. Galler Willehalm-Handschrift zu ihren Vorstufen, PBB 89 (Tüb. 1967) 151—209.

meisten jüngeren Handschriften für metrische Fragen völlig außer acht bleiben. Denn auch die unverwandten müssen sich notwendig im Einsatz jüngerer Formen treffen, ohne daß man aus einer solchen Übereinstimmung für die ursprüngliche Gestalt das geringste zu folgern berechtigt wäre. Auch die grob dialektische Eigenheiten aufweisenden Manuskripte — beispielsweise die 'Willehalm'-Handschrift W₁ bzw. V, die sich selten eine Gelegenheit zur Apokope oder Synkope entgehen läßt und doch für die Sicherung des originalen Wortbestandes so wichtig ist[23] — verdienen bei dem Versuch, die metrischen Prinzipien des Autors zu rekonstruieren, allenfalls bedingtes Vertrauen.

Eine wesentliche Hilfe bedeutet die Beschränkung auf Textzeugen des 13. Jahrhunderts jedoch nicht, selbst wenn man der zeitlichen, räumlichen und damit sprachlichen Nähe der Handschrift zum Dichter besonderes Augenmerk schenkt. Gewiß bezeugen die alten Handschriften und Fragmente viele der in unseren kritischen Ausgaben LACHMANNscher Observanz angesetzten Kürzungen[24], doch ohne Konsequenz und selten in ausreichender Zahl, daß man sie für jeden einzelnen Fall als gesichert annehmen dürfte. Der einzig mögliche, von der Forschung wiederholt mit Erfolg beschrittene Weg, das Verhalten der einzelnen Schreiber mit den sie etwa leitenden metrischen Absichten aufzuhellen und dem durch Feststellung des Dichtungsstils von gesicherten Stellen her entgegenzuarbeiten, erweist sich für den Metriker — und wohl nicht nur im Falle Wolframs — als gefährliche Gratwanderung. So fällt es schwer, auch nur einem einzigen Wolfram-Schreiber ein auf umfänglichere Versgruppen sich erstreckendes, halbwegs geradliniges metrisches Verhalten nachzuweisen, gleich nach welchen Kategorien man seine Textfassung befragt, ob nach den mehr sprachlich bedingten Apokopen, Synkopen, Krasen oder Synaloephen, ob nach der metrischen Relevanz von Wortersatz, Wortzusatz, Wortverlust und Wortumstellung oder ob mehr vom metrischen Rahmen her nach Versauffüllung, Versverkürzung, Auftaktreduzierung, Auftaktherstellung, Enjambementmilderung u. ä. Gegenläufige Schreibertendenzen lassen sich zwar auch sonst feststellen, hier zeigen sie sich jedoch in einer beispiellosen Kraßheit. Das mag zu einem guten Teil daran liegen, daß sich Schreiberänderungen seltener, als vielleicht zu erwarten, als b l o ß Verses halber vorgenommen erweisen lassen, reicht aber zur Erklärung aller Widersprüche kaum aus. Auftaktreduzierungen z. B. ergeben sich zwangsläufig, wo eine Tendenz zur Tilgung satzeinleitender Konjunktionen um sich greift. Normalisierungen der Wortstellung führen oftmals zu Störungen des Versbaus,

---

[23] W. SCHRÖDER/H. SCHANZE, Neues Gesamtverzeichnis der Handschriften von Wolframs 'Willehalm', ZfdA 91 (1961/62) 204 (Nr. 3); vgl. H. SCHANZE, Die Überlieferung von Wolframs Willehalm (Medium Aevum 7), München 1966, passim.

[24] Zusammenstellungen aus der 'Parzival'-Hs. D in der Vorrede zu E. MARTINS Ausgabe, Halle 1900, S. IX—XI, und bei A. WITTE, Die Parzivalhandschrift D, PBB 51 (1927) 347; aus der 'Parzival'-Hs. G bei ELISABETH FELBER, Die Handschrift G von Wolframs Parzival, Diss. (Masch.) Wien 1946, S. 147 f. und 154; aus der 'Tristan'-Überlieferung bei RANKE, a. a. O., S. 529—531.

lassen aber ebenso häufig, von diffizileren rhythmischen Fragen abgesehen, das Metrum unangetastet. Wer vermöchte da in jedem Fall das für den Schreiber ausschlaggebende Moment sicher zu fixieren? Selbst bei der Behandlung der berühmten Namensverse aus dem 'Parzival' ist nicht immer ganz zweifelsfrei auszumachen, inwieweit sich die Schreiber bei ihren Zusätzen allein von dem Wunsch leiten ließen, scheinbar schwach gefüllten Versen aufzuhelfen, und welche Rolle daneben ihrer Neigung, Namen auch entgegen der Vorlage mit Titeln oder anderen Attributen zu versehen, zukommt[25]. Die Beispiele ließen sich leicht vermehren, da die überlieferungsgeschichtlichen und handschriftenkundlichen Wolfram-Arbeiten genug einschlägige Belege liefern[26].

Aus alledem ergeben sich, m. E. unabweisbar, die folgenden Schlußfolgerungen: 1.) Der alte Lehrsatz, daß sich die mittelalterlichen Schreiber nahezu ausnahmslos um den Versbau der von ihnen tradierten Dichtungen nicht oder nur wenig kümmern, besteht zu vollem Recht. 2.) Keine einzelne Handschrift, sei sie auch noch so gut und zuverlässig, verdient für die Bestimmung des Versbaus Wolframs von Eschenbach uneingeschränktes Vertrauen[27], es sei denn, man wolle sich auf die Feststellung bestimmter historisch authentischer Wirkungsstadien beschränken. 3.) Die Rekonstruktion der versstilistischen Intentionen Wolframs hat von im Wortbestand kritisch gesichertem, aber metrisch unfrisiertem Material auszugehen. Aus der Analyse und Interpretation dieses Materials sind unter Mitbedenken sprachlicher, stilistischer, syntaktischer und grammatischer Aspekte Kriterien zu entwickeln, die unter Umständen dann auch bei der Beurteilung textkritisch zweifelhafter Verse, bei der Entscheidung zwischen gleichwertigen Lesarten der Hyparchetypi oder bei der metrisch-orthographischen Feinformung des kritischen Textes von Nutzen sein könnten. Wenn ich recht sehe, werden sich feste und für jeden Einzelvers verbindliche Regeln allerdings kaum finden lassen.

Denn der Blick auf die Handschriften bestätigt — was mir der entscheidende Faktor zu sein scheint und was wegen der Existenz von Melodien und wegen der reichen Beobachtungsmöglichkeiten an Bauanalogien die von wesentlich günstigeren Voraussetzungen ausgehende Lyrikforschung längst erkannt hat —, daß nämlich das Verhältnis der Quellen zur Vortragswirklichkeit, das Verhältnis von

---

[25] Vgl. Kraus, Metrische Untersuchungen über Reinbots Georg, 2. Exkurs: Einiges über die metrische Behandlung der Eigennamen bei Wolfram, Hartmann und Gottfried, S. 211—214, und die Lesarten zu Pz. 177,30. 187,21. 283,7. 327,20. 333,23 (Condwiramurs). 427,7 (Antikonie).

[26] Neben H. Schanzes Studien zur 'Willehalm'-Überlieferung sind vor allem Gesa Bonaths zweibändige 'Untersuchungen zur Überlieferung des Parzival Wolframs von Eschenbach' (Germanische Studien, Heft 238 und 239, Lübeck/Hamburg 1970 und 1971) zu nennen, die sich durch eingehende Behandlung der metrischen Fragen auszeichnen und denen ich vielfältige Anregungen zu verdanken habe.

[27] Insoweit trifft Lachmanns zweite Anmerkung zur Lesart von Iw. v. 7438 (Berlin 1959[6], S. 539) den Nagel genau auf den Kopf.

Optischem und Akustischem im Mittelalter völlig anders gewesen sein muß als in der Neuzeit[28]. Die Folgerung liegt daher nahe, daß sich auch der Epenvers als Vers erst im Vortrag voll verwirklichen konnte und daß seine schriftliche Fixierung durchaus die nachgeordnete, sekundäre Form war, der damit zwangsläufig Zufälligkeiten, insbesondere in metrischer Hinsicht, anhaften mußten.

Man hat für lyrische Verse sogar in Erwägung gezogen, daß die Skriptoren im Grunde nur Reimprosa aufs Pergament schrieben und deshalb so oft ihre Verse verstümmelten[29]. Obwohl diese Vermutung auch für den Epenvers grundsätzlich nicht auszuschließen ist[30], halte ich sie doch für wenig wahrscheinlich, weil die vergleichsweise seltenen, für die Richtigkeit der Vermutung aber viel zu häufig bezeugten eindeutigen Schreiberänderungen Verses halber (Auffüllungen, Verkürzungen u. ä.) dann nur schwer erklärbar wären, ganz abgesehen davon, daß die Annahme, die Schreiber hätten beim Textaufnehmen aus ihrer Vorlage gelegentlich auch laut gelesen und damit Verse verwirklicht, nicht von vorneherein als abwegig zu gelten braucht. Ich würde daher einem abweichenden Deutungsversuch einstweilen den Vorzug geben. Mir scheint, als hätten die hochmittelalterlichen Schreiber vor allem deshalb nicht auf ihre Verse geachtet, weil weder eine zwingende Nötigung noch überhaupt die Möglichkeit dazu bestand. Eine zwingende Nötigung deshalb nicht, weil angesichts der dem Mittelalter selbstverständlichen Freiheit im Umgang mit Vorgegebenem der Vortragende die metrische Feinformung in der Regel unabhängig von der jeweils schriftlich fixierten Fassung nach eigenem Ermessen oder in traditionsgebundener Übung vorgenommen haben dürfte[31]; die Möglichkeit dazu nicht, weil wegen fehlender Graphie-Normen, für deren Entwicklung nach dem eben Gesagten nur wenig Veranlassung bestand, dem metrischen Willen des Autors, sofern er wirklich für jeden Vers einen solchen gehabt haben sollte[32], nicht durchgehend, präzise und konsequent zu entsprechen war.

Diese Hypothese läßt sich, glaube ich, stützen, wenn man den Ertrag ins Auge faßt, den die strenge textkritische Methode — nennen wir sie die stemmatologische oder die gruppengenealogische — für Fragen des Versbaus tatsächlich abwirft. Er ist für die metrisch-orthographische Textgestaltung viel geringer, als er es nach unseren herkömmlichen Archetyp- und Originalvorstellungen eigentlich sein dürfte. So drängt sich der Verdacht auf — was in der Forschung nie recht Problem geworden zu sein scheint —, daß wir diesen Dingen, in neuzeitlicher Denkweise befangen, viel mehr abverlangen, als sie wirklich herzu-

---

[28] Vgl. K. BERTAU, Minnesangstudien, Et. germ. 20 (1965) 541 f.

[29] Ders., Sangverslyrik, S. 12 und 220.

[30] Ders., Epenrezitation im deutschen Mittelalter, Et. germ. 20 (1965) 15 f.

[31] Vgl. Verf., Zur wechselseitigen Erhellung von Text- und Melodiekritik mittelalterlicher deutscher Lyrik, in: Probleme mittelalterlicher Überlieferung und Textkritik. Oxforder Colloquium 1966, hg. v. P. F. GANZ und W. SCHRÖDER, Berlin 1968, S. 139.

[32] Was wohl nicht nur für Wolfram zu bezweifeln ist.

geben vermögen. Für den Archetypus des 'Parzival' und 'Willehalm' im strengen Sinne verifizierbar sind hier und da dem Versbau zugute kommende kontrahierte Formen, Verkürzungen von Artikeln und Pronomen in Pro- und Enklise u. ä., weil unterschiedlich und falsch auflösbar. Ein instruktives Beispiel stellt etwa der 'Willehalm'-Vers 120,28 dar: *zuctens herzen ursprinc*[33], dessen handschriftliche Bezeugung[34]

> *zvkchtens hertzen* VL58] *zucten des h.* K, *Czugen vz h.* WWo, *zvchten smerzen* G, *zvchten (zushen* B) *herzen* BH28, *Zu den h.* Ka

zwingend auf zweisilbige Formung des ersten und zweiten Verstaktes führt. Es ist kein Geheimnis, daß LACHMANN sehr häufig und vielfach auch in zweifelhaften Fällen aus der Streuung der Überlieferung ähnliche Ausformungen erschlossen hat. Daß der Unmenge metrischer Korrekturen und Konjekturen aber eine so außerordentlich dürftige Zahl an beweisenden Fällen gegenübersteht, hätte längst stutzig machen sollen. Wir gelangen bei unserem textkritischen Bemühen um die mhd. Literatur stets zu Archetypen, die im ganzen sehr zuverlässig ausgesehen haben müssen, nur in metrischer Hinsicht überaus sorglos gewesen wären, was bei dem geringen Abstand zum Original, der im allgemeinen vorausgesetzt wird, doch höchstes Befremden erregt. Gewiß ist eine Abschrift nie fehlerlos. Doch scheint es eher mit der modernen Vorstellung vom in jeder Hinsicht festumrissenen Kunstorganismus als mit mittelalterlichen Gegebenheiten zusammenzuhängen, wenn man annimmt, daß allein die Autoren selbst über die Möglichkeit verfügt haben sollten, ihre metrischen Linien eindeutig und konsequent schriftlich festzuhalten, wo auch die sorgfältigsten Schreiber, die wir aus der mittelalterlichen Epenüberlieferung kennen, trotz Herausbildung eigener Schreibgewohnheiten im Gebrauch von Apokope, Synkope, Vokalschwächung, Kontraktion u. ä. durchaus willkürlich verfahren. Ich bin daher überzeugt, daß ein Wolfram-Autograph, sofern man ein solches für glaubhaft hält, ähnliche Inkonsequenzen aufgewiesen hätte, wie sie die besten mittelalterlichen Handschriften zeigen und wie sie sich, in diesem Zusammenhang viel zu wenig beachtet und mitbedacht, auch in der mhd. Prosa finden.

Mit diesen Überlegungen sind die beiden miteinander zusammenhängenden Fragen allerdings noch nicht entschieden, ob Wolfram für jeden seiner Verse eine authentische metrische Formung intendiert hatte und wie der Herausgeber seine Auffassung von des Dichters Versbau in einer Edition am zweckmäßigsten zum Ausdruck bringen solle. Hier werden die Anschauungen naturgemäß weit auseinandergehen, und ich bekenne, selber ratlos zu sein und keine feste Meinung zu haben. Für LACHMANN und seine in rebus metricis ihm Ergebenen war und

---

[33] LACHMANN und LEITZMANN lasen in Anlehnung an die Fassung der Hs. G ('Neues Gesamtverzeichnis' Nr. 1 = LACHMANNS K): *zucten sherzen ursprinc.*

[34] Zur Erläuterung der Siglen vgl. W. SCHRÖDER, 'Willehalm' 306—310, a. a. O., S. 158 f.; Zitierung der Fragmente hier wie in Zukunft jedoch ohne vorgesetztes fr.

ist die Devise klar: der Herausgeber dürfe dem Leser nicht die Wahl lassen, da der Dichter keine gelassen habe. In der Tat erlaubt ein hoher Prozentsatz der im Wortbestand kritisch verifizierten Wolframverse, von Unsicherheiten der Feingestaltung und von durchgehend tonbeugender Lesung abgesehen, kaum mehr als eine glaubhafte Skandierung. Doch die Zahl der metrisch mehrdeutigen scheint fast ebenso groß. Sie läßt sich unter Berücksichtigung der verschiedenen syntaktischen Ausprägungen durch umsichtige, jedes Detail registrierende Beschreibung, durch vorsichtigen wechselseitigen Vergleich und daraus abzuleitende Wahrscheinlichkeitsschlüsse zwar auf bestimmte Füllungstypen (die hier nicht erörtert werden können) eingrenzen und reduzieren[35]. Trotzdem bleiben immer noch einige tausend Verse übrig, die in ihrer metrisch-rhythmischen Kurve genau festzulegen ich keinen Weg sehe. Da nicht auszuschließen ist, daß Wolfram gelegentlich selber geschwankt haben mag, mal so, mal anders vorgetragen hat, und den dem Autor ferner stehenden Rezitatoren eine communis opinio schon gar nicht unterstellt werden darf[36], möchte es als ein Gebot wissenschaftlicher Redlichkeit erscheinen, wenn auch der Herausgeber diesem Umstand Rechnung trüge und ein Höchstmaß an metrischer Unsicherheit[37] zu erkennen gäbe. Mir scheint, als würde bei aller kritisierbaren Prinzipienlosigkeit LEITZMANNS Edition der Sache gerechter werden als LACHMANNS konsequente Einregulierung der Überlieferung[38].

Obwohl eine angemessenere Perspektive metrischen Sachverhalten gegenüber bereits von Nutzen sein könnte, erlaubt die Überprüfung des sicheren Materials doch auch einige Feststellungen, die über das bisher Beobachtete hinausgehen. Ich hebe zum Problem der Taktfüllung und zu dem des metrischen Rahmens ein paar konkrete Hinweise hervor.

Es ist bekannt, daß LACHMANNS Gesetz von der Einsilbigkeit der Senkung und den an bestimmte Bedingungen geknüpften Verschleifungsmöglichkeiten auf der Hebung wie auf der Senkung den jeweils phonetisch-rhythmischen Idealfall absolut setzt und damit für die Masse der mhd. Verse, zumal für Wolfram, zu eng gefaßt ist. Auch ULRICH PRETZEL, dessen versgeschichtliche Darstellung am stärksten LACHMANNS Fragestellungen und Bahnen folgt, billigt dem Vers der Blütezeit Taktfüllungen zu, die die einstmals gesetzten Grenzen überschreiten[39]. Selbst in LACHMANNS Wolfram-Edition finden sich dreisilbige Takte ohne Verschlei-

---

[35] Auf ähnlichem Wege hat jüngst URSULA HENNIG a. a. O. versucht, den rhythmisch mehrdeutigen Versen der 'Wiener Genesis' beizukommen, und mit beachtlichem Erfolg bestimmte versstilistische Tendenzen des Autors herausgearbeitet. Vgl. dazu aber auch die kritische Stellungnahme W. SCHRÖDERS, AfdA 81 (1970) 11—36.

[36] Vergleichbare Vermutungen für Hartmanns Zeitgenossen und Nachfahren äußert U. HENNIG, a. a. O., S. 188 f. und 215.

[37] Vgl. K. STACKMANN, Mittelalterliche Texte als Aufgabe, in: Festschrift für J. Trier zum 70. Geburtstag, Köln/Graz 1964, S. 267.

[38] Anders GESA BONATH, a. a. O., passim.

[39] Deutsche Verskunst, a. a. O., Sp. 2418 f.

fungs- oder Elisionsmöglichkeit gar nicht so selten. Sie sind einwandfrei feststellbar, weil die Kenntnis der LACHMANNschen Metriktheorie[40] einerseits und der peinlich genaue Niederschlag, den diese Theorie bei der orthographischen Textausformung gefunden hat, andererseits den Metriker kaum ein einziges Mal über die gemeinte Lesung im Zweifel lassen. Daß übrigens solche Zweifelsfälle im 'Willehalm' häufiger als im 'Parzival' auftreten, wird an der vergleichsweise schlechteren Überlieferung sowie an dem Umstand liegen, daß LACHMANN nach eigenem Geständnis dem Wolframschen Alterswerk nicht dieselbe Sorgfalt wie dem 'Parzival'-Text hat angedeihen lassen können[41]. — Nicht reduzierbare Senkungsfüllungen stehen bei LACHMANN namentlich im ersten Takt auftaktiger Verse (Pz. 448,27 *sîn t ó h t e r b e g únden sprechen*), einer Stelle, der er solche 'Überladenheit' ohne weiteres zuerkannt hat[42]. Die zahlreichen sprachlich analogen Entsprechungen in auftaktlosen Versen (Pz. 409,29 *z w í s ch en d e r hüffe unde ir brust*) können wir heute der ersten Gruppe unbedenklich zur Seite stellen, obwohl LACHMANN hier in der Regel schwebende Betonung angesetzt hat und BARTSCH getreu dieser Lehrmeinung und nicht zuletzt im Interesse des mit LACHMANNS Prinzipien nicht völlig vertrauten Lesers die jeweils zweite Silbe mit einem Gravis versah (*zwischèn der hüffe ...*)[43]. Dreisilbige Takte, die den Verschleifungsregeln widersprechen, weist LACHMANNS Text schließlich überall da auf, wo er, von falschen sprachgeschichtlichen Voraussetzungen ausgehend und handschriftliche Bezeugungen zu buchstäblich denkend, mit offener Kürze

---

[40] LACHMANN selbst hat seine metrische Theorie nicht systematisch beschrieben, sieht man von einer höchst komprimierten Skizze aus dem Jahre 1844 ab, die FR. PFEIFFER veröffentlicht hat: Lachmanns mhd. Metrik, Germania 2 (1857) 105—108. Die wesentlichen Erkenntnisse verbergen sich in den Lesarten bzw. Anmerkungen zum 'Iwein' und Nibelungenlied, zur 'Klage' und zu Walther, deren wichtigste H. PAUL, Deutsche Metrik (Grundr. d. germ. Philologie II, 2), Straßburg 1905², S. 66—83 nachgewiesen und überaus kritisch kommentiert hat. Unentbehrlich für das Verständnis der Versregeln ist ferner LACHMANNS Briefwechsel mit den Brüdern J. und W. GRIMM, ed. A. LEITZMANN, 2 Bde., Jena 1927; dort auch (Bd. 2, Beilage C 2, S. 946—960) der 'Erste schwache anfang einer Eschenbachischen verskunst', der ebenso wie die in einem Briefe an G. F. BENECKE enthaltenen Bemerkungen zur mhd. Verskunst, abgedr. Germania 17 (1872) 115—120, noch in die zwanziger Jahre des 19. Jahrhunderts zurückgeht. Die besten Zusammenfassungen der LACHMANNschen Metriktheorie finden sich bei M. RIEGER, Versuch einer systematischen Darstellung der mhd. Verskunst nach ihrer Erscheinung im klassischen Volksepos, Diss. Gießen 1850 (im wesentlichen identisch mit RIEGERS 'Anweisung zum Verständnis der mhd. Verskunst...', in: Kudrun, ed. W. VON PLÖNNIES, o. O. 1853, S. 241—303); O. SCHADE, Die Grundzüge der altdeutschen Metrik, Weimarisches Jahrbuch 1 (1854) 1—57; FR. ZARNCKE, Das Nibelungenlied, Leipzig 1856, S. XLI—LXVI ('Metrisches').

[41] Wolfram von Eschenbach, ed. K. LACHMANN, 6. Ausg., Berlin 1926, S. XXXIII.

[42] Vgl., auch zum folgenden, LACHMANN zu Iw. 33. 309. 1118 und 1208, zu den Nibel. 1803,2 und 2011,1.

[43] Wolfram's von Eschenbach Parzival und Titurel, ed. K. BARTSCH, Tl. 1—3 (Dt. Classiker des Mittelalters 9—11), Leipzig 1875/77².

und also Verschleifbarkeit gerechnet hatte, d. h. bei *iwe/owe*-Schreibungen (Pz. 504,11 *und ein pfért daz f r ó w e n g e réite truoc*)[44].

Diese Sachverhalte haben zusammen mit der Beobachtung, daß LACHMANN im Interesse seiner Verschleifungsregeln immer wieder das übereinstimmende Zeugnis der Überlieferung umgeformt hat, z. B. Taktfüllungen wie *síme ge-* aus überliefertem *sínem ge-* u. ä. hergestellt hat, zu Modifizierungen seiner Theorie und zum Zugeständnis mehr oder weniger weitreichender Ausnahmen geführt[45]. So hat man z. B. gefolgert, daß bei Wolfram auch Senkungsspaltungen nach langer Hebungssilbe erlaubt seien, sofern der konsonantisch anlautenden zweiten Senkungssilbe Nasal oder Liquid vorausgehen[46]. Ein entscheidender Schritt über LACHMANNS Perspektive hinaus war trotz der Ansätze bei HEUSLER damit allerdings nicht getan, weil man letzten Endes die alte Regel nur um Fälle erweiterte, die sich auf Grund sprachlicher und flexivischer Gegebenheiten zwangsläufig mit besonderer Häufigkeit einstellen mußten, und durchaus vergleichbare, doch seltener vorkommende Konstellationen metrisch noch immer anders zu werten gezwungen war.

Die Durchforstung des Gesamtmaterials unter Berücksichtigung der ältesten und besten Handschriftenüberlieferung läßt, wenn ich mich auf die mit Abstand häufigste, freilich auch leichteste Gruppierung beschränken darf, zweifelsfrei erkennen, daß dreisilbige Takte, in denen ein beliebiges zweisilbiges Simplex, gleich welcher Quantität seine Stammsilbe sei, den Iktus trägt, mit nachfolgender dritter Silbe, sei sie ein Präfix oder ein selbständiges Wort, folge Konsonant oder Vokal, sei die Silbe vorgeneigt oder rückgeneigt, lang oder kurz, offen oder geschlossen, unabhängig von Zahl und Art der dazwischenstehenden Konsonanten für Wolfram metrisch gleichberechtigte, überall legitime Füllungen darstellen[47],

[44] Vgl. H. PAUL/H. MOSER/INGEBORG SCHRÖBLER, Mhd. Grammatik, Tübingen 1969[20], § 32, Anm. 3 (früher § 16, Anm. 3); ferner LACHMANN zu den Nibel. 73,1. — Diese Schreibungen kommen auch in Kadenzstellung vor, z. B. Pz. 71,13. 100,11. 310,27. 321,29. 446,17 u. ö., machen jedoch die betreffenden Verse entgegen LACHMANN nicht zu stumpf bzw. zweisilbig-voll endenden.

[45] Vgl. u. a. H. PAUL, Zu Walther von der Vogelweide, PBB 8 (1882) 181—197 (Kap. 'Kürzung und mehrsilbigkeit der senkung'); C. BOCK, Kritische Bemerkungen zur Metrik Wolframs von Eschenbach, in: Festschrift zur Einweihung des Wilhelm-Gymnasiums, Hamburg 1885, S. 55—65 (billigt 'dreisilbige Füße mit *e* in der zweiten Silbe'); ähnlich schon FR. SCHWARZ, Über die metrischen Eigenthümlichkeiten in Wolframs Parzival, Diss. Rostock 1884, S. 46 f.; weiter gehen H. PAUL, Dt. Metrik, § 42 (= S. 70—73), und vor allem A. HEUSLER, § 562—565 (= Bd. 2, S. 107—110); vgl. dagegen die 'erlaubten' Typen bei U. PRETZEL (oben Anm. 39).

[46] Ähnlich G. BONATH, a. a. O., Bd. 1, S. 71.

[47] Durch dieses rhythmische Modell wird U. HENNIGS Vermutung bestätigt, daß auch 'im Vers des klassischen Epos, zumal im 'Parzival' die 'Taktfüllung' nicht von der Quantität der einzelnen Silbe abhängig ist, sondern durch die Stellung der Senkungssilben zu der vorangehenden und folgenden Hebungssilbe bedingt ist' (a. a. O., S. 51). Selbstverständliche Voraussetzung ist demnach das höhere Gewicht der folgenden Hebungssilbe.

wiewohl im dritten Takt männlich ausgehender Verse[48] seltener zu belegen als anderswo. Auf welchem Wege man zu einer solchen, wie ich meine, hinlänglich abgesicherten Entscheidung gelangen kann, soll wenigstens an einem ganz einfach gelagerten Beispiel demonstriert werden.

Der 'Willehalm'-Vers 258,26 lautet, prosamäßig gesprochen, *Hûnas von Sánctes und Wítschart,* ein Vers, den LACHMANN mit seiner metrischen Theorie nicht zu bewältigen vermochte, weshalb er in seiner Edition die beiden Wörter *von Sanctes* mit eckigen Klammern versah, um so die häufig bezeugte 'dipodische' Aufeinanderfolge zweier durch die Konjunktion *und* oder die Präposition *von* verbundener zweisilbiger Eigennamen mit jeweils zwei Ikten für das Original anzudeuten: *Hûnàs und Wítschàrt.* Nahm man die Überlieferung ernst, erkannte man, wie etwa OTTO PAUL[49], auf dreisilbigen schweren Auftakt mit anschließender, der LACHMANNschen Mutmaßung genau paralleler Namensverbindung: *Hûnas von Sánctès und Wítschàrt.* Die dem Prosatonfall am nächsten kommende Lesung *Hûnas von Sánctes und Wítschàrt,* der HEUSLER seine Zustimmung sicherlich nicht verweigert hätte, trifft in dem hier in erster Linie interessierenden zweiten Takt gewiß das Richtige, erscheint jedoch nicht von vorneherein selbstverständlich, was den Initialtakt angeht und was deshalb, obwohl in diesem Zusammenhang nicht von unmittelbarer Bedeutung, wenigstens exkursorisch kurz angeschnitten werden soll.

Volltonige zweite Silbe aufweisende Eigennamen wie *Hûnas,* die im Gegensatz zu *Sanctes* im Versausgang nur männlichen, nicht weiblichen Reim ergeben können, zweisilbige Nominalkomposita oder Derivata mit stark nebentoniger zweiter Silbe bilden zusammen mit einem nachfolgenden, sicher in Senkung stehenden beliebigen Einsilbler oder Präfix bei Wolfram immer wieder den Verseingang. Ein diesen Kombinationen vorausgehender sicherer einsilbiger Auftakt ist dagegen ungleich seltener belegt. Da bei entsprechenden sprachlichen Füllungsgegebenheiten (dreisilbige Eigennamen, Komposita, Derivata mit Nebenton auf der dritten Silbe im Verseingang) sichere zweisilbige Auftakte wieder in großer Zahl bezeugt sind, läßt sich das Problem nicht auf die einfachere Lösungsmöglichkeiten bietende Alternative einsilbiger Auftakt oder dreisilbiger Initialtakt reduzieren. Daher halte ich Tonversetzung (der gegebenenfalls durch schwebende Betonung entgegengewirkt werden könnte) für das Wahrscheinlichere und würde demnach *Hûnàs von Sánctes und Wítschàrt* als das von Wolfram Intendierte annehmen.

Gegen die vorgeschlagene Taktfüllung *Sánctes und* ließe sich nun noch einwenden, der Vers könne auch rein alternierend gelesen werden: *Hûnàs von Sánctes ùnd Witschárt,* zumal Tonversetzung bei zweisilbigem Eigennamen im

---

[48] Vgl. C. MOLDAENKE, Über den Ausgang des stumpf reimenden Verses bei Wolfram von Eschenbach, Gymnasial-Programm Hohenstein, Osterode 1880, S. 3—27.

[49] A. a. O., S. 21; vgl. aber auch S. 27.

Versausgang zwar nicht das Geläufige, aber hin und wieder unumgänglich sei[50]. Solchen und ähnlichen Einwänden, die der Metriker bei seinen Entscheidungen stets mitbedenken muß, kann allein dadurch begegnet werden, daß man das parallel strukturierte Versmaterial vergleichend heranzieht und auf seine Aussagekraft hin befragt, hier etwa den 'Willehalm'-Vers 416,12: *Húnàs von Sánctes und Gíbelín,* ein Vers, bei dem sich die Akzentuierung von *und* wegen des zwei Hebungen fordernden Eigennames *Gibelín* verbietet, somit ein Vers, der geeignet ist, unsere an der Parallelstelle getroffene Entscheidung voll und ganz zu bestätigen.

Hat man so durch die Summierung von vielen hundert vergleichbaren Fällen eine Taktfüllung mit beliebigem zweisilbigen Simplex plus beliebiger zweiter Senkungssilbe für Wolfram als durchaus geläufig und legitim anerkannt, erledigen sich — von anderen dreisilbigen Füllungsmöglichkeiten einmal ganz abgesehen[51] — manche in der Literatur älteren, z. T. auch noch neueren Datums heftig diskutierte metrische und textkritische Streitfragen von selbst. Der 'Parzival'-Vers 310,16 *lázen k ü s s e n m î n áltez wîp* erweist sich dann als ein völlig normaler auftaktloser Vierheber. Die von der Handschrift G^m allein beglaubigte Streichung des Adjektivs *altez* braucht entgegen Lachmann nicht einmal in Erwägung gezogen zu werden, wie auch die in die Überlieferung eher hineinprojizierte als aus ihr deduzierbare Annahme einer beschwerten Hebung auf *küssen,* so Bartschs Version (*lán küssén mîn altez wîp*), ihre Berechtigung verliert. Für manche *und*-Athethese Lachmanns würde zumindest das metrische Argument entfallen. Pz. 277,2 etwa kann bedenkenlos mit Leitzmann, Bartsch und Piper *von r í t t e r n u n d vróuwen, swer dâ saz* gegen Lachmann und Martin (*von rittern, frouwen, swer dâ saz*) gelesen werden. Auch bei komplizierteren Befunden wird die Rückkehr zu der Formung, auf die das handschriftliche Zeugnis weist, möglich, beispielsweise Pz. 81,10: *gevärwet h ú n d e r t i m wáren gezalt.* Lachmanns Enjambement herstellende Konjektur (*gevärwet hundert im gezalt wârn, diu gar vertet der fiere*) ist ebenso unnötig wie Bartschs den Ton beugende Fassung: *gevárt hundért im wârn gezalt.*

Mit der Legitimierung so gearteter Taktfüllungen beraubt der Metriker den vornehmlich auf Sicherung des ursprünglichen Wortbestandes ausgerichteten Textkritiker eines beliebten, mitunter aber doch überstrapazierten Scheidemittels. Zahllose Varianten lassen sich nun aus rein metrischen Gründen nicht mehr als sekundär aussondern. Zwei willkürlich herausgegriffene Beispiele: die folgenden Lesarten der 'Parzival'-Handschrift D sind in ihrem Versbau ohne jeden Anstoß: Pz. 65,28 *vil küener h é l d e n u únverzagt;* Pz. 218,18 *áldâ ím diz m á r e w a r t kúnt.* Der dreisilbigen Takt verursachende Wortzusatz (*nu*) im ersten Bei-

---

[50] Vgl. Lachmann zu Iw. 137.

[51] Zum Beispiel durch dreisilbige Wörter oder durch einsilbige Hebungswörter mit zwei nachfolgenden Senkungssilben, die ihrerseits entweder aus zwei einsilbigen Wörtern bzw. Wortteilen oder aus einem zweisilbigen Wort bestehen können.

spielvers, die Umstellung des Verbs (*wart*) im zweiten müssen mit überzeugenderen und beweiskräftigeren Mitteln als fehlerhaft erklärt werden. So unangenehm der Abschied von bequem zu handhabenden, doch ungeeigneten Instrumenten sein mag, der Gewinn liegt andererseits auf der Hand: der Zwang, mehrere metrisch gleichberechtigte Versionen im Auge zu behalten, könnte dazu beitragen, die so oft apostrophierte Gefahr des Zirkelschlusses wenigstens um einige Grade zu reduzieren.

Inwieweit bei den bisher erörterten Taktfüllungen Synkope oder Apokope im Vortrag realisiert wurde, inwieweit Wolfram sie selber hat eintreten lassen, bleibt ein Unsicherheitsfaktor, den restlos aufzuklären keine Möglichkeit besteht. Zwar scheint Wolframs Dialekt solchen Verkürzungen entgegengekommen zu sein, und die Reime beweisen es uns in zahlreichen Fällen[52]. Dennoch wissen wir keineswegs in allem, ob und in welchem Umfang die Reimformen auch für das Versinnere galten, vom Problem der Doppelformen (etwa bei den präteritalen Partizipien schwacher Verben) ganz zu schweigen. LACHMANN konnte bei aller Bewunderung für den 'beständigen Wechsel des Tonfalls' und die 'klangvollen und gedankenreichen silbenschweren Verse' noch die 'in der Mitte der Verse ungebührlichen Kürzungen (wie *mær*' und dergleichen)' tadeln[53], obschon er sie erst hergestellt und schriftlich fixiert hatte. Wir werden uns heute dagegen auch als Metriker davor zu hüten haben, ein starres Schema festzulegen und danach die Überlieferung auf Konsequenz hin zu reglementieren. Der lebendige Vortrag mag für uns nicht mehr feststellbare, vielleicht nie durch feste Grenzen getrennte Stufengrade der Verkürzung in unbewußter Selbstverständlichkeit verwirklicht haben. Selbst auf die Reimbindungen Pz. 693,11 *kêrn : wern* und Wh. 372,7 *lêhn : zehn*[54] wäre in diesem Zusammenhang nur dann mehr zu geben, wenn sie nicht so vereinzelt dastünden und den Verkürzungsmöglichkeiten analoge Stufengrade der Vokalquantität eines an keine Duden- und Siebs-Normen gebundenen Mittelhochdeutsch belegen würden. Vielleicht hat Wolfram hier sogar weiblich-volle Kadenzen gesprochen.

Ich übergehe im folgenden die übrigen, insgesamt weniger häufig bezeugten Typen dreisilbiger Taktfüllungen, um noch kurz ein paar Möglichkeiten viersilbiger oder potentiell viersilbiger Takte ins Auge zu fassen. Als Verschleifung auf Hebung und Senkung hat auch LACHMANN solche Füllungen zugestanden (Typ: *ze | samene ge- |*), ohne daß sie in dieser Idealform in unseren mhd. Texten überhaupt in nennenswerter Zahl in Erscheinung treten würden. Im Anschluß an HEUSLER spannen darum auch die neueren Lehrbücher den Bogen etwas wei-

---

[52] Vgl. K. ZWIERZINA, Beobachtungen zum Reimgebrauch Hartmanns und Wolframs, in: Abhandlungen zur German. Philologie. Festgabe für R. Heinzel, Halle 1898, S. 437—511; ders., Mhd. Studien, ZfdA 44 (1900) und 45 (1901) passim; A. SCHIROKAUER, Studien zur mhd. Reimgrammatik, PBB 47 (1932) 1—126.

[53] Briefwechsel LACHMANN/GRIMM, Bd. 1, S. 154.

[54] Vgl. ZWIERZINA, Mhd. Studien, ZfdA 44 (1900) 311.

ter. So wird etwa in dem von Ingeborg Glier überarbeiteten Paulschen Abriß der 'Parzival'-Vers 270,10 als Beispiel für viersilbigen Takt zitiert: *stíez dez víngerl wíder an ir hánt,* daneben aber auch die nach Lachmanns Anschauungen einzig richtige Skandierung mit zweisilbigem Auftakt *stiez dez víngerl wíder án ir hánt* als möglich anerkannt[55]. In der Tat liegt das entscheidende Dilemma bei viersilbigen Taktfüllungen darin, daß sich auf Grund des vorgegebenen sprachlichen Materials jederzeit ein Nebeniktus auf der dritten Silbe und damit eine neue Taktgrenze einstellen konnte und demzufolge die Entscheidung, wo damit gerechnet werden müsse und wo nicht, den Metriker offenbar von vorneherein überfordert. Hinzu kommt, daß das Vergleichsmaterial selbst bei Wolfram relativ schmal ist, die auf metrische Eindeutigkeit zielenden kritischen Ausgaben in Zweifelsfällen amputiert haben (so daß die Dinge nicht auf der Hand liegen) und auch die handschriftliche Überlieferung sich in diesem Punkte gern besonders uneinheitlich zeigt.

Indes will mir die Sache nicht ganz aussichtslos vorkommen, da sich gewisse, von Syntax und Wortkörper her leichtwiegende viersilbige Typen immer wieder aufdrängen, so daß man an Zufall nicht ohne weiteres glauben möchte. Sucht man, von diesen sich aufdrängenden Typen ausgehend, jeweils denselben vier Silben bildenden Sprachstoff — also etwa die Wortfolge *wider an ir* — oder analoge sprachliche Gegebenheiten, wo immer sie sich bei Wolfram finden, auf, so würde bei konsequenter metrischer Gleichwertung dieser Typen die Annahme viersilbiger Takte weniger häufig zu dreihebigen Versen führen als umgekehrt die Annahme von zwei je zweisilbigen Takten zu fünfhebigen Versen. Einen bündigen Beweis vermag ich allerdings noch nicht zu führen, da ich mich wegen der Mühsamkeit der Auszählungen bislang nur auf umfängliche Stichproben, nicht aber auf das vollständige Material berufen kann. Sollte sich jedoch die sich abzeichnende Tendenz bestätigen, wäre m. E. die Sache zugunsten viersilbiger Taktfüllungen entschieden. Denn die konsequente metrische Gleichwertung, von der ich ausgegangen bin, darf von vornherein sehr viel weniger Wahrscheinlichkeit für sich in Anspruch nehmen als die im mhd. Vers allgemein gängige ungleichwertige metrische Behandlung von Wörtern und Wortverbindungen[56]. Anders gefaßt: was schon bei starrer Wertung als Tendenz erkennbar wird, gewinnt um so höhere Wahrscheinlichkeit durch den dieser Tendenz gleichlaufenden und in der Natur des Verses liegenden Umstand, daß nämlich das metrische Prinzip als ordnende Größe im einen Fall eine leichtgewichtige Wortkombination zu stützen vermag, d. h. bei schmaler Füllung des Versrahmens die Folge von zwei zweisilbigen Takten erzwingt, im anderen Falle, d. h. bei starker Füllung des Verses dagegen dieselbe Wortfolge zu einem viersilbigen Takt zusammendrängen

[55] O. Paul/Ingeborg Glier, Deutsche Metrik, München 1961⁴, § 64, S. 59; siehe auch S. Beyschlag, Altdeutsche Verskunst in Grundzügen, Nürnberg 1969, S. 53.

[56] Zur metrisch variablen Wertigkeit von Worttypen zuletzt U. Hennig, a. a. O., S. 39.

kann, sofern sich der diese Wortfolge umschließende Versinhalt als das sprachlich, syntaktisch und bedeutungsmäßig Gewichtigere überordnet. Man wird daher mit der Existenz viersilbiger Takte, die über das von LACHMANN konzedierte Maß hinausgehen, ernsthaft rechnen, sie jedenfalls stets in Erwägung ziehen müssen, ohne in jedem Falle auf ihnen zu bestehen, etwa um schwere Auftakte zu vermeiden oder um akzidentelle Überschreitungen des normalen Viertaktrahmens grundsätzlich abzutun.

Zu den häufigsten, rhythmisch günstigsten Ausformungen, vielleicht auch nur optisch viersilbigen Typen zählt die Kombination von zweisilbigem Simplex plus zwei folgenden Einsilblern mit in der Regel vielfältiger Reduktionsmöglichkeit durch Elision, Synaloephe u. ä. In besonderem Maße scheint die Konstellation zweisilbige Verbform plus einsilbiges Personalpronomen plus Konjunktion, Präfix, Artikel oder Possessivum dem reduzierbaren viersilbigen Takte zuzuneigen. Im 'Parzival'-Vers 275,19 z. B., der in der Fassung *er dáncte in und bôt fîanze sân* durch die Handschriften der Klasse *D bezeugt ist und in dem die sprachlich und syntaktisch gewichtigsten Wörter bzw. Silben die vier Hauptikten zwanglos auf sich ziehen, lehnt sich das Pronomen *in*, begünstigt durch die bestehende Elisionsmöglichkeit, selbst wenn sie im Vortrag nicht wahrgenommen würde, an das vorhergehende Verb an, zumal der weitere Kontext keinen Zweifel daran läßt, wem der Dank gilt. Die Annahme zwei- bzw. dreisilbigen Auftaktes (*er danct(e) in . . .*) könnte sich ebenso wie die einer fünfhebigen Lesung (*er dáncte ín und bôt fíanze sân*) allein auf die angesichts sicherer dreisilbiger Takte für Wolframs Vers unhaltbare Prämisse eines ungestörten Auf und Ab berufen. Durch Elision ergäbe sich ohnehin eine dreisilbige Füllung (| *dancte in und* |), die dem oben erörterten Haupttyp recht nahekommen würde. LACHMANNs Athethese des *und*, das übrigens auch von den *G-Handschriften beglaubigt wird, erscheint schließlich vom Standpunkt des Metrikers aus sehr bedenklich, wenn nicht gar ungerechtfertigt[57].

Reduzierbarer viersilbiger Takt liegt bei vergleichbaren sprachlichen Gegebenheiten auch Pz. 233,27 vor: *gein nígen si ir hóubet wegten*, ein Vers, der in unseren Ausgaben und den metrischen Untersuchungen, die ihn zitieren, entweder vierhebig-klingend (nach LACHMANNs Terminologie), d. h. als weiblichvoller Viertakter (in HEUSLERS Sprache), oder als klingender Viertakter mit dreisilbigem Auftakt aufgefaßt worden ist[58], obwohl den beiden Pronomina im Versganzen die schwächste Stellung zukommt, der Kontext ihre Hervorhebung überflüssig macht und die Möglichkeit zu ihrer Zusammenziehung bzw. zur Enklise des ersten in unseren Handschriften oftmals durch entsprechende Schreibung angedeutet ist. Daß hier das Dogma von der einsilbigen Senkung und der damit verbundene Systemzwang immer nur die Alternative dreisilbiger Auf-

---

[57] BARTSCH, PIPER und MARTIN folgen im Gegensatz zu LEITZMANN der Version LACHMANNs: *er dancte in, bôt fianze sân.*

[58] Vgl. O. PAUL, a. a. O., S. 30.

takt mit klingender Verskadenz oder einsilbiger Auftakt mit weiblich-vollem Schluß hervorgerufen hat und den Blick für eine ebenso legitime, ja wahrscheinlichere Lesung[59] verstellen konnte, entzieht sich im Grunde jeder rationalen Erklärung, es sei denn der Folgevers *viere die taveln legten,* der indes nur die geläufigste dreisilbige Füllung im Initialakt aufweist, habe, weil LACHMANN, BARTSCH, PIPER und MARTIN ihn mit beschwertem Zahlwort lasen[60], die Perspektive mit getrübt. Einzig LEITZMANNS Text legt eine Deutung, wie ich sie für richtig halte, nahe.

Einen fast ebenso oft belegbaren, sprachlich und rhythmisch jedoch etwas anders gestalteten Viersilbentakt weisen beispielsweise die Verse Pz. 778,17 *ir k l é i d e r w â r e n tíure und wol gesniten,* so die Lesart des Hyparchetypus *D, und Wh. 186,19 *swen man w é s t e n o d e r ósten komen sach* auf. Zwei zweisilbige Simplizia, von denen das zweite wesentlich geringer wiegt als das erste und nach einsilbiger Hebung hundertfach in Senkung nachweisbar ist, folgen einander. Daß hier Reduktionsmöglichkeiten bestehen, wohl von vorneherein intendiert waren und im Vortrag sicherlich genutzt wurden, wird niemand bestreiten, wenngleich eine Entscheidung, wo einsilbige Nebenformen, wo Synkopen oder Apokopen eintraten, sich aus den vorhin angedeuteten Gründen prinzipiell zu verbieten scheint. Ob die zitierte Fassung des 'Parzival'-Verses auch im Original gestanden hat, ist allerdings wegen der konkurrierenden Lesart der Handschriften-Klasse *G (*in kleidern tiure und wol gesniten*) nicht über jeden Zweifel erhaben. Die in textkritischen Abhandlungen vorherrschende, aus der Verabsolutierung des Alternationsprinzips geborene Argumentation, *wâren* der D-Fassung müsse Schreiberzusatz sein, weil d e r dreisilbige Auftakt dem Schwachverb widersinnigen Ton verleihe, ist jedoch mit Entschiedenheit abzulehnen[61]. Ein metrischer Zwang zur Kontamination der D- und G-Lesarten, so LACHMANNS Text (*ir kleider tiwer und wol gesniten*), besteht ebensowenig wie im 'Willehalm'-Vers eine Nötigung zu dem von OTTO PAUL erwogenen viersilbigen Auftakt[62] oder der von LACHMANN vorgeschlagenen Streichung des *oder.* Ich würde in beiden Fällen wiederum für LEITZMANNS Textversion plädieren.

Einen weiteren, in Wolframs Werk nicht selten auftretenden Typ, ebenfalls reduzierbar und damit der entsprechenden dreisilbigen Konstellation nahe verwandt, möchte ich wenigstens noch nennen, ohne die drei Beispiele, die ihn repräsentieren sollen und die sowohl in den Editionen wie in der einschlägigen Literatur sehr unterschiedlich behandelt worden sind, im einzelnen zu disku-

---

[59] Zwar rechnet auch PIPER (Dt. National-Litteratur, Bd. 5, Tl. 2,1; Stuttgart 1891) mit Verschmelzung der Pronomina, versieht aber dafür *nîgen* mit zwei Ikten, um auf diese Weise den Vers vierhebig-klingend bzw. weiblich-voll lesen zu können.

[60] In den Ausgaben von BARTSCH und PIPER ausdrücklich durch Akzente hervorgehoben.

[61] Vgl. G. BONATH, a. a. O., Bd. 2, S. 31 f.

[62] A. a. O., S. 12.

tieren. Es handelt sich um die Kombination von zweisilbigem Simplex (meist Substantiv oder Vollverb), dem Bindewort *und* sowie Artikel, Präfix oder einsilbigem Titel, so Pz. 170,4: *der er s í u f t e u n d e r bármete in sîn nôt,* ein Vers, dem sämtliche Editoren — LEITZMANN abermals ausgenommen — Gewalt angetan haben[63]; oder Pz. 275,18: *der k ü n e c u n d d i u küͥnegȋn in empfienc*[64]; oder auch Wh. 318,17: *mȋn h é r z e u n d d e s hérzen wille,* wo ich entgegen WERNER SCHRÖDER[65] nicht ohne weiteres einen Fünfheber erblicken kann, andererseits aber nicht ausschließen möchte, daß sich Derartiges oder dem Nahekommendes im Vortrag mitunter eingestellt haben könnte.

Wer wie ich geneigt ist, an jeder Stelle von Wolframs Versen dreisilbige Taktfüllungen neben der normalen Alternation als legitime Variante anzuerkennen, und sich darüber hinaus dazu verstehen kann, eine begrenzte Anzahl von schwereren Takttypen nicht von vorneherein auszuschließen, Takttypen, die in der Regel nur die unfesteste Verszone, nämlich den Bereich bis zur zweiten, allenfalls dritten Hebung aufsuchen, wird mit mir der Meinung sein, daß sich manche Probleme, die die nach herkömmlicher Auffassung 'zu langen' Verse stellen, von selbst erledigen. Dennoch reichen die Füllungsfreiheiten, die nach meinen Beobachtungen am Gesamtmaterial glaubhaft gemacht werden können und Wolfram in bemerkenswerter Weise vom Versstil seiner Zeitgenossen abheben, keineswegs aus, um die uneingeschränkte Verbindlichkeit des viertaktigen Verses sowohl für den 'Parzival' wie für den 'Willehalm' über jeden Zweifel zu erheben. Als Kronzeuge dafür, daß Wolfram die sonst nur 'halbgeduldig getragenen Fesseln' des höfischen Normalmaßes zu sprengen vermag, fungieren gewöhnlich die Namenslisten Pz. 770 und 772[66], die aber, weil an einen besonderen Inhalt gebunden und in besonderer Tradition stehend[67], für sich allein noch nicht allzuviel besagen würden. Die eigentliche Diskussion dreht sich denn auch um einige hundert sprachlich besonders stark belastete Verse, die sich ziemlich gleichmäßig über das gesamte Wolframsche Werk verteilen, allenfalls in den letzten 'Parzi-

---

[63] Vgl. LACHMANNS Konjektur: *er dersiufte, in derbarmt sȋn nôt,* von MARTIN übernommen; BARTSCH (mit einsilbigem Auftakt und Tonbeugung): *der 'rsiuftȩ, und èrbarmt in sȋn nôt;* PIPER (mit einsilbigem Auftakt und Umstellung des Pronomens): *der ȩrsiuftȩ, und in erbarmt sȋn nôt;* LEITZMANNs bei den Handschriften bleibende Version oben im Text; BOCK, a. a. O., S. 65 (mit dreisilbigem Auftakt): *der ersiufte únd . . .;* siehe auch W. BRAUNE, Zu Wolframs Parzival, PBB 24 (1899) 194 und G. BONATH, Bd. 1, S. 71, Anm. 29.

[64] LACHMANN/MARTIN: *der künec, diu küngȋn in enpfienc;* BARTSCH/PIPER: *künȩc únt diu kü'negȋn in enpfienc;* vgl. BONATH, Bd. 1, S. 71.

[65] Zum gegenwärtigen Stande der Wolfram-Kritik, ZfdA 96 (1967) 22; vgl. auch H. PAUL, Zu Wolframs Willehalm, PBB 2 (1876) 335 und LEITZMANNs Text: *mȋn herzȩ und sherzen wille.*

[66] A. HEUSLER, a. a. O., § 562 (S. 108).

[67] Vgl. zuletzt C. J. LOFMARK, Name Lists in Parzival, in: Mediaeval German Studies. Presented to F. Norman, London 1965, S. 157—173.

val'-Büchern und im 'Willehalm' etwas dichter gestreut in Erscheinung treten. Soweit männlich kadenzierende Verse betroffen sind, impliziert die Frage nach dem metrischen Rahmen, von der bereits angeschnittenen Binnentaktfüllung abgesehen, zugleich die nach der sprachlichen Belastbarkeit von zwei- und vor allem dreisilbigen Auftakten. Bei weiblich endenden, auf die sich das wissenschaftliche Gespräch bisher im wesentlichen beschränkt hat, kommt das Problem der Kadenz (klingend oder weiblich-voll) und das der rhythmisch unebenen Bindung noch hinzu. Da die an sich notwendige Detailerörterung des komplexen Fragenkreises in diesem Rahmen zu weit führen würde, beschränke ich mich auf ein paar Vorüberlegungen und allgemeine Erwägungen.

Daß LACHMANN bei der textkritischen Bewältigung der scheinbar überfüllten Verse stets starke Verkürzungen in Rechnung gestellt, nicht selten Amputationen vorgenommen oder durch Einklammerungen im Text bzw. Konjekturvorschläge im Apparat seine Heilungsversuche angedeutet hat, ist ebenso geläufig wie die Tatsache, daß er im Interesse sauberer Taktfüllung neben den normalen dreihebig-klingenden Versen auch vierhebig-klingende zuließ, insbesondere wenn sie mit ihresgleichen gebunden waren. Schwer verständlich aber bleibt, warum ihm Bindungen von dreimal gehobenen Versen auf viermal gehobene trotz rhythmisch ebener Kadenz ein solches Ärgernis waren, obwohl bei Wolfram auch der überfüllte männliche (nach LACHMANN stumpf endende) Vers weitaus häufiger mit einem normal gefüllten als mit seinesgleichen gepaart erscheint[68]. Denn es unterliegt keinem Zweifel — was seit HEUSLERs Richtigstellung[69] aus dem Bewußtsein der meisten Germanisten geschwunden zu sein scheint —, daß LACHMANN (um in HEUSLERscher Terminologie zu sprechen) nur weiblich-volle Kadenzen, im einen Falle also weiblich-volle Dreitakter, im anderen weiblich-volle Viertakter im Ohre hatte. HEUSLER, der dem fortgeschritteneren Forschungsstand seiner Zeit entsprechend das Wesen der klingenden Kadenz und ihren zweihebigen Charakter längst kannte, löste das Problem der langen Wolframverse freilich auf seine Weise. Während er den männlich kadenzierenden mit pauschal gewährter Füllungsfreiheit beizukommen vermochte, standen für ihn bei den weiblichen neben den vorherrschend klingenden Viertaktern eben hin und wieder weiblich-volle Vierheber. Der unantastbare metrische Rahmen entschied auch für unebene Bindung, ohne daß ein einziges Mal klingende Lesung des stärker gefüllten Partners in Erwägung gezogen worden wäre[70].

Die Generation nach HEUSLER bestritt zwar in zunehmendem Maße die Existenz weiblich-voller Ausgänge für den Reimpaarvers, billigte sie allenfalls Außenseitern, beispielsweise Thomasin, zu, bekam wegen der feststehenden Vier-

---

[68] Vgl. H. PAUL, Dt. Metrik, § 49 (S. 79 f.); ganz im LACHMANNschen Sinne urteilt E. MARTIN, Bd. 2: Kommentar, Halle 1903, S. LXXVI.
[69] A. a. O., § 584 (S. 124 f.).
[70] Ebda. § 591 (S. 130—132).

takt-Norm als Alternative aber stets nur die überfüllte Eingangssenkung, d. h. den schweren zwei- und dreisilbigen Auftakt in den Blick[71].

Der erste Forscher, der — soweit ich sehe — für sich in Anspruch nehmen kann, nach ängstlich verklausulierten Andeutungen etwa bei HARTL[72] die längst fällige Konsequenz aus der Zweihebigkeit der klingenden Kadenz gezogen und die Sache, soweit Wolframs zu lange Verse betroffen, beim Namen genannt zu haben, ist WERNER SCHRÖDER, der in seinem Marbacher und Oxforder Vortrag 'Zum gegenwärtigen Stande der Wolfram-Kritik'[73] zahlreiche 'Willehalm'-Verse als Fünftakter gedeutet hat, und zwar nicht nur weiblich ausgehende, sondern erstmals und mit Entschiedenheit auch männlich kadenzierende. Allerdings scheint die Freude über den endlich gebrochenen Bann hin und wieder zu Entscheidungen geführt zu haben, die sich wohl nicht immer halten lassen werden. Als symptomatisch will mir die Erörterung des 'Willehalm'-Verses 295,15 vorkommen, für den zunächst einmal fünftaktige Fassung: *daz gehílze gúldin gróz ùnde wít* konstatiert wird, um erst im Nachhinein einzuräumen, der Vers lasse 'sich auch als Viertakter lesen, wenn man *unde* apokopiert und ihm keinen Nebeniktus gibt' (S. 22). Wenn ich in manchen Fällen zu einer abweichenden Meinung gelange, so liegt das wohl nicht nur in der Natur der Sache, sondern auch an dem Umstand, daß, wer sich auf metrische Fragen konzentrieren kann, ein umfänglicheres Vergleichsmaterial heranzuziehen in der Lage ist und von daher auch etwa in Auftaktfragen weniger große Zurückhaltung zu üben braucht. Die von SCHRÖDER vorgeschlagene fünfhebige Lesung von Wh. 197,2 z. B.: *und mánec ánder gèin der hérvárt* (S. 20) ist sicher nicht unmöglich, die Annahme eines vergleichsweise recht leichten, überdies reduzierbaren dreisilbigen Auftaktes am Ende vielleicht doch wahrscheinlicher, zumal sich sonst schwerlich eine plausible Erklärung dafür finden ließe, warum *manec* und die meisten seiner Formen weit über hundert Mal zu Fünftaktern führen würden, bei unbezweifelbarem Viertaktrahmen aber kaum häufiger in den ersten Takt zu stehen kommen[74]. Ähnliches gilt von *dannoch* Wh. 227,26[75].

Es liegt mir fern, die Existenz fünfhebiger Verse in Wolframs Epen zu leugnen. Selbst bei Dichtern der Neuzeit finden sich sechshebige Blankverse, siebenhebige Hexameter u. ä.[76]. Warum also nicht auch bei 39 000 Versen eines ohnehin zur starken Füllung neigenden Autors des Mittelalters mit ähnlichen die Regel

---

[71] Vgl. z. B. PRETZEL, Dt. Verskunst, Sp. 2420 und 2422.

[72] Artikel 'Wolfram von Eschenbach', Verf. Lex. IV, Berlin 1953, Sp. 1089.

[73] ZfdA 96 (1967) 1—28.

[74] Zählungen auf Grund der Collected Indexes to the Works of Wolfram von Eschenbach, hg. v. R.-M. S. HEFFNER, Madison 1961, ergeben allein für *manec* 38 Auftaktbelege im 'Parzival' und 42 im 'Willehalm' gegenüber 60 Initialtaktbezeugungen im 'Parzival' und 35 im 'Willehalm'.

[75] SCHRÖDER, a. a. O., S. 22: *dánnoch wàs in úngebüezèt.*

[76] Vgl. u. a. HEUSLER, a. a. O., Bd. 3, § 1023 (S. 174). § 1105 (S. 250) und § 1131 (S. 274).

und die gewohnten Proportionen überschreitenden Ausnahmen rechnen? Daß aber Wolfram den fünfhebigen Vers als prinzipiell gleichberechtigte Variante neben dem üblichen Viertakter verwendet habe, läßt sich, glaube ich, durch eine statistische Betrachtung als wenig wahrscheinlich erweisen.

Zählt man, vom Viertaktrahmen im Interesse eines einheitlichen Maßstabes ausgehend, sämtliche dreisilbigen Auftakte, so gelangt man zu dem Ergebnis, daß sie sowohl im 'Parzival' wie im 'Willehalm' rund 2 % aller Verse ausmachen. Vom schweren dreisilbigen Auftakt, der fünfhebige Lesung zu erzwingen scheint, zumindest ermöglichen würde, sind im Schnitt 0,25 % der männlich kadenzierenden und ca. 0,5 % der weiblich endenden Verse betroffen. Diese Prozentzahlen bedeuten, daß sich die potentiellen weiblichen Fünftakter zu den potentiellen männlichen Fünftaktern wie 2 : 1 verhalten. Da sich aber bei Wolfram die Gesamtzahl der weiblichen Verse zu der der männlichen wie 1 : 3, im 'Willehalm' eher wie 1 : 2,5 verhält[77], wäre, wenn der Fünftakter für Wolfram eine jederzeit verfügbare und legitime Variante gewesen wäre, nicht die Relation 2 : 1, sondern ein Verhältnis von 1 : 5 bis 1 : 6 zu erwarten gewesen. Zumindest dürften solch krasse Diskrepanzen nicht in Erscheinung treten, zumal ich in Zweifelsfällen bei den männlichen Versen stets zugunsten fünfhebiger Lesung entschieden, eine solche also eher gesucht als gemieden habe. Natürlich bleiben Unsicherheitsfaktoren im Spiel: ich mag einiges übersehen, anderes falsch beurteilt haben. Doch selbst wenn die Füllungsfreiheiten, die ich den Wolframschen Takten zubillige, die wahren Verhältnisse nicht treffen sollten, würden sich eher die absoluten Prozentzahlen verändern als ihre Relation zueinander wesentlich verschieben. Auch die Überprüfung der schweren zweisilbigen Auftakte bestätigt: einer unverhältnismäßig geringen Zahl potentieller männlicher Fünftakter steht eine unverhältnismäßig große Zahl potentieller weiblicher Fünfheber gegenüber. Da schließlich auch die leichten dreisilbigen Auftakte, die keine fünfhebige Lesung ermöglichen (Typ: *ine ge-*), sehr viel häufiger in weiblichen als in männlichen Versen auftreten, liegt die Folgerung nahe, daß sich die Neigung weiblicher Verse zur 'Überfüllung' nicht der Legitimität eines fünfhebigen Epenverses verdankt, sondern vielmehr dem Umstand, daß die Normalform des weiblichen Verses nur drei Haupttikten duldet und damit vergleichsweise wenig Sprachstoff aufzunehmen in der Lage ist. Ein Dichter, der wie Wolfram so viel zu sagen hat, mußte den weiblichen Vers eben häufiger als andere auch bis zum Äußersten belasten. Daß sich dabei in Wolframs Vortrag ebenso wie in dem eines beliebigen mittelalterlichen Rezitators, das Gehörserlebnis eines fünftaktigen Verses neben dem des viertaktigen eingestellt haben wird, halte ich für sehr wahrscheinlich, ohne jedoch eine Möglichkeit zu sehen, den Einzelfall genau festzulegen. Er war es wohl auch von Hause aus nicht.

---

[77] Vgl. A. Nolte, Die klingenden Reime bei Hartmann, Gottfried und Wolfram, ZfdA 51 (1909) 113—142, bes. 125; Heusler, § 594 (S. 134 f.).

Mir scheint, daß wir bei Wolfram häufiger als anderswo mit fließenden Übergängen zu rechnen haben und daß die Abgrenzung mit festen Scheidelinien ihm in dieser Hinsicht nicht gerecht wird, erst von uns mit der Notwendigkeit der Begriffsbildung in die Sache hineingetragen wird. Eine solche gelegentlich zwischen vier- und fünftaktigem Vers über nicht weiter meßbare Stufengrade fließende Grenze würde sogar die Annahme von weiblich-vollen Kadenzen wieder erlauben. Denn daß es diese im Frühmittelhochdeutschen durch bestimmte Reimbindungen sicher und oft belegbare Sonderform[78] auch im Epenvers, wenigstens zu Beginn der klassischen Zeit, gegeben hat, geht zweifelsfrei aus einer 'Erec'-Stelle hervor[79]:

> 9932 *und als si der künec ersach*
> *liden umbe ir ungemach*
> *gelîche klage, gelîche r i u w e ,*
> *gelîcher staete, gelîcher t r i u w e ,*
> *gelîcher schoene, gelîcher jugent,*
> *gelîcher zuht, gelîcher tugent,*
> *gelîcher waete, gelîcher g ü e t e ,*
> *gelîcher ahte, gelîcher g e m ü e t e ,*
> *diz dûhte in wîplîch und guot.*

Selbst unebene Bindungen (k : wv und umgekehrt), die — wenngleich nur sporadisch — auch in der mhd. Lyrik nachweisbar sind[80], könnten dann nicht mehr prinzipiell ausgeschlossen werden, zumal es als wahrscheinlich gelten darf, daß nicht nur Wolfram, sondern auch der ihm ferner stehende Rezitator im Vortrag den abweichenden Versausgang dem jeweils vorausgegangenen angeglichen haben wird, um so dem Gewohnten und Üblichen nahezukommen.

Überhaupt bin ich davon überzeugt, daß sich manches metrische Problem, das uns jetzt so viel Kopfzerbrechen bereitet — bei den männlichen Versen z. B. die Alternative zwischen schwerem dreisilbigem Auftakt einerseits und Fünfheber andererseits — dem Mittelalter nicht mit der gleichen Schärfe gestellt hat. Bei Wolfram sieht es ganz danach aus, als habe er die Ambivalenz und Variabilität der metrisch-rhythmischen Formungsmöglichkeiten, die sich auf Grund der unfestesten Verszone, des Eingangsbereichs bis zur zweiten Hebung, ergeben konnten, nicht nur nicht gemieden, sondern vielfach bewußt gesucht. Ob er mit der Wahrnehmung solcher Möglichkeiten ähnlich wie mit seinen harten Enjambements die durch Reim und metrischen Rahmen gesetzten Grenzen verwischen oder verunsichern wollte, ob er mit diesen Grenzen nur spielen wollte, entzieht sich zumeist genauerer Beurteilung. Im besonderen Einzelfall, wobei wohl der

---

[78] Dazu zuletzt U. HENNIG, a. a. O., S. 54—82 (Kap. 'Reim und Kadenz').

[79] Der Hinweis wird L. WOLFF, DU 20/2 (1968) 45, verdankt. Weitere Hartmann-Belege diskutiert SCHACKS, Metrische Beobachtungen, S. 656—663.

[80] H.-H. WALDOW, Bindungen ungleicher Kadenzen im Minnesang. Studien zur lyrischen Strophik des Mhd., Diss. (Masch.) Berlin 1955, S. 153—155.

Einzelfall zu betonen ist, scheinen allerdings künstlerische Absichten mit im Spiel gewesen zu sein. Soviel aber steht fest, daß der Wille zur Klarheit und Eindeutigkeit, der im Versbau seiner Zeitgenossen durchweg ausgeprägter ist und in der weiteren Entwicklung des mhd. Verses immer stärker in den Vordergrund rückt, der zur Eliminierung der (nach HEUSLER) weiblich-vollen und stumpfen Versausgänge, zur strengen Alternation und zur geregelten Auftaktbehandlung führt, Wolframs Sache noch nicht gewesen ist. Ein Beleg wie Pz. 486,5 ff.: *ieweder sîne hende twuoc, an sîme gebende truoc Parzivâl îwîn loup,* wo unmittelbar nach den klingenden Kadenzen auch noch die enjambierenden Glieder miteinander reimen, wird letzten Endes nur Zufall sein, läßt aber trotzdem eine typische Eigenheit des Dichters in extrem hellem Lichte erscheinen.

Ob und in welchem Ausmaß die von verschiedener Seite geäußerte, auch von mir geteilte Vermutung, der hochmittelalterliche Epenvers sei kein reiner Sprechvers gewesen, sondern habe sich in einer gesangsähnlichen Rezitation verwirklicht[81], für die Beurteilung der metrischen Probleme von Relevanz sein könnte, wage ich einstweilen nicht zu entscheiden. Ganz undenkbar wäre es nicht, wenn z. B. eine von den sprachlichen Hebungen emanzipierte, melodisch gleichbleibende oder nicht besonders ausgeprägte Initiumsformel die metrische Mehrdeutigkeit vieler Verseingänge mitverantwortet hätte. Da jedoch die Gefahr, die eine Unbekannte bloß mit Hilfe einer anderen zu erklären, im Augenblick allzu groß erscheint, möchte ich von weiteren Spekulationen in dieser Richtung vorerst Abstand nehmen.

Den zahlreichen, hier nur z. T. angedeuteten Unsicherheiten zum Trotz hat sich die Wolfram-Forschung vielfach nicht gescheut, sehr weitreichende Schlußfolgerungen, etwa für chronologische Fragen, für Interpretationsprobleme, für die Textkritik u. a., aus den metrisch-rhythmischen Linien des Dichters zu ziehen, obwohl diese je nach benutzter Ausgabe sich völlig verschieden darstellen konnten. Die Unbefangenheit, mit der einsilbige Takte, doppelte Senkungen, dreisilbige Auftakte usw. als inhaltsbedingt oder inhaltsbeschwerend interpretiert zu werden pflegen, ohne entsprechende Gegenrechnungen aufzumachen und ohne zu bedenken, daß manches im Vers gar nicht anders unterzubringen war, verblüfft ebenso wie der Systemzwang, der auch in Arbeiten neueren Datums immer wieder zum Durchbruch gelangt und beispielsweise dazu führen kann, Wolframs Enjambements ohne Ausnahme als sprachliche Exponenten antinomer Grunderlebnisse zu deuten, um sie dann entweder in die Kategorie trennender Bewegungen oder in die verbindender einzustufen[82]. Die auf das Verhältnis von Wort und Weise in der mhd. Sangverslyrik gemünzte mahnende Formulierung KARL BERTAUS läßt sich ohne Einschränkung auch auf den mhd. Epenvers, ins-

---

[81] Vgl. E. JAMMERS, Ausgewählte Melodien des Minnesangs (ATB, Ergänzungsreihe Bd. 1), Tübingen 1963, S. 75 und Notenbeispiel 6 (S. 144); BERTAU, Et. germ. 20 (1965) 13 und 15 f.; ders., Sangverslyrik, S. 11 und Anhang I, Anm. 3 (S. 216 f.).
[82] Siehe oben S. 112, Anm. 21.

besondere auf den Wolframs übertragen[83]: 'Die Gefahr, subjektive Ausdrucks-
momente an ihm zu übersehen, ist geringer als die, sie hineinzusehen.' Einen
'objektiven', 'individualisierendem Ausdruck seinem Wesen nach abholden'
Vers[84] möchte man ihn trotzdem nicht nennen, wie die an anderer Stelle vorzu-
legenden Beobachtungen zu Umfang und Art der von Wolfram in künstlerischer
Absicht genutzten metrischen Ausdrucksqualitäten zeigen sollen.

---

[83] Sangverslyrik, S. 218.
[84] Et. germ. 20 (1965) 16.

DRAMATISCHE IRONIE IN WOLFRAMS 'PARZIVAL'

von

L. P. JOHNSON (Cambridge)

Die Ironie im allgemeinen ist ein weiter, schwer faßbarer Begriff. Unterarten gibt es in jeder Menge. Ich will hier nicht versuchen, die Ironie genau zu definieren, geschweige denn die verschiedenen Unterarten zu katalogisieren und zu beschreiben[1]. Wenn man so den Polonius spielt, besteht die Gefahr, daß man ebensoviele Kategorien entdeckt, wie man Beispiele hat, wenn nicht sogar noch mehr! Unzählige Kategorien aufzustellen ist ebenso sinnvoll, wie wenn einer eine Landkarte zeichnen wollte, die größer als die Gegend ist, die er kartographisch aufzunehmen hat. Eine Landkarte wie das Aufstellen von Kategorien haben nur einen Sinn, wenn sie der Übersichtlichkeit dienen.

Die Ironie jeder Art enthält einen Bruch. Das Wesen dieses Bruchs kann verschieden sein. Meistens meint man, wenn man von Ironie spricht, die sogenannte Ironie der Sprache. Hier besteht der Bruch in dem Abstand zwischen dem Gesagten (oder dem vermutlich Gesagten) und dem Gemeinten. Es wird oft etwas übertrieben behauptet, die Ironie der Sprache bestehe darin, daß man das Entgegengesetzte sagt von dem, was man meint. Dies kann der Fall sein, braucht es aber nicht. Wenn man zu Kindern sagt: 'Ihr seht aber schön aus!', meint man in der Regel das Gegenteil. Aber auch die Litotes (understatement), die einem so häufig im Englischen und in der mittelalterlichen Literatur begegnet, muß zu der Ironie gezählt werden. Hier wird zwar etwas anderes gesagt, als man meint, aber sicherlich nicht das Gegenteil. Offenbar ist der Abstand oder Bruch zwischen dem Gesagten und dem Gemeinten bei der Litotes etwas geringer als bei unserem ersten Fall. Der Abstand kann noch geringer sein, er kann sogar völlig verschwinden, sofern man sich auf das rein Semantische beschränkt. In den folgenden Zeilen aus 'Hamlet' (in der Übersetzung von A. W. SCHLEGEL) spricht Hamlet mit einer erschreckenden Ironie von dem Geist seines Vaters. Der Geist zwingt Hamlets Gesellen den Eid ab, die Ereignisse der vorigen Nacht zu verschweigen:

---

[1] Eine Darstellung der Unterarten der Ironie findet man bei D. C. MUECKE, The Compass of Irony, London 1969 und eine (etwas beschränkte) Darstellung der dramatischen Ironie bei GERMAINE DEMPSTER, Dramatic Irony in Chaucer, Stanford University California 1932.

Geist   (unter der Erde): *Schwört.*
Hamlet: *Haha Bursch! sagst du das? Bist du da, Grundehrlich?*
          Wohlan — ihr hört im Keller den Gesellen —
          Bequemet euch zu schwören. ...
Geist   (unter der Erde): *Schwört.*
Hamlet: *Brav, alter Maulwurf! Wühlst so hurtig fort?*
          O trefflicher Minierer!

Welcher Art ist die Ironie, die den sonst ehrfurchtsvollen Hamlet seinen ermordeten Vater *Bursch, Grundehrlich, alter Maulwurf, trefflicher Minierer* nennen läßt? Hamlet sagt nicht etwas anderes, als er meint, aber er sagt, was er meint, anders, als wir erwartet hätten. Es ist eine Frage des Tons, und der Abstand entsteht dadurch, daß Hamlet in seinen Anreden an den Geist ein unerwartetes Register zieht. Das Unangebrachte des burschikosen, fidelen Tons verrät durch eine fürchterliche Ironie die Tiefe und Stärke von Hamlets Gefühlen, mit einer noch größeren Deutlichkeit, da es sie anscheinend verhüllt[2].

Aber im Gegensatz zu dieser 'Ironie der Sprache' finden wir eine andere Art, die CONNOP THIRLWALL, auf den ich zurückkomme, *practical irony* nennt. Diese praktische Ironie trägt sonst verschiedene Namen im Englischen — *tragic irony, Sophoclean irony, irony of action, dramatic irony*. Von diesen ist, soviel ich weiß, nur das Gegenstück 'tragische Ironie' im Deutschen geläufig, und gerade diesen Ausdruck möchte ich durch 'dramatische Ironie' ersetzen. Diese Ironie heißt 'praktische Ironie', da es sowohl um Handlungen und Ereignisse als auch um Worte geht. Aber wie unterscheidet sich die praktische Ironie von dem 'Zufall', oder was hat die praktische Ironie mit der Ironie schlechthin zu tun?

Es ist eigentlich eine Frage des Grades. Jedes Beispiel der dramatischen Ironie ist ein Beispiel des Zufalls, aber nicht jedes Beispiel des Zufalls ist ein Beispiel der dramatischen Ironie. Ein modernes deutsches Wörterbuch definiert das Wort 'Zufall' auf folgende Weise: 'das Eintreten oder Zusammentreffen von Ereignissen, das nach menschlicher Voraussicht nicht zu erwarten war'[3]. Hier möchte ich einen Unterschied machen, der im Englischen klarer hervortritt als im Deutschen. Im Englischen unterscheidet man zwischen dem Eintreten von solchen Ereignissen, das *chance* heißt, und dem Zusammentreffen von solchen Ereignissen, das *coincidence* heißt. Im 'Oxford English Dictionary' finden wir die folgenden Begriffsbestimmungen — ich wähle diejenigen Unterabteilungen aus, die mit unserem Gegenstand zu tun haben:

> chance ... (2) *A matter which falls out or happens; a fortuitous event or occurrence* ...

---

[2] Ironie dieser Art wird in dem schönen Aufsatz von A. SIDGWICK, On Some Forms of Irony in Literature, The Cornhill Magazine, New Series XXII (1907) 497 bis 508 besprochen, wo u. a. unsere Hamlet-Stelle behandelt ist.

[3] GERHARD WAHRIG, Das große deutsche Wörterbuch, Gütersloh 1967.

(6) *Absence of design or assignable cause, fortuity; often itself spoken of as the cause or determiner of events, which appear to happen without the intervention of law, ordinary causation, or providence.*

coincidence... (4) *A notable concurrence of events or circumstances having no apparent causal connexion.*

Während man im Englischen sowohl *chance* als auch *coincidence* absolut gebrauchen kann, ist es im Deutschen nur möglich, 'Zufall' so zu gebrauchen.

Die sogenannte 'Ironie des Schicksals' — ein Terminus, den ich nur der Vollständigkeit halber hier bespreche — steht dem Zufall sehr nahe, aber mit dem Unterschied, daß ein ironisches Moment hinzukommt, indem sich, wie immer bei der Ironie, ein Abstand öffnet: diesmal ein Abstand zwischen den Hoffnungen des Helden und seiner tatsächlichen Lage, wobei der Zuschauer oder Leser, der es besser weiß, lacht, schmunzelt, zunickt oder zittert. Auch bei der dramatischen Ironie geht es um Ereignisse und Handlungen, aber sie ist ein engerer Begriff als die Ironie des Schicksals. Sie ist sozusagen der ausgebeutete Zufall und unterscheidet sich von der Ironie des Schicksals dadurch, daß die Ironie des Zufalls durch eine Aussage oder Handlung des Helden oder durch eine besondere, auffallende Zutat des Dichters ausdrücklich betont wird. Die Ironie liegt in dem Abstand zwischen dem Sinn, den der Held seinen Worten oder Taten ausdrücklich beimißt, und dem vollen Sinn, den wir Leser oder gelegentlich die anderen Personen erkennen. Oder der Dichter betont den vollen Sinn der Episode, indem er sie mit Einzelheiten oder Umständen ausstattet, deren Bedeutung für den Leser klar ist, aber für die handelnde Person oder die Personen schleierhaft bleibt.

Ein Beispiel mag das Gesagte verdeutlichen: Im 5. Akt von 'Wallensteins Tod', nachdem man die Pläne für die Ermordung Wallensteins schon geschmiedet hat, am Anfang der Nacht, die er nicht überleben soll, spricht er die folgenden Worte:

> *Ich denke einen langen Schlaf zu tun,*
> *Denn dieser letzten Tage Qual war groß,*
> *Sorgt, daß sie nicht zu zeitig mich erwecken.*

Wir hören eine Bedeutung in diesen Sätzen, die Wallenstein nicht beabsichtigt, die sich aber als wahrer als die beabsichtigte herausstellen soll, und in diesem Abstand zwischen dem, was gesagt, und dem, was verstanden wird, liegt die Ironie. Aber warum d r a m a t i s c h e Ironie, und warum nicht t r a g i s c h e Ironie? Das Wort 'dramatisch' ist berechtigt, erstens, weil man Ironie dieser Art vor allem im Drama findet, ist sie doch eins der wenigen Mittel, durch welche ein Dramatiker den eigenen Standpunkt dem Gang der Handlung gegenüber fühlbar machen kann; zweitens, weil es sich bei der dramatischen Ironie meistens um die Reden einer agierenden Person handelt. Den Terminus 'tragische Ironie' lehne ich deswegen ab, weil man sie in der Komödie so gut wie in der Tragödie findet und weil jede Tragödie ein Drama, aber nicht jedes Drama eine Tragödie ist.

Der englische Terminus *Sophoclean irony* bedarf kaum einer Erklärung, denn nirgends spielt die dramatische Ironie eine größere, wirksamere und wesentlichere Rolle als in der klassischen griechischen Tragödie. Daß sie *Sophoclean irony* heißt, ist wohl hauptsächlich auf CONNOP THIRLWALL, einen hervorragenden Cambridger Gelehrten der ersten Hälfte des neunzehnten Jahrhunderts, zurückzuführen. THIRLWALL gab zusammen mit einem Freund eine Zeitschrift heraus: 'The Philological Museum'. Im zweiten Band von 1833 findet sich ein Aufsatz von THIRLWALL selbst 'On the Irony of Sophocles', in welchem er die praktische Ironie darstellt und ihre Wichtigkeit bei Sophokles hervorhebt und dabei von 'tragic irony', aber nicht von 'irony of fate' spricht. Der Ausdruck 'Ironie des Schicksals' war schon im Englischen wie im Deutschen im Gebrauch. ARTHUR SIDGWICK jedenfalls führt den Ausdruck *dramatic irony* direkt oder indirekt auf THIRLWALL zurück, und G. G. SEDGEWICK schreibt auch den Terminus *Sophoclean irony* dem Einfluß von THIRLWALLS Arbeit zu[4].

Während seines Studiums der Mathematik und der Altphilologie in Cambridge lernte THIRLWALL Französisch und Italienisch. Danach lernte er Deutsch, und sein Aufsatz über die Ironie bei Sophokles steht zwischen einer Besprechung des dritten Bandes von NIEBUHRS 'Römischer Geschichte', die er später übersetzte, und einer Übersetzung eines Aufsatzes Schleiermachers über Sokrates, beides aus THIRLWALLS Feder. Er hatte schon zwei Geschichten von Tieck übersetzt, und es ist klar, daß er abgesehen von seinen Kenntnissen der Arbeiten deutscher Altphilologen, Historiker und Theologen sich auch sehr gut in den Werken der deutschen Romantiker auskannte. SEDGEWICK, dem ich das meiste zur Geschichte der englischen Ausdrücke verdanke, ist der Meinung, daß der Plan zu der Arbeit über die Ironie bei Sophokles und der Keim der Idee der praktischen Ironie bei THIRLWALL auf die deutschen Romantiker zurückzuführen seien. Soviel ich sehe, hat THIRLWALL selbst den Ausdruck 'dramatische Ironie' nicht gebraucht, aber er spricht oft von Ironie im Drama, so daß die Verbindung naheliegt und wohl bei einem Nachfolger stattgefunden hat.

Ich fasse zusammen: die 'dramatische Ironie' besteht aus einem Zusammentreffen von Ereignissen, das nach menschlicher Voraussicht nicht zu erwarten war. Aber das Zusammentreffen wird entweder so gestaltet, daß der Dichter die agierende Person Worte reden läßt, die für die Zuhörer — ob Publikum oder Mitspielende — einen anderen, tieferen Sinn als für den Sprecher haben, oder der Dichter leiht der Episode einen besonderen Nachdruck, indem er Einzelheiten in die Szenen einflicht, die dem Handelnden unbekannt oder unverständlich bleiben, dem Zuhörer aber bedeutungsvoll sind. Das Hinzufügen von solchen Einzelheiten und Umständen scheint mir ein episches Mittel zu sein, das dieselbe Funktion wie die doppeldeutige Rede im Drama erfüllt. Die Ironie liegt in dem

---

[4] G. G. SEDGEWICK, Of Irony, Especially in Drama, Toronto 1935.

Abstand zwischen der Bedeutung, den die handelnde Person einerseits und der Zuschauer andererseits der Episode beimessen.

Obwohl die dramatische Ironie eigentlich im Drama zu Hause ist, kommt sie auch häufig in der Epik und im Roman vor, und das führt mich endlich zu Wolfram. Die dramatische Ironie ist so häufig bei ihm zu treffen, daß ich mich auf ein paar Beispiele beschränke. Dabei muß ich von Zeit zu Zeit die Parzival-geschichte einfach nacherzählen; es ist nämlich sehr wichtig, wenn man auf der Suche nach der dramatischen Ironie ist, daß man die Einzelheiten genau im Kopf hat. Übrigens ist es erstaunlich, wie oft man in der Sekundärliteratur über Wolf-ram entdeckt, daß die Kritiker die Handlung n i c h t genau nacherzählen kön-nen. Ein Beleg dafür ist gleich mein erstes Beispiel der dramatischen Ironie bei Wolfram. Es handelt sich um den Tod Ithers von Gaheviez. Parzival verlangt ganz unschuldig Ithers Waffen und Rüstung. Ither ist entrüstet, und diese sicht-bare Entrüstung Ithers läßt Parzival ausrufen: *'du maht wol wesen Lähelîn, von dem mir klaget diu muoter mîn'* (154,25 f.). Von Lähelin und seinen Un-taten hat ihm inzwischen Sigune erzählt, ebenso auch von seinem Bruder Orilus, der Parzivals Onkel Galoes und Schionatulander erschlagen hatte. Aus diesem Grund hält Parzival Lähelin für den Inbegriff brutaler Gewalt und ist geneigt, Ither mit Lähelin gleichzustellen[5].

Er hält ihn keineswegs für Lähelin, wie WOLFGANG HARMS und HERTA ZUTT behaupten[6], sondern weiß ganz genau, wen er vor sich hat, denn ungefähr 150 Zeilen vorher hatte Artus ihm gesagt: *'ez ist Ithêr von Gaheviez'* (150,9).

Wenn aber Parzival Ither wirklich kennt, wie kann man in seinen Worten *'du maht wol wesen Lähelîn'* dramatische Ironie entdecken? Die Ironie liegt darin, daß Parzival weiß, wer Ither ist, aber nicht w a s er ist, nämlich ein Ver-wandter. Parzival sagt zu Ither: 'Du könntest ebenso gut Lähelin sein' und ver-gleicht mit der Sippe seiner Erbfeinde den, der, ohne daß er es weiß, zu seiner eigenen gehört. Einen Augenblick später erschlägt er ihn auf eine Weise, die im ganzen Parzival-Roman nur für Lähelin und Orilus typisch ist.

Die dramatische Ironie kann vorwärts oder rückwärts weisen, bei Ithers Tod

---

[5] Verf., Lähelin and the Grail Horses, Modern Language Review 63 (1968) 612—617. Einige der Argumente werden hier wiederholt, allerdings in etwas anderem Zusam-menhang.

[6] W. HARMS, Der Kampf mit dem Freund oder Verwandten in der deutschen Lite-ratur bis um 1300, München 1963, S. 151 f.; HERTA ZUTT, Parzivals Kämpfe, Festgabe für Friedrich Maurer, Düsseldorf 1968, hier S. 185 f. — HARMS kann keine Zuflucht darin finden, daß Parzival ein Dümmling ist und das, was ihm gesagt wird, nicht er-faßt, denn die Art und Weise, wie er den Rat seiner Mutter und später die Rat-schläge von Gurnemanz buchstäblich befolgt, zeigt, daß er das ihm Gesagte allzu gut aufnimmt und behält, selbst wenn er es nicht versteht. HARMS' zweiter Punkt, daß nämlich Parzival Lähelin zu treffen erwartet, ist einfach indiskutabel, denn die falsche Spur, auf die Sigune ihn schickt, gehört nicht Lähelin, sondern seinem Bruder Orilus an, den Sigune den Mörder Schionatulanders genannt hatte.

weist sie vorwärts und erzielt eine Wirkung, die derjenigen der epischen Vorausdeutung ähnlich ist.

Die eben besprochene Szene erfüllt meine Voraussetzungen für die dramatische Ironie, denn ein solches Zusammentreffen, bei dem einer von einem unbekannten Verwandten die Rüstung verlangt und ihn daraufhin erschlägt, wäre nach menschlicher Voraussicht kaum zu erwarten, während der ironische Abstand darin liegt, daß Parzival ganz unbewußt einen Verwandten mit Lähelin vergleicht, dem Erzfeind seiner Sippe und daher wahrscheinlich auch dem Erzfeind Ithers selbst. Parzivals Worte haben für den eingeweihten Zuhörer einen anderen Sinn als für ihn selbst.

Auch mein zweites Beispiel für dramatische Ironie, Parzivals Kampf mit Orilus, betrifft die Lähelin-Sippe. Die ganze Episode ist von Ironie des Zufalls durchtränkt. Durch Zufall und ohne es zu wissen stößt Parzival auf seinen Erbfeind, der Parzivals Verwandte erschlagen hat und dessen Bruder Parzivals Länder in Besitz hält. Zur gleichen Zeit stößt er, ohne die Dame gleich zu erkennen, auf Orilus' Frau Jeschute, der Parzival ein schweres Leid angetan hat und die immer noch dafür büßt. Außerdem ist Orilus' Schwester Cunneware, die erst beim Anblick des vollkommensten Ritters lächeln wollte, von Kei geschlagen worden, weil ihr erstes Lächeln den Dümmling Parzival geehrt hatte. Parzival hatte daraufhin versprochen, die ihm unbekannte Schwester seines Erbfeindes zu rächen. Schon vor der Gegenüberstellung von Parzival und Orilus hatte die dramatische Ironie leise Verbindungen zwischen den beiden hergestellt. So, wenn Orilus in seiner Klage über Jeschutes vermeintliche Untreue mit dem jungen Parzival über seine Schwester Cunneware und das ausbleibende Lächeln kurz referiert und hinzufügt: '*wan kœm mir doch der selbe man!*' (135,19) — und er war eben da! Da Orilus Parzival zu treffen wünscht, wird die Stelle ein paar Zeilen später ironisch, wo Parzival seine Bereitschaft erklärt, den Mörder von Schionatulander, nämlich Orilus, zu suchen. Und jetzt kommen die beiden zusammen:

> 260,24   *gein strîteclîchem wîge*
>   *hielt der herzoge Orilus*
>   *gereit zeiner tjost alsus,*
>   *mit rehter manlîcher ger,*
>   *von Gaheviez mit eime sper:*
>   *daz was gevärwet genuoc,*
>   *reht als er sîniu wâpen truoc.*
> 261,1   *Sînen helm worhte Trebuchet.*
>   *sîn schilt was ze Dôlet*
>   *in Kailetes lande*
>   *geworht dem wîgande:*
> 5   *rant und buckel heten kraft.*
>   *zAlexandrîe in heidenschaft*
>   *was geworht ein pfellel guot,*
>   *des der fürste hôch gemuot*

truoc kursît und wâpenroc.
10 sîn decke was ze Tenabroc
geworht ûz ringen herte:
sîn stolzheit in lêrte,
der îserînen decke dach
was ein pfellel, des man jach
15 daz der tiwer wære.
rîch und doch niht swære
sîne hosen, halsperc, hersnier:
und in îserîniu schillier
was gewâpent dirre küene man,
20 geworht ze Bêâlzenân
in der houbestat zAnschouwe.
disiu blôziu frouwe
fuort im ungelîchiu kleit,
diu dâ sô trûric nâh im reit:
25 dane hete sis niht bezzer state.
ze Sessûn was geslagen sîn plate;
sîn ors von Brumbâne
de Salvâsche ah muntâne:
mit einer tjost rois Lähelîn
bejagetez dâ, der bruoder sîn.

Obwohl Wolfram oft die Rüstung der Ritter bei einem Kampf zu beschreiben pflegt, ist die Aufzählung hier ausführlicher als in jedem anderen Kampf im 'Parzival', den mit Feirifiz ausgenommen. Wir sollten unseren Blick für die Realien der ritterlichen, höfischen Welt schärfen. Zum Teil finden wir darin einfach eine Art Kultursnobismus. Wie James Bond nur den besten Champagner trinkt und seine Anzüge in Saville Row kauft, werden dem ankommenden Ritter nur die auserlesensten Weine, *môraz, sinôpel* und die feinsten Stoffe, *pfellel* und *plîalt* überreicht. Aber mit diesem Snobismus hat die Sache nicht ihr Bewenden. Wenn einer eine Lanze aus Angram oder ein Schwert aus Toledo besitzt, so bedeutet das nicht nur, daß er wohlhabend ist oder eine vermögende Minneherrin hat, sondern auch, daß er wahrscheinlich bessere Aussicht auf einen Sieg hat. Der Held des 'Iwein' will den Zauberbrunnen vor Artus und den anderen Rittern erreichen. Um das zu vollbringen, muß er unauffällig aus der Stadt Karidœl hinausschleichen. Er befiehlt also dem Knappen, seinen Zelter (*pfert*) zu satteln, auf dem er hinausreiten will, und danach das Roß, mit Iweins Harnisch beladen, selber aufs Feld zu führen (Hartmanns 'Iwein' 952 ff.). Da Iwein auf einem *pfert* sitzt, wird keiner auf die Idee kommen, daß er eine längere Reise unternimmt.

Wenn ich die Beschreibung der Rüstung im höfischen Roman überschaue, so möchte ich die Aufmerksamkeit auf etwas lenken, was man 'Volkswirtschaftsmythologie' nennen könnte. Die Skala reicht von bekannten Orten mit bekannten

Manufakturen über bekannte Orte mit fiktiven Manufakturen und bekannte fiktive Orte mit fiktiven Manufakturen bis zu unbekannten fiktiven Orten mit unbekannten fiktiven Manufakturen. Die verschiedenen Kategorien sind hier im Orilus-Kampf vertreten, aber jeder Ort, der erwähnt wird, außer einem, hat einen zweiten Sinn, und darauf kommt es mir an!

Orilus hat eine Lanze aus Gaheviez. Gaheviez war die Herrschaft Ithers, und Parzivals eigene Rüstung und Schwert stammen von Ither. Wolfram hat uns kurz vorher daran erinnert, denn als Parzival allein in der Gralsburg aufwachte, lagen zwei Schwerter vor ihm, das eine von Anfortas, *daz ander was von Gaheviez* (246,4). Orilus trägt einen Helm, den Trebuchet verfertigte, und Parzivals zweites Schwert, das ihm Anfortas schenkte, rührt von Trebuchet her. Orilus' Schild stammt aus Toledo, einer Stadt, die wegen ihrer Stahlwaren berühmt war. Aber wir dürfen nicht übersehen, daß Wolfram zu Toledo hinzufügt: *in Kailetes lande.* Kailet, den wir in den ersten beiden Büchern treffen, war Gahmurets Vetter und hatte auch in die Gralsfamilie hineingeheiratet, denn seine Frau war Rischoyde, die Tante von Herzeloyde. Orilus trägt *kursît* und *wâpenroc* aus einem kostbaren Stoff, einem *pfellel,* der in Alexandria hergestellt wurde. *Alexandrîe* ist natürlich ein bekannter Name, und es überrascht nicht, wenn ein kostbarer Stoff mit der Stadt verbunden wird, ob solche Stoffe dort hergestellt wurden oder nicht. Allerdings möchte ich darauf hinweisen, daß Alexandria nur in zwei Erzählabschnitten im 'Parzival' vorkommt, einmal hier, und einmal im Zusammenhang mit Gahmurets ruhmreichen Taten und seinem endlichen Tod im Dienst des *bârucs.* Die Panzerdecke von Orilus' Roß ist aus *Tenabroc,* das sonst nur zweimal genannt wird, und zwar jeweils im Zusammenhang mit dem Gral, bei Parzivals erstem und zweitem Gralsbesuch, da eine der beiden jungen Damen, die den feierlichen Umzug mit dem Gral führen, Clarischanze, Gräfin von Tenabroc ist. Orilus' Kniescheibenschutz wurde in *Bêâlzenân,* der Hauptstadt von Anjou, geschmiedet; Parzival selbst ist König von Anjou. *Sessun,* wo Orilus' Brustbedeckung geschmiedet wurde, weiß ich noch nicht einzuordnen. (Für den Augenblick muß ich einfach annehmen, daß im Mittelalter Soissons wegen seiner Stahlsachen bekannt war. Jedenfalls wurden zur Zeit der Römer dort Waffen hergestellt.) Orilus' Pferd wird als *von Brumbâne de Salvâsche ah Muntâne* bezeichnet. Letzteres ist lediglich eine sprachwidrige Umschreibung für Munsalvæsche, und wir erfahren, daß Lähelin dieses Pferd gewann, nachdem er einen Gralsritter erschlagen hatte, also durch *rêroup.* Parzival ist ebenfalls durch *rêroup* in den Besitz seines Pferdes (und auch seiner Rüstung) gekommen. Daß Orilus' Pferd ein Gralspferd ist, bildet eine weitere Verbindung mit Parzivals Schicksal. Später schenkt Orilus Gawan dieses Pferd, aber das ist eine andere Geschichte.

Was ergibt die Szene für die angebotene Definition der dramatischen Ironie? Ohne ihn zu erkennen, stößt Parzival auf seinen Erbfeind Orilus, an dem er sich rächen möchte, weil er seinen Onkel und Schionatulander erschlagen und weil

Lähelin sich seiner Länder bemächtigt hat; gleichzeitig aber möchte Parzival den Kummer, den er Orilus' Frau und Schwester verursacht hatte, wiedergutmachen. Andererseits wünscht Orilus mit dem zu kämpfen, der angeblich seine Frau entehrt hat, und mit dem vollkommensten Ritter, der seine Schwester zum Lächeln bringen wird. Daß sie so zusammentreffen, wäre nach menschlicher Voraussicht kaum zu erwarten. Der ironische Abstand, das Unbewußte in den Handlungen der Personen besteht darin, daß sie vordergründig aneinandergeraten, nur weil Parzival die leidende Jeschute rehabilitieren will, in Wirklichkeit aber jeder mit dem lange gesuchten, heiß ersehnten Gegner kämpft, ohne auch nur eine Ahnung davon zu haben. Obwohl die dramatische Ironie diesmal weniger in den Reden der Charaktere zutage tritt, wird sie durch die Einzelheiten in der Beschreibung von Orilus' Waffen und Rüstung unterstrichen, von denen fast jedes Stück einen tiefen Bezug zu Parzivals Sippe oder Schicksal hat. Im Falle der Lanze von Gaheviez, des Helms von Trebuchet und des durch *rêroup* gewonnenen Pferdes hat Parzival im Kampf selbst ein Gegenstück.

Dramatische Ironie erscheint an einer Stelle auch in Orilus' Reden. Nachdem Parzival ihn besiegt hat, sagt Orilus, um sich nicht mit Jeschute versöhnen zu müssen, sein Bruder würde bereit sein, eins von seinen beiden Ländern Parzival zu überlassen. Wolfram muß, worauf W. Mohr hingewiesen hat, verhüten, daß Orilus den Bruder (Lähelin) oder die Länder, die wahrscheinlich Parzivals eigene Länder sind, nennt, sonst würde Parzival ihn erkennen und müßte nach Gurnemanz' Ratschlag das ihm von Orilus und Lähelin angetane Leid rächen und Orilus töten: 'so müßte die Handlung in diesem Moment in das Gattungsschema einer tragischen Rache- und Nothandlung vom Typus der Heldensage umschlagen'[7]. Herta Zutt hat diese Ansicht Mohrs mit der Begründung abgelehnt, daß 'ein Erkennen des Gegners ... die Parzival-Geschichte nicht unbedingt in ein anderes Gleis führen' müßte: 'zum einen hätte das Publikum das Töten des Erbfeindes als Episode hingenommen', zum anderen sei 'schon durch das Anbieten der Länder die Möglichkeit eines friedlichen Ausgleichs angedeutet'[8]. Ein merkwürdiger friedlicher Ausgleich wäre das, wenn Orilus, der verschiedene Verwandte und Angehörige von Parzival umgebracht hat, ihm sagt: 'Laßt es gut sein! Ich gebe Euch e i n s von den beiden Ländern, die wir Euch gestohlen haben, zurück.' Selbst wenn das Publikum Orilus' Tod leicht verschmerzt hätte, wie stünde es mit seiner Frau und Schwester? Parzival ist Cunnewares Ritter geworden und will sie an Kei rächen, noch näher aber liegt ihm, das Unrecht, das er Jeschute angetan hatte, wiedergutzumachen[9].

---

[7] W. Mohr, Zu den epischen Hintergründen in Wolframs 'Parzival', Mediæval German Studies Presented to Frederick Norman, London 1965, S. 174—187, hier S. 183 f.

[8] Parzivals Kämpfe, S. 185.

[9] Auch P. Salmon, Ignorance and awareness of identity in Hartmann and Wolfram: an element of dramatic irony, PBB 82 (Tüb. 1960) 95—115, behandelt die Orilus-Szene als ein Beispiel der dramatischen Ironie, aber er geht nicht auf die Frage der

Die Trevrizent-Szene im IX. Buch liefert zwei weitere Beispiele der dramatischen Ironie; das erste erschwert Parzivals Geständnis seiner Missetaten, das zweite erleichtert es. In seinem Bericht vom Gral und wie man dorthin kommt, erzählt Trevrizent, daß eigentlich nur die Berufenen die Gralsburg erreichen:

473,9   *'daz der grâl ist unerkennet,*
     wan die dar sint benennet
     ze Munsalvæsche ans grâles schar.
     wan einr kom unbenennet dar:
     der selbe was ein tumber man
     und fuorte ouch sünde mit im dan,
15   *daz er niht zem wirte sprach*
     umben kumber den er an im sach.
     ich ensol niemen schelten:
     doch muoz er sünde engelten,
     daz er niht frâgte des wirtes schaden.
20   *er was mit kumber sô geladen,*
     ez enwart nie'rkant sô hôher pîn.
     dâ vor kom roys Lähelîn
     ze Brumbâne an den sê geriten.
     durch tjoste het sîn dâ gebiten
25   *Lybbêâls der werde helt*
     des tôt mit tjoste was erwelt.
     er was erborn von Prienlascors.
     Lähelîn des heldes ors
     dannen zôch mit sîner hant:
     dâ wart der rêroup bekant.
474,1   *Hêrre, sît irz Lähelîn?*
     sô stêt in dem stalle mîn
     den orsn ein ors gelîch gevar,
     diu dâ hœrnt ans grâles schar.
     [. . . . .]
21   *iwer varwe im [Frimutel] treit gelîchiu mâl.*
     der was ouch hêrre übern grâl.
     ôwî hêr, wanne ist iwer vart?
     nu ruocht mir prüeven iwern art.'
     [. . . . .]
475,4   *'hêrre, in binz niht Lähelîn.*
     genam ich ie den rêroup,
     sô was ich an den witzen toup.
     ez ist iedoch von mir geschehn:
     der selben sünde muoz ich jehn.
     Ithêrn von Cucûmerlant

Waffen ein, zum Teil weil er die Worte *von Gaheviez* fälschlicherweise auf Orilus selbst bezieht (S. 108). HERTA ZUTT (a. a. O. 184 und Anm. 17) weist auf einige der Parallelen zwischen Parzivals und Orilus' Waffen hin.

10 *den sluoc mîn sündebæriu hant:*
ich leit in tôten ûffez gras,
unt nam swaz dâ ze nemen was.'

Trevrizents Verurteilung des unbekannten *tumben mannes* ist ein gutes Beispiel der dramatischen Ironie, wo der Hörer und Parzival die volle Wirkung spüren, während Trevrizent sich dessen unbewußt ist. Diese Verurteilung macht Parzivals Geständnis, daß er derjenige war, der Anfortas im Stiche ließ, vorläufig unmöglich, aber Trevrizents erstaunliche Frage '*Hêrre, sît irz Lähelîn?*' entbindet das Geständnis des *rêroubes* an Ither. Es ist ein schöner Zug in Wolframs Charakterisierung von Parzival, daß der sich tief schämende, aber immer noch etwas verstockte Held es über sich bringen kann, seine schlimmeren Mißgriffe zu gestehen, nur wenn jemand anders das Thema aufwirft. Wie ich an anderer Stelle betont habe, haben wir hier den erstaunlichen Umstand, daß Parzival mit seinem Erbfeind Lähelin gleichgestellt und des *rêroubes* bezichtigt wird, worauf er den *rêroup* an seinem Verwandten Ither gesteht, den er einmal mit seinem Erbfeind Lähelin gleichgestellt hatte. Stärkere Ironie gibt es nicht!

Unter einem anderen Gesichtspunkt bildet Parzivals Geständnis seiner Familienzugehörigkeit und des Totschlags an Ither ein weiteres Beispiel der dramatischen Ironie. Diesmal ist Parzival sich der vollen Tragweite seiner Worte nicht bewußt, nur der Hörer und Trevrizent sind die Eingeweihten, denn Parzival weiß noch nicht, was Trevrizent schon erkennt, nämlich daß die beiden Gesprächspartner nahe verwandt sind, zumal in dieser Erkenntnis die weitere liegt, daß Parzival nicht nur des *rêroubes,* sondern auch des Verwandtenmordes schuldig ist. Übrigens wirft dies Licht auf eine weitere Ironie, deren Bedeutung k e i n e r der Personen, sondern allein dem Publikum erkennbar ist, nämlich die Ironie der Tatsache, daß in Trevrizents Unterweisung Parzivals der Geschichte von Kain und Abel solcher Nachdruck beigemessen wird.

Nach der Trevrizent-Szene verschwindet Parzival, und obwohl Wolfram ihn auf sehr raffinierte Weise eine Rolle im Hintergrund der Gawan-Geschichte spielen läßt — nochmals verweise ich auf Mohrs Aufsatz in der Norman-Festschrift —, taucht er erst vier Bücher später wieder auf, und sein Wiedererscheinen wird sofort von dramatischer Ironie begleitet. Mögen noch so viele Rätsel unerklärt bleiben, warum und wozu Chrétien eine solche Doppelgeschichte unternommen hat, es ist zumindest klar, daß Wolfram mit tiefem Kunstsinn und außerordentlichem künstlerischen Können die beiden Geschichten wieder zusammenführt. Mohr und Steinhoff haben gezeigt, daß in den letzten Gawanbüchern, wo einzelne Personen Gawan erzählen, daß sie vor einiger Zeit Parzival begegnet sind, die Zeitabstände zwischen der Begegnung mit Parzival und der Begegnung mit Gawan allmählich geringer werden[10]. Endlich stoßen sie aufeinander. Vor dem Kampf mit Gramoflanz verläßt Gawan das Lager:

---

[10] Mohr, Zu den epischen Hintergründen, bes. S. 181 ff.; H.-H. Steinhoff, Die Darstellung gleichzeitiger Geschehnisse im mhd. Epos, München 1964.

678,15   *al ein reit mîn hêr Gâwân*
       von dem her verre ûf den plân.
       gelücke müezes walden!
       er sah ein rîter halden
       bî dem wazzer Sabîns,
       [. . . . .]

28   *von dem selben werden manne*
       mugt ir wol ê hân vernomn:
       an den rehten stam diz mære ist komn.

679,1   *Ob von dem werden Gâwân*
       werlîche ein tjost dâ wirt getân,
       so gevorht ich sîner êre
       an strîte nie sô sêre.

5   *ich solt ouch sandern angest hân:*
       daz wil ich ûz den sorgen lân.
       der was in strîte eins mannes her.
       ûz heidenschaft verr über mer
       was brâht diu zimierde sîn.

10   *noch rœter denn ein rubbîn*
       was sîn kursît unt sîns orses kleit.
       [. . . . .]

23   *von Munsalvæsche wâren sie,*
       beidiu ors, diu alsus hie
       liezen nâher strîchen
       ûfen poinder hurteclîchen:
       [. . . . .]

680,2   *ûz der tjoste geslehte*
       wârn si bêde samt erborn.
       wênc gewunnen, vil verlorn
       hât swer behaldet dâ den prîs:
       der klagtz doch immer, ist er wîs.
       gein ein ander stuont ir triwe,
       [. . . . .]

13   *erkantiu sippe unt hôch geselleschaft*
       was dâ mit hazlîcher kraft

15   *durch scharpfen strît zein ander komen.*
       von swem der prîs dâ wirt genomen,
       des freude ist drumbe sorgen pfant.
       die tjoste brâhte iewedriu hant,
       daz die mâge unt die gesellen
       ein ander muosen vellen.

Das Ungeheure an diesem Kampf zwischen zwei Verwandten und nahen Freunden wird von Wolfram mehrmals direkt ausgesprochen, aber es wird auch indirekt angedeutet und unterstrichen, wiederum durch die dramatische Ironie der besonderen Umstände des Kampfes. Die Gefahr einer Wiederholung des Ither-Mordes wird durch die folgenden Zeilen betont:

> 679,8 *ûz heidenschaft verr über mer*
> *was brâht diu zimierde sîn.*
> *noch rœter denn ein rubbîn*
> *was sîn kursît unt sîns orses kleit.*

Parzival ist immer noch der rote Ritter.

Die Verwandtschaft zwischen Parzival und Gawan wird dadurch betont, daß sie beide Gralspferde reiten, und zwar diejenigen, von denen wir so viel gehört haben und die dazu führten, daß Trevrizent Parzival mit Lähelin verwechselte, und die jetzt zusammengebracht werden, wenn die Wege von Parzival und Gawan sich endlich nach der jahrelangen Trennung kreuzen: *von Munsalvæsche wâren sie, beidiu ors, diu alsus hie liezen nâher strîchen ûfen poinder hurteclîchen.* Zwei Pferde aus einem Stall, zwei Männer aus einem Geschlecht.

Aber Parzival hat noch einen Kampf gegen einen Verwandten zu bestehen, und zwar gegen einen, der mit ihm viel näher verwandt ist als Ither oder Gawan. Der Kampf mit Feirifiz ist nicht von derselben dramatischen Ironie begleitet wie die anderen wichtigen Kämpfe Parzivals. Der Grund hierfür liegt möglicherweise zum Teil darin, daß die dramatische Ironie eine gewisse Bekanntschaft mit den Verhältnissen und mit den handelnden Personen voraussetzt. Je besser wir die persönlichen Eigenschaften der Charaktere kennen, desto größere Möglichkeiten der dramatischen Ironie gibt es. Die Ermordung Ithers liefert ein Beispiel hierfür; zu dem Zeitpunkt wissen wir eigentlich wenig von Ither, und die dramatische Ironie bleibt unentwickelt. Ein Dichter scheint wenig Spielraum für die dramatische Ironie zu haben, wo seine Charaktere dem Publikum wenig bekannt sind. Feirifiz ist vor seiner Begegnung mit Parzival zwar mehrmals erwähnt worden, aber er bleibt eigentlich eine dunkle, beinahe mythische Gestalt, vom Zauber und dem Geheimnisvollen des Morgenlandes umhüllt.

Trotz dieser Einschränkung ist die dramatische Ironie dem Feirifiz-Kampf nicht vorenthalten, und das Ereignis, mit dem sie verknüpft ist, schließt die lange Linie, die vom Ither-Kampf herführt. Es ist das Schicksal von Ithers Schwert. Von der *germaine cousine* erfährt Perceval bei Chrétien, daß sein Gralsschwert im ersten Kampf zerschellen wird, während bei Wolfram Sigune Parzival erzählt, daß es beim zweiten Schlag brechen wird. Es ist ein gutes Beispiel von Wolframs Erzähltechnik auf lange Sicht, wie er das Motiv des zerschellenden Schwertes umstellt und anders verwertet. Am Anfang des IX. Buches wird um der epischen Sauberkeit willen kurz darüber referiert, wie das Gralsschwert zersprang und wieder heilgemacht wurde. Auf diese Weise wird das Magisch-Märchenhafte gedämpft, wie immer bei Wolfram. Aber das Motiv des Zerspringens eines Schwertes läßt er nicht einfach fallen; er stellt es in den Vordergrund, wodurch es eine tiefere Bedeutung gewinnt. Im Kampf mit Feirifiz gebraucht

Parzival Ithers Schwert, und wir empfinden es als künstlerisch berechtigt und ästhetisch befriedigend und dürfen auch eine gewisse Ironie darin sehen, daß Ithers Schwert, Symbol des Verwandtenmordes und in Parzivals Hand materielles Ergebnis des *rêroubes*, zerschellen und den Brudermord verhindern soll:

> 744,10   *von Gaheviez daz starke swert*
> *mit slage ûfs heidens helme brast,*
> *sô daz der küene rîche gast*
> *mit strûche venje suochte.*
> *got des niht langer ruochte,*
> 15   *daz Parzivâl daz rê nemen*
> *in sîner hende solde zemen:*
> *daz swert er Ithêre nam,*
> *als sîner tumpheit dô wol zam.*

Hier liegt die dramatische Ironie wieder in einem der begleitenden Umstände, aber in den nächsten Worten von Feirifiz finden wir ein Beispiel der dramatischen Ironie der Rede, denn ohne sich der Wirkung seiner Worte auf Parzival bewußt zu sein, nennt er sich *Feirifiz Anschevîn*. Auf Parzivals empörte Entgegnung, er sei der *Anschevîn*, folgt das Erkennen und die Versöhnung. Auch das Zufällige, das ich bei der dramatischen Ironie verlange, wird von Wolfram eigens unterstrichen: *ôwê, sît d'erde was sô breit, daz si ein ander niht vermiten* (737,22 f.).

Wir fragen noch nach der Wirkung und dem Zweck der dramatischen Ironie. Die erste Wirkung ist eine etwas triviale, jedoch unleugbare, nämlich die Entwaffnung der Kritiker. Jeder, der eine Geschichte erzählen will, ist in einer etwas exponierten Lage, er kann es kaum vermeiden, in der Rolle Walthers aufzutreten: '*der iu mære bringet, daz bin ich*'. Der mittelalterliche Dichter war in einer besonders exponierten Lage, denn erstens war er wirklich ein Erzähler, mit einem Publikum vor sich, und zweitens erzählte er meistens Geschichten, die schon bekannt waren. Darum kann die dramatische Ironie, wie die epische Vorausdeutung, den Dichter von dem Vorwurf entlasten, daß er auf naive Weise längst bekannte Sachen erzähle, als ob sie Neuigkeiten wären. Die epische Vorausdeutung zeigt, daß er wenig Wert auf Neuigkeit legt, die vorausdeutende dramatische Ironie zeigt, daß er den weiteren Verlauf der Geschichte als bekannt voraussetzt.

Die dramatische Ironie kann auf zwei verschiedene Weisen vorausdeuten: beim ersten Hören ahnt man wegen besonderer Einzelheiten oder wegen einer besonderen Emphase, daß die Rede oder Szene später bedeutsam werden soll; aber wir müssen annehmen, daß der Dichter sein Werk unter Umständen mehrmals vor demselben Publikum vorgetragen hat, und das zweite Mal kennt es schon den späteren Verlauf. Jetzt wird es dem Dichter möglich, die dramatische Ironie als einen leisen Wink für die schärferen Beobachter unter seinen Hörern zu gebrauchen, genau wie die Ironie der Sprache einer Art Urbanität entstammt, die sicherlich nicht alle bemerkt und verstanden haben.

Das komplizierte Netz von Beziehungen, das durch die dramatische Ironie hergestellt wird, kann aber nicht geschaffen sein, bloß um Wolfram vor der Kritik zu schützen. Wenn wir die Szenen, die ich besprochen habe, durchmustern, wird es klar, daß sie keine nebensächlichen sind und daß jede mit Parzivals Vergangenheit und Zukunft, mit seinem Schicksal und dem Schicksal seiner Sippe eng verknüpft ist. Die meisten waren Kampfszenen, und es ist vielleicht bezeichnend, daß nur die besonders verhängnisvollen Kampfszenen durch dramatische Ironie unterstrichen werden. In jeder der betrachteten Szenen entspringt die Ironie zum Teil daraus, daß Parzival den anderen — ob Verwandter (Ither, Trevrizent, Gawan, Feirifiz) oder Feind (Orilus und übrigens auch Kei) — nicht kennt oder erkennt. HERTA ZUTT stellt fest, daß Parzival sich meistens über seinen Gegner im unklaren ist[11]. In jeder Szene, außer der ersten mit Ither, wird die dramatische Ironie der Rede durch jenes Einflechten von besonderen Einzelheiten verstärkt, das ich als ein episches Gegenstück zu der Ironie im Drama zu betrachten geneigt bin, wo die Ironie hauptsächlich in den Reden liegen m u ß. Diese besonderen Einzelheiten bestehen in der Herkunft der Waffen, der Rüstung und der Pferde. Keine dramatische Ironie ist in der Darstellung von Parzivals anderen Kämpfen, z.B. mit Kingrun, Clamide, Segramors, dem Templeisen oder Gramoflanz zu finden. Gahmurets und Gawans Kämpfe werden auch nicht von dramatischer Ironie begleitet. Aber Gahmuret und Gawan sind sich über ihre Gegner und über ihre Sache im klaren. Es ist z.B. für Parzivals Laune und Charakter bezeichnend, daß er bei Bearosche auf der Seite der Ungerechten kämpft, während Gawan sich durch die Gerechtigkeit der Sache zu seiner Partei überreden läßt. Einmal sehen wir, wie Gahmuret es vermeidet, gegen einen Verwandten, nämlich Kailet, zu kämpfen, und vor Bearosche geht Gawan den gefangenen Artusrittern, die für die Gegenpartei zu kämpfen gezwungen sind, aus dem Wege. Eine solche souveräne Helle beleuchtet selten Parzivals Tun.

Die Ausnahme, welche die Regel bestätigt, ist vielleicht Gawans Kampf mit Gramoflanz. Hier kennt ein Gegner den anderen nicht, hier findet man in Gramoflanzens Rede dramatische Ironie, und hier steht tatsächlich hinter dem Ganzen ein besonderer Sinn, denn Gawans Vater soll Gramoflanzens Vater erschlagen haben, und Gawans Schwester ist die Geliebte von Gramoflanz. Sonst treffen wir kaum Beispiele der dramatischen Ironie in der Gawangeschichte, obwohl es Gelegenheit genug gäbe.

Diese Kette der Szenen, die durch dramatische Ironie verbunden und hervorgehoben werden, hat keine Parallele bei Chrétien. Einige Szenen haben nicht einmal ein Gegenstück in Chrétiens unvollendetem Roman, selbst wo ein Vergleich möglich ist, kommt die dramatische Ironie viel seltener als bei Wolfram vor[12]. Der Übersetzer ist bei der Realisierung der Möglichkeiten der dramatischen

---

[11] Parzivals Kämpfe, S. 185.

[12] Übrigens ist die dramatische Ironie etwas häufiger in Hartmanns 'Erec' und 'Iwein' als in den entsprechenden Werken Chrétiens, was zum Teil darauf beruhen

Ironie sowieso in einer besseren Lage als der ursprüngliche Dichter, da er das Ganze von Anfang an leicht überschaut, d. h. seiner Einsicht und seinem Können entsprechend. Ich bin davon überzeugt, daß selbst Wolfram die vielfältigen Beziehungen und Entsprechungen, die zwischen Gestalten und Geschehnissen im Vordergrund und im Hintergrund bestehen und von denen die Fälle der dramatischen Ironie nur einen Teil ausmachen, erst bei einer zweiten Redaktion seines Werkes hat ausführen oder einführen können.

Während in Chrétiens und Hartmanns 'Erec' und 'Iwein' die dramatische Ironie an verschiedenen Stellen punktuell durchbricht, wird sie im 'Parzival' benutzt, um aus gewissen Episoden, die für Parzival besonders verhängnisvoll sind, einen zusammenhängenden Handlungsstrang zu schaffen. Die Begegnungen mit unbekannten Menschen, die in anderen höfischen Romanen isolierte *aventiure* bleiben, werden hier zu einem integrierten Teil der Handlung, was nicht überrascht, denn in welchem anderen höfischen Roman spielen Fragen der Identität eine solche Rolle? Wo sonst kennt der Held den eigenen Namen nicht, wo sonst kennt er die eigene Sippe nicht, und wo sonst spielt die Sippe eine solche Rolle auf dem Lebensweg und in dem Schicksal des Helden?

Die dramatische Ironie, vor allem in ihrer ernsten oder sogar tragischen Form, erweckt den Eindruck, daß das Ganze von dunklen Mächten geplant wurde. Warum? Die Frage ist schwer zu beantworten, aber ich finde mindestens einen Wink in der oben zitierten Wörterbuchdefinition des Wortes *coincidence*: *A notable concurrence of events or circumstances having no apparent causal connexion.* Ein auffallendes Zusammentreffen von Ereignissen oder Umständen, zwischen denen kein Kausalzusammenhang besteht, ist aber für den denkenden Menschen ein Unding, und wo die normale Kausalität nicht ausreicht, vermutet er eine andere. Die andere Kausalität kann Schicksal oder christliche Vorsehung oder vieles andere heißen. Die Entscheidung über den besonderen Anteil des Schicksals und der Vorsehung muß ich den Spezialisten überlassen, obwohl ich vermute, daß die Lösung nicht sehr weit von Boethius abliegen wird[13]. Ich bin der Meinung, daß wir mittelalterliche theologische und philosophische Schriften als notwendigen Hintergrund lesen müssen, damit wir einen Sinn für das geistige Klima des Mittelalters entwickeln; gefährlich aber ist es, wenn wir die höfische Literatur zu streng unter diesem Aspekt betrachten, man kommt zu leicht zu dem Ergebnis, daß nicht sein kann, was nicht sein darf. Ein mittelalterliches Werk ausschließlich mit Hilfe der Theologen und Philosophen interpretieren zu wollen, hat ebenso große Aussichten auf Erfolg, wie wenn man Thomas Mann oder Kafka ausschließlich aus der 'Dudengrammatik' und dem 'Bürgerlichen Gesetzbuch' erklären wollte. Boethius hat im Mittelalter eine wichtigere Rolle als die meisten anderen Philosophen gespielt. Man braucht nur daran zu denken, daß

---

möchte, daß der Übersetzer sich als Nacherzähler empfindet und die Ironie als eine Möglichkeit für eigene Zutaten begrüßt.

[13] Vgl. F. P. PICKERING, Augustinus oder Boethius? I, Berlin 1967.

keine Geringeren als Notker von St. Gallen in Deutschland, König Alfred der
Große und Geoffrey Chaucer in England ihn übersetzten, um die Breite seiner
Wirkung zu würdigen. Jedenfalls ist es für unsere Zwecke nicht nötig, zwischen
den verschiedenen dunklen Mächten zu wählen. Es kam nur darauf an zu zeigen,
daß die dramatische Ironie Ahnungen von solchen Mächten erweckt, und es ist
hier eigentlich gleichgültig, ob wir uns diese Macht als *sælde*, *gelücke*, Schicksal
oder christliche Vorsehung vorzustellen haben.

Nach dem Kampf mit Gawan wird klar, daß Parzival die eigenen Handlungen unter dem Aspekt des Geschicks sieht, und er selbst bringt den Gawan-
kampf mit dem Tod Ithers zusammen, allerdings auf eine etwas indirekte Weise:

> 688,21 *verre ûz der hant er warf daz swert:*
> *'unsælec unde unwert*
> *bin ich,' sprach der weinde gast.*
> *'aller sælden mir gebrast,*
> 25 *daz mîner gunêrten hant*
> *dirre strît ie wart bekant.*
> *des was mit unfuoge ir ze vil.*
> *schuldec ich mich geben wil.*
> *hie trat mîn ungelücke für*
> *unt schiet mich von der sælden kür.*
> 689,1 *Sus sint diu alten wâpen mîn*
> *ê dicke und aber worden schîn.*
> *daz ich gein dem werden Gâwân*
> *alhie mîn strîten hân getân!*
> 5 *ich hân mich selben überstriten*
> *und ungelückes hie erbiten.*
> *do des strîtes wart begunnen,*
> *dô was mir sælde entrunnen.'*

Viermal *sælde* und zweimal *gelücke* in diesen 18 Zeilen, und noch bedeutsamer
sus sint diu alten wâpen mîn   ê dicke und aber worden schîn. Dies ist das dritte
Mal, daß Parzival gegen einen Verwandten kämpft, denn neben Ither hat er
im Hintergrund der Gawangeschichte seinen Vetter Vergulaht besiegt. Es liegt
vielleicht ein Wortspiel in dem Ausdruck *diu alten wâpen mîn*, denn die *wâpen*
eines Ritters im Sinne von Wappenbild werden oft im Mhd. mit seinem Charakter oder seinem Geschick gleichgestellt; so gedeutet hießen die Zeilen: 'Auf solche
Weise ist mein altes Wappen in früheren Zeiten häufig und immer wieder zum
Vorschein gekommen.' Damit meint er vor allem Ithers Tod, denn durch den
Tod Ithers hat Parzival nicht nur sein altes rotes Wappen, sondern auch seine
alten roten Waffen und Rüstung bekommen. An unserer Stelle schillert *wâpen*
vielleicht zwischen 'Wappenschild' und 'Waffen'.

Wo Fragen der Unkenntnis der Identität und Fragen der Vorherbestimmung
eine Rolle spielen, würde ich es nicht überraschend finden, wenn dramatische

Ironie zum Vorschein käme. Es dürfte kein Zufall sein, daß von allen Werken Hartmanns die dramatische Ironie am häufigsten im 'Gregorius' zu finden ist. Wenn die dramatische Ironie in Chrétiens 'Perceval' weniger häufig ist als bei Wolfram, so liegt das wohl an der anderen Tonart, der wir bei Chrétien begegnen. Ich zitiere zwei Stellen aus dem 'Perceval'. Die erste Stelle steht gleich am Anfang der Erzählung:

> 69   *Ce fu au tans qu'arbre foillissent,*
>   *Que glai et bois et pre verdissent,*
>   *Et cil oisel en lor latin*
>   *Cantent doucement au matin*
>   *Et tote riens de joie aflamme,*
>   *Que li fix a la veve fame*
> 75   *De la gaste forest soutaine*
>   *Se leva, et ne li fu paine*
>   *Que il sa sele ne meïst*
>   *Sor son chacheor et preïst*
>   *Trois gavelos, et tout issi*
>   *Fors del manoir sa mere issi.*

Die zweite Stelle steht im Gespräch zwischen Parzival und der germaine cousine:

> 3568   — *'Demandàstes vos a la gent*
>   *Quel part il aloient issi?'*
>   — *'Ainc de la bouche [ne] m'issi.'*
>   — *'Si m'aït Diex, de tant valt pis*
>   *Coment avez vos non, amis?'*
>   *Et cil qui son non ne savoit*
>   *Devine et dist que il avoit*
> 3575   *Perchevax li Galois a non,*
>   *Ne ne set s'il dist voir ou non;*
>   *Mais il dist voir et si nel sot*[14].

Zwei verblüffende Stellen: wie kann man von 'dem Sohn d e r Witwe' reden, ohne sie vorher erwähnt zu haben? Personen einzuführen, als ob sie jedem bekannt sein müßten, leiht dem Geschehen eine Entrücktheit vom Normalen, eine Zeitlosigkeit und eine Monumentalität, die man mit Mythen oder Märchen assoziiert.

Das Erstaunliche und Märchenhafte an der zweiten Stelle bedarf keiner Erwähnung. Die beiden Abschnitte, die ich als typisch für Chrétiens Tonart betrachte, schaffen für die Geschichte einen Überbau, der an das Archetypische, im Jungschen Sinne des Wortes, grenzt. Dies trägt ohne Zweifel dazu bei, daß Chrétiens 'Perceval' eine Wirkung hervorruft, die nicht bei jedem höfischen Roman zu finden ist. Dadurch, daß er alles realistischer motiviert, daß er den

---

[14] Le Roman de Perceval, ed. W. ROACH, Paris 1959.

Charakteren, selbst den unbedeutenden, Namen gibt, daß er das Geographische und das Zeitliche genauer gestaltet und das Zauberhafte mäßigt, baut Wolfram dieses Archetypische ab. Aber er setzt an seine Stelle das Schicksal und die christliche Vorsehung, und ein bedeutender Baustein in diesem neuen Überbau ist die dramatische Ironie. Sie kann in der Literatur einfach als vereinzeltes Stilmittel dienen, wie z. B. in der Stelle aus 'Wallensteins Tod', die ich zitierte. Aber sie kann auch eine zentrale Rolle spielen, am deutlichsten in der klassischen griechischen Tragödie, vor allem in 'König Ödipus' von Sophokles. Auch im neueren Drama kann die dramatische Ironie dazu dienen, das Wesentliche an der Handlung hervorzuheben, z. B. in den folgenden Zeilen aus 'Romeo und Julia' (Übersetzung von A. W. Schlegel und Friedrich Gundolf):

Gräf. Capulet:	*Mein Kind nicht seinen [Tybalts] Tod so sehr beweinst du*
	Als daß der Schurke lebt der ihn erschlug.
Julia:	*Was für ein Schurke?*
Gräf. Capulet:	*Der Schurke Romeo.*
Julia (beiseite):	*Ein Schurk und er sind meilenweit entfernt.*
(laut):	*Vergeb ihm Gott, Ich tus von ganzem Herzen.*
	Und doch kein Mann bedrückt wie er mein Herz.
Gräf. Capulet:	*Ja freilich, weil der Meuchelmörder lebt.*
Julia:	*Ja, wo ihn diese Hände nicht erreichen . . .*
	O rächte ich allein des Vetters Tod!

Hier ist ein Fall der dramatischen Ironie, der an jene andere Art der Ironie, die Litotes, grenzt, denn der Gedanke, daß Julia leidet, weil der Mörder ihres Vetters lebt, ist ein 'understatement' ohnegleichen, und indem es die Existenz Romeos und die Frage der Familie betont, hebt es die Quintessenz der ganzen Tragödie hervor[15].

Die dramatische Ironie, wo sie am prägnantesten als Stilmittel verwendet wird, zeigt ein Wissen um die Handlung als Ganzes und um die Hauptlinien der Handlung, zusammen mit einer Spielfreiheit dem Stoff gegenüber, das wir bei primitiveren Dichtern vermissen. Überspitzt formuliert, dürfte man sagen, daß die Ironie der Sprache und die dramatische Ironie einen ähnlichen Grad der Kultiviertheit in der Sprach- und Erzählkunst darstellen wie das Enjambement in der Verskunst.

Im 'Parzival' wirft die dramatische Ironie ein starkes Licht auf eine besondere, für mein Gefühl zentrale Handlungslinie, die für den Helden verhängnisvoll ist. Diese Linie, Ither, Orilus, Trevrizent, Gawan, Feirifiz und auch Sigune (obwohl ich sie nicht behandelt habe), ist eng verknüpft mit Parzivals Sünden

---

15 Im Vorbeigehen darf hier erwähnt werden, daß ein weiterer Grund, weshalb die 'dramatische' Ironie der 'tragischen' Ironie vorzuziehen ist, darin liegt, daß man auf diese Weise dem heiklen Problem, ob im christlichen Mittelalter die Tragödie überhaupt möglich war, aus dem Wege geht.

und Fehlern und seiner hartnäckigen, entschlossenen und treuen Natur, die die Ursache seiner tiefsten Erniedrigung und e i n e Ursache seiner letzten Erhöhung ist. Obwohl die Frage letzten Endes offen gelassen wird, deutet die dramatische Ironie an, daß es *geordent,* vorherbestimmt war,

> 827,6   *wie Herzeloyden kint den grâl*
> *erwarp, als im daz gordent was,*
> *dô in verworhte Anfortas.*

'DIE KLAGE' AS A COMMENTARY ON 'DAS NIBELUNGENLIED'

by

G. T. GILLESPIE (Cardiff)

I

The 'Klage' appears as a sequel to the Nibelungenlied in all the main manuscripts apart from k, a 15th century modernization: in short, the transmission of the NL includes the Kl[1]. The sequence of production of these Nibelungen poems, according to the present state of opinion, is as follows: the postulated original text of the NL closely followed by that of the Kl; next the *B version of the NL and the Kl; finally the *C version of the NL, which has been influenced by the Kl, together with the suitably amended *C version of the Kl. The matter is further complicated by the assumption that the *C text has, in its turn, affected the manuscripts of the *B text of the NL. As far as the Kl is concerned, however, the situation is much simpler: the *B text is thought to preserve the Kl in a version almost identical with the original[2].

As is well known, the 'Bahrprobe', whereby Sîfrit's wounds bleed in the presence of his murderer, Hagen (NL 1045), is thought to be modelled on a similar episode in Hartmann von Aue's 'Iwein', which gives a terminus a quo for the NL as c. 1197. The terminus ad quem depends on the reference in the eighth book of Wolfram von Eschenbach's 'Parzival', composed c. 1206/07, to *Rûmolts rât* (NL 1465 ff.), the form of the reference indicating a knowledge of the *C version of the NL[3]. This means that the *B and *C versions of the NL and the Kl were complete by c. 1206/07 at the latest. It seems certain that Wolfram knew the Kl, as a comparison between the relevant passages from the Kl and 'Parzival' suggests:

---

[1] The following standard editions based on the *B text have been used: Das Nibelungenlied, ed. K. BARTSCH/H. DE BOOR, Wiesbaden 1956[13], and Diu Klage, ed. K. BARTSCH, Leipzig 1875 (repr. Darmstadt 1964); for the *C text of the NL: Das Nibelungenlied (Ausgabe für Schulen), ed. FR. ZARNCKE, Leipzig 1876[2], but the enumeration of strophes follows BARTSCH/DE BOOR; references to the *C text of the Kl are taken from BARTSCH's variants.

[2] See J. KÖRNER, Die Klage und das Nibelungenlied, Leipzig 1920, p. 57.

[3] In the NL Rûmolt advises the Burgundians against accepting Etzel's invitation, but in the *C version he also offers them *sniten in öl gebrouwen* (1468,7); in 'Parzival'

Kl 4060   *hete mîn herre getân*
           als ich im mit triuwen riet,
           dô er von disem lande schiet,
           sône wære er niht erstorben.

Parz. 420,26   *Ich tæte ê alse Rûmolt,*
           der künege Gunthere riet,
           dô er von Wormz gein Hiunen schiet.

The Kl poet's comment some lines earlier,

4024   *wir haben dicke wol vernomen*
      daz er in holt wære:
      die stolzen helde mære
      klagte er senelîche.

indicates that Rûmolt's counsel and dependability as a regent (NL 1517 ff.) have become almost proverbial within the literary circle concerned with the Nibelungen material. Certainly the composition of the Kl and the *C version of the NL so soon after the original NL, to which our *B text comes nearest, is evidence of the immediate and lively interest aroused by the original epic. For this reason it seems appropriate to use the Kl as a commentary[4], not only on the text which we have, but also on the story of the Nibelungen which was told and discussed among the circle of poets, listeners, and readers: the Kl analyses and explains in detail problems presented by the NL.

At the beginning of the poem the narrator states his intention, which is to relate a sad story and yet at the same time please his audience

Kl 1   *Hie hevet sich ein mære,*
      daz wær vil redebære
      und wære ouch guot ze sagene,
      niwan daz ez ze klagene
5   *den liuten gezimt.*
      swer iz rehte vernimt,
      der muoz iz jâmerlîche klagen
      und jâmer in dem herzen tragen.
      hete ich nu die sinne,

---

er bat in lange sniten bæn . . . (420,29). It has also been argued that Wolfram took the reference from NL *B and elaborated it and that NL *C depends on Wolfram. There is, however, good reason to suppose that the *C version of the NL existed in the first decade of the 13th century: MS C may be dated on linguistic and palaeographic grounds between 1220 and 1230 and its copy a decade earlier, whilst the fragmentary MS Z is probably a decade earlier still (see The manuscript C of the Nibelungenlied, diss. (typescript), London 1957, pp. 159—163, and H. Menhardt, Nibelungenhand-schrift Z, ZfdA 64 (1927) 211—235). Werner Schröder, Nibelungenlied-Studien, Stuttgart 1968, pp. 43 ff., is sceptical about any datings of the main manuscripts until a thorough palaeographic analysis has been carried out.

4 See W. J. Schröder, Das Nibelungenlied. Versuch einer Deutung, PBB 76 (1954/55) 137 f.

> 10 *daz siz gar ze minne*
> *heten diez erfunden!*
> *ez ist von alten stunden*
> *her vil wærlîch gesaget.*
> *ob ez iemen missehaget,*
> 15 *der sol iz lâzen âne haz*
> *und hœr die rede fürebaz.*

In contrast to the first strophe of the NL these verses introduce the narrator to the audience: *hete ich nu die sinne* (9) is not only an invocation to the Muse but also an involvement of the narrator and the audience with the narrative and the analysis of the questions connected with it. The NL narrator with his *Uns ist in alten mæren wunders vil geseit* (1,1) appears to express his intention to relate what has been passed down and no more. The author of the Kl obviously considers the NL to be inadequate and he intends to dispel the uneasiness of the public by completing the narration of the life histories of the survivors of the 'Destruction of the Burgundians' in a satisfactory manner: the Arthurian epics evidence this desire of courtly society for such a tangible conclusion; and, besides, Christians ought not to be left to perish without a future and without hope[5].

Countless prophesies of future lamentation, *von weinen und von klagen,* in the NL may well be taken as verbal starting-points for further poetic composition: in particular the last strophe of the NL can be interpreted as the germinal thought for the Kl:

> NL 2379 *Ine kan iu niht bescheiden, waz sider dâ geschach:*
> *wan ritter unde vrouwen weinen man dâ sach.*
> *dar zuo die edeln knehte, ir lieben friunde tôt.*
> *hie hât daz mære ein ende: daz ist der Nibelunge nôt.*

which corresponds to the last three verses of the Kl:

> 4320 *von ir freud noch von ir swære*
> *ich iu niht mêre sage.*
> *ditze liet heizet diu klage.*

These in turn have affected the ending of the *C version of the NL, where the final strophe has been inflated to two, the last of which goes:

> 2379,5—8 *Ine sage iu niht mêre von der grôzen nôt*
> *— die dâ erslagen wâren, die lâzen ligen tôt —*
> *wie ir dinc an geviengen sît der Hiunen diet.*
> *hie hât daz mære ein ende: daz ist der Nibelunge liet.*

---

[5] See B. NAGEL, Das Nibelungenlied. Stoff, Form, Ethos, Frankfurt a. M. 1965, p. 205.

In the NL, however, weeping and lamentation are, as a rule, foretold as the result of certain actions, but frequently what is really meant is the slaughter which gives rise to such anguish[6]: the lamentation, *diu klage*, is dealt with briefly and is rarely described, the scene after Rüedegêr's death being an exception (2233 f.).

Indeed, the NL poet comments altogether sparingly, for example with reference to Hagen's insidious cunning, whereby he worms the secret of Sîfrit's limited vulnerability from Kriemhilt and then proposes the hunt, in the course of which Sîfrit can be killed: *daz hete gerâten Hagene, der ungetriuwe man* (911,4); *sus grôzer ungetriuwe solde nimmer man gepflegen* (915,4). The Kl poet confirms and elaborates this conception of Hagen's rôle by all means at his disposal; he correspondingly suppresses every criticism of Kriemhilt that the NL poet has permitted himself, such as the comment *daz riet diu küneginne, diu im vil hazzes truoc* (1735,3), when he intentionally quarters Gunther's retainers at some distance from their lord, and the designation *vâlandinne* in the mouth of Dietrich (1748,4). Where the NL poet holds aloof as a restrained narrator using ambiguous utterances, the Kl poet takes sides and aims at an exhaustive and satisfying clarity. Where the NL poet ends in silence, the Kl poet narrates further in order to surmount the apparent failure of royal power and knightly honour, to let another side of human existence come into its own with the lament for the dead and the recognition of guilt, and to reconstruct a divinely ordered world[7].

This by no means suggests that the NL poet is oblivious to the mourning of the women: but the description of the mourning does lie outside the framework of his narrative. Thus, when the Burgundians leave Bechelâren accompanied by Rüedegêr and his men, the ladies stand at the windows and watch them ride away; the narrator remarks:

NL 1711,3 *Ich wæn' ir herze in sagete   diu krefteclîchen leit.*
dâ weinte manic vrouwe   und manic wætlîchiu meit.
Nâch ir lieben friunden   genuoge heten sêr,
die si ze Bechelâren   gesâhen nimmer mêr —

a pregnant statement, the implications of which the Kl poet develops very successfully in an extensive section of his poem, in which Swämmel, Etzel's messenger, brings the tragic news of Rüedegêr's death to Bechelâren (2807 ff.).

The relationship between the NL and the Kl must, then, be regarded as extremely close; the contents of the epic provide the Kl with the material for commentary, as the following verses from the opening passage of the Kl indicate:

---

[6] See B. WACHINGER, Studien zum Nibelungenlied, Tübingen 1960, p. 16.
[7] See KÖRNER, pp. 128 ff.

17   *Ditze alte mære*
      bat ein tihtære
      an ein buoch schrîben.

20   *des enkundez niht belîben,*
      ez ensî ouch noch dâ von bekant,
      wie die von Burgonden lant
      bî ir zîten und bî ir tagen
      mit êren heten sich betragen.

25   *Dancrât ein künec hiez,*
      der in diu wîten lant liez,
      den stolzen helden guoten,
      und ouch der edelen Uoten,
      diu dâ krône mit im truoc.

30   *si heten alles des genuoc*
      daz rîche künege solden
      haben oder wolden.

This passage, which is in effect a summary of the first eight strophes of the NL, is also generally assumed to have contributed reciprocally to them[8], in particular the name of the father of the Burgundian kings, Dancrât (NL 7,2)[9]. Be that as it may, the words *ditze alte mære* (17) refer to the content of the NL, *diu alten mære* (NL 1,1), whereas *ein buoch* (19) must mean the NL itself.

II

Some of the successors of the NL poet in the 13th century have a poor opinion of Kriemhilt's character: in the 'Rosengarten'[10] Eckehart refuses her kiss because of her *untriuwe* (Rosengarten A 293 f.), and she strikes an attendant lady in the face for praising Rüedegêr (Rosengarten D 289); the Marner, when he speaks of *wen Chriemhilt verriet*, is thinking of her brothers in the NL[11]; in the 'Zornbraten' a father calls his disobedient daughter *übliu Chriemhilt*[12]. The opinion that her actions were motivated by avarice is opposed in a passage of the Latin sermons of Berthold von Regensburg[13]. In the Austro-Bavarian region,

---

8 W. Braune, Die Handschriftenverhältnisse des Nibelungenliedes, PBB 25 (1900) 173 ff. The basis for the assumption that the opening strophes of the NL *B text derive from the *C text, which in its turn has drawn on the Kl, has been challenged recently by H. Brackert, Beiträge zur Handschriftenkritik des Nibelungenliedes, Berlin 1963, pp. 146 ff.; his views, however, have not been unanimously accepted: see J. Bumke, Euph. 58 (1964) 436 ff.; Fr. Neumann, GRM 46 (1965) 235 ff.; Werner Schröder, pp. 19 ff.

9 In the NL the 'correct' name for Gunther's father, Gibeche, turns up among the exiled kings at Etzel's court (1343,4, etc.).

10 Die Gedichte vom Rosengarten zu Worms, ed. G. Holz, Halle a. S. 1893.

11 W. Grimm, Die deutsche Heldensage, Darmstadt 1957⁴, p. 179.

12 Op. cit., p. 187; for further pejorative use of the name see K. Müllenhoff, ZfdA 12 (1865) 359 f.

13 O. Jänicke, ZfdA 15 (1872) 316.

at any rate, her personal name is very rare, there being only four occurrences in documents between 700 and 1250 known[14]; in 1388 it is even used for a Nürnberg cannon[15]. Opinions about the leading protagonist in the NL must have diverged considerably soon after its composition. Contemporaries certainly demanded elucidation, which, in the case of the Kl, was provided in the proximity of the immediate circle of the NL poet, if not within it.

Perhaps we object to this rationalizing continuation for the same reasons which cause us to reject the philosophical treatise on history appended to War and Peace. The dramatic effect of the NL has led us into treating it as drama in the strictest sense: we are shocked, as if the Kl were answering such questions as 'What was the honeymoon of Tellheim and Minna like?' or 'Whatever became of Lady Milford?'. For the Kl poet the survivors are still there and their lives continue a f t e r the fall of the curtain in the NL[16]. The tension of the NL resides in the unrolling of events, but for many contemporaries the most important matters of interest were the self-development of man towards the realization of ideal values and the problems of guilt and atonement[17], that is to say, subjects treated in the Arthurian epics and the legend literature of the time: the Kl poet, then, wishes to discuss certain moral problems, which, in his opinion, his colleague left unanswered. He therefore gives us not only a lament for the dead but also a detailed explanation of the motives of the main protagonists. To the horror of many contemporaries the story presented by the NL seems to lead to a grim but heroic triumph of Hagen and to the moral defeat of the ill-used and originally innocent Kriemhilt. One may interpret this as 'vollendete Tragik ... Kaviar fürs Volk'[18] or 'germanisch-heroisches Schicksalsdenken'[19], if one likes, but the fact remains that contemporaries also read the Kl and viewed the two poems in relationship to one another. The Kl poet has usually received poor marks from Germanists: 'kleinlicher rationalisierender Kopf' (Körner), 'geringfügig' (von Muth), 'Reimschmied' (Heusler), 'dichterisch sehr mittelmäßig' (de Boor); even so, Fr. Neumann is forced to admit with some reluctance: 'So sollte das schwachrangige kleine Buch immer dem Nibelungenliede angeheftet werden, weil es uns zeigt, von welchen Fragen die ersten Hörer des Liedes im Anfang des 13. Jahrhunderts bewegt worden sind'[20]. Perhaps we do the NL an injustice to-day by publishing it in isolation from the

---

14 Justina Kromp, Die Personennamen der mittelhochdeutschen Heldenepen in den Urkunden vor deren Entstehungszeit, diss. (typescript), Wien 1943, III, p. 34.

15 A. Bach, Deutsche Namenkunde, Heidelberg 1952, vol. 1, § 496 a, 4.

16 See J. Bieger, Zur Klage, ZfdPh 25 (1893) 146.

17 See R. Zacharias, Die Blutrache im deutschen Mittelalter, ZfdA 91 (1961/62) 190; W. Hoffmann, Die Fassung *C des Nibelungenliedes und die 'Klage', Festschrift für Gottfried Weber, Bad Homburg 1967, p. 143.

18 Körner, p. 20.

19 H. de Boor, Geschichte der deutschen Literatur, München 1955², vol. 2, p. 167.

20 Fr. Neumann, Das Nibelungenlied in seiner Zeit, Göttingen 1967, p. 63.

Kl. J. J. BODMER set a proper example with the first publication based on MS C, *Chriemhilden Rache und die Klage*, Zyrich 1757, as did KARL LACHMANN with his edition, *Der Nibelunge Nôt mit der Klage*, Berlin 1826.

III

One of the main themes of the Kl is the incrimination of Hagen with the consequent apologia for Kriemhilt. At the sight of Hagen's corpse Hildebrant exclaims:

> 1250   *nu seht wâ der vâlant*
>   *liget der ez allez riet.*

which is in striking contrast to the foreboding reference to the Burgundians' destruction at the beginning of the NL:

> 6,4   *si sturben sît jæmerlîche*   *von zweier edelen frouwen nît.*

Hagen in the Kl has become the originator of the whole evil design and is practically equated with the devil. In the NL the words *tiuvel* and *vâlant* are often used in formulae of assertion, where the devil himself is meant (216,4; 1394,1; 1744,1; 1993,4; 2245,2), and for hostile warriors (2001,4; 2311,4); *des tiuvels wîp* or *des übelen tiuvels brût* apply to Brünhilt with reference to her uncanny strength (438,4; 450,4), but *vâlandinne* is applied twice to Kriemhilt in comment on her actions (1748,4; 2371,4). In the Kl, on the other hand, *tiuvel* (1315) and *vâlant* (1250; *C 1315) refer exclusively to Hagen among the protagonists. When the corpses are placed on biers Hagen, in contrast to all the other dead, is not lamented but cursed, since he is held responsible for the entire disaster:

> Kl 1297   *im wart gevluochet sêre.*
>   *ir vreud und ouch ir êre,*
>   *der was vil von im verlorn.*
>   *die liute reiten durch ir zorn,*
>   *ez wær von sînen schulden.*

In the Kl Hagen's heroic defiance (NL 1783 ff.; 2368 ff.) is suppressed; on the other hand Gunther is said to have fought bravely against Dietrich (Kl 1194 ff.), a fact which gets but brief mention in the NL (2356 ff.), where it is Hagen who puts up a tremendous fight against Dietrich (2348 ff.), a fact unmentioned in the Kl. Although in the NL Gunther and his brothers are involved in the murder of Sîfrit, and this is referred to in the Kl (493 ff.), in the Kl Hagen's behaviour alone is characterized as *untriuwe* (4035): in the NL, in fact, the poet leaves the responsibility for the seizure of the hoard in some obscurity, possibly with intention (1127—40)[21].

---

[21] The *C version of the NL, probably influenced by the Kl, makes them all clearly accessories but emphasises avarice as Hagen's motive (1137,5—8).

The word *übermuot* (*übermüete*)[22] in the NL usually means 'presumption, pride, superbia', but also something less: 'foolhardiness, high spirits', for example, in reference to Sîfrit's pretended vassalage to Gunther, a deception condoned both by Hagen and by Gunther on the bridal quest for Brünhilt in Iceland:

387,2   *durh ir übermüete   ir deheiner ez niht liez.*

This initial pretence and the subsequent deception of Brünhilt at the athletic contests and in the bridal chamber are not mentioned at all in the Kl; admittedly Sîfrit's death is once explained as *von sîner übermuot* (Kl 39), but this is amended in the *C version to *von ander übermuot*. Elsewhere in the Kl, however, this word bears a more serious connotation: it refers to Hagen's slaying of Sîfrit (4031), to the stealing of the treasure by the Burgundians (3435), to their proud refusal to warn Etzel of Kriemhilt's plans for vengeance (289; 913; 1277; 3525), and in the *C version, to the fact that Hagen permitted the Burgundians to march to their doom (1317; 3599). This *übermuot*, this 'superbia', a Luciferian defiance, characterizes the activities of the Burgundians and is punished by death; the emphasis on the severer meaning of the word also reinforces the case against Hagen. Its semantic range from 'ebullience' to the deadly sin of 'pride' is well illustrated in Herger's verses, the latter meaning being especially applied to Hagen in the Kl:

MF 29,34   *Ein man sol haben êre*
und sol iedoch der sêle
under wîlen wesen guot,
daz in dehein sîn übermuot
verleite niht ze verre;
swenne er urlobes ger,
daz ez im an dem wege niht enwerre.

The actions of others contributing to the great slaughter are dismissed as ignorance in the Kl: the quarrel of the queens is termed *tumpheit* (4053); his *vil tumplîcher muot* (931) is thought to have caused Blœdel to attack the Burgundian squires — the fact that Kriemhilt incited him to this act is omitted.

The word *triuwe*, 'steadfastness, loyalty, devotion', also has divergent implications because of its wide semantic range. At the highest level, for instance, Trevrizent in Wolfram's 'Parzival' urges the hero:

462,18   *sît getriuwe ân allez wenken,*
sît got selbe ein triuwe ist,

which indicates that the salvation of the soul requires a reciprocal state of devotion between man and God. On the other hand *diu triuwe* is an essential com-

---

[22] See W. J. Schröder, pp. 140 ff.

ponent of the social order both in marriage and in the feudal relationship[23]. From the legal point of view, indeed, Hagen has no option but to break his oath to Sîfrit in order to uphold his loyalty to his overlord Gunther, hence his sympathetic understanding of Rüedegêr's dilemma[24]: the injuries to Gunther's honour caused by Sîfrit's apparent seduction of Brünhilt[25] and the public defamation of her by Kriemhilt are mentioned only indirectly in the Kl — all we know is that Kriemhilt angered Brünhilt (Kl 3978 ff.); these things leave Hagen no choice but to arrange Sîfrit's death in spite of his having originally urged Gunther to accept him at court (NL 101). In the NL Kriemhilt's devotion to Sîfrit develops into a frenetic obsession which is directed unswervingly towards vengeance on Hagen, Sîfrit's murderer and the arch-purloiner of the treasure[26], the prime author of her *leit*[27]. Now, although legally permitted and, even in certain circumstances obligatory (Kl 126 ff.; 390 ff.; 3966 f.), revenge[28] is in the last instance the prerogative of God[29]. That *triuwe* can, in such excess[30], lead to inhuman acts is well understood by the Kl poet, and he can only mitigate Kriemhilt's punishment: in the Kl she is simply beheaded, not hacked to pieces, *ze stücken ... gehouwen* (NL 2377,2); yet he still cannot refrain from criticising her execution by Hildebrant as an act of madness:

---

[23] See J. JACOBI, Die sittliche Forderung des 'christlichen Lebens' im Recht, Deutschunterricht 8/1 (1956) 94.

[24] This also recalls Hagen's own dilemma in 'Waltharius' where he is reluctant to fight his former comrade Walther, even though he has killed eleven of Gunther's men.

[25] According to Saxon law adultery was punished by beheading (JACOBI, loc. cit.).

[26] The treasure is no mere symbol in the NL, and Kriemhilt clearly feels its loss: she refers to it frequently; but in the Kl there is no mention of her demand for its return, although its theft is thought to be one cause of the tragedy (192 ff.; 3430 ff.).

[27] MHG *leit* in the NL and the Kl does not necessarily mean 'loss of status', but 'injury, sorrow, distress' in most cases (see WERNER SCHRÖDER, pp. 209 ff.).

[28] MHG *râche* comprises the concepts of both 'punishment' and 'revenge'.

[29] The fact that a woman could kill a great warrior with her own hand, even the overbearing Hagen, was something so dreadful that the audience must have been shocked:

> Kl 736   *des hât man immer genuoc*   *sturbe von einem wîbe,*
>   *dâ von ze sagene,*   *wand er mit sînem lîbe*
>   *wie daz kœm daz Hagene*   *sô vil wunders het getân.*

The monstrosity of such an unwomanly act, in spite of the scriptural precedents of Judith or, less reputably, Herodias, who is compared with Kriemhilt in the 14th century (MÜLLENHOFF, pp. 360 f.), is brought out clearly in the passage in Gottfried von Straßburg's 'Tristan' where Isolde, according to the narrator, shrinks from killing Tristan, the slayer of her uncle, because of womanly delicacy and respect for her courtly reputation, although she has him at her mercy (Tristan 10139 ff.).

[30] Bishop Pilgerîn in the Kl disapproves of Kriemhilt's bringing about the deaths of her brothers Gîselhêr and Gêrnôt, but considers Hagen to be a justified target for her vengeance (3406 ff.).

> Kl 731   *daz was diu küneginne,*
> *die mit unsinne*
> *het erslagen Hildebrant,*
> *wand si von Burgonden lant*
> *Hagenen ê ze tôde sluoc.*

For she is no ordinary criminal, but an honourable avenger who pays the penalty[31]. Otherwise he praises Kriemhilt's devotion, her *triuwe,* as the supreme social virtue, which no one should presume to censure in her:

> Kl 146   *triuwe diu ist dar zuo guot:*
> *diu machet werden mannes lîp,*
> *und êrt ouh alsô schœniu wîp*
> *daz ir zuht noch ir muot*
> *nâch schanden nimmer niht getuot:*
> *als vroun Kriemhilt geschach,*
> *der von schulden nie gesprach*
> *misselîche dechein man.*

He creates the contrast to Hagen's *untriuwe* towards Sîfrit — incidentally, the word *untriuwe* in the Kl refers exclusively to Hagen — by a somewhat forced approximation of her loyalty to Sîfrit to devotion to God:

> Kl 569   *Des buoches meister sprach daz ê:*
> *dem getriuwen tuot untriuwe wê.*
> *sît si durch triuwe tôt gelac,*
> *in gotes hulden manegen tac*
> *sol si ze himele noch geleben.*
> *got hât uns allen daz gegeben,*
> *swes lîp mit triuwen ende nimt,*
> *daz der zem himelrîche zimt.*

Here the Kl poet puts into the mouth of the NL poet in the form of a gnomic statement (cf. Reinmar's *stæten wîben tuot unstæte wê* MF 177,37) an opinion about Kriemhilt's behaviour, which could perhaps enshrine the intention of the NL, if one considers her unwavering loyalty to Sîfrit throughout the epic[32]: that is to say 'treachery injures the true'. Because of the appalling nature of the catastrophe caused by Kriemhilt's injured fidelity she may well have forfeited the sympathy of the first listeners to the NL; the burning of the hall at her command — in the Kl all we know is that it has been burnt to ashes — and the involvement of her small son in the hostilities are omitted by the Kl poet, although the boy's body is found. By the emphasis on her fidelity the Kl poet attempts to reveal the veiled intention of the NL poet, passing over the self-

---

[31] Hans Kuhn, Der Teufel im Nibelungenlied, ZfdA 94 (1965) 302.

[32] See Fr. Panzer, Das Nibelungenlied. Entstehung und Gestalt, Stuttgart 1955, pp. 83 ff.

destructive nature of revenge, which she has in any case paid for with her life: *sît si durch triuwe tôt gelac . . .* (Kl 571)[33].

Brünhilt, who is left dishonoured and widowed in the NL, regains her dignity and self-respect at the side of her son, the newly crowned king of Burgundy, for she acknowledges her complicity in the murder of Sîfrit and shows remorse of a kind[34]; of Kriemhilt she says:

> 3978   *dô daz êre gernde wîp*
> *mit rede erzurnde mir den muot,*
> *des verlôs der helt guot*
> *daz leben, Sîfrit, ir man:*
> *dâ von ich nu den schaden hân.*
> *daz ir freude ir wart benomen*
> *daz ist mir nu heim komen.*

With the coronation of Gunther's son, Sîfrit, Brünhilt obtains a stake in the future, and the honour and glory of the Burgundian kingdom, that is temporal order, is restored; the coronation ceremonies and festivities, which significantly enough are organized by the level-headed Rûmolt (4016 ff.), create a comforting counterpart to the catastrophic reception at Etzel's palace in the NL.

The Kl poet devotes approximately a fifth of his entire poem to Rüedegêr (1966—2174; 2807—3304; 4207—94), whose dilemma and death occupy a central position in the second part of the NL. Although Rüedegêr's dilemma is not mentioned in the Kl[35] his body is found lying symbolically on his shield (1970 f.), a replacement of the one he gave Hagen just before his entry into the conflict in the NL (2194 ff.)[36]. In the course of the lamentations for Rüedegêr's death his feats of loyalty in the service of Dietrich are elaborated by reference to the 'Dietrichsage', which the audience would be well acquainted with[37] and which we know about from the later epics, 'Dietrichs Flucht' and 'Die Rabenschlacht': we hear from Dietrich himself about Rüedegêr's part in succouring the exiled Dietrich[38] and about his intercession for Dietrich with Etzel and his

---

[33] In the NL the verse *sît rach sich wol mit ellen des küenen Sîfrides wîp* (1105,4) has been altered in the *C version to *sît rach sich harte swinde in grôzen triuwen daz wîp* in conformity with the Kl (cit. HOFFMANN, p. 127).

[34] See WERNER SCHRÖDER, p. 198.

[35] Rüedegêr has the choice in the NL of taking the part of those to whom he has given hospitality or of supporting Etzel, his overlord; he takes the latter course, since not to do so, i. e. abandoning one's lord in battle, is the graver feudal and military offence (see JACOBI, p. 94); Christian abstention from killing is in any case barred to him by either of these loyalties (see NL 2144 ff.).

[36] See p. 161 and n. 24 above.

[37] Rüedegêr's abrupt entry into the NL (1147) also assumes that the audience knows who he is.

[38] In the NL Wolfhart states *jâ hât uns vil gedienet des guoten Rüedegêres hant* (2246,4).

queen Helche (Kl 1966 ff.), probably about the deaths at the battle of Ravenna of their young sons, who were under Dietrich's personal protection. In a dramatically built up episode (2807—3304) Swämmel, Etzel's minstrel, and his companions break their journey to Worms at Pöchlarn (MHG Bechelâren): Rüedegêr's widow Gotelint and her daughter Dietlint, already warned by dreams of ill omen, finally learn the truth about his death, when the messengers, who are only supposed to announce Dietrich's imminent arrival, burst into tears at the sight of his horse Boymunt with its empty saddle. Dietlint's lament for her father, the *vater aller tugende* (NL 2202,4; Kl 2133), and probably for her bridegroom Gîselhêr as well, sums up what the Kl poet has deduced from the Rüedegêr scenes of the NL: the most spotless honour, even though nourished by loyalty and openhandedness, must ultimately succumb to death[39]:

> 3154 *wâ wil mîn vrou Êre*
> *belîben in dem rîche,*
> *sît alsô jæmerlîche*
> *die êre tragenden sint gelegen?*
> *wer sol si danne widerwegen,*
> *swenne ir gesîget diu kraft?*
> *des hete gar die meisterschaft*
> *mîn lieber vater Rüedegêr.*
> *vrou Êre diu wirt nimmer mêr*
> *mit solchem wunsche getragen,*
> *als er sie truoc bî sînen tagen.*
> *der tôt der hât die unzuht,*
> *daz er niemen deheine fluht*
> *zuo sînen friunden haben lât —*

Vrou Êre (My Lady Honour) is, however, rescued in the person of Dietlint herself after her mother has died of grief. Dietrich, when he is on his way to Amelungelant, his kingdom in Italy, breaks his journey at Bechelâren, where he promises to find Rüedegêr's daughter a husband:

> 4274 *ih wil dih einem manne geben,*
> *der mit dir bouwet dîniu lant.*

This practical measure is assailed by the critics as a piece of flat-footed and prosaic tastelessness. I think that the Kl poet has tried to restore honour and respect into real life in a rather charming way, so that the race of Rüedegêr, and with it honour, shall live on.

---

39 Rüedegêr's *tugende*, his courtly virtues, are of this world (see n. 35 above): that *êre* is hard to accommodate to *gotes hulde* and excessive pursuit of it leads to *übermuot* is well understood by the Kl poet (see p. 160 above and G. MEISSBURGER, De Vita Christiana, Deutschunterricht 14/6 [1962] 26); the Kl poet, when he comments on the deaths of hosts and guests at Etzel's court *daz was ein nôt vor aller nôt* (316), in fact quotes from Walther's poem in the 'Reichston' on the subject (9,26).

In the entire action of the Kl Dietrich continues to play the mediating rôle allotted to him in the NL[40]. He conducts the lament for the dead and superintends the search for the bodies and their burial; he instructs the messengers to Bechelâren and Worms and tries to put some backbone into Etzel. After order has been restored to some extent he departs for his kingdom together with his wife Herrât and his majordomo Hildebrant.

IV

The leading characters concerned in the events leading to the 'Destruction of the Burgundians' in the NL, since they are Christians, are adapted to the divine order in the Kl: the survivors have a future in this world; the dead, as in the case of Kriemhilt, have the prospect of heaven; Hagen is destined for hell. Etzel alone does not fit in: he himself ascribes his seemingly undeserved misfortune to his apostasy, his falling away from God. In the NL Etzel is certainly a heathen, whom Kriemhilt may or may not succeed in converting; Rüedegêr uses this possibility to persuade Kriemhilt to accept Etzel's offer of marriage:

> 1262,3 *waz ob ir daz verdienet, daz er toufet sînen lîp?*
> *des muget ir gerne werden des künic Etzelen wîp.*

Nothing more is heard about this in the NL; in the Kl we learn from Etzel's own mouth that he has been a Christian for five years, but then, seduced by his gods, he has become a renegate, *vernogierte* (982 ff.); whether this report of the Kl, which has also found its way into the *C version of the NL (1261,5 to 1261,6), really stems from traditions about the historical Attila or not is a debatable point[41]. In any case, as far as the Kl is concerned, Etzel is doubly removed from God's grace and hence without rights, for he is, in a manner of speaking, at one and the same time a heathen and an heretic. From this condition his helplessness and lack of God-given insight, the normal attribute of a Christian ruler, derive; otherwise he would have seen through Kriemhilt's plans for vengeance and prevented the disaster. He is quite simply blind and unknowing; he repeatedly laments that the Burgundians never informed him of Kriemhilt's intentions. Like the heathen or Byzantine rulers of the popular epics he reviles his idols, Machmet and Machazên, weeps like a woman, and faints repeatedly, providing an unregal example of lack of moderation. Everyone abandons him; the word *leit* in the Kl occurs most frequently in connexion with

---

40 Wernher der Gartenære in his 'Meier Helmbrecht', which contains motifs from the 'Heldensage' as well as a direct reference to the 'Dietrichsage' (76 ff.), perhaps supplies a gloss to Dietrich's binding of the redoubtable Burgundians, Gunther and Hagen, when the sheriff makes short work of the boastful robbers (1610 ff.).

41 According to the Chronica Hungarorum of 1473 Attila was first an Arian, then an orthodox Christian, but died a heathen (cit. J. STROBL, Die Entstehung der Gedichte der Nibelunge Not und der Klage, Halle a. S. 1911, p. 92).

Etzel[42]. For he commits the greatest sin of all: he shows despair of God's grace, *zwîvel*:

> Kl 990 *ob ich nu gerne wolde enpfân*
> *kristen leben und die rehten ê,*
> *daz enwirt mir wider nimmer mê:*
> *wand ich hân mich unervorht*
> *sô sêre wider in verworht*
> *daz er mîn leider niht enwil.*

This excludes the sinner from the divine order of existence altogether. For this reason the narrator in the Kl is ostensibly at a loss to give a definite report about Etzel's end; on Dietrich's departure he falls in a swoon and lives in silent melancholy from that day[43]. Etzel floats between life and death in a sort of limbo (4196 ff.). In a passage, which is often taken to be a later addition (4323 ff.)[44], after extensive discussion and some guesswork about various unpleasant possibilities, amongst which are being buried alive[45], falling out of his skin, and being swallowed by the devil, the Kl narrator comes to the conclusion:

> 4349 *uns seit der tihtære,*
> *der uns tihte ditze mære,*
> *ez enwær von im sus niht beliben,*
> *er het iz gerne gescriben,*
> *daz man wiste diu mære,*
> *wie ez im ergangen wære,*
> *wære iz inder zuo komen,*
> *oder het erz sus vernomen*
> *in der werlde von iemen.*
> *dâ von weiz noch niemen*
> *war der künec Etzel ie bequam*
> *oder wiez umbe in ende nam.*

At first sight Etzel's lack of a rôle in the NL could well stem from reasons purely to do with the development of the 'Nibelungensage', the mechanics of the story as handed down and altered: the new rôle of Kriemhilt in the NL as the murderess of her brothers and avenger of her first husband, Sîfrit, leaves Etzel with nothing of his traditional rôle as the treasure-greedy murderer of

---

[42] WERNER SCHRÖDER, pp. 192 ff.

[43] In 'Waltharius' Attila likewise shows immoderate distress and becomes speechless when he learns that Walther and Hildegunt have absconded (380 ff.).

[44] It comprises the final passage in MS B; it is missing in MSS AJh, but in the *C redaction it is placed appropriately before the final reference to Pilgerîn's part in the collection of the narrative material.

[45] His end in the Norwegian þiðrekssaga (c. 1260) and the dependent Faroese ballad Högna táttur, where Attila is locked in an underground treasure-house by Högni's son, suggests that the compiler of the þs might have known the Kl as well as the NL. Attila's proper end in heroic tradition is to be murdered by his wife.

the Burgundians; all that remains to him is his patronage of the exiled Dietrich von Berne, which one would expect to make him a sympathetic rather than a despicable figure — the author of 'Biterolf' (c. 1250) considers that his generosity ought to save him from hell in spite of his heathendom (Bit. 13390 ff.). The Kl poet, however, has hit on the reason why the apparently well-meaning Etzel is left standing helplessly wringing his hands in lamentation at the end of the epic: it is his heathendom and apostasy. It is indeed possible that in this matter the NL poet would have agreed with him, although the scope of his own epic did not require an explanation of Etzel's situation.

Otherwise the thematic contribution of the Kl is to the future. The tendency of the Kl to fit the action unequivocally into the scheme of salvation and into the divine order contrasts sharply with the pessimistic and reticent mood of the NL, which is curiously emphasised by the stubbornness of the characters, who, obsessed by honour, stride towards self-destruction and anguish, unknowing, without perception, *tump*, apart from Hagen who is thus doubly damned. It seems that a 14th century reader of MS C of the NL and Kl assessed the events of the NL similarly to the Kl poet, when he wrote the following words on the front cover-lining of the codex[46]:

> *Fish fogel und dier.*
> *Die halten ier rech*
> *Bas dan wier.*

which approximates to the last two lines of a passage from Freidank[47]:

> *Gotes gebot niht übergât*
> *wan daz mensche, daz er geschaffen hât;*
> *vische, würme, vogele, unde tier*
> *hant ir reht baz danne wir.*

In the Kl, as we have seen, the survivors achieve a positive perception of God's order, which is made manifest in the earthly order of existence and the possibility of which is indicated in the NL through the rôle of Dietrich, the presence of Bishop Pilgerîn, and the miraculous preservation of Gunther's chaplain from the waters of the Danube. The spiritual authority of Pilgerîn, who has ostensibly had the events to do with the 'Destruction of the Burgundians' recorded, lends weight to the report of the Kl, which interprets the NL as an exemplum, a *bîspel*.

V

This leads to the problem of the relationship between the poet and his audience. The anonymity of the NL poet is well known and is part of his narrator-

---

[46] See Freidank, Walther, and the Nibelungen, Trivium 2 (Lampeter 1967) 143 to 146.

[47] Vrîdankes Bescheidenheit, ed. W. GRIMM, Göttingen 1834, p. 5,11—14.

rôle[48]; that is to say it is connected with the fiction that the poem reproduces old traditions, *diu alten mære*. This narrative device is transformed by the Kl poet in that he names a scribe Kuonrât, who, at the instigation of the Passau bishop Pilgerîn, writes down the report of Etzel's minstrel, Swämmel — Swämmel's senior colleague, Wärbel, has been incapacitated when Hagen cut off his hand at the opening of hostilities in Etzel's hall and he does not appear in the Kl[49]. This dictation by a minstrel to a bishop's secretary fits the intention of the Kl, the intention to make clear what was left uncertain in the NL; and, what is more important, it helps us identify more precisely the milieu from which the Nibelungen poems arose: an educated circle in the entourage of the bishop of Passau[50], which was interested in the matter of the 'Heldensage'. Swämmel as the fictitious source of information is not fortuitous; such educated clerics must have had contact with popular traditions and their purveyors, the storytellers and minstrels; dare one, for want of a better term, use the unfashionable Romantic word *spileman*?

Since BRACKERT's attempt to demolish the manuscript edifice erected by BRAUNE in 1900[51] the concept of a 'Nibelungenmeister' has become somewhat obscured[52]. Even so, it is difficult to imagine a committee of the clergy of the Passau diocese as the originators of the NL; as suggested earlier, it is probable that the authors of the NL and of the Kl are to be found in the same circle and that the Kl poet attempts to do justice to the intentions of the NL poet. It is possible to interpret the well known source reference, with which he completes the whole Nibelungen story, in this way:

4295 *Von Pazowe der biscof Pilgerîn*
durh liebe der neven sîn
hiez scrîben ditze mære,
wie ez ergangen wære,
in latînischen buochstaben,
4300 *daz manz für wâr solde haben,*
swerz dar nâh erfunde,

---

[48] G. WEBER, Das Nibelungenlied. Problem und Idee, Stuttgart 1963, p. 198.

[49] KÖRNER, p. 8 n. 2, puts it somewhat brutally: 'auch Wärbel behält zwar das Leben, wird aber von Hagen verstümmelt und damit für epische Verwendung unmöglich'.

[50] H. FISCHER, Über die Entstehung des Nibelungenliedes, Sb. d. kgl. bayer. Akademie d. Wiss., Philos.-phil. u. hist. Kl. 7, München 1914, p. 30, shows the probability of o n e poetic intent deriving from Passau, and B. NAGEL, p. 219, considers that the author of the Kl, in view of his comments on Kriemhilt, may well have been a cleric; the references to authority, addressing of the audience, and other sermonizing habits confirm this impression (see K. GETZUHN, Untersuchungen zum Sprachgebrauch und Wortschatz der Klage, Heidelberg 1914, p. 41 n. 1).

[51] See n. 8 above.

[52] See NEUMANN, pp. 48 ff.; 165 ff.

> *von der alrêrsten stunde,*
> *wie ez sih huob und ouh began,*
> *und wie ez ende gewan,*
> 4305 *umbe der guoten knehte nôt,*
> *und wie si alle gelâgen tôt.*
> *daz hiez er allez schrîben.*
> *ern liez es niht belîben,*
> *wand im seit der videlære*
> 4310 *diu kuntlîchen mære,*
> *wie ez ergie und gescach;*
> *wand erz hôrte unde sach,*
> *er unde manec ander man.*
> *daz mære prieven dô began*
> 4315 *sîn schrîber, meister Kuonrât.*
> *getihtet man ez sît hât*
> *dicke in tiuscher zungen.*
> *die alten mit den jungen*
> *erkennent wol daz mære.*
> 4320 *von ir freud noch von ir swære*
> *ich iu niht mêre sage.*
> *ditze liet heizet diu klage.*

As LACHMANN observed[53], it is an obvious fiction that the 10th century bishop, Pilgrim of Passau, should have anything to do with the minstrel of the 5th century Hunnish leader, Attila: but, on the other hand, it does seem possible that the mention of Pilgerîn, who also appears as the uncle of the Burgundians in the NL, is in honour of the presumed patron of the NL poet, Wolfger von Ellenbrechtskirchen, bishop of Passau from 1191 to 1204[54], although it is difficult to decide whether Pilgerîn comes into the NL from the Kl or vice versa[55]. In the *schrîber, meister Kuonrât* (4315) some would see a certain magister Chunradus, who was active between 1196 and 1224 at Vienna and in the Passau diocese; considering the frequency of this name one must leave the question open[56]. The phrase *in latînischen buochstaben* (4299) must mean 'in Latin'[57]. If one compares it with other such source references, which contain almost identical

[53] K. LACHMANN, 'Anmerkungen' zu den Nibelungen und zur Klage, Berlin 1836, p. 287.

[54] FISCHER, pp. 18 ff.

[55] Pilgerîn's unimportant rôle in the NL need not mean that he stems from the Kl, as is argued by H. HEMPEL, Pilgerin und die Altersschichten des Nibelungenliedes, ZfdA 69 (1932) 5; a bishop of Speyer is mentioned in the NL, possibly in honour of Wolfger's colleague, Konrad von Scharfenburg, but he does not appear in the Kl. After all, Passau lies on the route of the Burgundians to Hiunenlant (FISCHER, p. 31).

[56] FISCHER, pp. 21 f.; D. VON KRALIK, intr. Das Nibelungenlied, übersetzt von K. SIMROCK, Stuttgart 1954, pp. XII ff.; NEUMANN, p. 166.

[57] C. VON KRAUS, Die 'latînischen buochstaben' der Klage v. 2145, PBB 56 (1932) 69 ff.

phrases[58], one inclines to the view that this is customary support for the truth and propriety of the narrative by calling on authority[59]: *ditze mære* (4297) probably refers to the content of the NL, to the story of the Nibelungen, which is thus fictitiously decked out in a Latin garb and equipped with Church authority; it is difficult to believe in a Nibelungias, a presumed early version of the NL in Latin[60]. The later poetry *in tiuscher zungen* (4317) referred to must be the NL itself. The Kl poet has in fact given the relationship between narrator, audience, and narrative an extra dimension by not only giving it Church authority but also suggesting oral transmission; the one and only place in the NL, where a notary, a *schrîber*[61], is mentioned, namely at Rüedegêr's death, may well be the starting point for the whole of the Kl, in which Rüedegêr's death and mourning for him take such a central position, and may have suggested the notion of bringing in such a source reference at all[62]:

> NL 2233   *Dô si den marcgrâven   sâhen tôten tragen,*
>   *ez enkunde ein schrîber   gebrieven noch gesagen*
>   *die manegen ungebære   von wîbe und ouch von man,*
>   *diu sich von herzen jâmer   aldâ zeigen began.*

VI

Most of the references to the source and addressing of the audience in the Kl concern the NL: for instance,

> 44   *der rede meister hiez daz*
>   *tihten an dem mære —*
> 60   *daz mære tuot uns von im kunt —*
> 71   *iu ist wol geseit daz —*
> 159   *iu ist dicke wol gesagt —*
> 295   *Diz hiez man allez schrîben —*

It is perhaps informative to discuss one instance in more detail:

> 1600   *Der meister saget daz ungelogen*
>   *sîn disiu mære —*

refers to the removal of the clothing and arms from the dead by women, because no men not physically handicapped were left alive, a situation which could only

---

[58] See Panzer, pp. 88 f., where an earlier reference to Pilgerîn and Swämmel:
     Kl 3463   *ez ensol niht sô belîben:*
               ich wilz heizen scrîben —
is compared with equivalent passages in the Rolandslied and 'Herzog Ernst'.

[59] See Fr. Wilhelm, Über fabulistische Quellenangaben, PBB 33 (1908) 331.

[60] Fr. Vogt, in his Volksepos und Nibelungias, Mitt. d. schlesischen Ges. f. Volkskunde 13/14 (1911) 484—516, rebuts this notion.

[61] *schrîbære (schrîber)* may be translated 'writer' in the widest sense as well as 'scribe': cf. the substitution of *schrîbære* for *tihtære* in the *C version of the Kl (18).

[62] See Panzer, p. 74.

have existed after the fall of the curtain in the NL. The Kl poet attributes to the NL poet something which he assumes to be obvious to his listeners; he does not quote from the text of the NL itself, but from his own imaginative experience of the last scene of the NL and its aftermath.

Several 'source references' postulate knowledge of material outside the 'Nibelungensage': the following assurance,

> 2197 *Ein teil ich iu der nenne*
> *die ich von sage bekenne,*
> *wand si an geschriben sint.*

precedes a list of ladies in the retinue of Helche, Etzel's first queen: certain of their names, e. g. Goldrûn, Hildeburc von Normandî, and Herlint (2208 ff.) recall personal names from other traditional stories, especially those found in 'Kudrun' (cf. Kûdrûn, Hildeburc, Gêrlint), in a slightly distorted form possibly caused by oral transmission. One may in fact believe the Kl poet, when he speaks of something narrated, which he has heard read from a book[63]. Other references, as we have seen (pp. 163 f. above), demonstrate a knowledge of the 'Dietrichsage': for instance, when Herrât, Dietrich's wife, departs, she takes with her gold left to her by Helche, Etzel's first queen:

> 4144 *dô si von im wolden scheiden,*
> *als man uns gesagt hât,*
> *dô nam diu vrouwe Herrât*
> *daz ir diu künegin Helche lie —*

and this fact is assumed to be known to the audience[64]. When introducing information about Îrinc, Irnvrit, and Hâwart, not given in the NL the Kl poet again employs the first person: *Der wil ich iu nennen drî* . . . (373); *Man sagt als ichz hân vernomen* . . . (393); their exile under the imperial ban, which he describes, especially that of Irnvrit, may well stem from a chronicle[65]. The Kl poet, then, like the NL poet, draws on oral and probably on written sources as well, which were known to his audience; in this way his poem like the NL acquires a dimension, which we to-day are not always in a position to grasp sufficiently; thus the references in the NL to Hagen's rôle in the 'Walthersage' (NL 1756; 2344) recall Hagen's scrupulous loyalty to his comrade Walther in 'Waltharius'[66], and the mention of Witege as the killer of a youth, whose shield Gotelint gives

---

[63] LACHMANN, p. 288.

[64] A similar scene is described in the þs (see LACHMANN, p. 290), but STROBL, p. 106, thinks this a self-quotation from v. 2500 ff., where Helche is said to have given wealth to Dietrich.

[65] In the chronicle 'De Suevorum Origine' printed by Melchior Goldast († 1635) Irminfridus is said to have taken refuge with Attila (cit. GRIMM, DHS, p. 130 f.).

[66] The Kl does not refer to the 'Walthersage' in which Hagen is anything but disloyal.

to Hagen (NL 1698 ff.), presages his subsequent ruthlessness in the conflict in Etzel's hall.

The narrator's *ich* and the pronouns *wir, uns,* and *ir* are frequently used in order to connect the audience with the narrator and his narrative material more closely; for instance, the first person is used in his refusal to condemn Kriemhilt:

> 566 *daz hiez ab ich vil wol bewarn*
> *daz ich nâch dem mære*
> *zer helle der bote wære.*

An emphatic *ich wæn* can also introduce the narrator's comments:

> 196 *ich wæn si ir alten sünde*
> *engulten und niht mêre —*
> 2404 *ich wæne immer werde*
> *mit solhem jâmer mêr gegraben —*

Diplomatic ignorance of the narrator is used in the passage about Etzel's end referred to above (pp. 165 ff.):

> 4323 *Wie es Etzeln sît ergienge,*
> *und wier sîn dinc ane vienge,*
> *dô her Dietrich von im reit.*
> *des enkan ich der wârheit*
> *iu noh niemen gesagen.*

Elsewhere, as with the NL poet (e. g. *si heten noch manegen recken, des ich genennen niene kan* 10,4; *des enkunde iu ze wâre niemen gar ein ende geben* 12,4), it appears to be a device to spare the audience further boring details; one instance,

> 170 *wenne daz geschæhe*
> *oder wie vil der wîle wære,*
> *jâne weiz ich niht der mære,*
> *oder wie si kœmen in daz lant,*
> *die dâ hête besant*
> *Etzel der vil rîche.*

seduced LACHMANN[67] and after him WILHELM GRIMM[68] into supposing that the Kl poet did not know the first part of the NL, which in fact was not relevant to the commentary he was providing. This device is also used to profess inability to describe Helche's marvellous saddle, which Herrât, Dietrich's wife, takes with her when she departs from Hiunenlant: *jâne kan ich iu besunder gesagen niht daz wunder* ... (4163 f.). The NL poet, on the other hand, also uses it to create a state of uncertainty in the minds of the audience, the classic instance being the matter of Sîfrit's acquisition of Brünhilt's girdle:

---

[67] LACHMANN, p. 287.
[68] GRIMM, DHS, p. 123.

680,1   *Dar zuo nam er ir gürtel,   daz was ein borte guot.*
        Ine weiz, ob er daz tæte   durch sînen hôhen muot.

Here a suggestion is put forward tentatively by the skilful use of what appears
to be a formula[69].

Otherwise phrases connecting the narrator with his audience are of a formulaic emphatic type, which serve during extensive description of lamentation to
call the attention of the listeners to important observations or to some new turn
in the narrative:

430   *Mich wundert des daz —*
1940   *von schulden wil ich sprechen daz —*
1967   *nu lâzen sîn die swære*
        und sagen iu diu mære —
2417   *als ich iu dicke hân geseit —*
4084   *niemen uns gesaget hât,*
        des wir noh vernomen haben,
        daz sô hêrlîch würde erhaben
        in alsô kurzen tagen,
        als wir die liute hœren sagen —

which last example refers to the coronation of Brünhilt's son mentioned earlier
(p. 163).

Instances where indirect but verbally evocative reference is made to certain
passages in the NL may be mentioned here:

Kl 640   *welt ir nu wunder hœren sagen,*
          sô merket unbesceidenheit.

refers to the lamentations of the survivors for the dead, but it also recalls iron-
ically enough the first strophe of the NL: *Uns ist in alten mæren   wunders vil
geseit* ... (1,1). These verses describing the reactions of the ladies at Bechelâren
during the conversation with Etzel's messengers (see p. 164 above),

Kl 2987   *— und erweinten dô beide.*
          ich wæne si der leide
          ermante dô ir herze.

recalls similar words in the description of the departure of Rüedegêr and the
Burgundians from Bechelâren in the NL (see p. 156 above):

1711,3   *ich wæn' ir herze in sagete   diu krefteclîchen leit.*
          dâ weinte manic vrouwe   und manic wætlîchiu meit.

---

[69] See H. J. Linke, Über den Erzähler im Nibelungenlied und seine künstlerische
Funktion, GRM 41 (1960) 379 f.

VII

It is appropriate at this point to consider the formal and structural relationship between the Kl and the NL. The Kl is neither an heroic epic ('Heldenepos') nor is it truly heroic poetry ('Heldendichtung'): it is a commentary, and its verse form underlines the difference of content and genre. The incantatory insistence of the Nibelungen strophe, whose foreboding fourth long line would anyway be superfluous in a retrospective commentary, has given way to the less elevated and less emotive, more argumentative, if at times more pedestrian speech rhythms of the rhyming couplet, the verse form of the Arthurian romance and the legend, which suits the analytic and explanatory approach of the Kl.

The Kl is not composed in quite the same block-like scenic manner as the NL, where one complete visualized scene follows another in a dramatic pattern — the vignette at Bechelâren is an exception (see p. 164 above); the Kl is retrospective and argumentative, full of asides and comments. The larger structural components are more indistinct than in the NL; initial letters in the manuscripts suggest smaller units within the original narrative, usually of about 20 verses, but often running to 50 and occasionally to 100 or more[70].

The *C redaction of the Kl shows âventiure headings and divisions, but these only correspond approximately to the content of the poem. In contrast to the NL and to most epic composition the poet of the Kl has set himself the difficult task of treating in retrospect events that have already occurred[71]; his entire narrative treats the second part of the NL (Av. 20—39) as if seen in a mirror — the first part dealing with Sîfrit's service for Kriemhilt and his death (Av. 1—19) is only cursorily touched on, since Kriemhilt's love for Sîfrit is taken for granted[72]. Thus the Kl poet b e g i n s with the great slaughter as the theme of his commentary, and in Aventiure I (1—586) he summarizes the events contained in the second section of the second part of the NL (Av. 28—39), which led up to it. Aventiure II (587—1452) describes the search for the dead and the placing of the corpses of the leading characters on biers; in Aventiure III (1453 to 2278) Dietrich's men are likewise placed on biers; Aventiure IV (2279—2708) describes the burial of the dead: in these last three âventiuren the slaughter is lamented and symbolically eliminated by the removal and Christian burial of the fallen[73]; guilt, innocence, exculpation, and rehabilitation are awarded to

---

[70] These large initials in MSS B und C show considerable correspondence: cf. the facsimile editions: Das Nibelungenlied und die Klage, Handschrift B (Cod. Sangall. 857), commentary by J. DUFT, Köln/Graz 1962; Das Nibelungenlied und die Klage, Handschrift C der F. F. Hofbibliothek Donaueschingen, commentary by H. ENGELS, Stuttgart 1968.

[71] The structural relationship discussed here is shown in the appended diagram (p. 176).

[72] See STROBL, pp. 100 f.; KÖRNER, pp. 19 f.

[73] STROBL, pp. 88 ff., compares this whole process with the *inventio, elevatio,* and *sepulchra* of a saint's life.

the dead and surviving protagonists. The use of dialogue only begins in Aventiure II at v. 772 when the existing situation is first discussed by Dietrich; funeral orations and laments for the dead are put into the mouths of Etzel and Dietrich, while the grizzled warrior, Hildebrant, grumbles at the pointlessness of such immoderate lamentation and makes practical suggestions, such as that the valuable clothing and accoutrements of the dead should be collected and stored for future use.

In the final Aventiure V (2709—4360) journeys are undertaken which follow the same routes as those in the first section of the second part of the NL; they appear physically and visually to cancel out and roll back the surging forward movement of the Nibelungen towards destruction: Swämmel brings the sad news to Bechelâren and Passau, then travels to Worms, where Brünhilt, thanks to the support of Rûmolt, has achieved honourable status again at the side of her son; Dietrich, too, travels first to Bechelâren, where he restores Rüedegêrs honour, then Fortinbras-like, he seeks a new life in Amelungelant; Etzel's fate, as we have seen, remains uncertain both in the NL and in the Kl. Although we are left with a faint ray of hope and a question mark, not inconsistent with the impression left by the NL, the doubts about guilt and atonement have been cleared, the survivors identified and sustained, and the seal of Church authority set on the whole account by the final passage in which Bishop Pilgerîn's part in the recording of events is given.

In the NL the listeners apparently experience as much as the characters: they seem to see and hear the story mainly through dramatic scenes and dialogues, by means of which the illusion is created that actual events are taking place, in which the actors are mostly 'unknowing' and the audience, too, although it knows the general outline of the plot, is left in a state of apprehensive uncertainty. In the Kl all is known, for the great events lie in the past: only causes and connexions remain to be unravelled. It is perhaps not altogether far-fetched to suppose that a series of mythic events have taken place in the NL — perfidious murder of an innocent superhuman hero for gold and the hellish judgement that befalls the perpetrators — and that in the Kl a new life is proclaimed with the proviso that the evils recorded in the NL are correctly understood and repented: the Kl, in fact, provides the exegesis of the NL. Such a pattern would be visually familiar to contemporary listeners from the bas-reliefs and frescoes depicting the story of salvation in churches and cathedrals. The Kl poet frequently provides such striking visual images recalling visions of the last judgement: for instance, the corpse of the redheaded hotspur Wolfhart is found with teeth clenched and clutching his sword so tightly that it has to be prized from his grasp with a pair of tongs (1681 ff.).

It would exceed the limits of this paper to go into all the means by which the Kl poet depicts the lamentations for the dead, avoiding repetition and monotony by much skilful use of detail and apt commentary. He has given his

DAS NIBELUNGENLIED

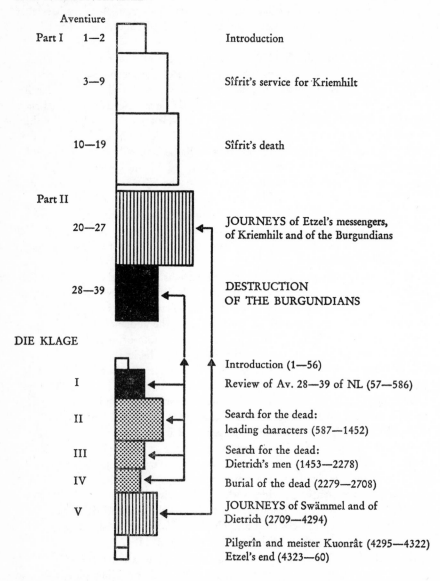

Aventiure

Part I   1—2   Introduction

3—9   Sîfrit's service for Kriemhilt

10—19   Sîfrit's death

Part II

20—27   JOURNEYS of Etzel's messengers,
           of Kriemhilt and of the Burgundians

28—39   DESTRUCTION
           OF THE BURGUNDIANS

DIE KLAGE

           Introduction (1—56)

I   Review of Av. 28—39 of NL (57—586)

II   Search for the dead:
           leading characters (587—1452)

III   Search for the dead:
           Dietrich's men (1453—2278)

IV   Burial of the dead (2279—2708)

V   JOURNEYS of Swämmel and of
           Dietrich (2709—4294)

           Pilgerîn and meister Kuonrât (4295—4322)
           Etzel's end (4323—60)

'Totenklage' narrative if not true epic form and at the same time recalled the NL in word and image[74]. He has laid its disturbing ghosts by fitting them into the Christian scheme of things, an intention that may or may not have met with the approval of the 'Nibelungenmeister'[75], but which was certainly applauded by his contemporaries, to judge from the manuscript evidence.

---

[74] The language of the Kl depends largely but not entirely on the NL; on the whole it shows greater variety in vocabulary: see GETZUHN, pp. 121 ff.

[75] See E. KETTNER, Zur Kritik des Nibelungenliedes. V. Nibelungenlied und Klage, ZfdPh 17 (1885) 403.

ULRICH VON LICHTENSTEIN
AND THE AUTOBIOGRAPHICAL NARRATIVE FORM

by

Timothy McFarland (London)

Ich hân gemerket von der Seine unz an die Muore,
von dem Pfâde unz an die Traben erkenne ich al ir fuore ...

For Walther von der Vogelweide (31,13) the valley of the river Mur in Styria represented the eastern extremity of the world which he claimed to know from experience. Although linked by trade-routes with north-east Italy and Venice, the remote south-eastern provinces of the Empire displayed a marked degree of cultural conservatism in the twelfth and thirteenth centuries. To this we owe the late manuscripts which have preserved much of the extant early Middle High German religious poetry. The architecture of the region remained Romanesque until the later thirteenth century; among the earliest Gothic buildings of Styria[1] were the burial chapel of the Lichtenstein family at Seckau (completed 1279) and the parish church of Murau, founded about 1295 by Otto, son of the poet Ulrich von Lichtenstein.

Ulrich's literary work is characterized by a similar conservatism, and much of it represents an attempt to preserve and to re-establish the values of classical courtly literature, as he understood them, in a period of political and social disorder. His last work, the 'Frauenbuch', presents a dialogue between a knight and a lady about the decline of the courtly way of life and the possibility of renewing it. Here, as in the last part of the 'Frauendienst', the didactic themes reflect very closely the views to which Walther had given expression a generation earlier in the 'Spruch' already quoted. In the course of his travels the older poet had observed that the desired harmony of *êre* and the subordinate values of *guot* was rarely achieved, and that neither in social life nor in politics could *êre* assume the primacy which was due to it (31, 17—20); everywhere there existed the same discrepancy between the courtly ideal and the realities prevailing at the German courts. This discrepancy in a changed political and social context is the dominant theme of Ulrich's later work. His lyric poetry too, in

---

[1] Cf. Dehio, Handbuch der Kunstdenkmäler Österreichs. Steiermark, Wien/München 1956³, pp. 184. 272, and Reclams Kunstführer Österreich, 2. Bd., Stuttgart 1961, pp. 451. 690.

theme and form broadly faithful to the conventions of the classical Minnesang, is made to serve the purpose of demonstrating, preserving and establishing anew what Ulrich considered to be the classical courtly values.

But surely the most interesting feature of his work is that, in order to realize this fundamentally conservative aim, Ulrich adopted the new and exceptional form of the autobiographical narrative. His main work, the 'Frauendienst', presumably written shortly after 1250, gives an account in the first person of his life as knight and as lyric poet: of his two love-service relationships with ladies of courtly society, of the tournaments which he attended and the chivalrous journeys which he undertook in their honour, attired as Lady Venus or as King Arthur. Fifty-eight songs which he had composed and performed in the course of the preceding thirty years are inserted into the narrative at the suitable points, probably in the correct chronological order of composition[2]. Much of the narrated history appears at first sight to be comical, although the reader may often be uncertain as to how much of the comedy is intentional.

In terms of genre the 'Frauendienst' is clearly a special case, and historians of literature, usually working with fairly rigid categories of genre, have found the work difficult to fit into the established patterns. Usually this poem, of which the narrative sections alone amount to nearly 15000 lines, is discussed in the chapters devoted to the later Minnesang[3]: a *pis aller* solution which illustrates the problem well. But much of the literature of the thirteenth century cannot adequately be accounted for in terms of the genres of the classical period. To press into traditional categories works which appear conservative in one or more respects may lead to too little emphasis being placed on those aspects which are new. In the case of Ulrich von Lichtenstein perhaps too little stress has been laid on the essential novelty of the manner in which several different and hitherto separated literary types are brought together within the autobiographical framework to form something new; much attention has been paid, on the one hand, to the essentially derivative or 'epigonal' character of some of the forms and themes, and, on the other hand, to the relationship between the historical reliability of his account and its essentially literary character[4]. This problem has not been, and probably cannot be, satisfactorily solved. In this

---

[2] Cf. Deutsche Liederdichter des 13. Jahrhunderts, ed. C. VON KRAUS, Bd. 2, Tübingen 1958, p. 521 f.

[3] E.g. G. EHRISMANN, Geschichte der deutschen Literatur bis zum Ausgang des Mittelalters, Schlußband, München 1935, pp. 262—265; H. SCHNEIDER, Heldendichtung, Geistlichendichtung, Ritterdichtung, Heidelberg 1943[2], pp. 493—496; J. SCHWIETERING, Die deutsche Dichtung des Mittelalters, Potsdam o. J., pp. 266—267; H. DE BOOR, Die höfische Literatur. Vorbereitung, Blüte, Ausklang. 1170—1250, München 1957[3], pp. 337—344.

[4] For the fullest account of the research on Ulrich, see URSULA AARBURG, Ulrich von Lichtenstein. Autobiographie und Persönlichkeit, M. A. thesis (typescript) Frankfurt a. M. 1966, Vorbemerkungen, pp. 2—12.

paper I want, firstly, to set the vexed question of the historical authenticity of Ulrich's account into the wider context of the structure and unity, or lack of unity, of the work, and of the relationship between the different, though not necessarily exclusive, aims of *prodesse* and *delectare* within it. And secondly to consider Ulrich's work in the framework of the 'autobiographical' writing of its period, as a document in the history of self-depiction in vernacular literature.

I

Any examination of structure must be concerned with the relationship of the parts to each other and to the whole. The 'parts' chosen for this purpose may refer to any one of several aspects of the total work. If this account of the 'Frauendienst'[5] starts with a glance at the very disparate episodes and sections of the work, this should not be taken to exclude the possibility that a satisfactory structural unity may exist on some other plane. But many medieval narrative works display a complex level of construction, including strictly symmetrical arrangements of parts and even of lines, so that it is perhaps worth observing that the 'Frauendienst' reveals no such patterns or any evident care in construction, such as one might expect from a poet whose lyrical output is noted for its formal virtuosity.

After a brief prologue (BE 1—6), almost three quarters of the narrative are devoted to Ulrich's first love-service (BE 7—1365). Of the individual episodes of this part, the most important are the 'Venusfahrt' (BE 470—985, with 516 stanzas more than a quarter of the whole narrative), the tournament at Friesach (BE 177—312), and the account of the narrator's nocturnal visit to the castle of his mistress (BE ca. 1101—1292). But the general course of the action is uninterrupted, and even these episodes are fitted into a continuous account, the general tone of which is light and at times comical, even burlesque. The later part of the 'Frauendienst' is less unified in theme and treatment and much less continuous as a narrative. The contents are best summarized in tabular form[6]:

1. BE 1366—1399   Change of service from first to second lady.
2. BE 1400—1609   Chivalrous journey, attired as King Arthur.

---

[5] Ulrich von Lichtenstein, ed. K. LACHMANN, Berlin 1841 (= LA), and Ulrich's von Liechtenstein Frauendienst, ed. R. BECHSTEIN, Leipzig 1888 (= BE). In the following account of the general structure of the work references are to the stanzas of BECHSTEIN's edition, which facilitate a quantitative analysis of the narrative episodes. Individual passages are designated by LACHMANN's page-line references, which can be used with both editions. 'Narrative' is here used to signify the entire continuous text of the 'Frauendienst', including the didactic and theoretical sections and excluding the inserted 58 songs, 3 'Büchlein' and 8 messages or letters in prose and verse.

[6] This division into episodes is purely for convenience and has a relative validity only; it does not correspond to any divisions within the text itself, except in the case of the two gaps in the manuscript. Of these, the first (after BE 1399) results from the loss of a double leaf, and the second is presumably a scribal oversight (after BE 1818).

3. BE 1610—1658   Second love-service, especially elucidation of songs.
4. BE 1659—1676   Lament for death of Duke Frederick.
5. BE 1677—1695   Distress at social unrest and discontents, contrasted with the joys of love-service.
6. BE 1696—1731   Captivity in the Frauenburg.
7. BE 1732—1818   Second love-service, especially elucidation and paraphrase of songs, and meditations on love-service and courtly behaviour.
8. BE 1819—1850   Conclusion: didactic meditations and epilogue.

In this later part of the work, the comic element is almost entirely lacking, and the narrative element is greatly curtailed; of the episodes listed above, 3, 5, 7 and 8 contain no narrated action, and after the end of the 'Artusfahrt' (2) no further events in the poet's very shadowy second love-service relationship are recounted.

The distribution of the songs throughout the work is very uneven. In the first half of the work they are inserted individually (like the three 'Büchlein' and the letters and messages) into the course of the narrative; none occur in the three major episodes of the first love-service relationship. Most of them appear in clusters in the last third of the narrative; thus 26 out of the total 58 take their place between BE 1337 and 1400, in the account of the end of the poet's first love-service relationship and the beginning of the second. For the remainder of the work the songs occur almost entirely in those sections (3, 5, and 7) with little narrative content, and at times (especially in 7) the connecting thread between them contains little more than a paraphrase of the following song.

The disjointed and apparently inconsistent composition of the last section of the 'Frauendienst' after the smoother flow of the earlier parts has given rise to the view that the work was carelessly, perhaps rapidly, concluded, and these sections have received little attention in the secondary literature, with one exception[7]. Nevertheless they do display a consistency of their own, and they provide the most direct approach for an investigation of the function of the autobiographical narrative as adopted by Ulrich.

The similarity in theme and tone between the later, didactic sections of the 'Frauendienst' (5, 7, and 8) and the 'Frauenbuch' composed shortly after it has already been noted[8]. The latter work gives a fuller diagnosis of the collapse of the courtly norms of behaviour, and provides a more systematic programme both for their recovery, and for the revival of love-service as a social institution. The use of the dialogue form reinforces the graphic and comprehensive picture of the decline of manners; in the mutual reproaches and accusations with

---

[7] See AARBURG, op. cit., pp. 13—43. Various reasons for the formal imbalance and the apparent lack of care in both diction and composition are advanced pp. 41—43.

[8] Cf. AARBURG, op. cit., pp. 20 ff., for a more complete account.

which the conversation opens, knight and lady demonstrate that an accepted code of courtly behaviour has ceased to obtain, and that the sexes can no longer 'greet' each other (LA 597,21 ff.) within the accepted social conventions. The aim of the constructive proposals made in the second half of the work is to fill this vacuum and to regain the courtly *vreude* so sorely missed (LA 595,23 ff. and 599,32 ff.). The realization of this *vreude* constitutes for Ulrich the courtly ideal to which all the other elements of his didactic programme contribute. It is essentially an ideal of considerate and agreeable behaviour within an aristocratic society, and does not go beyond these bounds. In this limitation to the field of manners and conventions lies the main difference between Ulrich's social didacticism and that of Walther, to whose work the later part of the 'Frauendienst' occasionally alludes[9] and whose influence upon Ulrich has already been mentioned.

The importance of the 'Frauenbuch' for our purpose lies in the systematic way it explores, illustrates, and prescribes remedies for the same social ills that are apparent in the later sections of the 'Frauendienst'. The fundamental question asked here,

> LA 556,23 *'sît daz diu werlt ist als unfrô,*
> *wie süln die vrowen danne leben?*
> *möht ich in wîsen rât gegeben,*
> *daz tæt ich ûf die triuwe mîn ...'*

and the general advice with which it is answered,

> LA 556,30 *Dô riet ich in mit triwen sô,*
> *daz sî mit zühten wæren vrô.*

remain the same in the later work where the picture is expanded and the details are filled out. To realize the *vreude* of courtly society in keeping with good manners and humane conventions, to be *mit zühten vrô*, is the constantly reiterated theme of the shorter didactic work (e. g. LA 618, 1—3). And common to both is the context of social disintegration and the collapse of the norms which had previously prevailed.

Against this dismal background of a crisis in social values and the didactic tenor of the two works, two aspects of the presentation of the situation in the 'Frauendienst' assume a particular importance: firstly the precise historical setting which it provides, and secondly the light it throws on the way in which the poet-narrator has chosen to depict himself.

As regards the historical setting, it is important to recognize that the critical, didactic element does not enter the later part of the work at random, as though in response to a change in the poet's mood, or as a means of padding out the work in view of the paucity of narrative content. It appears, and changes the tone of the work radically, immediately after, and as the result of, a precise

---

[9] Cf. especially LA 564,9—565,23 and 587,19—589,18 and DE BOOR, op. cit., p. 343.

historical event. This event is the death of Frederick the Bellicose, Duke of Austria and Styria, the last of the Babenbergs, in the battle on the river Leitha against the Hungarians on 15 June 1246. The intrusion of a major event from the political history of the period into the ostensible autobiography of a love-poet has been considered an irrelevant stop-gap[10], unrelated to the subject of the work, and bearing witness to the waning inventive powers of the poet. This view is mistaken, for the depiction of the episode (4) is a major turning-point and central to a correct interpretation of the work. It is not primarily a description of a battle in the sense of an 'historischer Ereignisbericht'[11], but rather a lament for the prince, and included in the account are not only the battle itself and his death on the field, but also the recovery of the body, the mourning ceremonies, and the burial in the monastery of Heiligenkreuz:

> LA 530,5   *Er wart von schulden vil gekleit.*
> *ze dem heiligen Kreutze wart er geleit,*
> *bestatet wol nâch fürsten sit.*
> *nu bit ich des, daz man in bit,*
> *der elliu dinc beschaffen hât,*
> *daz im der sêle werde rât,*
> *und daz er im genædic sî*
> *durch di sînen namen drî.*

Up to this point in the work there is no criticism of the general conditions prevailing in Austria and Styria, and no complaint about the decline of courtly society. But in the lines immediately following upon those quoted here, a new note is struck which is to dominate from this point until the end:

> LA 530,13   *Got müeze sîn pflegen: er ist nu tôt.*
> *sich huop nâch im vil grôziu nôt*
> *ze Stîre und ouch ze Œsterrîch.*
> *da wart maniger arm, der ê was rîch.*
> *für wâr ich iu daz sagen wil:*
> *nâch im geschach unbildes vil:*
> *man raubt diu lant naht unde tac;*
> *dâ von vil dörffer wüeste lac.*

The breakdown of law and order and the rise of the robber-barons in the Babenberg lands after the extinction of the dynasty in the male line is the precise historical context of Ulrich's later work. Political and social disorder went hand in hand with the decline of the courtly way of life and the loss of the shared *vreude* in aristocratic society, which could only flourish in a stable world with accepted values. It is true that the work of many thirteenth-century German

---

[10] Cf. DE BOOR, op cit., p. 338.

[11] Cf. HANNS FISCHER, Studien zur deutschen Märendichtung, Tübingen 1968, p. 53 f.

writers displays a similar pessimism and much dissatisfaction concerning the decline of courtly behaviour and the social norms; so much so, indeed, that this trait may be held to represent one of the distinctive qualities of the literature of the period[12]. But the particular context of its occurrence needs to be determined in each case. It is important to note that for Ulrich von Lichtenstein it is not sufficient to regard the presence of this theme and of the *laus temporis acti* topos in his work merely as a symptom of the period and of the literary 'Epigonentum' of the later courtly poets. It is equally significant that, for him, this state of affairs is linked to specific social conditions and to a precise date. For the poet writing in the years around or after 1250, the 'good old days' before the commencement of the current difficulties lay only a few years back, and the greater part of the action of the 'Frauendienst' is set in this happier period before 1246.

From the point of view of the poet, therefore, the passage concerned with the death of Duke Frederick is more than a memorial for a respected prince; it also represents a significant watershed in the history of his own life, and may be taken to mark the end of courtly society as he understood it.

For the self-depiction of the narrator-poet this dividing-line is of crucial importance. The earlier parts of the 'Frauendienst' reveal no fundamental differences between the values of the narrator Ulrich and those of the courtly society in which he lives. There is no indication that he is dissatisfied with the conditions prevailing in this society, either in respect of political stability or of the social conventions, and no discrepancy is apparent between his own courtly ideals and the views of his contemporaries. The central tensions and conflicts of this earlier and very much longer section of the work are concerned with the relationship between Ulrich and his first *vrowe,* and the failure of his love-service is in no way related to the values and attitudes of courtly society. He presents himself as a popular figure whose chivalrous exploits and courtly love-songs meet with general applause.

After the death of Duke Frederick the situation is quite different. From this point on Ulrich finds himself at odds with his social environment, which is characterized by the moral decline of the aristocracy and the spread of despondency (LA 530,21—532,4). The rise of the robber-barons is contrasted with the ethical obligation of the nobleman to be generous, and the relative merits of giving and taking are related to the disappearance of social *vreude: Die rouber die sint selten vrô* (LA 532,5). The true nobleman should achieve *vreude* through love-service; here the autobiographical narrator can recommend himself as a model to his contemporaries:

---

[12] See Hugo Kuhn, Aspekte des 13. Jahrhunderts in der deutschen Literatur, Sitzungsberichte der bayer. Akademie der Wissenschaften, phil.-hist. Klasse, Jg. 1967, München 1968, p. 24, for a characterization of the underlying pessimism.

LA 533,5   *Mich hât ein reiniu vrowe guot*
        vor trûren alsô her behuot,
        daz ich bin vrô in aller zît.

The rest of the work demonstrates Ulrich's determined loyalty to a code of conduct and manners which the world around him has abandoned. This is not merely a personal decision to retain an outmoded style of behaviour, but a conscious effort to show how the dismal conditions of the political and social life of the time can be overcome with the help of the courtly way of life, as he presents it here and more systematically in the 'Frauenbuch'. He constantly refers to the *vreude* which his love-service (now primarily the composition of songs rather than chivalrous exploits) produces, and stresses the contrast between himself and his environment (cf. also LA 554,27—555,20):

LA 550,19   *Diu liet gesungen wurden dô,*
        dô maneger wart von roube unvrô
        ze Stîre und ouch in Œsterrîch.
        do betwanc mich des diu minneclîch,
        diu hertzenliebe frowe mîn,
        daz man mich sach bî freuden sîn.
        swie ez doch in den landen gie,
        ich kom von mînen vreuden nie.

To emphasize the contrast and tension between the autobiographical narrator and the world in which he lives is the purpose of the sole remaining narrative episode in the last part of the 'Frauendienst': the account of Ulrich's captivity in his own castle, the Frauenburg, in 1248 and 1249 (6). Captured by treachery, lying in fetters and threatened with death, the poet is still capable of thinking of his *vrowe,* composing a song, and achieving a certain measure of *vreude* in defiance of his plight. The episode is described in graphic, indeed drastic detail, and shows the narrator acting out his adopted role in a pointed fashion. But the verve with which he depicts his own predicament should not be misinterpreted as evidence of satire or parody in this episode. It is quite in harmony with the total picture given by the last part of the 'Frauendienst': the self-depiction of an isolated, indeed anachronistic figure who holds fast to his conception of courtly love-service and its values in a period of political disorder and cultural disorientation.

It is clear therefore, that if we limit ourselves (as we have done so far) to that part of Ulrich's work which refers to the period after 1246, i. e. to the 'Frauendienst' (BE 1659 — end) and the 'Frauenbuch', a basic pattern can be discerned in which the use of the autobiographical narrative form is linked both to a consistent didactic purpose and to quite precise historical circumstances. By depicting himself in the role of a courtly love-poet and knight who remains faithful to the courtly way of life after the collapse and dissolution after 1246 of the stable social order which had supported it, Ulrich von Lichtenstein is attempting to show, both by precept in the 'Frauenbuch', and by example in the 'Frauendienst', how the way of life itself and its main goal, courtly *vreude* in society, could be recovered.

The choice of the autobiographical narrative form is something astonishingly new in German and indeed in European vernacular literature. Is the didactic purpose of the work a sufficient explanation of its appearance in the work of this poet and at this time? Could this purpose not have been served equally well by a work in the familiar third-person narrative form, as in the courtly romance? The most recent explanation is that of URSULA AARBURG:

> 'Dieser für die Zeit ungewöhnliche Plan mag aus dem Wissen entstanden sein, daß die große epische Dichtung und die in ihr exemplarisch entfalteten leuchtenden Vorbilder die ernüchterte und träge gewordene Zeit nicht mehr zur Nachfolge aufzurufen vermochten. Eine greifbare, noch lebende Persönlichkeit jedoch, deren Lebensführung vorbildlich und nachprüfbar war, ... mochte die Grundsätze der höfischen Glaubenslehre gewiß wirkungsvoller vertreten können als die Symbolgestalten der Dichtung'[13].

This is not entirely convincing. It fails to distinguish clearly between the actual historical circumstances of the period, about which we know very little, and the view of those circumstances presented in the work of one or more writers. There can, in the nature of the case, be little evidence, and none that is conclusive, for the belief that Ulrich's contemporaries ca. 1250 really were more disillusioned, pessimistic and lethargic than their forbears in 1200. We can see that the poet and some others in his time believed this to be the case, but we cannot show that it was so. Nor are we in the least entitled to assume that the courtly public of the classical period was more easily spurred on to a life lived in imitation of the shining examples of literary heroes than were their demoralized descendants. Indeed, the widespread criticism of the prevailing social and cultural values in the works of both epic and lyric poets of the classical period might well lead us to the opposite conclusion. Similarly there is surely little reason to believe that the courtly classics had lost their appeal by the middle of the thirteenth century. Neither the evidence of the manuscript tradition nor the continued literary influence of these works would support this. Ulrich may have believed that he was reasserting the same 'höfische Glaubenslehre' that his predecessors had expounded, but we should be careful not to adopt the same view uncritically. In any case we are primarily concerned with the forms used by our poet and the ends to which these means were applied. How far his view of his contemporaries and literary predecessors was in fact correct is only of secondary interest.

---

13 AARBURG, op. cit., p. 39.

But we must surely agree that, to the poet himself, the self-depiction of a well-known living person, and of his views and conduct, must have seemed a more lively and effective way of achieving his didactic aims than the composition of a narrative work in the third person in accordance with any of the available literary conventions. His familiarity with the use of first-person utterance in the lyrical mode (however circumscribed and removed from personal experience we may consider these forms to be), and his preoccupation with the real contemporary social and cultural situation may both have been potent factors contributing to the emergence of the new form. And underlying this development a change in sensibility is making itself apparent: a feeling that there may be a relationship between the didactic effectiveness of a work of literature and the credible historical reality of the world which it presents. We should hesitate to describe this awareness with the ambiguous term 'realism'; but it takes its place alongside the new awareness of individual social, legal and occupational realities in much thirteenth-century literature, demonstrating a new 'external perspective'[14] in the way in which the world is seen and presented.

A consideration of the function of the autobiographical narrative form has thus led us back to the most controversial problem raised by the 'Frauendienst': the question of its historical authenticity. For Ulrich's didactic purpose demands that his account, filled as it is with events and dates and the names of places and people, should appear to be historically accurate. He is at pains to demonstrate that the courtly way of life is genuinely viable in a precise historical situation: in Austria and Styria in the sixth decade of the thirteenth century. This element of historical reality in the work bears witness to the gradual shift in meaning of the terms *wârheit* and *liegen,* so that the author's conventional assertion of truthfulness *ich hab daz liegen dran versworn* (LA 3,4) bears quite a different emphasis from any similar formula in, for example, a religious legend or a courtly romance.

This does not necessarily mean that the reader will be more inclined to believe it. Although the didactic intention of the work may lead him to expect an historically reliable account, he will have substantial reasons for suspecting that he is not getting one. As has been emphasized, we have been concerned thus far only with the last section of the 'Frauendienst', and with the didactic intention which becomes apparent there. A different picture presents itself as soon as the field of vision is extended to include the longer earlier section as well. The manner in which the poet depicts his first love-service relationship casts doubt upon his historical reliability as an autobiographer; it also raises problems of interpretation which are difficult to solve in a manner which preserves the inner unity of the work. For this reason a brief recapitulation of the

---

14 See KUHN, op. cit., p. 24, for the term 'Außenperspektive', and its connection with the prevalent pessimism already mentioned, as fundamental to the literature of the thirteenth century.

principal arguments advanced for and against the historical veracity of Ulrich's autobiography is appropriate at this point.

One reason for accepting Ulrich's narrative as essentially accurate is already familiar: the didactic aim of the work, as expounded in the last section, requires a historically convincing account as a demonstration of a viable way of life successfully practised. But it is for the reader to judge whether the account is in fact convincing, and whether the whole work successfully supports the didactic intention or not. A second more substantial argument is based upon the fact that the plentiful historical information given in the 'Frauendienst' has been shown to be historically reliable wherever it can be tested against reputable evidence from other sources. This applies especially to the descriptions of chivalrous exploits, such as the tournament at Friesach and the 'Venusfahrt', where the names are given of many of Ulrich's contemporaries who also figure in other relevant documents and sources of the period[15]. The historical evidence of these passages must be taken seriously. It shows that for the early part of his work as well as for the later, Ulrich was concerned to convey an impression of historical authenticity. The long lists of names seem like crowds of involuntary witnesses, summoned by the author to vouch for his historical reliability and to convince his audience by sheer weight of numbers.

But not all of the work is concerned with public events of this kind. Although there is nothing in the 'Frauendienst' which can be proved to be fictitious, the passages devoted to Ulrich's first love-service, which dominates the action throughout much of the work, remain unaffected by evidence of this kind. Most recent critical opinion[16] is in favour of regarding these parts as fictitious in character and largely literary in inspiration. The general reaction against the tendency to interpret the Minnesang as 'biographical' evidence of the poet's real experience has not made any exception for the special case of Ulrich von Lichtenstein. The songs were composed first, and provided the point of departure

---

15 See A. SCHÖNBACH, Über den steirischen Minnesänger Ulrich von Liechtenstein, Biographische Blätter 2 (1896) 30: 'Wo überall wir nach unseren Kenntnissen die Mittheilungen des Dichters genauer nachzuprüfen in der Lage sind, dort halten sie Stich. Das reicht herab bis zu den geringfügigsten Einzelheiten.' This view is quoted, affirmed and further substantiated by AARBURG, op. cit., p. 60 and passim; cf. also ANNEMARIE BRUDER, Studien zu Ulrich von Liechtensteins 'Frauendienst'. Das Friesacher Turnier 1224 eine historische Quelle, Diss. (Masch.) Freiburg i. B. 1923.

16 The only recent critic to be convinced of the historicity of these episodes is AARBURG (op. cit., ch. 2, especially pp. 60—62). She argues that they include some historical figures mentioned by name, and that the reputation of the living writer would have suffered if it had been shown by surviving witnesses that his account of his amatory adventures was fictitious. This reasoning is hardly conclusive; it is not evident that surviving witnesses would have been able to correct the particulars of his account; and even if they had, it is difficult to believe that the *êre* of a politically active nobleman would have suffered seriously as a result of an exposure of his capacity for telling tall stories.

for the narrative, and they are conventional in the sense that they deal with the familiar motifs, themes and variations of the classical and later Minnesang. Some narrative elements in the work can be seen as transformations of motifs conventionally associated with the lyric, such as the employment of a messenger[17]. It would therefore seem logical to conclude that much of the narrative treatment of Ulrich's first love-service was developed on the basis of a framework already provided by a previously composed cycle of songs, and there is no reason to assume that these songs reflected a greater degree of personal experience than was customarily the case. Similarly K. L. SCHNEIDER[18], discussing the problem of genre, sees the autobiographical elements in the work as consistently subordinated to the conventional motifs of the Minnesang, which is tantamount to a suppression of the 'individual' narrator by the 'typical' first-person lyric poet, and thus to an unsatisfactory first-person narrative mode without the essential individuality. But the difficulty here, as K. L. SCHNEIDER observes, is that not only a poet's work, but also elements of his life itself may be stylized according to literary models. If this were the case it would be quite impossible to distinguish clearly, in the poet's work, between the literary influences themselves, and the presentation of those aspects of his life which reflected these influences.

As we have seen, Ulrich in his later work recommended the practice of courtly love-service, which we are accustomed to regard as a literary convention, as a serious and viable cure for some of the ills of the time. So we should not exclude the possibility that he was drawing upon his own, and perhaps a general, experience in applying literary models to some aspects of life. It may well be mistaken to present the problem in terms of mutually exclusive alternatives. There is rarely a sharp dividing-line between artistic convention on the one hand, and life as it is lived on the other. Both are related to common sources in the thought-structure, modes of perception, social and cultural patterns of the period. And a poet can hardly work habitually for a long period within a particular literary convention without allowing elements of that convention to influence the manner in which he sees and organizes his own experience.

Equally problematic, both in respect of the historical authenticity of the work and also for its interpretation in general, are the comical episodes of Ulrich's first love-service relationship. Some of these portray the narrator in dubious or ridiculous situations, and are difficult to reconcile with the overall didactic aim of presenting him as an exemplary knight whose demonstration of the courtly way of life is intended to encourage emulation. They thus threaten to impair the underlying unity of the work, if this is seen to be centred on the

---

[17] See most recently A. H. TOUBER, Der literarische Charakter von Ulrich von Lichtensteins 'Frauendienst', Neophilologus 51 (1967) 253—262, for a full account with many examples.

[18] K. L. SCHNEIDER, Die Selbstdarstellung des Dichters im Frauendienst Ulrichs von Lichtenstein, Festgabe für Ulrich Pretzel, Berlin 1963, pp. 216—222, here p. 219 f.

autobiographical self-depiction of the poet for a specific didactic purpose. The most important of these episodes (LA 323,8—371,13) describes Ulrich's nocturnal visit, disguised as a leper, to the castle of his *vrowe*, where he is eventually admitted to her presence after much humiliation, only to be frustrated in his designs and forced to make an undignified and painful exit. Incidents like this, depicted in a straight-faced but farcical manner, were hardly likely to encourage the revival of courtly love-service as a social institution[19]. In a complete and carefully-argued interpretation of the events of this first relationship, AAR-BURG[20] has shown that they are consistent. From Ulrich's point of view this relationship was a failure because it was not based upon a reciprocal agreement. The refusal of his *vrowe* to accept his service and her constant attempts to disembroil herself, culminating in the serious insult which Ulrich is not willing to repeat (LA 411,11 ff.), show that his *stæte* is being misapplied, and this must lead to frustration. It was therefore necessary to depict the course of this relationship as a deterrent, a negative example which was to be contrasted with the positive example of the successful second relationship.

This interpretation is logical and, I believe, satisfactory as regards motivation and plot. But it is not entirely convincing in terms of overall structure, or in respect of narrative treatment. By far the greater part of the 'Frauendienst' is devoted to the account of this relationship, and interspersed with the 'negative' episodes are others, above all the chivalrous exploits and tournaments, which are clearly to be regarded as exemplary. The didactic aim is not presented with sufficient clarity. And the first relationship is depicted at so much greater length, and with so much more narrative verve than the second, which is theoretically more successful, that the basic juxtaposition of the negative and the positive alternatives is not presented with sufficient force.

Nor can this explanation adequately account for the comical and at times frivolous tone of the narrative, even in passages which have no direct relevance to the first love-service relationship. In the course of his chivalrous journey from Venice to Vienna attired as *küneginne Venus*, Ulrich attends church in Treviso and takes his place among the women (LA 178,1—179,32). The liturgical kiss of peace brings an amusing exchange with his neighbour:

LA 179,1   *Diu schœne lachen des began:*
             si sprach: 'wie nû? ir sît ein man:

---

[19] In K. L. SCHNEIDER's view (op. cit., p. 221 f.) the presentation of the narrator in an unfavourable light is an intentional act of 'Selbstverkleinerung' with which the poet is endeavouring to counter the accusation that in recounting his own feats of chivalry he has been guilty of uncourtly behaviour (cf. LA 593,3—5). These episodes are to be seen as 'ein in Handlung und Gestaltung umgesetzter Bescheidenheitstopos'. This explanation seems to me to stretch the concept of the topos too far and to be psychologically unconvincing.

[20] See op. cit., pp. 66—80.

> *daz hân ich kürzlîch wol gesehen.*
> *waz danne? der kus sol doch geschehen.'*

and leads to a short digression in praise of kissing. Such episodes as this and the style of their presentation cannot be explained in terms of any serious didactic aim. For HUMPHREY MILNES[21] they are evidence that the entire 'Frauendienst' is comic in intention, a 'rollicking burlesque parody' of the conventions of love-service and of the Minnesang. This is far too simple. The clear didactic aim and the precise historical context of the work preclude the possibility from serious consideration. To play with and to reverse conventional motifs, to manipulate and to upset the expectations of the audience, to handle a situation in a way which implies an ironical comment upon the traditional treatment of the same theme, — all these features occur in the literature of the classical period as well as in the 'Frauendienst' and do not prove that the works in question are basically satire or parody.

But they may remind us that the poet's delight in storytelling and in entertaining his public is an important element in his work. The most satisfactory explanation for the inconsistencies we have encountered in the 'Frauendienst' may be the simplest. From time to time the immediate requirements of the individual episode, — the comic potential of an incident, the force of a lyric convention — carry more weight than the total framework of self-depiction with a didactic purpose. The method of structural analysis and interpretation requires that we search for a satisfactory unity in a work of literature, but in some cases we will not find it. On one level the lack of unity in the 'Frauendienst' may be seen as an inability to reconcile the twin aims of *prodesse* and *delectare*; the didactic aim governs the general pattern of the work, and is most apparent at the end, and the desire of the courtly love-poet and story-teller to give pleasure is dominant in many of the episodes of the earlier part.

Many of these episodes (e. g. the visit to the lady's castle) display a greater affinity with the 'Märe' than with the courtly romance. We are told by Herrand von Wildonie that he received the story of one of his tales from his father-in-law Ulrich von Lichtenstein[22]. If it is true that Ulrich could not read nor write (cf. LA 59,21—61,9 and 101,23), the shorter, livelier narrative forms may have been more familiar and congenial to him, and thus have provided the literary models for some episodes of his work. It is also possible that the didactic tendency was not present in its final form from the beginning. The total work is of considerable length (14800 ll. in the narrative alone); some of this may well have existed in some form before 1246. The negative experiences of the years following the death of Duke Frederick may then have led him to give

---

[21] H. MILNES, Ulrich von Lichtenstein and the Minnesang, German Life and Letters N. S. 17 (1963/64) 27—43.

[22] Cf. Herrand von Wildonie, Vier Erzählungen, ed. H. FISCHER, Tübingen 1959, II, 17 ff.

the work its serious didactic component in the later section, without the author being able or willing to revise the lighter tone of the earlier parts which reflect the more elementary desire of the poet to *delectare*, to create *vreude*.

For Ulrich's concept of courtly *vreude*, as presented in the didactic sections of his work, embraced the whole range of pastime and entertainment in courtly society. We know that he regarded the cultivation of the Minnesang as an important contribution to this courtly *vreude*, and may therefore conclude that he saw his narrative poetry in the same light. To attain his goal he had recourse to all the suitable literary models at his disposal: the courtly lyric in its many variants, the didactic tradition in 'Rede' and 'Spruch', and narrative elements reminiscent of both courtly romance and 'Märe'. To an extent unapproached in German literature before him, his work contains a mixture of literary elements which had previously remained separate, bound each to specific thematic categories and performance situations in the literature of the classical period. These elements now appear to be free and available to be added together and juxtaposed by the poet in his search for a composite literary vehicle for his venture in autobiography.

We may consider that Ulrich was unable to combine his disparate elements into a satisfactory whole. But in the wider historical context of the history of autobiography as a literary form the nature of the attempt is as interesting as the degree of success achieved. Ulrich von Lichtenstein attempted to realize a specific didactic aim in a precise historical situation by concocting an 'autobiography' out of various disparate elements of the literary tradition. Were other methods of self-depiction practised by vernacular writers in the thirteenth century, and were they more successful?

II

Autobiography as a fully-developed and recognized literary genre does not exist in the European vernacular literatures of the Middle Ages. But there are works of autobiographical character, where the self-depiction of the narrator or the writer is of interest, whether it be central or not. As with Ulrich von Lichtenstein, it is possible to examine the forms and limitations of such self-depiction in the literature of a period, and to investigate the models on which it is based and the purpose it is meant to serve.

A certain one-sidedness and selective stylization of the subject-matter is a feature of most medieval autobiographical writing, as of biographical accounts in general. Ulrich's 'Frauendienst' is selective in that it ignores the author's political activity in favour of the depiction of the courtly knight and love-poet. In this respect, as DE BOOR has observed[23], it is a secular counterpart to the exemplary *vita* of a saint. This selectivity should not prevent us from using the term

---

[23] See op. cit., p. 337.

'autobiographical'; a principle of selection that is less obvious but by no means less significant is at work in all modern autobiographies as well, from Rousseau, Goethe and Casanova down to the memoirs of politicians and generals of our own day. Nor indeed is it unknown for such modern works to temper historical authenticity in the interests of an exemplary image.

The relationship between the typical and the individual is a central problem in all autobiographical writing, not only in that of the Middle Ages. In each case it must reflect the assumptions about the nature of human individuality held by the writer or common in his time. There is still a widely held view that the notion of individuality was quite alien to the Middle Ages, and had to be discovered by the Italian Renaissance, in the sense of Jacob Burckhardt, before the characteristically western ideas of the uniqueness, dignity and inalienable rights of the individual could be developed. If this were so we should expect to find no autobiography in the Middle Ages at all. The rich material presented in the three volumes of GEORG MISCH's history of autobiography[24] devoted to the early and central Middle Ages should be sufficient to show that such a sweeping generalization is untenable. The rich literature shows that many different varieties of self-depiction were practised, and they can tell us much about medieval models of individuality and the historical development of the personality concept.

But as one would expect, nearly all of the texts discussed by MISCH come from the sphere of Latin ecclesiastical culture. For the student of German literature, this raises the question of how far literary development in the vernacular languages encouraged or hindered autobiographical writing. It is clear that the models of Augustine's 'Confessions' and of Boethius, to name only two examples, were of decisive influence, and that Peter Abelard and John of Salisbury had more readily available vehicles for self-depiction in the Latin prose epistolary tradition than did any vernacular writer of the twelfth or thirteenth century. Once again it is the problem, constantly encountered by medievalists, of the relationship between the literary forms and conventions of a period (of which we have much direct evidence), and the ways in which men thought and saw themselves (of which we have scarcely any direct evidence at all). But by referring briefly to three different kinds of first-person narration and self-depiction in the non-Latin literature of the thirteenth century, we can try to see Ulrich's attempt at autobiography in a sharper historical focus.

Firstly there are a number of works in the chronicle literature of the period, in which events at which the author was personally present are narrated in the first person. Villehardouin's account of the fourth crusade affords examples of this. But here attention is concentrated entirely on the things seen and experi-

---

[24] G. MISCH, Geschichte der Autobiographie, Bd. 2—4, Frankfurt a. M. 1955/67. See especially the introduction to the Middle Ages (2. Band, 1. Hälfte, pp. 7—57) for a full discussion of the general problems raised here.

enced, and not at all on the figure of the narrator. The work has therefore no autobiographical interest beyond the strictly factual information it provides. Even in Marco Polo's account of his own journeys, which encompassed almost an entire lifetime, the figure of the great traveller (who refers to himself in the third person only) vanishes from sight behind the countries and events which he describes. There is no self-depiction; the reader learns surprisingly little about Marco Polo himself from his book.

Secondly, and of much greater interest, are the forms of self-depiction adopted by narrative and lyric poets. This cannot, of course, be considered as autobiographical material in any historical sense, but rather as the self-depiction of a narrator or as a poetic persona or mask. In the case of Walther von der Vogelweide we can distinguish several different roles or masks of this kind. Many of these are quite clearly fictive roles created for the specific poetic situation, especially in the love poetry, but also in much of the 'Spruchdichtung'. But the poems which reflect the circumstances of his life and his relations with his patrons show a much more defined and historical persona, and here we cannot avoid assuming a certain degree of identity of the lyric 'I' of the poetry with the historical Walther. For without a strong element of historical reality these poems do not make sense; the possibility that they were composed as imaginative fictions in a different historical situation must be discounted. An intermediate group shows us a poetic persona who is clearly to be associated with the historical Walther, but is presented in a hypothetical or allegorical situation, giving instructions to a servant (82,11), or talking to *Frô Welt* (100,24) or to the court at Vienna (24,33). Walther's poetry thus presents us with a rich spectrum of different personae, ranging from purely fictive roles at one end to the autobiographical roles at the other, and including many stages between these two extremes. But his total oeuvre also forms a unity, and through the correlation of the different individual roles, each on its own level of historical authenticity or of literary convention, there emerges a composite persona of Walther the poet of great complexity and substance, to which his range of themes, the literary forms he chooses, and the use of imagery and rhetorical figures all contribute. This composite persona is likewise not to be identified with the historical person, but it nevertheless communicates much of his identity and personality, and may be considered a form of self-depiction.

The figure of the narrator in the courtly romance presents a similar though far less complex situation. In 'Parzival', for example, there emerges from the numerous references and specific digressions, as well as from the narrative style in general, the figure of a narrator who wishes his audience to know that he is a knight called Wolfram von Eschenbach living in certain circumstances and holding certain strong views. This narrator is an important element in the poem, and no interpretation can ignore his presence and the vital role he plays in mediating the *mære* to the public. He is certainly not a reliable historical source.

But here as with Walther we can speak of literary self-depiction, and we may consider that in these two cases the consistency, range and depth of portrayal are greater than in the case of the autobiographer Ulrich von Lichtenstein. For a historical study of the ways in which individuality and personality are expressed in medieval German literature they are as important as he.

A third kind of self-depiction is found in the religious literature of the thirteenth century. The revelations of Mechthild von Magdeburg known as 'Das fließende Licht der Gottheit' do not constitute an autobiography, but the work is concerned with self-depiction and with giving linguistic expression to innermost personal experience, and it contains an account of the life and circumstances of the author[25]. It thus takes its place alongside the 'Frauendienst', with which it is almost exactly contemporary, as the second work of German literature with a markedly autobiographical character. The difference between the two could hardly be greater. With the spread of mystical writing and the desire to communicate spiritual experience, a new form of self-depiction in the vernacular arises, which culminates in Seuse's spiritual autobiography in the following century. This development is based on a new and deeper insight into the religious life of the individual personality, and it places this inner life so firmly in the centre of interest, that the self-depiction of a love-poet in accordance with stylized literary conventions must necessarily seem schematic and superficial in comparison.

We must conclude, therefore, that there is as much or more to be learnt about the possibilities of self-depiction in the thirteenth century from those works of secular and religious literature that were not written as autobiographies. It is essential to distinguish between, on the one hand, the autobiographical narrative as a special literary form between the established genres, and the incidence of self-depiction as one element in courtly poetry or religious writing on the other. Taken together, Walther, Wolfram, Mechthild and Ulrich all bear witness to the increased importance of the writer's individuality and to the need felt to give it expression, whether consciously or unconsciously, and for very different reasons. The distinctive contribution of Ulrich von Lichtenstein was that he employed the autobiographical narrative form for the first time in German, and, as far as I can see, for the first time in any European vernacular language of the Middle Ages. This fact alone, and not the qualitative evaluation of his attempt, determines his place in the history of literature.

There is one other work of European literature before 1300 which shares with the 'Frauendienst' this formal description and important structural features. The second secular vernacular autobiography of a poet was written some forty years

---

[25] See HANS NEUMANN, Beiträge zur Textgeschichte des 'Fließenden Lichts der Gottheit' und zur Lebensgeschichte Mechthilds von Magdeburg. Altdeutsche und altniederländische Mystik, hg. v. KURT RUH (= Wege der Forschung XXIII), Darmstadt 1964, pp. 175—239.

after Ulrich's. It is Dante's 'Vita Nuova'. The difference between the two works is so great in every respect — on the level of formal and intellectual accomplishment, in the traditions of literature and thought in which they stand, and in the worlds which they present —, that any comparison may seem odious and unprofitable. But that is not quite the case. In spite of all individual differences there is a fundamental similarity in structure and composition. Each writer had produced, in the course of several years, a large number of love-poems within the conventions of his own national branch of the European courtly tradition. This was in Ulrich's case the later Minnesang, in Dante's the *dolce stil nuovo*. Each writer then used these poems as the starting-point for his autobiographical narrative, and inserted them in the correct order, often commenting upon his work in the process. In each case the love-relationships which are claimed to have given birth to the lyric poetry are the main subject of the autobiographical narrative, and determine the course of the action. In each case we learn much about the composition of the poems, the mode of performance or of publication, the relationship between the poet and his public, and the history of the poems before they were fixed in the manuscript tradition[26].

There can be no question of any influence of the earlier poet upon the later. The parallel development must have taken place quite independently. But this merely renders the fact that the same process was at work in the case of two such dissimilar poets within the time-span of fifty years all the more remarkable. In each case the impulse to adopt the autobiographical form appears to have grown out of the love-poetry: each poet felt the need to add a narrative dimension to complement the restricted possibilities of the first-person lyrical form. Both poets have didactic aims, although very different ones, and find the autobiographical form a suitable vehicle for their presentation.

But Dante, the educated Florentine, had at his disposal the rich tradition of Latin learning, and above all Boethius; whereas Ulrich, the country nobleman who could perhaps not even read or write, had only a vernacular tradition which he might have known imperfectly or incompletely. The huge differences between the two works are easy to explain in terms of inherited tradition and poetic stature. The surprising similarity is harder to account for. In the mixing of lyric, narrative and didactic modes, in the use of courtly conventions leading to a search for fuller self-expression, in the change of awareness manifesting itself in changing literary forms, it may reflect some of the central developments of the thirteenth century.

---

26 For a recent survey of Dante's 'Rime' see Dante's Lyric Poetry, ed. and tr. by K. FOSTER and P. BOYDE, 2 vols., Oxford 1967, especially the Introduction pp. ix to xliii.

KONRAD VON WÜRZBURG'S LEGENDS:
THEIR HISTORICAL CONTEXT AND
THE POET'S APPROACH TO HIS MATERIAL

by

T. R. Jackson (Dublin)

One of the most important features of the history of medieval Basel is the process whereby political power, initially in the hands of the Church, was gradually appropriated by the laity — the aristocracy, the merchants and, significantly, the artisans[1]. At first the power of the Church, as vested in the bishop, extended to many secular areas, including justice, taxation and tariffs, minting of coinage and the administration of the market[2]. But by the middle of the thirteenth century the laity, through the council and the guilds, had opportunity to order their own affairs. As early as the 1180's the council was in a position to lend the bishop money[3]; in the late 1240's the citizenry took up arms against him and his supporters, and were persuaded to lay them down again only by the imposition of an interdict coupled with a guarantee of recognition of municipal institutions[4]; the city could also levy taxes for its own uses and it had certain judicial powers; its rights and customs were confirmed in 1260, and Bishop Heinrich von Neuenburg gave the city a *Handfeste*[5] which established a relationship less of overlord to servant than of ally to ally.

Soon after 1250 the *Spital* was founded[6]. Nothing, I think, shows more clearly the self-awareness and independence of the laity of Basel in the second half of the thirteenth century than this municipal hospice. It was governed by a committee of *procuratores*, laymen of position, and staffed by a *familia conversorum* of men and women. The Church had long helped to reduce the suffering

---

1 My chief source for historical material has been R. WACKERNAGEL, Geschichte der Stadt Basel, Basel 1907—1916, vol. 1, pp. 1—126 — hereafter referred to as 'WACKERNAGEL'.

2 WACKERNAGEL, pp. 57—61.

3 WACKERNAGEL, p. 19.

4 WACKERNAGEL, pp. 25—29.

5 WACKERNAGEL, pp. 33 f.

6 WACKERNAGEL, pp. 174 f.; cf. also Urkundenbuch der Stadt Basel, ed. R. WACKERNAGEL et al., Basel 1890 ff. (hereafter referred to as 'BUB'), vol. 1, p. 332; vol. 2, pp. 210, 212, 218 f., 253 ff., 353 f.

of the *pauperes et infirmi,* but the hospice was a deliberate attempt by the citizens qua citizens to supplement these efforts. At least two of Konrad's patrons were among its governors.

An important aspect of the council was the introduction into its membership of men who did not belong to the aristocratic families. Artisans appear early beside nobles as witnesses to documents. Most of them were economically independent, and from the 1250's we begin to find a number who were able to attain the social freedom of citizenship. There is a simultaneous growth in the importance of the guilds, as they emerge from the *Bruderschaften* with their democratic, non-hierarchical structure and their intensely religious orientation, as evidenced in their cult of the dead[7]. In 1226 the Skinners' guild was established, in either 1247 or 1248 the Masons, 1248 the Butchers, 1260 the Tailors, between 1264 and 1269 the Gardeners, 1268 the Weavers[8]. The master was at first chosen by the bishop, later by the guild itself; at first the bishop extended privileges from above, later the guilds won sufficient independence to be able to ally themselves to him. In this movement two bishops, Leutold von Roeteln and Heinrich von Neuenburg, have a significant role. We will return to them later, only mentioning at this point that Heinrich von Neuenburg was instrumental in giving the guilds political power. His *Handfeste* for Kleinbasel (1274)[9] made provision for a council made up of four knights, eight burgesses and no less than fifteen members from the guilds, who thus as a social group formed an absolute majority. In this way the personal and corporate influence of the artisans interacted to produce a class which was neither clerical nor noble, neither educated nor rich, but which nevertheless had much more real power than for example their counterparts in neighbouring Strassburg, where power remained in the hands of the ruling families.

To the philologist the Middle Ages represent the growth towards maturity of the vernacular languages. This process, as it affected Basel, appears to have received a very strong impetus in the course of the decade 1270—1279. If we examine the documents reproduced in the 'Basler Urkundenbuch' we find only two in German, written in Basel and dating from before 1270. Significantly both are issued by Bishop Heinrich von Neuenburg, and both concern guilds — the establishment of the Gardeners in 1264 and the Weavers in 1268. During the next ten years, however, we find no less than twenty-two such documents. Among these we find the same bishop's renewal of the Masons' charter (1271)[10]

---

[7] Cf. R. WACKERNAGEL, Bruderschaften und Zünfte zu Basel im Mittelalter, Basler Jahrbuch (1883) 220—249.

[8] *Kürschner:* cf. BUB, vol. 1, pp. 76—78; *Maurer, Gipser, Zimmerleute, Faßbinder, Wagner:* BUB, vol. 1, pp. 142 f.; *Metzger:* BUB, vol. 1, pp. 158 f.; *Schneider:* BUB, vol. 1, pp. 290 f.; *Gärtner, Obster, Händler:* BUB, vol. 1, pp. 314—316; *Weber, Leinwetter:* BUB, vol. 2, pp. 6 f.

[9] Cf. BUB, vol. 2, pp. 79 f.

[10] Cf. BUB, vol. 2, pp. 43 f.

— originally issued by Bishop Leutold von Roeteln (in Latin) — and his *Hand-feste* for Kleinbasel, signed by many artisans; there are also frequent contracts between private parties and of the remainder, the majority concern the monasteries of St. Clara and Klingental. Two further points must be made here: even with this sudden and large increase in the number of documents in German, the majority are still in Latin; by the end of the thirteenth century the German percentage has risen further, but is still well short of half the total. At the same time it is true that in the earthquake of 1356 and the great fire of 1417, the strong stonework of the churches saved documents stored there, while the Städtisches Archiv was lost[11]: its contents would presumably have shown a higher proportion of vernacular documents.

The fact remains, however, that we have evidence that an upsurge in the status of the vernacular language occurred in the decade 1270—1279. Konrad's 'Alexius' and 'Pantaleon' can be dated reasonably accurately as c. 1274 and c. 1275 respectively; one cannot be equally definite about 'Silvester', but one must hesitate before placing it any earlier than 1270[12]. They are, as Konrad is at pains to impress[13], based upon Latin versions, and as such they must take a place in a process which is intended to make the vernacular a suitable language both for legal documents and religious instruction, a process which results in large degree from the more significant role being played by men with a very limited knowledge of Latin.

Konrad's legends are to be read and heard; in other words, they are intended for private meditation and public recital. Formulae like *merken unde hœren* ('Silv.' 100)[14] have their parallels in documents, too: *Wir Luttold von Rottelnhein ertzpriester von Basell thun kunt allen den, die disen brieff gesehent und horent lesen, das* ... (1275)[15]. They again begin in the early 1270's, the normal address up to that date being to *die disen brief ansehent*. The relative infrequency of the Latin formula is no doubt accounted for by the fact that those who understood Latin were also able to read.

Let us now consider the particular circumstances surrounding the creation of Konrad's legends — firstly his patrons, secondly, the attraction which the three saints may have had for these men and for the wider audience which would hear the legends. EDWARD SCHRÖDER has already carried out detailed investi-

---

11 Cf. WACKERNAGEL, p. 161.

12 Cf. E. SCHRÖDER, Studien zu Konrad von Würzburg IV, Nachrichten von der kgl. Gesellschaft der Wissenschaften zu Göttingen, phil.-hist. Klasse (1917) pp. 96 to 104.

13 Cf. 'Silv.' 85—7, 'Alex.' 18—20, 1390 f., 'Pant.' 2144—6.

14 All textual references are to Konrad von Würzburg, Die Legenden, ed. P. GEREKE, Halle/Saale 1925—1927.

15 Cf. BUB, vol. 2, p. 96; there are isolated Latin examples of the kind... *inspectoribus seu auditoribus* ...

gations into the careers of the four patrons[16]. I shall concentrate upon factors which may suggest why the men involved should have wished to commission specifically German versions.

Leutold von Roeteln, member of the cathedral chapter of Basel and patron of 'Silvester', had two illustrious relatives. The first of these, probably his uncle, bore the same name and was Bishop of Basel between 1238 and 1248. While it is true that he suffered the indignity of being attacked by his own people in 1247, he was known to later generations as the great founder of the guilds[17]. In 1248 he confirmed the privileges of the Butchers, and in the same, or perhaps the previous year, those of the Masons. The latter guild also included coopers, carpenters and other trades, but the masons appear to have dominated, and they are of most interest to us, since St. Silvester is the patron saint of masons.

The second of Leutold's relatives is his mother's brother, Bishop Heinrich von Neuenburg. It was his influence which was so apparent in the transition from Latin to German in documents, as seen in his treaty with the town of Neuenburg, his declarations concerning the guilds, the *Handfeste* for Klein-basel, and so on. He, too, was instrumental in giving the artisans political power and at his death in 1274 left the city with an organised systems of guilds, establishing those of the Gardeners and the Weavers, and in 1271 renewing the privileges of the Masons, which had been granted by Bishop Leutold von Roe-teln, whose document he mentions and to which he had been the first witness. We should not be surprised that the nephew of these men should commission a work, which would make divine truth, as revealed in the life of Silvester, more approachable to those who understood no Latin[18]. Indeed, we have some reason to believe that he was cast in a similar mould: in 1274 he is mentioned immediately after Bishop Heinrich in the Kleinbasel *Handfeste*; as late as 1309, as bishop-elect, he renews the same decree[19]; and as provost in 1289, he plays a significant part in founding the guild of *Hausgenossen*[20].

In attempting to explain the choice of Silvester, the information at our disposal is sadly limited. Silvester is a popular saint throughout the Church; of the three about whom Konrad writes, Silvester seems to have produced the greatest demand for relics in Switzerland[21]. At the consecration of Basel Cathedral in 1019, one such relic was presented by Kaiser Heinrich and placed upon

---

[16] Op. cit.

[17] WACKERNAGEL, p. 103.

[18] As a priest, he alone of the four patrons can be regarded with certainty as himself conversant with the language of the source. Of incidental interest is the fact that, of the three saints, only Silvester, and of the four patrons, only Leutold von Roeteln, are ordained.

[19] Cf. BUB, vol. 4, pp. 10 f.

[20] Cf. BUB, vol. 2, pp. 366—368.

[21] Cf. E. A. STÜCKELBERG, Geschichte der Reliquien in der Schweiz, vol. 1, Zürich 1902; vol. 2, Basel 1908, passim.

the high altar[22]. The church at Altenach, whose patron was the bishop of Basel, was dedicated to him[23]. One would like to be able to establish without a doubt a direct connexion between Leutold, the commission of 'Silvester', and the guild of Masons. Documents concerning the Masons do prescribe religious duties: principally the provision of lighting in the cathedral in honour of the Virgin and All Saints, none of whom, however, is singled out for mention. Nevertheless, it does seem considerably more than mere chance that a man with strong, if indirect, links with guild circles, particularly the Masons, and living in an era of much church construction and expansion of the city walls, should have chosen their patron as the subject of his commission.

There is very little evidence of a popular cult of Alexius. STÜCKELBERG lists him only twice[24]. The 'Liber Marcarum', published by TROUILLAT, which, however, dates from long after Konrad's time, mentions two chapels in his honour, one of them in Rheinfelden[25], which at least was well within the sphere of influence of Basel. Konrad writes indeed, *sîn hôher name was dâ her   sô vremde gnuogen liuten* ('Alex.' 24 f.). We must, therefore, look for more personal reasons for the selection of such an unfamiliar saint — unfamiliar in Basel, that is, for the large number of Middle High German versions of the Alexius legend suggests that elsewhere in the German area he enjoyed great popularity.

Again the role of the saint within the church provides the clue: Alexius is the patron of beggars and pilgrims. Heinrich von Iselin, who with Johannes von Bärschwil commissioned 'Alexius', seems to have been of a particularly charitable nature. A document of 1276[26] records that he was a benefactor of the Order of Clares, followers of the Franciscan rule and referred to as *dominae pauperes*; he was connected, too, with the Cistercian nuns[27]; and, most important, he was a *procurator hospitalis basiliensis*, a member of the governing body of that municipal institution for aiding the poor and sick which we have already discussed. He is admittedly not mentioned in this capacity until 1288[28], but this may well arise from the sparseness of the early records of the *Spital*: his philanthropy is attested from 1276.

Of his fellow patron and neighbour, Johannes von Bärschwil, we know virtually nothing. To judge from references found in documents, though, his family

---

[22] STÜCKELBERG, ibid. p. 15; also L. VAUTREY, Histoire des évêques de Bâle, Einsiedeln 1884, vol. 1, p. 88.

[23] Cf. J. TROUILLAT, Monuments de l'histoire de l'ancien évêché de Bâle, Porrentruy 1852—1867, vol. 5, p. 99.

[24] Op. cit., vol. 1, pp. 24, 50.

[25] Op. cit., vol. 5, pp. 9, 36.

[26] Cf. BUB, vol. 2, p. 103; also WACKERNAGEL, p. 184.

[27] Cf. BUB, vol. 1, p. 349; also WACKERNAGEL, p. 184.

[28] Cf. BUB, vol. 2, pp. 353 f.

may have had a connexion with the Dominicans[29], who were in the forefront of charitable work in Basel. Rheinfelden, in addition to a chapel in honour of Alexius, patron of beggars and pilgrims, also possessed a Dominican hospice[30]. It is probable that both religious bodies, like the Dominicans, and the lay *Spital* would have devoted much attention to the needs of pilgrims; for Basel, situated at the highest navigable point of the Rhine and at the descent from the mountain passes, occupied an important position on the north-south route used by pilgrims to Rome, which with Syria was one of the two centres of the cult of the saint[31].

In contrast to the other saints, Pantaleon, patron of physicians and midwives, enjoyed an enthusiastic cult in the Basel area. The cathedral possessed relics of him[32]; to the bishop belonged the patronage of the church at Gueberschwihr[33], which was dedicated to him; there was a chapel in his honour in the St. Martins-kirche in Basel[34], and an altar in the church at Schöntal[35]; in addition there are records of his relics from further afield, from St. Gallen and around Luzern[36]. The older cult of Pantaleon is thought to have provided the name of the legend-ary first bishop of Basel, Pantalus[37]. The latter is supposed to have accompanied the Eleven Hundred Virgins to Rome and upon returning to have suffered mar-tyrdom with them at Köln, also a centre of the cult of Pantaleon. The most permanent evidence of Pantaleon's cult in the Basel area is the present-day village of St. Pantaleon, between Lupsingen and Liestal, named after a chapel dedicated to the saint, the patronage of which belonged to the Dominican abbey of Beinwil[38]. WACKERNAGEL writes that the interest of the citizens of Basel 'gehörte auch auswärtigen Gotteshäusern ... von jeder Art, bis hinab zu kleinen

---

[29] Of the references to Peter and Johannes von Bärschwil in BUB, several link them with the Dominican foundations of Klingental and Beinwil (see Register to vol. 2).

[30] Cf. WACKERNAGEL, p. 152.

[31] The mendicant orders arrived in Basel in the 1230's, first the Franciscans, later the Dominicans — a strong tradition links Konrad with Dominican circles in both Basel and Freiburg (cf. K. MORIZ-EICHBORN, Der Skulpturenzyklus in der Vor-halle des Münsters zu Freiburg im Breisgau, Strassburg 1898, pp. 57 ff.). The wel-fare of pilgrims in the city would also have been in the care of the Knights of St. John and the Deutscher Orden.

[32] Cf. Akten der Überführung des Reliquienschatzes des Domstiftes Basel nach dem Kloster Mariastein im Jahre 1834, ed. C. ROTH, Basler Zeitschrift für Geschichte und Altertumskunde X (1911) 186—195.

[33] Cf. TROUILLAT, op. cit., vol. 5, p. 93.

[34] Ibid., p. 47.

[35] H. Boos, Urkundenbuch der Landschaft Basel, 1. Teil, Basel 1881, pp. 10—12.

[36] Cf. STÜCKELBERG, op. cit., passim.

[37] K. GAUSS, Die Heiligen der Gotteshäuser von Baselland, Basler Zeitschrift für Geschichte und Altertumskunde II (1903) 29 f. (reference to 'Sonderabdruck'); also A. LÜTOLF, Die Glaubensboten der Schweiz vor St. Gallus, Luzern 1871, pp. 243—245.

[38] Cf. TROUILLAT, op. cit., vol. 5, p. 126.

Feldkirchen und Bethäusern wie St. Brictius, St. Pantaleon, St. Romey'[39]. A document of 1285[40] records a bequest of money from which one *solidus* is to be paid annually to the chapel of St. Pantaleon. The name Pantaleon became surprisingly common both as a surname and first name in the Basel area.

In this, the local cult of Pantaleon, we find one reason for Johannes von Arguel to have selected him as a suitable subject for Konrad's talent. Johannes himself shows some of the traits which we have already observed in the elder Leutold von Roeteln and Heinrich von Neuenburg. A century later he was still remembered as having been *multum potens in civitate Basiliensi*[41]. A man of property and wealth, he nevertheless became the champion of the people[42], and thereby the constant rival of Peter Schaler, the leader of the nobles against any popular movement and another of Konrad's patrons. He is twice recorded as witness to *Handfesten* for Kleinbasel[43]; he appears in documents as referee between disputing parties[44] and as a generous benefactor of the Cistercian monasteries of Lützel and Wettingen[45]; the parish church at Attenschweiler, where he owned property, belonged to Lützel[46]. When he sought the services of Konrad he was doubtless already ambitious, but still a young man with his career ahead of him. Konrad refers to him as *der Winharten tohter kint* ('Pant.' 2141). It may have been through his mother that he gained access to guild circles, in which one Walther Winhart was prominent[47].

Johannes von Arguel and Johannes Iselin have more in common than their connexion with the Cistercian monastery of Lützel: the document of 1288 which I have already mentioned[48], refers to the former as a *procurator hospitalis*. We recall at this point that Pantaleon was one of the fourteen Holy Helpers (his name signifying 'All-compassionate') and that he was the patron of physicians. It is hardly coincidence that two gravestones in Basel Cathedral, dated 1595 and 1644, commemorated *Heinricus Pantaleon, Philosophus et Medicus,* and *Maximilianus Pantaleon, Medicinae Doctor,* respectively[49].

WACKERNAGEL sums up Johannes von Arguel as 'Pfleger des städtischen Spitals ... der Vertreter der Volksinteressen, der Begünstiger der Zünfte'[50] —

---

[39] Cf. WACKERNAGEL, p. 185.
[40] Cf. BUB, vol. 2, pp. 291 f.
[41] Cf. BUB, vol. 4, p. 246.
[42] Cf. TROUILLAT, op. cit., vol. 2, p. 425: *Johannes de Arguel, cui plebs adhaesit.*
[43] Cf. BUB, vol. 3, p. 206 (1297); vol. 4, p. 11 (1309).
[44] Cf. TROUILLAT, op. cit., vol. 2, p. 577 f.; also BUB, vol. 3, p. 225.
[45] Cf. BUB, vol. 2, p. 200; vol. 3, p. 6; he is a frequent witness to documents involving Cistercian foundations: BUB, vol. 2, p. 130; vol. 3, pp. 14, 209, 253.
[46] Cf. TROUILLAT, op. cit., vol. 5, p. 122.
[47] Cf. SCHRÖDER, op. cit., p. 104.
[48] See above, p. 201.
[49] Cf. JOANNES TONIOLA, Basilea Sepulta Retecta, Basel 1661, pp. 43,88.
[50] Cf. WACKERNAGEL, p. 93.

again the sort of man whom one might expect to commission a work which would meet the needs of the broad mass of the people.

For, although one ought not to underestimate the motives of personal interest which doubtless were at work in all these men — they would derive pleasure from reading their legends, and the pious act of commissioning them and having them read publicly would bring prestige and help to further those who were ambitious — they did share in a process by which the people of their city and the language of those people attained to a greater degree of independence and sovereignty than ever before. These legends are not written purely for those who happened to have paid for them, but to satisfy a wider audience — those who would 'hear' rather than 'read'.

Leutold von Roeteln bids Konrad write 'Silvester'

> Silv. 94 *dar umbe daz ez stüende*
> *ze nutze werden liuten.*

We cannot determine precisely who these *werde liute* were, nor the circumstances in which the legend would have been recited to them: it is possible that it came to form part of the religious life of the Masons' guild. The legends of Alexius and Pantaleon could easily be read aloud in the course of an evening, the former perhaps to pilgrims or on the saint's feast-day (celebrated in the Diocese of Basel on 17th July); the latter must surely have found a place in the local cult of the saint.

If we now examine the prologues and epilogues of the works themselves (at once both their most personal and most formulaic parts), one result will be to reveal something of the attitude with which the poet approached his task.

We find many of the standard features of the prologue and epilogue here. Konrad points out in each case that the legend in question derives from a Latin source, which he has been requested to render into German. This source is mentioned in 'Silvester' in the prologue only (87), in 'Alexius' in prologue and epilogue (19, 1390), in 'Pantaleon' in the epilogue alone (2145). In 'Silvester' (2 f.) and 'Pantaleon' (27), he is at pains to affirm the truth of his material; in 'Alexius', this is not the case. As moral works they early announce their didactic aim: by reading or hearing them, one wishes to imitate the saint, and his example is a *bîschaft ze reinen tugenden* ('Pant.' 6), inspiring to *edeler tât*. The message is addressed to those who are *wert, rein, edele herzen,* and to receive it they must apply *herze und ôren* ('Alex.' 56, 'Pant.' 64). At first sight adjectives like *wert, rein* and *edel* seem to imply a limitation of Konrad's public, but upon closer examination we see that it is the patron's wish that the legend should reach a wider audience than, say, his own familiy circle. Of Johannes von Arguel, Konrad writes that he commissioned the work

Pant. 2147   *dar umbe daz die liute*
vernæmen dran ze diute
daz er kan trûren stœren.

Thus Konrad is not addressing a select social group, but is paying a compliment to a general audience. At the same time there seems to be a certain contradiction between the emphasis upon the example of the saint as a means of keeping away sin and the presumed purity of his audience. Unlike Hartmann he does not see us all as sinners.

Konrad mentions his patrons in all three epilogues. Leutold von Roeteln is also mentioned in the prologue of 'Silvester'. He does not dedicate the work directly to them, as does for example Reinbot[51], but rather tells his audience about them; nor does he dwell as long upon them as in his secular works[52]. He adopts the common twelfth-century practice of seeking the prayers of his audience for his patrons ('Silv.' 5212 ff., 'Alex.' 1396 ff., 'Pant.' 2151 ff.); thus in 'Alexius':

1404   *got gebe in stæter vröuden hort*
und êweclicher wunnen rât.

Konrad is unusual in that he makes clear in this religious poetry that he is being financially, or at least materially, rewarded for his work; indeed in this respect he sees Johannes von Arguel almost as the author of 'Pantaleon':

2144   *mit sîner miete lône*
brâht er si von latîne
ze tiuscher worte schîne.

Other religious writers usually stress that their aim has been to instruct the laity, rather than to satisfy a customer. For Konrad, however, living as he did at a time when the poet could no longer by right lay claim to a position of honour in a courtly society, his means of livelihood is a constant cause of worry to him[53]. In 'Alexius' alone (1394 ff., 1406 ff.) he links his own name with those of his patrons in the request for prayers, but in general he seems to be more concerned with reward here than hereafter, with *milte* rather than *gotes hulde*.

He gives his own name stock possible attributives like *tump* and *arm* ('Alex.' 1395, 1406). One finds it hard to recognise in the *tumber Cuonrât* who writes,

Silv. 88   *durch die bete sîne*
tuon ich ez als ich beste kan,

the man who in later works was to show such pride in his work and scorn for the ill-judged attempts of others[54]. In 'Pantaleon' the author is not mentioned,

---

[51] 'Der Heilige Georg' Reinbots von Durne, ed. C. VON KRAUS, Heidelberg 1907, l. 1 f.
[52] Cf. 'Partonopier und Meliur', 168 ff.
[53] Cf. 'Klage der Kunst'; also 'Leiche, Lieder und Sprüche', ed. E. SCHRÖDER, Berlin 1959², nos. 18, 19, 23, 24, 25, 31.
[54] E. g. 'Partonopier', 70 ff.

but this is because the last lines have been subsequently altered: 2154 would originally have ended with the name Cuonrat.

The motifs so far noted are by and large common to the prologues and epilogues of all three legends, most belonging to the standard repertoire employed by religious writers, one or two already revealing a certain tendency in Konrad to deviate, consciously or unconsciously from the norm of religious literature. There are, however, fundamental factors which distinguish each quite clearly from the other two.

'Silvester' begins with a *sententia*: one derives two kinds of benefit from reading stories of the saints — pleasure and instruction. One's *swærer urdrutz* is banished, and at the same time one is improved. Konrad then goes on to illustrate this truth by the image of the tree bearing both fruit and flower, the former echoing the word *fruht* in the first line, which in that context has the general meaning of *gewin*. It is a favourite of Konrad, reappearing in the prologue of 'Partonopier und Meliur' (44 f.). One is reminded of 343 f. of Horace's 'Ars Poetica':

> *omne tulit punctum qui miscuit utile dulci,*
> *lectorem delectando pariterque monendo,*

or line 333, where he contrasts *prodesse* and *delectare*. Gottfried, too, seems to place the emphasis on enjoyment rather than *lêre unde geleite*[55]. But these are secular works, and the notion of entertainment belongs by rights to the secular sphere. It is not a religious motif, for a work of faith needs no extrinsic justification. It is quite legitimate for Konrad in the prologue of a romance like 'Partonopier' to try to woo his audience by persuading them of pleasure in store, but in religious literature the *captatio benevolentiae* is superfluous: religious literature is a sufficient end in itself. One is less surprised to find this kind of sentiment in what one might term semi-religious literature. Thus one of Hartmann's aims in 'Der arme Heinrich' is *swære stunde ... senfter machen* (10 f.), one which is closely followed by Wirnt in the 'Wigalois': *swære stunde den liuten senfte machen* (127). How similar this is to Konrad's *ez ... verjaget den liuten swæren urdrutz* (4 f.). But a legend like 'Silvester', by the nature of its content, is a *Vita* pure and simple, and does not belong to the same category as these, nor even, despite its courtly traits, to that of 'Gregorius' and Wolfram's 'Willehalm'. The standard elements of the legend-prologue, as BRINKMANN has pointed out[56], are invocation to God and the presentation of the saint as a model to be imitated. But while Konrad is concerned to present Silvester as *ein leitesterne   und ein lieht der kristenheit* (42 f.), there is no appeal to God for help in writing his legend. The only point at which Konrad, or indeed man, is seen in a relationship with God, is in the last sentence of the epilogue. Konrad

---

[55] Cf. 'Tristan und Isold', 71 ff.
[56] H. BRINKMANN, Der Prolog im Mittelalter, Wirkendes Wort 14 (1964) 40.

prays that Leutold may be received *ze himel ûf der sælden berc* (5217) in return
for commissioning this work in praise of God; but from earlier we know that
this is best achieved indirectly through devoted service to the intercessor Silvester.

Structurally the prologue falls into four distinct parts. The first, 1—29, contains the opening sententia and its elaboration; it is true to say that, although
the idea of the pleasure given by religious literature is prominent and indeed
first to be mentioned, in the elaboration of the sententia there is greater emphasis placed upon instruction. This is reinforced in the second part, 30—47, where
the saint, still unnamed, is presented as a model of human perfection. The third
part, 48—75, provides a summary of the material to be dealt with, while the
fourth concerns the exact circumstances which led Konrad to write. It will be
noticed that the first and last parts directly concern the audience: what benefits
they will receive from reading, who wrote it, who commissioned it and why
— *ze nutze werden liuten* (95). The middle sections concern the saint himself
directly.

The prologue of 'Alexius' forms a distinct contrast with that of 'Silvester'.
Here Konrad begins with the traditional form of invocation to God as the fount
of wisdom, twice appealing to him for help, firstly in singing the praises of his
servant (4—9), secondly in the specific task of rendering the Latin version of
the legend into German (16—20). At line 25 this first section ends and Konrad
turns to address his audience, again with striking directness:

> Alex. 26   *nu wil ich iu betiuten*
>   *unde entsliezen die getât.*

As in 'Silvester', the saint is an example to be followed, a *nützez bilde* providing *edel bischaft*. The moral of the section is:

> 36   *des sældenrîchen leben ie*
>   *macht ander liute sældenhaft.*

Of such a man Konrad will relate, if those of a pure spirit will lend their ears
and hearts to what he has to say. As in 'Silvester' he ends his prologue by
establishing direct contact between himself, his audience, and his material. The
epilogue ends with another appeal to God, this time that the souls of patrons
and author may go to heaven.

But how genuine is all this piety? Is it any more than a concession to literary
convention? Is this the man who shows such scant respect for God in both the
earlier 'Silvester' and, as we shall see, in the later 'Pantaleon'? If a pious attitude is expected in religious literature, it is certainly not typical of Konrad, in
either his sacred or secular works. How much more genuine are the more pedestrian parts of the epilogue, where he describes how he came to write the work,
how von Bärschwil and Iselin

1398   *die zwêne vlîzic sint gesîn*
        daz ich ez hân zeim ende brâht.

One feels that but for the *rehte liebe* (1389) of these men (how ever one interprets the expression) Konrad would have had much less enthusiasm for the task. The prologue seems more like a literary exercise than the expression of a genuine religious spirit.

This is precisely the impression given by the 'Pantaleon'-prologue, too — that of a literary or rhetorical exercise. As in 'Silvester' Konrad begins with a sententia, 1—5: it is good to hear of martyrs. But no less than the six following sentences comprise a set of variations upon this basic idea. Lines 6 f., the sententia is repeated, formally condensed, but with the addition of the specific value offered: *tugende*. Lines 8—11, the idea is reversed: to hear of martyrs brings virtue. Lines 12—17, it is slightly modified: if you are of a virtuous nature you like to hear about martyrs. Lines 18 f., another modification: it counters sin to hear of their virtue. Lines 20—23 combine four elements: the spirit is strengthened, towards virtue, by example, in resisting sin. Finally in lines 24 f. two positive elements sum up briefly the general content of what has preceded: a good example has a good effect,

        von guoter liute bilde
        den liuten allez guot geschiht.

These repeat almost word for word lines 28 f. of 'Silvester' and recall very strongly lines 36 f. of 'Alexius'.

The overall impression of this opening section of 'Pantaleon' is that Konrad is being very consciously artistic. His variations upon the initial sententia are not really designed to drive home a theological truth, but have stylistic effect in mind. To this end he makes use of the rhetorical figure *interpretatio*, one of the most important means of amplifying material and defined by Eberhard von Bremen in the 'Laborintus'[57] as

309   *Vestio rem verbis variis: non est tenor idem*
      Verborum, sed quod significatur idem.

It is a favorite device of Konrad's; cf. 'Silvester' 1064—75, where Constantine repeats three times the risk of perdition which his soul would run, if he were to order the children to be executed. And in the passage 1076—91 we are told no less than five times how merciful he has always been towards children in the heat of battle. The same idea is repeated, but each time *verbis variis*.

For the rest, 26—51 give firstly a summary of the saint's life, his virtue, fight against heathendom, martyrdom and reward in heaven, then a brief account

---

[57] See E. FARAL, Les Arts poétiques du XIIᵉ et XIIIᵉ siècles, Paris 1924 (Bibl. de l'École des Hautes Études, S. hist. et phil., 238), pp. 336 ff.

of his significance for us, *ein lieht der kristenheit* protecting us from suffering and sin, and showing us true Christian love. Lines 52—66 form the transition to the work proper: for those who are eager to hear (again with heart and ears) Konrad is about to tell his story.

It is remarkable that in both prologue and epilogue there are only the most indirect references to God. He is not approached for aid in composition, nor is there any prayer to Him for the soul either of the patron Johannes von Arguel, or of the author. He is mentioned several times in the prologue, but principally in relation to Pantaleon (for example he is *des reinen gotes kint,* 16) or in the most general terms of belief in Him. In the epilogue the word *got* does not appear and the entire emphasis is on the cult of the saint. In the 'Silvester'-epilogue the saint is referred to as *der werde gotes trût* (5210), and we are told that the legend is written in praise of God, no more. Both these legends have this much in common, that in prologue and epilogue they almost entirely neglect the direct relationship between man and God in favour of those between saint and God, and man and saint. Our suspicion is reinforced that the 'Alexius'-prologue is not the expression of an authentic feeling of artistic dependence upon God, but is a concession to tradition. The epilogues of 'Silvester' and 'Pantaleon' are largely concerned with the favours which can be earned by service to these saints, particularly to Pantaleon, the Holy Helper. From 2016 onwards, that is over a hundred lines before the epilogue proper, this is the theme: Pantaleon prays,

> 2030   *vil süezer Krist, erbarme dich*
>   *über alle die mich ruofen an,*

and Christ grants his wish,

> 2070   *dîn trôst ist allen den bereit,*
>   *ez sîn vrouwen oder man,*
>   *die dich in nœten ruofent an.*

The sick, the traveller by sea, the poor and the prisoner are named. Where the prologue said, 'If you heed the example of the saints and martyrs you will become more virtuous', the message of the epilogue is, 'If you honour the saint he will intercede on your behalf and grant you favours on earth and in heaven'. This latter, less altruistic reason for perpetuating his cult is, of course, understandable within the medieval moral framework of service and reward, but again one feels that Konrad is not writing from the heart, but only in order to fulfill the needs of his audience. There seems to be a greater sense of personal involvement in Reinbot von Durne, when he seeks the help of St. George[58]:

> *Geori der edel herre,*
> *nu hân ich mich vil verre*

---

[58] 'Der Heilige Georg' Reinbots von Durne, 71—74, 88 f.

> *vermezzen ûf die gnâde dîn:*
> *nu tuo genâde an mir schîn; —*
>
> *hilf mir hie entsliezen*
> *dîniu grôze wunder.*

That Konrad should include some of the stock humility formulae does not surprise us: his real attitude to his own creative ability we find elsewhere. Indeed it is more remarkable that, for example, he omits a token retraction of his secular works, or rejection of all profane writing as no more than *lüge*. The invocation to God in 'Alexius' is made void by the neglect of God in the other legends. In comparison with those of 'Gregorius' or 'Servatius' or indeed with his own large-scale romances, the prologues to the legends show a marked lack of intellectual content: at best they are the artistic repetition of standard attitudes, at worst the cursory production of his credentials. As regards his public, Konrad writes not for all classes of men, neither for the general laity, nor for the universal sinner of 'Gregorius', least of all for the *ungelerden lude* of 'Servatius' (180): he limits his audience, in his mind if not in practice, by addressing the pure and the noble.

We have already noted Konrad's preoccupation with reward. In the 'Silvester'-epilogue the pious man's reward on earth is given an unusual degree of importance,

> 5204 *er mac vil ganzer sælden hort*
> *besitzen ûf der erden.*

In 'Pantaleon' favours can be earned by constant service. For himself Konrad asks for prayers in 'Alexius', but elsewhere one feels that he has more interest in *guot* than in *êre* or *gotes hulde*.

Clearly this does not mean that Konrad is an unbeliever — even to say that he is sceptical may be to employ too strong a term. But his attitude is one of objectivity. This is borne out by a study of the text of the legends. For reasons of space one or two examples only must suffice here[59].

In 'Pantaleon' 1036—43, Maximian suggests that the heathen gods be first put to the test of healing the lame man. This is necessitated by the facts of the legend, namely that they will fail, whereas the Christian God will subsequently succeed. But psychologically this is implausible: in his confidence Maximian ought to suggest that the ineffective God of the Christians be tested first, leaving his own Gods to triumph later. Konrad recognizes this anomaly and therefore provides an (albeit rather weak) reason for Maximian's choice:

> 1036 *den goten kunt dis êre tuo*
> *daz wir von êrste ir kraft gesehen.*

There is no parallel to this in the versions of the 'Acta Sanctorum' or Mombritius. Nor for that matter did Konrad see the need for such motivation in the similar

---

59 I hope to develop at a later date the ideas which follow.

situation in 'Silvester' (4810 ff.), involving the killing of the bull.
Again, 'Alexius' 242 f.:

> *durnehtic, michel unde grôz*
> *wart sînes herzen riuwe*

these lines are an addition by Konrad, as are in all probability 716—36[60], in which he describes the silent suffering of Alexius in the presence of his unwitting wife and parents. In both cases Konrad attempts to give to Alexius a degree of human warmth and vulnerability, which is in complete contradiction to the absoluteness of his ascetic virtue — a fact of which the poet is unaware or else deliberately ignores. At the same time there is a certain detachment to be seen in the passage, in such phrases as *nu sprechent ob, mich wundert daz,* and *daz was ein wunder wilde.* Indeed, throughout 'Alexius' there is hardly a sentence or phrase of even secondary importance, which is less explicit than the source. He does not alter the facts, but is constantly seen interpreting and explaining them.

However, more telling than minor details is the fact that in dealing with the whole 'Alexius' material, Konrad is advancing a model of exemplary Christian virtue which is not only uncourtly, but actually and specifically anticourtly. How can the poet of the earlier 'Herzmaere' and the later 'Engelhart' and 'Partonopier' with sincerity treat a subject whose virtue lies in the renunciation of *minne*?

Konrad's action must of course derive from his position as a *vagus*: he must write to please in order to be able to continue to ply his trade. It is at this point that we approach the determining factor in his attitude towards the writing of the legends, for more important even than his reward is his poetic trade, and he sets about his task as an artist, rather than as an hagiographer.

His approach, firstly, is consciously artistic. His aim, as constantly stated, is to *entsliezen die getât* of the saint concerned ('Silv.' 77, 'Alex.' 27, 'Pant.' 56). *entsliezen* or *durgründen* for Konrad are more than colourless synonyms for *reden* or *sagen*. They imply an intricate method of composition and material which is difficult to master. Divine truth, as shown by the saint's life, is not plain for all to see, requiring only the simple process of presentation by an author aided by God's grace: it is a secret which only the exacting art of the poet can bring to light.

On another, less conscious, plane Konrad's attitude to his subject is aesthetic. This is best illustrated by his use of the word *zieren* and others like it. Firstly, *zieren* is 'to decorate', literally, as a cathedral is decorated ('Silv.' 2019, 'Alex.' 271) or a house ('Alex.' 900). The adjective *ziere* describes Constantine ('Silv.'

---

[60] They may have been suggested by the source (cf. G. JANSON, Studien über die Legendendichtungen Konrads von Würzburg, Diss. Marburg 1902, p. 18), but even in this case it is likely that Konrad followed his usual tendency to elaborate such an emotional passage.

1278) and Pantaleon (508). Pantaleon's throne is *wol gezieret* (2052), a crown will decorate his head eternally (2055).

Next, *zieren* is used figuratively of style, as so often in a rhetorical context[61]:

> Silv. 494   *gezieret was mit süezekeit*
> *sîn sprâche als ein geblüemet wise.*

A passage in Reinbot's 'Georg' contrasts by its pejorative use:

> 49   *ich enbin der witze niht so laz*
> *ich enkünne ez doch verre baz*
> *tihten unde zieren,*
> *mit lügenen florieren.*

Other than one instance of *gezierde* as the 'pomp' of the devil ('Silv.' 1773—75) however, Konrad employs *zieren*, its compounds and synonyms exclusively in a positive sense, extending their use to include the moral sphere.

Thus, as the title of 'Christian' ('Pant.' 1726) and the crown of martyrdom decorate the saint, so he decorates the faith of the Christian Church:

> Silv. 68   *geblüemet und gerœset*
> *wirt si von sîner lêre.*

He is a jewel in the Church's crown:

> Silv. 44   *er hât mit hôher sælekeit*
> *gezieret den gelouben wol.*

Finally, the virtue by which the man becomes the saint is itself an ornament for him:

> Pant. 110   *geblüemet stuont sîn reiniu jugent*
> *mit durliuhtiger werdekeit.*
> Alex. 136   *mit lobelichem prîse*
> *gezieret stuont sîn reiniu jugent.*

And a few lines further we find a variation of the flower and fruit image:

> Alex. 154   *man seit, swâ tugent blüeje,*
> *daz dâ vil rîcher sælden vruht*
> *beginne wahsen mit genuht.*

For Konrad, the poet and craftsman of the 'Goldene Schmiede', the master of the decorated style, virtue is not seen as a social, or even ethical, factor, so much as in aesthetic terms. Transcending his need to please his patrons is his delight in expressing in words what the Psalmist called the *beauty of holiness* (29,2). In this respect the convention whereby physical beauty mirrors spiritual beauty within suits his purpose perfectly and he is able to describe Alexius in the following way:

---

[61] Cf. the use of *blüemen* and *rœsen* in the sense of 'to give lavish praise': 'Silv.' 836 f. (*geblüemet und gerœset   mit lobe wart sîn hôher name*), 3558 f., 3920 f.

144　*dem werden jungelinge*
wart alliu schande wilde.
er hæte ein klârez bilde
und eine lûter angesiht.
an im brast aller sælden niht
die man ûf erden haben sol.

Later in this legend he sees a different relationship between the physical and the moral. Indeed central to the legend is the fact that at several points (notably 302 ff., 474 ff., 1130 ff., 1272 ff.) the identity of Alexius is not perceived, and his piety, as shown in his mortification of the flesh, is not recognised as such by his fellows. The passage 1130 ff. perhaps illustrates this best. Alexius' mother admits that their blindness has deceived her and Eufemian as to both his identity and the significance of his way of life:

1144　*wir wâren leider alsô blint*
daz uns betrouc din bilde
und uns din leben wilde
was in allen stunden.

The discrepancy between physical appearance and moral reality, but in reverse form, is also central to 'Der Welt Lohn' — except that there the moral reality is seen symbolically in the physical terms of the repulsive back-view of Frau Welt. This use of aesthetic values to make moral distinctions is by no means exclusive to Konrad, but it seems to have held an unusually strong attraction for him.

Given the fidelity with which he follows the given facts of his source, his achievement is the manner in which he decorates these facts[62]. In Konrad's hands the legend appears like a gilded and jewelled reliquary, a vessel *von golde und von gesteine* ('Alex.' 1361), containing the holiness of virtue, but not itself holy. One recalls the Pantalus-reliquary, made c. 1275 to hold the head of the saint which had been brought to Basel from Cologne in 1270[63]. As a rhetorical figure decorates the sentence, or a saint the Church, so virtue is a jewel or flower, making more beautiful the person who possesses it. And who is more likely to inspire the saint to this virtue than God Himself, the Divine Artificer?

---

[62] On occasion this decoration can even run counter to the basic message: see above p. 211; cf. also Konrad's elaborate description (by comparison with the source) of Alexius' bride, 196—217. By giving so many of the physical attributes of the romantic heroine to the woman whom Alexius is about to abandon in the service of God (*wol gezieret, mit rîcher wæte bekleit, minneclîchiu varwe, alsam ein rôse blüejende*), Konrad is in fact arousing our sensuality, while supposedly preaching the virtue of renunciation and chastity. Tension exists between the courtly author and the non-courtly narrator.

[63] Stückelberg, op. cit., vol. 1, p. 42.

RUDOLFS VON EMS 'BARLAAM UND JOSAPHAT' ZWISCHEN LEGENDE UND ROMAN

von

Ulrich Wyss (Bern)

Rudolfs von Ems umfangreiche Erzählung von Barlaam und Josaphat wird gemeinhin zu den 'höfischen Legenden' gerechnet, einer Gattungstradition also, die Veldeke begründet haben soll und als deren bekannteste Vertreter die sogenannten 'Legenden' Hartmanns von Aue gelten. Bei allen diesen Werken stellt sich das Problem, wie die Gestaltung geistlicher Stoffe, die oft eine explizit antihöfische Tendenz enthalten, in den Kategorien der höfischen Erzählkunst möglich sei.

Noch DE BOOR versucht, den Schlüssel zur Beantwortung dieser Frage in der Biographie der jeweiligen Dichter zu finden. Der 'Gregorius' ist demnach Ausdruck einer religiösen Krise im Leben seines Verfassers, die diesen zu radikaler Weltabsage getrieben habe[1]. Ein solcher Ansatz läßt jedoch unbegreiflich erscheinen, daß Hartmann dann doch wieder ein rein weltliches Epos schreiben konnte: so muß DE BOOR den 'Iwein' als bloßen 'Zeitvertreib' des Dichters abwerten, während die früheren Werke 'Selbstauseinandersetzung' gewesen sein sollen[2]. Im Falle von Rudolfs 'Barlaam', den er analog erklärt[3], behilft er sich damit, daß er das — wiederum individuell gefaßte — Interesse des Dichters für Geschichte betont: '... er ist im Grunde Historiker'[4]. Da für das Mittelalter Geschichte nur im Rahmen des göttlichen Heilsplanes, der einen Gegensatz von Gott und Welt einschließt, denkbar ist, kann DE BOOR die Rückwendung Rudolfs zu weltlicher Thematik im Sinne eines Einbeziehens irdischen Geschehens in den heilsgeschichtlichen Zusammenhang deuten; die Antinomie von weltlicher und geistlicher Erzählung ist damit, wenigstens vom Dichter her gesehen, relativiert. Aber eine gattungsgeschichtliche Fragestellung, die sich mit der Rekonstruktion individueller Dichterschicksale nicht zufriedengibt, muß darüber hinausgehen: sie bemüht sich um das Verhältnis von höfischem Roman und höfischer Legendendichtung als

---

[1] H. DE BOOR, Geschichte der deutschen Literatur von den Anfängen bis zur Gegenwart, Bd. 2: Die höfische Literatur. Vorbereitung, Blüte, Ausklang, München 1953, S. 74.

[2] Ebd., S. 83.

[3] Ebd., S. 176 f. 181.

[4] Ebd., S. 177.

eine Möglichkeit, in die Problematik der mittelalterlichen epischen Genres einen vielleicht weiterführenden Einstieg zu finden. — Meine Beobachtungen am Text des Rudolfschen 'Barlaam' möchten hierzu ein wenig Anschauungsmaterial beisteuern.

Wir werden sogleich sehen, daß es eben jenes Verhältnis von geistlichem Stoff und weltlicher Erzählkunst ist, das den Angelpunkt der bisherigen Interpretationen des 'Barlaam' bildet. Aus diesem Grund ist es erforderlich, zunächst den Bezugsrahmen unserer Untersuchung klarzulegen: für gattungstheoretische Fragestellungen scheint es einen anderen Weg als den über i d e a l t y p i s c h e Konstruktionen nicht zu geben[5]. So müssen wir, anhand des historischen Materials, jene typischen Gattungscharaktere zu gewinnen versuchen, die es möglich machen, den einzelnen Text in seiner gattungsgeschichtlichen Konstellation zu verstehen. Für unsere Zwecke handelt es sich darum, uns über jene Gattungen zu verständigen, mit denen wir es im Zusammenhang mit dem 'Barlaam' vornehmlich zu tun haben: über den höfischen Roman und die Legende.

Der neuesten L e g e n d e n forschung[6] folgend, gehen wir davon aus, daß die soziale Funktion der Legende dieser unmittelbar zu entnehmen sein muß: Legende ist Zweckdichtung, der Zweck besteht in religiöser Erbauung. Dies ist jedoch unmittelbar nur möglich, wenn die Legende an den kirchlichen Heiligenkult gebunden bleibt. Dabei scheint mir entscheidend, daß die Biographie des Heiligen in keiner Weise zum Vehikel für die Entfaltung einer sozialen oder individuellen Problematik gemacht werden darf — ihre Vorbildlichkeit für das Publikum bleibt vielmehr ganz abstrakt, sie ruft einfach auf zu christlichem Lebenswandel. Worin dieser zu bestehen hat, ergibt sich aus den jeweiligen Umständen der Hörer oder Leser. Die Abstraktheit des Vorbildlichen schlägt sich soziologisch darin nieder, daß die Legende ständisch nicht determiniert ist; kompositionell entspricht dem ein lockeres Konstruktionsprinzip, das Wundertaten und Leiden des Heiligen einigermaßen beliebig aneinanderreiht. Weil der Sinn des Ganzen vor aller erzählerischen Gestaltung durch den Kult verbürgt ist, braucht ein ideelles Prinzip der Form sich nicht aus der Erzählung selbst zu entfalten.

Ganz anders verhält es sich beim höfischen R o m a n[7]: Er ist gerade dadurch charakterisiert, daß er bestimmte Konflikte, die in der Lebenswirklichkeit der

---

[5] Zur Theorie des Idealtypus vgl. vor allem A. HIRSCH, Soziologie und Literaturgeschichte, Euph. 29 (1928) 74—82.

[6] H. ROSENFELD, Legende, Stuttgart 1961 (= Slg. Metzler 9); ders., Art. 'Legende' im Reallex. Bd. 2², Sp. 12—31; TH. WOLPERS, Die englische Heiligenlegende des Mittelalters. Eine Formgeschichte des Legendenerzählens von der spätantiken Tradition bis zur Mitte des 16. Jahrhunderts, Tübingen 1964 (= Buchreihe der Anglia, Bd. 10); BIRGIT H. LERMEN, Moderne Legendendichtung, Bonn 1968 (= Abh. zur Kunst-, Musik- und Lit.wiss., Bd. 53).

[7] Vgl. G. LUKÁCS, Die Theorie des Romans. Ein geschichtsphilosophischer Versuch über die Formen der großen Epik, Neuwied 1965³, S. 101 ff.; E. AUERBACH, Mimesis. Dargestellte Wirklichkeit in der abendländischen Literatur, Bern 1964³ (= Slg. Dalp,

feudalen Gesellschaft gegeben sind, ausdrücklich thematisiert und exemplarisch einer Lösung zuführt. Solche Erzählung erhebt durchaus den Anspruch auf konkrete Verbindlichkeit für ihr Publikum. Der Stoff wird bewußt nach bestimmten Prinzipien durchgestaltet[8]. Wichtig ist dabei nun aber, daß im mittelalterlichen Roman der Begriff des Wahren nicht abzulösen ist von dem des Vorbildlichen — das rückt Roman und Legende in eine gewisse Nähe zueinander. Aber eben: wenn die Vorbildlichkeit einer Heiligenvita sozial indifferent, abstrakt, unspezifisch ist, so konstituiert sich Wahrheit im höfischen Roman zwar auch durch das Medium der Vorbildlichkeit, jedoch in einem konkreten, spezifischen Sinne. Diese Konkretheit ist indessen nicht zu verwechseln mit jenem Begriff des Typischen, den Lukács, ausgehend von der Hegelschen Ästhetik, als die spezifisch ästhetische Weise der Verschränkung von Allgemeinem und Besonderem konzipiert hat[9]; an die Stelle dessen, was in der Theorie des neuzeitlichen 'Realismus' zu Recht als das Typische bezeichnet wird, tritt im höfischen Roman das Prinzip der Idealität. Damit aber werden alle voreiligen Übertragungen von am neuzeitlichen 'Entwicklungsroman' gewonnenen Strukturkategorien auf den mittelalterlichen Roman fragwürdig[10].

Wenn wir uns den seit DE BOORS Literaturgeschichte vorgetragenen Interpretationen des 'Barlaam' zuwenden, so erkennen wir bald, daß sie alle vor der Notwendigkeit stehen, über die Vordergründigkeit jener biographischen Erklärung des Gattungsproblems hinauszukommen. H. RUPP[11] versucht, die gegenhöfische Wendung anders als psychologisch zu motivieren, indem er die Proklamation des *contemptus mundi* für nicht ganz ernst zu nehmen erklärt. Es gehe Rudolf vielmehr darum, die Stellung und Bewährung eines christlichen Fürsten i n der Welt vorzuführen; die *vita activa* stehe durchaus im Vordergrund[12]. Allerdings bezieht RUPP die Berechtigung, den Weltverzicht des Helden zu

---

Bd. 90), S. 120—138; E. KÖHLER, Zur Selbstauffassung des höfischen Dichters. Wege der Literatursoziologie, hg. v. N. FÜGEN, Neuwied 1968 (= Soziolog. Texte, Bd. 46), S. 245—265; W. MONECKE, Studien zur epischen Technik Konrads von Würzburg. Das Erzählprinzip der wildekeit, Stuttgart 1968 (= Germanist. Abh., Bd. 24), bes. S. 84—121.

[8] Vgl. Chrestiens de Troyes programmatische Äußerungen über *matiere* und *san* ('Charrette' v. 26) und über die *mout bele conjointure* ('Erec' v. 14).

[9] Vgl. H. H. HOLZ, in: Georg Lukács zum siebzigsten Geburtstag, Berlin 1955, S. 88—110, zum Problem des Typischen vor allem S. 97 ff.

[10] Vgl. etwa X. v. ERTZDORFF, Typen des Romans im 13. Jahrhundert, DU 20/2 (1968) 81—95, bes. 82, wo der Roman formalistisch als eine 'Kunstform des Erzählens' verstanden ist, die 'seit der Spätantike im Mittelalter und in der Neuzeit lebendig geblieben' sei, was dann die Applikation der Typologien W. KAYSERS und F. K. STANZELS auf die mittelalterlichen Versromane legitimieren soll.

[11] H. RUPP, Rudolfs von Ems 'Barlaam und Josaphat', in: Dienendes Wort. Festgabe für E. Bender, Karlsruhe 1959, S. 11—37.

[12] Ebd., S. 19.

bagatellisieren, aus einem aufbautechnischen Kriterium, das kaum geeignet sein dürfte, seiner Deutung Evidenz zu verleihen. Er meint einen symmetrischen Aufbau auszumachen, der in zwei — ihrerseits jeweils halbierten — Hauptteilen zunächst Josaphats Jugend und Bekehrung, dann seine Versuchungen und sein irdisches Wirken als König umfaßt, während die Weltflucht und der Tod des Helden nur in einem kurzen Anhang nachgetragen werden[13]. Das Wichtigste, argumentiert RUPP, stehe in den Hauptteilen, die formale Struktur beweise das — Rudolf 'hätte es ja genau so gut anders machen können'[14].

RUPP setzt indes sein Bemühen um den 'Barlaam' im selben Aufsatz auch noch von einer anderen Seite her an: er fragt nach der Haltung des Dichters seinem Thema gegenüber[15]. Dabei übersieht er jedoch, daß diese Frage nur die Kehrseite der ersten ist; die Funktion des *contemptus mundi* in der Erzählung ist nicht ohne weiteres von Rudolfs Stellung zu ihm zu trennen. RUPP tut es, kann es tun, weil für ihn *contemptus mundi* eine rein literarische Kategorie ist, unter die man Texte subsumieren kann oder auch nicht; den geschichtlichen Zusammenhang, in dem die Texte jeweils stehen, der in unserem Fall wesentlich durch die soziale Funktion des *contemptus mundi* und deren Wandel konstituiert wird, drängt er dabei zur Seite. So hilft es ihm wenig, auf eine Kontinuität der literarischen Tradition aus frühmhd. Zeit, die etwa von Frau Ava über Konrad von Fussesbrunnen hin zu Rudolf von Ems zu verfolgen wäre, hinzuweisen[16] — gerade die Tatsache, daß Rudolf kein Geistlicher war, deutet auf einen Funktionswandel des *contemptus* hin, den nicht in den Griff bekommt, wer wie RUPP bei der bloßen Feststellung des Vorhandenseins dieses Motivs stehenbleibt.

So finden sich in RUPPS Aufsatz zwei einander widersprechende Positionen: einerseits wird der 'Barlaam' als Darstellung einer exemplarischen fürstlichen Existenz präsentiert, während andererseits die Vorbildlichkeit Josaphats seines schließlichen Weltverzichts wegen relativiert werden muß; der 'immanenten' Deutung, die zur ersten Position führt, setzt sich das Ergebnis einer motivgeschichtlichen Betrachtung als zweite entgegen. Mir scheint, es käme darauf an, die beiden miteinander zu vermitteln. Gerade das aber ist auch den neuesten Monographien über Rudolf von Ems nicht gelungen.

XENJA VON ERTZDORFF[17] stimmt RUPPS Auffassung vom *contemptus mundi* ausdrücklich 'voll zu'[18]. Sie versucht, den 'Barlaam' als Darstellung exemplarischer fürstlicher Tugend in Romanform zu deuten; die schließliche Weltflucht des Helden kann sie dann nur noch individualistisch als Ausdruck unerschütterlicher Hingabe an den Glauben u. ä. verstehen. Das heißt, sie stellt das Welt-

---

[13] Ebd., S. 16.
[14] Ebd., S. 17.
[15] Ebd., S. 26 ff.
[16] Ebd., S. 33 ff.
[17] XENJA VON ERTZDORFF, Rudolf von Ems. Untersuchungen zum höfischen Roman im 13. Jahrhundert, München 1967.
[18] Ebd., S. 351.

leben auf eine andere logische Ebene als die Weltflucht — während Rudolf zunächst im Sinne des höfischen Romans Probleme christlichen Fürstentums darstellt, hat sich im Asketeil der Bezug auf eine konkrete gesellschaftliche Realität verflüchtigt; das Gebot der Weltflucht erscheint nur noch als abstraktes, nicht mehr in die höfische Lebenspraxis zu vermittelndes Postulat. Es ist dann eine ganz allgemeine 'sittliche Vollkommenheit'[19], die Josaphat zum Vorbild für ein höfisches Publikum machte. X. v. ERTZDORFFs Verdienst besteht darin, daß sie versucht, die *contemptus*-Problematik in eine präzis gefaßte Relation zur Diesseitsproblematik zu bringen. Der 'Barlaam' ist nach ihrer Meinung, wie es der Grundthese ihres Buches entspricht[20], ein höfischer Roman; das bedeutet für sie, daß sie die Vorbildlichkeit des Helden im Hinblick auf seine irdische Bewährung retten muß auch dort, wo er die Welt verläßt. So stellt sie denn den 'Barlaam' in eine Linie mit dem 'Parzival', auch mit dem 'Gregorius'[21], und von Rudolfs nicht erhaltener Eustachiuslegende mutmaßt sie, daß jenes Werk uns 'hätte ... zeigen können, wie sich Rudolf von Ems die Bewährung eines zur Würde des Märtyrers berufenen Heiligen als Ritter und Feldherr 'in der Welt' vorstellte'[22], ja daß Rudolf wahrscheinlich sogar auf Wolframs 'Willehalm' Bezug genommen hätte[23]. — Verhält es sich aber wirklich so, daß Josaphats ritterliche Existenz problematisiert wird? Geht es tatsächlich um die Bewährung eines christlichen Königs? Daß diese Deutung nicht ungezwungen vor sich ging, zeigt schon der Wechsel in der Problemebene, den sie voraussetzen muß.

H. BRACKERT[24] schließlich beginnt mit einer Kritik an RUPP wie an DE BOOR. Beider Interpretationen seien insofern miteinander verwandt, als sie meinen, die Wendung zum geistlichen Thema e r k l ä r e n zu müssen. Es sollte jedoch, meint BRACKERT, 'primär von der Gattung her geurteilt werden'[25]. Seine Hauptthese zu Rudolf von Ems besteht darin, daß bei diesem Geschichte immer Lehre sei. Das führt ihn dazu, daß er den Aspekt der Lehre verselbständigt, um ihn gegen die allzu offensichtliche Widersprüchlichkeit des Werkes, an der RUPPs Interpretation gescheitert war, zu wenden. Die Barlaamgeschichte wolle eine 'in sich konsequente Darstellung einer *lere*, nicht ... Bekenntnis'[26] sein; die Einheit der Legende — BRACKERT spricht immer von Legende — als die 'Einheit von Leben in der Welt und Weltabkehr' liege 'in der Einheit der *lere* begrün-

---

[19] Ebd., S. 216.
[20] Vgl. die Rezensionen von W. SCHRÖDER, AfdA 80 (1969) 25—41; L. WOLFF, GRM 50 (1969) 213—218, die beide auch das Buch von BRACKERT (s. u. Anm. 24) behandeln; ferner P. KRÄMER, DLZ 90 (1969) 213—215 und neuestens A. STEVENS, JEGPh 69 (1970) 700—702.
[21] v. ERTZDORFF, a. a. O., S. 209. 216.
[22] Ebd., S. 219.
[23] Ebd. und Anm. 8.
[24] H. BRACKERT, Rudolf von Ems. Dichtung und Geschichte, Heidelberg 1968.
[25] Ebd., S. 216.
[26] Ebd., S. 217.

det'[27]. Diese aber sei eindeutig *contemptus mundi*, 'ohne jegliche 'höfische' Harmonisierung'[28]. Wenn Weltflucht jedoch einfach eine exemplarische Möglichkeit mittelalterlichen Weltverhaltens wäre, von der Rudolf ein Modell geschaffen hätte, dann würde das bedeuten, daß ein Bezug auf die konkrete Situation Rudolfs und seines Publikums wegfällt. Es sieht so aus, als hätte BRACKERT einen dem Verfahren X. v. ERTZDORFFs analogen Fehler begangen, allerdings mit umgekehrtem Vorzeichen: wenn jene die Aussagen des Textes um einige Ecken herum interpretieren muß, läuft BRACKERT Gefahr, sie zu leicht zu nehmen, sobald er den Gattungszwang verabsolutiert[29].

Als vorläufiges Ergebnis dieses Überblicks halten wir fest: Es besteht in der Deutung des 'Barlaam' kein Konsens. Alle Positionen haben aber das eine ge-

---

[27] Ebd., S. 216.

[28] Ebd.

[29] Die soeben erschienene Basler Dissertation von R. SCHNELL, Rudolf von Ems. Studien zur inneren Einheit seines Gesamtwerkes, Bern 1969 (= Basler Studien zur deutschen Sprache und Literatur, H. 41) versucht, als Träger der Gemeinsamkeit aller Werke Rudolfs dessen 'in sich geschlossene Persönlichkeit' nachzuweisen, die 'wiederum ein in sich geschlossenes, einheitliches Gesamtwerk schaffen konnte' (S. 187); und zwar aufgrund einer bestimmten Idee, nämlich eines gradualistischen Konzepts der Harmonie von Gott und Welt: 'Wenn das oberste Gebot, Gott zu lieben, ernst genommen wird, dann tut sich kein Zwiespalt auf zwischen Welt und Gott, dann gibt es keinen Dualismus mehr' (S. 16). Methodologisch stellt sich SCHNELL somit auf denselben Boden wie seinerzeit DE BOOR: die Individualität der Dichterpersönlichkeit ist das einzige Kriterium der Interpretation; dieses Verfahren erscheint im vorliegenden Fall um so weniger einleuchtend, als SCHNELL keinen Gedanken daran verschwendet, woher Rudolf seine 'Weltanschauung' bezogen haben könnte — historische Hinweise finden sich nur S. 166 auf das 'politische und moralisch-religiöse Chaos seiner Zeit' und S. 183 auf die 'unsicheren Zeiten des untergehenden Stauferreiches'. Im Grunde ist es die 'Parzival' 827,19 ff. vorgetragene 'Moral', aus der SCHNELL den ganzen Rudolf erklären möchte. In bezug auf den 'Barlaam' bedeutet das, daß SCHNELL den Ansatz v. ERTZDORFFs radikalisiert: Rudolf hat demnach den *contemptus mundi* explizit abgewertet zugunsten des Lebens 'in der Welt'; Josaphat ist vorbildlich nur insofern, als er in der Welt handelt. Die Weltflucht ist demgegenüber Zeichen von Egoismus (S. 89), 'eher eine Erleichterung als eine große Überwindung' (S. 87), also Eskapismus; denn: 'Nicht Weltflucht, sondern Weltbewährung will Rudolf in seinen Werken darstellen, weil er in ihr die Aufgabe unsres (!) Lebens sieht' (S. 92). Das gattungsgeschichtliche Problem muß SCHNELL konsequenterweise unter den Tisch wischen: da ihm der Inhalt immer schon bekannt ist, kann es eine Form-Inhalt-Dialektik, innerhalb deren die Problematik der Gattungstraditionen und ihrer Aktualisierung sich erst konstituiert, gar nicht geben. Daß SCHNELLs Arbeit über keine Kriterien der Zugehörigkeit eines Textes zu einer Gattung und somit über keine theoretisch fundierten Gattungsbegriffe verfügt, zeigt sich etwa in der Hilflosigkeit, mit der er S. 56 f. die gattungsgeschichtliche Stellung des 'Willehalm von Orlens' zu erörtern versucht, oder auch in der Darlegung der Unterschiede zwischen dem 'Willehalm' und dem 'Guten Gerhard', wo er, ohne zu zögern, völlig unhistorische ästhetische Maßstäbe einführt: 'Welche Darstellungsweise künstlerischer ist, wird wohl nicht schwer zu entscheiden sein' (S. 36).

meinsam, daß sie sich auf das Verhältnis von geistlichem Stoff und weltlicher Erzählkunst beziehen. Es sind kurz gesagt die folgenden:

1. die Wendung zum geistlichen Stoff wird psychologisch-biographisch motiviert (DE BOOR);
2. sie wird literarisch erklärt als Wechsel der Gattung, wobei man der Gattung 'Legende' eine umfassende gehaltprägende Wirkung zuschreibt (BRACKERT, RUPP);
3. der Wechsel der Gattung wird geleugnet und dabei die Gattung 'Roman' ihrerseits als konstitutiv für den Gehalt verstanden (X. v. ERTZDORFF, RUPP).

Dabei muß natürlich bedacht werden, daß diese Gattungsbegriffe nicht dem Text selber zu entnehmen sind; das Mittelalter besaß gerade von der Legende kein gattungsbegriffliches Bewußtsein[30]. Das darf uns jedoch an einer gattungstheoretischen Begriffsbildung nicht hindern. Meine im folgenden dargelegten Beobachtungen am Text des 'Barlaam' möchten dazu beitragen, die nach wie vor gegebene Unklarheit in dessen gattungsgeschichtlicher Klassifizierung zu überwinden.

Bevor wir die Rudolfsche Dichtung selbst betrachten, müssen wir noch einen Blick auf deren Vorlage werfen: die Erzählung des Johannes von Damaskus[31]. Es handelt sich darum zu prüfen, wie sich der Stoff selber zur Möglichkeit einer Transformierung in der Richtung auf den Typus 'Legende' bzw. den des 'höfischen Romans' verhält. Auf den ersten Blick stellen wir Abweichungen von dem, was üblicherweise in Legenden erzählt wird, fest — kein Wunder, es geht ja um die Geschichte von der Erweckung Buddhas. Einmal ist schon im Titel von zwei Personen die Rede[32]; ferner ist das übliche Schema der Heiligenvita, das neben der Lebensbeschreibung auch *translatio* und *miracula* umfaßt, kaum noch zu erkennen. Und vor allem haben belehrende Partien ein sehr großes Gewicht: die drei theoretischen Gespräche nehmen zusammen einen so breiten Raum ein, daß sie noch in der Rudolfschen Version gut die Hälfte des Textes ausmachen[33]. Wie steht es damit in der Quelle? Es zeigt sich, daß Johannes von Damaskus sehr viel theologische Gelehrsamkeit auf seine Schrift verwandt hat; Belehrung breitet sich in seinem Text sogar noch weiter aus als in demjenigen Rudolfs. Das läßt sich leicht verstehen, wenn man sich vor Augen hält, was des Johannes

---

[30] LERMEN, a. a. O., S. 91.

[31] Die Verfasserschaft des Johannes von Damaskus ist neuerdings wieder mit Nachdruck vertreten worden von F. DÖLGER, Der griechische Barlaamroman, ein Werk des Hl. Johannes von Damaskos, Ettal 1953 (= Studia patristica et byzantina, H. 1).

[32] Einen weiteren interessanten Fall einer Legende über zwei Heilige haben wir in Ebernands von Erfurt 'Heinrich und Kunigunde' vor uns.

[33] 8092 von 16164 Versen.

Intention gewesen ist. Nach B. Studer[34] wollte er im Barlaamroman 'das Beispiel von heiligen Mönchen vorlegen, ... um damit andere ins monastische Leben
einzuführen und darin zu bestärken'[35]. Mönchsviten dieser Art dienten als
'Tugendspiegel', 'Vorbilder für ein monastisches Leben'[36]. Demgemäß behandeln
denn auch die Lehrvorträge in der Erzählung spezifisch monastische Themata;
die mönchische Askese wird ausdrücklich als höchste Vollendung christlichen
Daseins gepriesen.

Wir stellen also fest, daß die Geschichte von Barlaam und Josaphat ursprünglich in einem ganz bestimmten gesellschaftlichen Zusammenhang gestanden hat,
was sich in seiner literarischen und theologischen Tendenz niederschlägt. Ganz
auf die Lebensproblematik des Mönchtums ausgerichtet, ist sie ständisch genau
fixiert, ja sie trägt für einen Stand sogar durchaus apologetische Züge. Das unterscheidet sie von den meisten Legenden, die sozial indifferent zu sein scheinen.
Die langen Predigtexempel und Katechesen, die Johannes in die Erzählung ein-
schob, sind genau auf die Bedürfnisse eines Publikums von Mönchen in früh-
christlicher Zeit zugeschnitten. Auch die Motivik des *contemptus mundi* ist im
Rahmen einer Apologie mönchischen Lebens stimmig. Alles das verschiebt sich
jedoch, wenn ein ritterlicher Epiker des 13. Jahrhunderts denselben Stoff wieder
aufnimmt; es muß geradezu zu Widersprüchen kommen.

Der Umstand, daß Rudolf das Werk auf Anraten eines Abtes geschrieben hat,
ändert daran nichts. Hätten sich die Mönche von Kappel (bei Zürich) aus Gründen ihrer monastischen Existenz für den Barlaamstoff interessiert, so wäre es
ihnen jederzeit möglich gewesen, die lateinische Übersetzung des Originals ein-
zusehen. Wenn sich Rudolf auf jenes Zisterzienserkloster beruft (v. 144 ff.
16066 ff.[37]), tut er es eher, wie X. v. Ertzdorff annimmt[38], um das Werk jenem
prostaufisch orientierten Publikum zu empfehlen, für das er auch seine anderen
Werke schrieb. Die Kappeler Abtei hatte nämlich enge Beziehungen zu den
Staufern; König Heinrich VII. übernahm 1225 persönlich den Schutz des
Klosters.

Auch die selbständigen Einschübe Rudolfs, von denen noch zu sprechen sein
wird, weisen auf ein zumindest nicht bloß klösterliches Publikum. Vor allem
aber wird die Annahme, Rudolf wende sich im 'Barlaam' an ein nicht wesentlich
anderes Publikum als in seinen anderen Werken, nahegelegt durch die Schluß-

---

[34] B. Studer OSB, Die theologische Arbeitsweise des Johannes von Damaskus, Ettal 1956 (= Studia patristica et byzantina, H. 2).

[35] Ebd., S. 28, Anm. 107.

[36] Ebd.

[37] Ed. F. Pfeiffer, Leipzig 1843 (= Dichtungen des dt. Mittelalters, Bd. 3), Neudruck mit einem Anhang aus Franz Söhns, Das Handschriftenverhältnis in Rudolfs von Ems 'Barlaam', einem Nachwort und einem Register von H. Rupp, Berlin
1965 (= Dt. Neudrucke, Reihe Texte des Mittelalters). — Verszählung nach Rupps
Neudruck.

[38] v. Ertzdorff, a. a. O., S. 83 ff.

passage, die er vor dem Schlußgebet einschiebt (v. 16129 ff.): er nimmt hier unmittelbar Bezug auf den Schluß des 'Guten Gerhard', wo er versprochen hatte, er werde *ze buoze stân*, falls er am vorliegenden *mære missetân* habe — unter der Bedingung, daß man ihm ein anderes bekannt mache[39]. Und das ist nun eben der 'Barlaam'! Und wieder verspricht er, in nahezu denselben Worten wie im 'Guten Gerhard', künftige bessere Leistungen, falls er wieder Fehler begangen haben sollte. Offensichtlich hat Rudolf von Ems mit dem 'Barlaam' nicht eine radikale Umkehr und Abwendung von seinem bisherigen Arbeitsbereich vollziehen wollen; jedenfalls betrachtet er selbst die Legendendichtung als ohne weiteres mit den übrigen Epen vergleichbar[40]. Die Bedeutung der Kappeler Mönche als Vermittler des sujets darf man deshalb nicht allzu hoch einschätzen[41].

Das Publikum des Johannes von Damaskus konnte die Barlaamgeschichte als Gestaltung seiner eigenen Lebensprobleme auffassen — das ist einem höfischen Publikum des 13. Jahrhunderts jedoch unmöglich. Wenn ein höfischer Epiker seinem Publikum einen Roman vorlegt, muß er ja oder nein zur Welt sagen; das zeigt der 'Parzival', auch der 'Arme Heinrich'. Aus der Handlung des 'Barlaam' ist jedoch mit keinem Kunstgriff der Welt ein Ja zum Diesseits herauszulesen, was bedeutet, daß die Vorbildlichkeit des Königs Josaphat auf einer anderen Ebene liegen muß als die des Parzival oder Willehalm. X. v. Ertz-DORFFS These, der 'Barlaam' sei ein Roman, wird daher fragwürdig. Aber ist die Gegenthese, die das Werk als Heiligenlegende verstehen will, deswegen unangreifbar?

Der Blick auf die Vorlage hat gezeigt, daß diese nicht ohne weiteres als Legende genommen werden kann. Gerade weil historische Anknüpfungspunkte fehlten, wurde es möglich, daß unter der Hand des Theologen Johannes von Damaskus die Geschichte von Barlaam und Josaphat zu einem gelehrten Exempel für Mönche geformt werden konnte. Anders als die Heiligenlegenden, die aus mehr oder weniger historischen Viten herauswachsen und von den aktuellen Bedürfnissen eines lokalen Kultes her geschaffen werden, zeigt die Barlaamgeschichte von Anbeginn einen intellektuellen Zug. Bei Johannes war der Stoff planvoll durchdacht, im Hinblick auf einen bestimmten Gedanken angeordnet: die Apologie des Mönchtums; in der ritterlichen Neugestaltung muß diese ideelle

---

[39] Ed. J. A. Asher, Tübingen 1962 (= ATB Nr. 56), v. 6097 ff.

[40] Vgl. v. Ertzdorff, a. a. O., S. 190, Anm. 81; G. Ehrismann, Studien über Rudolf von Ems. Beiträge zur Geschichte der Rhetorik und Ethik im Mittelalter, Heidelberg 1919 (= Sitzungber. d. Heidelb. Ak. d. Wiss., Phil.-hist. Kl., Jg. 1919, 8. Abh.), S. 53; R. Schnell, a. a. O., S. 114. — Im übrigen ist die Werkkataloge im 'Alexander' und im 'Willehalm von Orlens' zu verweisen, wo der 'Barlaam' gleichberechtigt neben den anderen Werken Rudolfs erscheint. Vgl. 'Alexander', ed. V. Junk, Leipzig 1928/29 (= Bibl. d. Litt. Ver. Stuttgart, Bd. 272 u. 274), v. 3283 ff.; 'Willehalm von Orlens', ed. V. Junk, Berlin 1905 (= DTM, Bd. 2), v. 15637 ff.

[41] Auf jeden Fall ist sie zu trennen von der Rolle, die der *contemptus mundi* im 'Barlaam' spielt. Schnell a. a. O. geht nicht auf den Auftraggeber ein.

Durchformung des Stoffes eine andere Funktion erhalten. Ist dies nicht der Fall, dann kann die Strukturierung des Handlungsablaufes nur als äußerlich verstanden werden — seine intellektuelle Durchdringung bei Johannes von Damaskus wäre bei Rudolf von Ems zurückgenommen[42].

Wenn die lehrhaften Partien im 'Barlaam' einen ungewöhnlich großen Raum einnehmen, so muß ihr Verhältnis zu den eigentlich erzählenden Abschnitten des Ganzen für die Bestimmung des Gattungscharakters relevant werden. Es dürfte sinnvoll sein zu untersuchen, wie die 'epische Integration'[43] hergestellt ist. Wir begegnen belehrenden Passagen zunächst in Form weit ausholender theoretischer Gespräche, in denen ihrerseits Beispielerzählungen eingebaut sind:

1. Die Belehrung Josaphats durch Barlaam (v. 1459 ff.)

Um den epischen Stellenwert der Katechese zu bestimmen, müssen wir den ganzen Verlauf der Bekehrung Josaphats durch Barlaam ins Auge fassen. Ein Astrolog hatte nach der Geburt des Prinzen geweissagt, daß dieser sich dereinst dem Christentum, also der von seinem Vater verfolgten Religion, zuwenden werde. Um dies zu verhindern, läßt Avenier seinen Sohn ganz von der Welt isolieren. Aber der Knabe gelangt von selber aufgrund seiner Beobachtung der Umwelt zur Frage, wer denn Herr der Schöpfung sei (v. 990 ff.) und ob die Welt von selber entstanden oder geschaffen worden ist (v. 1005 ff.). Einer seiner Erzieher klärt ihn schließlich über seine Lebensumstände auf und erläutert ihm kurz die Rolle des christlichen Gottes als Weltschöpfer (v. 1039 ff.). Und schon greift der Heilige Geist ein:

> 1075   *got tet an im genâde schîn:*
> *er sante im in daz herze sîn*
> *des heilegen geistes güete*
> *so gar, daz sîn gemüete*
> *beleip in reiner stætekeit,*
> *als iu wirt her nâch geseit.*

Damit ist die Entscheidung gefallen. Die Bekehrung wird, wie es sich für eine Legende gehört, unmittelbar durch göttliche Einwirkung bewerkstelligt; auf Vermittlung durch psychologische Motivation ist sie prinzipiell nicht angewiesen. Rudolf stellt von vornherein fest, wie es um Josaphat steht — aber, und das ist

---

[42] v. ERTZDORFF, a. a. O., S. 351 ff. macht einen Vorschlag, wie der 'Barlaam' zu gliedern wäre: Prolog/Vorgeschichte/Besuch Barlaams/Josaphats Bewährung in der Welt/Nachgeschichte. Dabei sollen Josaphats Bekehrung und sein Aufbruch in die Wüste die beiden 'Fixpunkte' darstellen, zwischen denen der 'Spannungsbogen, der von den Aufgaben, die Barlaam gestellt hat, gebildet wird' (S. 351), sich wölbt; eine solche Konstruktion soll dem 'zweipoligen Kompositionsprinzip höfischer Romane, das auch für den Willehalm von Orlens seine Gültigkeit erwies' (ebd.), entsprechen.

[43] Vgl. H. MEYER, Zum Problem der epischen Integration, Trivium 8 (1950) 298 bis 318.

entscheidend, er verzichtet deswegen nicht ganz auf Psychologie. Josaphat wird auf die Welt neugierig, darf den Palast verlassen und begegnet einem Blinden, einem Aussätzigen und einem Greis: so lernt er das Leid der Welt kennen, konkrete Welterfahrung motiviert seine weitere Entwicklung. Schritt für Schritt wird Josaphat bis zu dem Punkt geführt, wo er das Christentum kennenlernen will (v. 1374 ff.) — und da greift wieder Gott ein, indem er ihm Barlaam als Lehrer schickt (v. 1379 ff.).

So greifen zwei Motivationsreihen ineinander: einerseits wird, getreu dem heilsgeschichtlichen Schematismus der Legende, die Bekehrung zum rechten Glauben als Werk Gottes dargestellt, zum andern aber nichtsdestoweniger ein irdischer, sozusagen romanhafter, Motivationszusammenhang aufgebaut. Die nun folgende Katechese ist, vom Legendenschema her gesehen, nicht unbedingt notwendig — die Version der 'Legenda aurea' z. B. läßt sie denn auch weg —, da ja die Bekehrung durch göttliches Eingreifen längst vollzogen ist. Aber auch als Teil des diesseitigen Geschehens ist sie, zumal in dem großen Umfang, in dem sie uns vorliegt, eigentlich 'dysfunktional'. Gewiß muß Josaphat, um als Christ auftreten zu können, mit den Hauptstücken der christlichen Lehre vertraut gemacht werden; aber dazu bedürfte es nicht eines Lehrgesprächs, das fast ein Drittel des ganzen Textes in Anspruch nimmt.

Ein Vergleich mit dem berühmtesten geistlichen Lehrgespräch der mhd. Literatur kann das erhärten. Trevrizents Unterweisung im neunten Buch des 'Parzival' nimmt eine Schlüsselstellung in der Weiterführung der Handlung ein; alles hängt an ihr. (Das galt übrigens schon für die Lehren der Mutter und des Gurnemanz: deren Mißverständnis durch Parzival schuf die Konflikte der Handlung.) Aber nicht nur das: fast jedes Wort Trevrizents auch im Résumé der Heilsgeschichte läßt sich auf die Situation Parzivals beziehen, ja, Trevrizent fordert das ausdrücklich: *nemt altiu mær für niuwe ob si iuch lêren triuwe* (v. 465,19 f.). Ferner beschränkt sich Trevrizent auf die Hauptpunkte des Heilsgeschehens, springt über das Alte Testament hinweg direkt von Kain zur Menschwerdung Christi, während Barlaam genüßlich die Namen von Königen, Erzvätern und Propheten herzählt — Rudolf hat diesen Abschnitt gegenüber seiner Vorlage sogar noch ergänzt[44]. Er erstrebt eine vollständige Nacherzählung der Heilsgeschichte, während Wolframs Trevrizent sich auf den funktionalen Nexus des Heilsgeschehens beschränkt hatte. Josaphat unterbricht den Vortrag seines Meisters von Zeit zu Zeit mit klugen Fragen und Bemerkungen (v. 3176 ff. 3237 ff. 3319 ff. u. ö.); vor allem die Bedeutung des Taufsakraments und die Lebenslehren werden im Wechselspiel von Frage und Antwort dargelegt. Das ist wiederum ein 'realistischer' Zug — aber ihm steht sofort entgegen, daß Barlaam seine Lehre oft mit weisen Märlein verdeutlicht. Diese sind so breit ausgeführt, daß sie immer wieder dem epischen Zusammenhang zu entwachsen drohen. Die Selbständigkeit der Katechese wird zudem durch die vielleicht zahlensymbolisch

---

[44] BRACKERT, a. a. O., S. 161 f.

geformte Komposition des ganzen Abschnitts unterstrichen, auf die R. Wisbey hingewiesen hat[45].

2. Das Streitgespräch des bekehrten Nachor (des 'falschen Barlaam') mit den Heiden (v. 9159 ff.)[46]

Es handelt sich um das neben dem großen *sent* in der Silvesterlegende imposanteste Beispiel einer großen Disputation, in welcher das Christentum als allen anderen Religionen überlegen nachgewiesen wird. Auch dieser Dialog ist episch nicht voll integriert. Immerhin hat Rudolf von Ems einen bedeutenden Schritt in Richtung auf Integrierung hin getan: In der Vorlage nimmt sich Nachor die Religionen der Chaldäer, Ägypter und Griechen sowie das Judentum der Reihe nach vor und widerlegt sie in einem einzigen langen Vortrag; Rudolf hat diesen in Dialog aufgelöst, indem von jeder Religion ein Repräsentant auftritt und die Hauptstücke seiner Lehre erläutert, worauf Nachor sie widerlegt. Die szenische Anordnung wird so plausibler; der Erzählzusammenhang bleibt besser gewahrt, als wenn die Widerlegung sich in einem ununterbrochenen Vortrag vollzöge.

Auch hier läßt sich ein Vergleich anstellen: In der Faustinianus-Episode der Kaiserchronik[47] finden sich zwei Disputationen des Apostels Petrus, die eine mit Simon Magus, die andere über die *wîlsaelde*. In der Quelle zu dieser Partie, den 'pseudoclementinischen Recognitionen', finden sich sieben Disputationen; indem der Autor der Faustinianuspartie zwei davon auswählte, holte er die 'ganz in theologisch-sophistischen Erörterungen verschütteten romanhaften Elemente'[48] hervor und machte sie zur Hauptsache. Das bedeutet: er war um epische Integration bemüht; die beiden Disputationen erfüllen unmittelbar notwendige epische Funktionen, sie haben ihre bestimmte Rolle im Aufbau des Geschehens. Die zweite ist sogar Träger des entscheidenden Ereignisses: der Wiedererkennung des Vaters und seiner Familie. Da die ganze Episode nach dem Schema der Wiederholung konzipiert ist[49], kommt auch der ersten Disputation eine kompositorisch unentbehrliche Rolle zu.

---

[45] R. Wisbey, Zum Barlaam und Josaphat Rudolfs von Ems, ZfdA 86 (1956) 293 bis 301, hier 301.

[46] Zu dieser Partie vgl. die sehr materialreiche stoffgeschichtliche Untersuchung von H. Peri, Der Religionsdisput der Barlaam-Legende, ein Motiv abendländischer Dichtung (Untersuchung, ungedruckte Texte, Bibliographie der Legende), Salamanca 1959 (= Acta Salmanticensia, Fil. y. Letr., 14 n. 9); ferner Elisabeth Schenkheld, Die Religionsgespräche der deutschen erzählenden Dichtung bis zum Ausgang des 13. Jahrhunderts, Diss. Marburg 1930, wo S. 7—39 die epischen Situationen, in denen Religionsgespräche vorkommen, erörtert werden.

[47] Ed. E. Schröder, Hannover 1892, v. 1219—4082.

[48] F. Ohly, Sage und Legende in der Kaiserchronik. Untersuchungen über Quellen und Aufbau der Dichtung, Münster 1940, S. 75.

[49] Ebd., S. 81.

Ganz anders das Nachor-Gespräch: Zwar ist der Auftritt des 'falschen Barlaam' ursprünglich Teil der Strategie des Königs Avenier, der mit dieser List seinem Sohn das Christentum verleiden möchte — aber der Episode wird vorzeitig dadurch die Spannung genommen, daß Nachor schon vor dem Beginn der Disputation zum Christentum überläuft, seine Rolle also nicht wie vorgesehen spielt, sondern vielmehr das Christentum verteidigt und die Heiden, die ihn hätten widerlegen sollen, selber widerlegt. Angesichts der Zuversicht Josaphats, der ohnehin das Spiel längst durchschaut hat, merkt Nachor noch vor dem Beginn der Maskerade, daß er *in die gruobe was gevallen, die er der kristenheite gruop* (v. 9102 f.). Der Ausgang der Disputation wird so vorweggenommen, ein Kampf um Josaphats Person findet nicht statt. Eher werden die Heiden um ihrer selbst willen widerlegt; die Auseinandersetzung hat primär einen theologischen Sinn[50]. Und doch hat Rudolf, wie wir sahen, die Partie der epischen Form angenähert, indem er sie zum Dialog machte. Auch hier bemerken wir eine gewisse Ambivalenz der Darbietung[51].

3. Das Gespräch Josaphats mit Theodas (v. 12673 ff.)

Diese Episode ist dem epischen Zusammenhang voll integriert. Da wird konkret von der Situation Josaphats gesprochen. Theodas versucht, Josaphat mit Argumenten vom Christentum abzubringen, zunächst psychologische (v. 12711 ff.), dann politische (v. 12964) Gründe gegen Josaphats Bekehrung anführend. Doch die Argumentation verfängt nicht, Josaphat erwidert schwungvoll und aufgeregt: *swîc unrehtiu irrekeit! dîn irrekeit dich hôhe treit* (v. 12737 f.), überhäuft den Theodas mit Beschimpfungen wie *tumber gouch* (v. 12829), *tumbez wiht* (v. 12839), *vil tumber man* (v. 12933), *dû vervluohter man* (v. 12954), *tumber esel* (v. 12996), überrennt ihn förmlich mit Bibelzitaten (v. 13065 ff.) — kein Wunder, daß schließlich *dô verstuont sich Thêodas, daz er überwunden was* (v. 13179 f.)! Durch diese ganze Episode hindurch verliert Rudolf nie den epischen Faden; vielmehr hat er die Erregung des Prinzen, die sich aus der Handlung ergibt, bis in die Einzelheiten der theologischen Deklamationen hinein drastisch ausgedrückt. Es kann keine Rede davon sein, daß sich die theologische Bedeutung dieses Dialogs von der erzählerischen emanzipiert habe. So müssen wir EHRISMANN widersprechen, wenn er dieses Gespräch ohne weiteres zu den lehrhaften Partien des 'Barlaam' rechnet[52].

Neben den Lehrgesprächen sind für die Analyse der epischen Konstruktion vor allem jene Stellen wichtig, an denen der Dichter sich zu seinem Werk selber äußert: der Prolog, der Epilog und die Exkurse.

---

[50] Vgl. WISBEY, a. a. O., S. 298.

[51] Die große Disputation in der Silvesterlegende ist demgegenüber sehr wohl episch integriert, da von ihrem Ausgang ja der Übertritt der Helena zum Christentum abhängt.

[52] Vgl. EHRISMANN, a. a. O., S. 108.

Der Prolog stellt insofern kein besonderes Problem dar, als er nicht vom Schema des epischen Dichtungseinganges mit Gebet, das sich in der mhd. Tradition oft findet, abweicht[53]. Der 'Barlaam'-Prolog ist nach demselben Schema gebaut wie der von Wolframs 'Willehalm'; er enthält alle jene Bestandteile, die als für den religiösen Dichtungseingang typisch gelten[54]. Demgegenüber ist jedoch zu erinnern, daß sich der Prolog nicht ohne weiteres als Gattungskriterium verwenden läßt. Wolframs 'Willehalm' und Veldekes 'Servatius' werden wir schwerlich als Vertreter der gleichen Gattung betrachten können, und doch sind ihre Prologe vergleichbar. Das Mittelalter hat gerade von der Legende keine gattungsbegriffliche Vorstellung gehabt; in einer unausgesetzten Dialektik der Formen[55] können sich inhaltliche und formale Motive in verschiedenen Funktionsanordnungen zusammenfinden. Es ist zum Beispiel auffällig, daß Reinbot im Prolog seiner Georgslegende, trotz reichlichen Anleihen beim 'Willehalm', keineswegs die Struktur des 'Willehalm'-Prologs übernimmt, der doch als typisch für 'Legendenprologe' gilt (obwohl der 'Willehalm' selber gar keine Legende ist); bei Konrad von Würzburg setzt nur die Alexiuslegende mit einem Gebet ein, während der 'Silvester' und der 'Pantaleon' mit Reflexionen über den Zweck der Erzählung beginnen; andererseits steht am Eingang eines weltlichen Epos wie des 'Alexander' Ulrichs von Etzenbach ein Gebet. Wir können aus dem Prolog des 'Barlaam' also keine gattungsgeschichtlichen Einsichten gewinnen, wenigstens solange wir ihn für sich allein betrachten. Allenfalls ließe sich sagen, daß für Rudolf, anders als dann für Konrad von Würzburg, ein bestimmtes Schema des geistlich geprägten epischen Dichtungseinganges noch verbindlich war. — Auch der Epilog bringt ein Gebet, wie der Veldekesche 'Servatius' oder Hartmanns 'Gregorius': das entspricht ebenfalls einer Gepflogenheit irgendwie legendenhafter Erzählkunst, ohne schon einen Gattungscharakter zu determinieren.

Wichtiger erscheinen die Stellen im Prolog, die sich direkt auf den Inhalt der folgenden Erzählung beziehen. Im Anschluß an das Gebet wird die Vorlage genannt; Johannes habe sein Werk geschrieben zu dem Zweck, *daz sich die liute bezzern mite* (v. 132) — und genau diese Intention nimmt Rudolf auch für seine Version in Anspruch: *des selben hân ouch ich gedâht* (v. 133), nämlich *den liuten ze etlîcher zît an kristenlîcher êre vorbilde in guoter lêre* (v. 138 ff.) zu vermitteln. Von 'Selbstauslegung' der ritterlichen Existenz o. ä. kann nicht ohne weiteres gesprochen werden, wenn man sieht, wie eng Rudolf sich seiner Quelle anschließt. Ja, er folgt deren asketischer Intention sogar so weit, daß am Ende als Thema der Erzählung eine explizit antihöfische Tendenz proklamiert wird.

[53] H. BRINKMANN, Der Prolog im Mittelalter als literarische Erscheinung, in: H. B., Studien zur Geschichte der deutschen Sprache und Literatur, Düsseldorf 1966, Bd. 2, S. 79—105, S. 105.

[54] Vgl. INGRID OCHS, Wolframs 'Willehalm'-Eingang im Lichte der frühmittelhochdeutschen Dichtung, München 1968 (= Medium Aevum, Bd. 14), S. 110.

[55] Vgl. M. WEHRLI, Roman und Legende im deutschen Hochmittelalter, in: M. W., Formen mittelalterlicher Erzählung, Zürich 1969, S. 155—176.

Im Epilog nämlich, nachdem er wiederum *bezzerunge* als den Zweck des Werkes hingestellt hat (v. 16073 f.), hebt er dieses mit Nachdruck gegen alle höfische Dichtung ab:

> 16105   *diz mære ist niht von ritterschaft,*
> *noch von minnen, diu mit kraft*
> *an zwein gelieben geschiht;*
> *ez ist von âventiure niht,*
> *noch von der liehten sumerzît:*
> *ez ist der welte widerstrît*
> *mit ganzer wârheit, âne lüge.*

Da werden die Hauptbestandteile der höfischen Welt, wie sie der Artusroman aufbaut, einzeln verworfen. Die Stelle ist natürlich als topisch anzusehen — schon im Eingang des Annoliedes findet sich ähnliches —, aber wir müssen darauf achten, daß sich hier die geistliche Topik, die dem Stoff entspricht, so weit verselbständigt, daß sie schließlich in eine genaue Negation der literarischen Tradition, welcher der Verfasser zugehört, übergeht[56]. Ähnliches gilt auch für das Sündenbekenntnis des Prologs (v. 150 ff.), in welchem Rudolf seine früheren Werke als *trügelîchiu mære* (v. 153) verwirft. Hier hat ohne Zweifel der 'Gregorius' (v. 1 ff.) Pate gestanden. Wir wissen, wie DE BOOR diese Stellen interpretiert; nimmt man sie wörtlich, so ist es in der Tat unbegreiflich, daß die Dichter sich dann doch wieder weltlichen Stoffen zuwenden konnten. Umgekehrt wäre es aber auch verfehlt, es bei der bloßen Konstatierung des topischen Charakters einer Stelle bewenden zu lassen. Es käme darauf an, bei der Aktualisierung eines Traditionszusammenhangs, z. B. durch die Anwendung von Topoi, gerade im Bewußtsein des traditionellen Moments nach dessen aktueller Bedeutung zu fragen. Der Topos als solcher hat im Werk eine Funktion. Sie werden wir zu bestimmen haben[57].

Was das Thema des 'Barlaam' sei, wird von Rudolf unmißverständlich ausgesprochen. Das wird noch deutlicher, wenn wir die Angaben in den Werkkatalogen des 'Alexander' und des 'Willehalm von Orlens' nachschlagen:

> Al. 3283   *... wie der guote Jôsaphât*
> *sich durch Barlââmes rât*
> *der Gotes gnâde koufte*
> *dô er sich Gote toufte —*

---

[56] SCHNELL, a. a. O., S. 113, gleitet über die Passage hinweg; er führt sie lediglich im Aufbauschema des Epilogs als 'summarium' auf, wobei er allerdings die folgenden Verse bis v. 16120 hinzunimmt und irrtümlicherweise den Anfang bei v. 16106 — statt 05 — ansetzt.

[57] Vgl. SCHNELL, a. a. O., S. 112, der zwar auch die Stichhaltigkeit der simplen Berufung auf den topischen Charakter der Stelle anzweifelt, aber nur, weil es Rudolf 'in diesem Fall ernst gemeint' haben könnte. Daß es sich nicht so verhält, soll dann SCHNELLS 'genaue Betrachtung des Prologs u n d Epilogs' beweisen!

WvO. 15637   *... Wie diu sûze Gottes kraft*
Bekerte von der haidenschaft
Den gûten Josofaten,
Wie im das kunde raten
Barlames wiser munt —

— jedenfalls ist es nicht das, was RUPP und X. v. ERTZDORFF[58] ihm unterschieben. Als Thema führt Rudolf selber einzig das individuelle Schicksal der vorbildlichen Bekehrung an. Aus diesen Äußerungen ließe sich der Schluß ziehen, daß der 'Barlaam' ungebrochene monastische Ideologie spiegle; daß er nicht nur die Intention, sondern, im Hinblick auf das Zisterzienserkloster, aus dem der Auftrag stammt, auch die soziale Funktion seiner Quelle reproduziere. Dem stehen unsere schon geäußerten Bedenken gegenüber der Einschätzung des Abtes Wide als Auftraggeber entgegen; vor allem jedoch scheinen die Exkurse dagegen zu sprechen, die Rudolf in seine Erzählung eingebaut hat.

Wir finden im 'Barlaam' vier Exkurse, die sich nicht ohne weiteres auf einen Nenner bringen lassen. Zunächst stehen sie gerade an jenen Stellen, wo eines der im Epilog ausdrücklich verworfenen Themen in Erscheinung tritt: die Minne. Theodas hat den Einfall, Josaphat durch die Reize schöner Frauen dem Christentum zu entfremden. In einem frommen Märlein ist davon die Rede, daß die Frauen des Teufels seien (v. 11623 ff.): das ist dem höfischen Dichter zu viel, es 'regt sich', wie EHRISMANN sagt, 'in Rudolf das Weltkind'[59]. Er erklärt, er müsse *mit urloube ûz dem mære   ein wênic kêren* (v. 11736 f.); in einem Exkurs hält er wie ein Minnesänger Zwiesprache mit seinem Herzen, das ihm rät, die Frauenminne hoch zu preisen. Rudolf besorgt das denn auch auf der Stelle und mit viel Kunstfertigkeit (v. 11807 ff.). Dann bedauert er, nicht in diesem Ton weiterfahren zu können — aber *daz hœret an diz mære niht* (v. 11851). So distanziert sich Rudolf von den Konsequenzen seiner eigenen weltfeindlichen Thematik[60]. Zwar schreckt er nicht vor einem Stoff zurück, der *der welte widerstrît* (v. 16110) beinhaltet, aber er zögert nicht, diesen gegenüber den Werten der höfischen Ideologie zu relativieren.

---

[58] Sowie RUPPS Schüler SCHNELL.
[59] EHRISMANN, a. a. O., S. 108.
[60] Für SCHNELL, a. a. O., S. 107 ist der Exkurs 'organisch' in das übrige Werk 'eingegliedert'; 'im Barlaam wäre eine Unstimmigkeit vorhanden, wenn dieser 'wip'-Exkurs fehlte' (S. 110). Der Hinweis Rudolfs, daß der Frauenpreis eigentlich nicht zur vorliegenden Erzählung passe, ist demzufolge das Eingeständnis einer Unterwerfung des Dichters unter die Gattungstradition der Legende, die er gleichzeitig aus inhaltlichen Gründen scharf kritisieren muß. Man wundert sich nur, daß der von SCHNELL als so starke eigenständige Persönlichkeit gezeichnete Rudolf außerstande gewesen ist, einen Stoff, dessen Tendenz seiner innersten Überzeugung zuwider lief, wenigstens in seinem Sinn umzugestalten, — was Gottfried und Wolfram mit ihren Vorlagen ja auch getan haben.

Im weiteren Verlauf der Verführungsszene tut er es noch ein zweites Mal. Als die schöne Prinzessin den keuschen Prinzen mit dem Versprechen zu verführen trachtet, sie würde sich anderntags gern taufen lassen, wenn er nur in dieser einen Nacht mit ihr schliefe (v. 12235), kann Rudolf es sich nicht verkneifen zu bemerken, auf diese Art würde er gerne einer schönen Frau das Himmelreich erkaufen (v. 12267 ff.). Dann wendet er sich mit dem Satz *nû lâzen die schimph-rede stân* (v. 12289) zu seinem Stoff zurück. Er hat überhaupt die frauenfeind-lichen Akzente dieser Szene gedämpft[61]. Er deutet sogar die Verführungsver-suche der Prinzessin, die nach der Quelle eine bloße Kreatur des Teufels ist, als Minne:

> 12063 *ûf den lieplîchen wân,*
> *der von dem künege was getân,*
> *und durch sînen stolzen lîp*
> *minnet in daz selbe wîp.*

Josaphat aber wird durch nichts in so tiefe Zweifel gestürzt wie durch dieses Erlebnis (v. 12247 ff.). Hier wird das Schema der Legende wieder durch inner-weltlich-psychologische Entwicklungen durchbrochen.

Dasselbe gilt für die Person des Königs Avenier. Im Legendenschema käme ihm die Rolle des widergöttlichen Machthabers zu, der die Christen verfolgt und martert. So ist es in der Konfliktexposition der Barlaamgeschichte auch angelegt. Bei Rudolf wird die Rolle jedoch in ihrem Profil undeutlich, weil Avenier ganz als 'edler Heide'[62] gezeichnet ist. Der Teufel, heißt es, habe Avenier dazu ver-leitet, die Christen zu hassen (v. 248) — das entspricht der Konstellation der Märtyrerlegende. Aber über dieses Motiv schiebt sich ein zweites: In einem bestimmten Augenblick hat Aveniers Zorn besonders stark zugenommen, und das will Rudolf begründen: *wâ von aber daz geschach, daz lât iu sagen als ich ez weiz* (v. 436 f.). Im folgenden wird ein subtiler Gewissenskonflikt entfaltet, der jedem höfischen 'Klassiker' wohl anstünde. Einer der treuesten Männer des Königs ist Christ, erfüllt aber seine Pflichten gegenüber dem heidnischen Herr-scher ohne Schwanken. Avenier ist tief ergriffen von so viel Edelmut, beschenkt den Mann reich und zeichnet ihn aus; daß sich gleichzeitig sein Zorn über die Christen verstärkt, erscheint fast wie die Trotzreaktion eines tief Betrübten, der keinen Ausweg weiß (v. 431 ff.). Beinahe könnte man sagen, die 'höfische Huma-nität' führe Avenier dazu, fortwährend aus seiner Legendenrolle zu fallen. Die Bekehrung des Königs geschieht denn auch ohne Wunder. Vielmehr entfaltet sich aus dem inneren Widerspruch zwischen dem Christenverfolger und dem vor-bildlichen Herrscher in Avenier ein Konflikt, der schließlich in der Bekehrung seine Lösung findet; allerdings über eine sehr irdische Zwischenstufe. Nachdem

---

[61] Hier stimme ich mit SCHNELL, a. a. O., S. 108 f., überein.

[62] Vgl. H. NAUMANN, Der wilde und der edle Heide (Versuch über die höfische Toleranz), in: Vom Werden des deutschen Geistes. Festgabe G. Ehrismann, Berlin und Leipzig 1925, S. 80—101.

alle Versuche, den Sohn zu bekehren, fehlgeschlagen sind, entschließt sich Avenier zu einem diplomatischen Kompromiß: er teilt das Reich in zwei Hälften, deren eine Josaphat nach seinem Sinn regieren kann (v. 13356 ff.). Dem Entweder-Oder ist hier ausgewichen. Und schließlich ist es die Einsicht, daß es um Josaphats Reich bedeutend besser bestellt ist als um sein eigenes, die Avenier sich endgültig zur Konversion entschließen läßt (v. 13756 ff.). Allerdings betet gleichzeitig Josaphat zu Gott und bittet ihn um die Bekehrung (v. 13775 ff.). Wiederum treffen wir also auf eine Ambivalenz der Motivation: Das Eingreifen Gottes enthebt den Erzähler keineswegs der Aufgabe, das Ereignis auch innerweltlich zu motivieren.

Der höfisch-romanhaften Tendenz scheinen die beiden noch zu betrachtenden Exkurse zu widerstreiten. Beim Bericht von Josaphats Auszug in die Wüste schiebt Rudolf eine heftige Klage darüber ein, daß niemand den König begleite: *owê, wer volget disem man? owê, wer gêt mit ime dan?* (v. 14923 ff.). Die Frage, inwiefern Josaphats Biographie unmittelbar Vorbild für sein Publikum sein könnte, wird hier vom Dichter selber berührt. Aber eine eindeutige Antwort gibt er nicht. Zwar wird der Auszug *ûz den sünden in daz leben dem niemer ende wirt gegeben* (v. 14939 f.) als allein erstrebenswert hingestellt und *dirre welte kinden* (v. 14935) warm empfohlen; doch wird dieser Forderung sogleich die Spitze abgebrochen dadurch, daß Rudolf vor ihrer Härte in einen literarischen Witz ausweicht:

> 14946 *nû wil ich in* (sc. Josaphat) *niht eine lân*
> *und wil im gesellschaft*
> *mit geselleclîcher kraft*
> *leisten mit dem mære.*

Das kann doch wohl nichts anderes heißen, als daß Rudolf sich ironisch von der Vorbildlichkeit seines Helden distanziert. Indem er deren Anspruch in den Bereich der Literatur verschiebt, kann er sie relativieren, ohne andererseits sich eindeutig auf weltliche Werte festzulegen. Etwas überspitzt ließe sich sagen, Rudolf habe hier die Spannung zwischen Roman und Legende thematisiert: wenn der Legende die Verbindlichkeit des Vorbildlichen abgeht, so muß allerdings die unvermittelte Übertragung ihres abstrakten Anspruchs in die konkrete Wirklichkeit des Romans in eine Aporie führen; und aus ihr kommt der Autor nur heraus, wenn er ironisch den Nachvollzug der eigentlich gebotenen Praxis durch die erzählerische Fiktion als Ersatz für ebendiese in Anspruch nimmt[63].

Schließlich hat Rudolf noch einen theologischen Beitrag zur Episode von Josaphats Dasein in der Wüste geliefert. Er unterzieht die Prüfungen, die dem

---

[63] SCHNELL, a. a. O., S. 15, deutet die Stelle als Ausdruck der 'inneren Distanz Rudolfs einer völligen Weltabkehr gegenüber'; ähnlich auch S. 85. Der Zwang, dem 'Barlaam' als Ganzem eine ausdrücklich gegen Weltflucht gerichtete Tendenz zu unterschieben, verbietet es jedoch SCHNELL, die Ironie der Stelle präzis zu fassen.

Helden von Gott auferlegt werden, einer gelehrten theologischen Exegese (v.
15147 ff.). Wie schon bei der Ergänzung des Abrisses der Heilsgeschichte in der
Katechese finden wir hier, daß der gebildete Dichter bei sich bietender Gelegenheit lehrhaftes Material ausbreitet, das er selbständig zusammengestellt hat[64].
Damit entspricht dieser Exkurs jener Tendenz zur Verselbständigung didak-
tischer Elemente gegenüber dem epischen Kontinuum, die wir schon in den Lehrgesprächen beobachtet haben.

Wir haben eingangs die Positionen der 'Barlaam'-Interpretation skizziert und
dabei den Gegensatz zwischen der Deutung Rupps und X. v. Ertzdorffs auf
der einen, Brackerts auf der anderen Seite mit dem gattungstheoretischen von
Roman und Legende zusammengenommen. Dabei sind wir auf jenen Tatbestand
gestoßen, den wir als A m b i v a l e n z bezeichnet haben. Er scheint für die
Interpretation des 'Barlaam' entscheidend zu sein. Einerseits finden wir die Tendenz zur Typisierung des Inhalts, andererseits die zur Problematisierung. Der
Hauptvorgang: die Biographie Josaphats wird nicht zum Problem erhoben,
im Gegenteil, sie verläuft reichlich spannungslos. Das hat seit jeher einen Haupt-
grund für die Kritik an dem Werk abgegeben[65]. Aber eine gewisse Ähnlichkeit
mit höfischen Romanen und ihrer klar durchgeformten Struktur ist ihm dennoch
nicht abzusprechen, wie ein Vergleich mit dem ganz auf Reihung von Einzel-
ereignissen, die in keinem ideellen Zusammenhang stehen, angelegten Velde-
keschen 'Servatius' zeigt.

Wenn der Hauptvorgang konfliktlos abläuft, so bleiben doch die Reaktionen
auf das Verhalten des heiligen Helden nicht unproblematisch. Die Legende würde
aber genau das voraussetzen: daß die Nebenfiguren dem Heiligen als Gegen-
spieler — d.h. als Vertreter des widergöttlichen Reiches — oder als Gleich-
gesinnte gegenüberstehen. Ihre Reaktionen sind dort auf diese Dimension be-

---

[64] v. Ertzdorff, a. a. O., S. 210 ff. Überhaupt hat Rudolf von Ems an verschiedenen Stellen selbständig die theologische Tendenz seiner Quelle modifiziert. So läßt er
speziell monastische Themata, z. B. die Betonung des vollkommenen Gebets in der
Katechese, weg (v. Ertzdorff, a. a. O., S. 212). Schnell, a. a. O., S. 100 ff., treibt auch
hier die Interpretation in der von X. v. Ertzdorff gewiesenen Richtung weiter: als
gemeinsames Thema der fünf Prüfungen will er das Problem 'Das Leid in der Welt
und seine Ursache' (S. 102) erkennen.

[65] Zum Beispiel bei G. G. Gervinus, Geschichte der poetischen National-Litera-
tur der Deutschen, I. Teil, Leipzig 1846³, S. 528: 'Was haben wir gelesen und gelernt?
Ist der Christ besser geworden als der Heide? er war schon vorher gut; ist er weiser
geworden? er hat nichts gehört als Subtilitäten und elende Materie fürs Gedächtniß.
Die Veränderung besteht in einer neuen Hülle, die seinem suchenden Geiste überge-
worfen wird (...); ein Interesse an der Sache könnte blos der Dünkel der bekeh-
renden Parthei eingeben.' — Es zeigt sich hier, wie der neuzeitliche Leser, der die von
dem Motiv der Konversion vorausgesetzte 'heilsgeschichtliche' Spannung nicht nachzuvollziehen vermag, die Entfaltung der Problematik aus der Immanenz des Ro-
mangeschehens vermissen muß. Gervinus' Kritik scheint mir deshalb gegen die Interpretationen des 'Barlaam' als Roman zu zeugen.

schränkt und lassen sich aus diesen Positionen zur Gänze herleiten. Im 'Barlaam' dagegen wird dieses geschlossene, nach heilsgeschichtlichen Gesichtspunkten konstituierte Bezugsfeld aufgesprengt, indem romanartig angelegte innerweltliche Konflikte an die Heiligenvita herangetragen werden. Etwa der Zwiespalt von Kindesgehorsam und Christenpflicht, der aber im Verhältnis von Josaphat zu seinem edlen Vater nur gerade anklingt; vor allem aber ist es die Frage des Freundes Barachias, die den Keim eines lebenspraktischen Konfliktes enthält (v. 14639 ff.). Barachias, den Josaphat zu seinem Nachfolger bestimmt hat, fragt diesen, warum er ihm die Bürde des Königsamtes übertrage, wenn doch das Beste auf der Welt die Askese sei: als Christ dürfe man doch gerade das Beste seinem Nächsten nicht vorenthalten. Josaphat weiß auf diese Frage keine Antwort: *dô sweic der künic Jôsaphât. er gie von dan und lie den rât* (v. 14661)[66]. Auch der Augenblick, wo Josaphat im Traum von den Engeln gekrönt wird und sich darüber beklagt, daß er nicht höher ausgezeichnet werde als sein Vater, dessen Verdienste doch geringer seien, birgt ein Problem — das Rudolf von Ems übrigens in der Figur des Kaisers Otto im 'Guten Gerhard' entfaltet hatte —: aber auch diesmal wird der Ansatz zur Problematisierung des Geschehens nicht genutzt. Das Motiv der sozialen Verantwortung des Herrschers für sein Volk wird gleichfalls beiseite geschoben, sobald Josaphat sein Volk bekehrt hat. Dafür wird in der Person Aveniers eine lebenspraktische Fragestellung ausgeführt.

In der Legende ist die Heilsgeschichte immer gegenwärtig: sie macht das Gerüst aus, in dem die Heiligenvita zu sehen ist. Im höfischen Roman dagegen bildet sie, der diesseitigen Einstellung der Gattung gemäß, bloß den Bezugsrahmen, der natürlich vorausgesetzt ist, aber nur dann sichtbar wird, wenn der Held sich an ihm stößt — etwa im 'Parzival' dort, wo ritterliche Vollkommenheit plötzlich mit religiösem Versagen in eins gesetzt erscheint. In unserem Fall trifft weder das eine noch das andere zu. Weder wird das Schema einfach erfüllt, noch wird es Anlaß für größere Konflikte. Wer das eine oder das andere behaupten will, muß, wie sich an den uns vorliegenden Interpretationen zeigen läßt, zu Einseitigkeiten oder methodisch fragwürdigen Kunstgriffen Zuflucht nehmen.

Doch scheint BRACKERTs Interpretation trotzdem weiterzuhelfen: durch ihre Betonung der Kategorie Lehre. Allerdings dürfte er dabei zu weit gegangen sein. Nach seiner Meinung lassen sich alle Werke Rudolfs 'auf die Quintessenz einer *lere* bringen'[67]; 'Rudolfs erstrebtes Ideal ist es offenbar, das Erzählte zu einem überall für *lere* transparenten Darstellungsmodell zu machen'[68]. Damit läuft er Gefahr, sich das gattungsgeschichtliche Problem zu verbauen, denn ein solcher

---

[66] Nicht zufällig setzt RUPP, a. a. O., S. 29 gerade hier an, wenn er Josaphats Weltflucht bagatellisieren will. Dasselbe bei SCHNELL, a. a. O., S. 90 f., der zusätzlich auf die Klage des Volkes über den Verlust des Königs (v. 14889 ff.) und die Reaktion der Fürsten des Landes (v. 14721) aufmerksam macht.

[67] BRACKERT, a. a. O., S. 208.

[68] Ebd., S. 213.

Ansatz widerspricht jenem anderen, der 'von der Gattung her (urteilen)'[69] möchte; er nivelliert die Gattungsunterschiede innerhalb des Rudolfschen Gesamtwerkes. Wie wichtig auch immer die Kategorie der Lehre in der höfischen Erzählkunst sein mag, mir scheint, die Gattungen epischer Dichtung werden zweifelhaft, wenn man sie auf die *lêre*-Funktion festnagelt. Zwischen Erzählung und Belehrung besteht ein fundamentaler Unterschied im Realitätsbezug — man könnte ihn den zwischen 'besprochener' und 'erzählter' Welt nennen[70] —, der innerhalb eines epischen Textes, jedenfalls in der europäischen Tradition, nicht ganz zum Schwinden gebracht werden kann. Wenn wir aber der Lehrfunktion im 'Barlaam' die beherrschende Stellung zuerkennen wollen, müssen wir uns fragen, wieweit dieser dann überhaupt noch mit den Kategorien von Epik zu fassen sei: er müßte aus der Tradition der höfischen Epik herausgelöst werden und wäre im Zusammenhang der didaktischen Poesie zu sehen.

Das hat EHRISMANN bereits angedeutet: er spricht von einer 'didaktischen Legende'[71]. Es fragt sich indessen, ob dieser Begriff sinnvoll sei; denn Didaxe beinhaltet ihrem Begriff nach spezifische Lehre über einen bestimmten Gegenstand, während die Legende nach unseren Kriterien Demonstration eines exzeptionell tugendhaften Lebenswandels ist. Vielleicht ist es aber gerade die Fragwürdigkeit des Begriffs, die eine solche der Sache ausdrückt: angesichts des Gewichts der didaktischen Elemente wird das Verständnis des 'Barlaam' als einer geschlossenen Erzählung, sei es legendarischen, sei es romanhaften Charakters, zweifelhaft. Das wird plausibel, wenn wir uns daran erinnern, daß schon Rudolfs Vorlage eine stark lehrhafte Tendenz aufwies. Auch die erste deutschsprachige Barlaamdichtung, der 'Laubacher Barlaam'[72], bietet ein ähnliches Bild. Er stellt wohl einen letzten Ausläufer der frühmhd. Geistlichendichtung dar; die *contemptus-mundi*-Stimmung herrscht in ihm noch ungebrochen[73]. Hier und jetzt mag er uns als Zeuge dafür dienen, daß der Stoff von sich aus eine starke Affinität zur Erbauungsliteratur hat. Noch im vorigen Jahrhundert wurde übrigens eine deutsche Prosaversion des griechischen Originals ihren Lesern als Erbauungs- und Belehrungsschrift angepriesen[74].

---

[69] Ebd., S. 216.

[70] Nach H. WEINRICH, Tempus. Besprochene und erzählte Welt, Stuttgart 1964, wo von der 'Typologie der Sprechsituationen' her, nämlich dem Unterschied zwischen 'entspannter' und 'gespannter' Haltung des Sprechers (S. 49 f.), der Unterschied zwischen 'Erzählen' und 'Besprechen' entwickelt wird.

[71] EHRISMANN, a. a. O., S. 108.

[72] Ed. A. PERDISCH, Tübingen 1913 (= Bibl. des Litt. Vereins in Stuttgart, Bd. 260).

[73] PERDISCH, a. a. O., S. XXVI, betont die Vertrautheit des Autors mit dem Formelschatz der frühmhd. Geistlichenliteratur.

[74] Vgl. Des heiligen Johannes von Damascus Barlaam und Josaphat, aus dem Griechischen übertragen von F. LIEBRECHT, Münster 1847: 'Dass wir aber häufig und ernstlich erinnert werden zu bedenken, wie wichtig (sic) und vergänglich alle irdischen Freuden, Genüsse, Vorzüge und Besitzthümer sind, das ist gewiss in keiner Zeit über-

Natürlich wäre es absurd zu behaupten, der Rudolfsche 'Barlaam' sei eine Lehrdichtung; wohl aber scheint es möglich — und nicht zuletzt dank dem stoffgeschichtlichen Vergleichsmaterial —, das Werk stärker aus den Gattungskategorien der höfischen Epik herauszulösen als gemeinhin üblich. Radikal scheint in dieser Hinsicht HUGO KUHNS Versuch einer 'Gattungssystematik' zu verfahren[75] — sie entfernt den 'Barlaam' kurzerhand aus ihrem systematischen Katalog der epischen Werke des 13. Jahrhunderts. Dem widersetzt sich jedoch, wie ich glaube, die Uneinheitlichkeit, Komplexität, Widersprüchlichkeit des Werkes; es sträubt sich gegen jede einseitige Zuordnung. Wollen wir das Ganze dennoch als sinnvolle Struktur[76] fassen, so müssen wir uns den historischen Zusammenhang, in dem es steht, in Erinnerung rufen[77].

Es ist offensichtlich, daß sich nach 1200 immer mehr ein Typus von Dichter herausbildet, der sich von den vorangegangenen dadurch unterscheidet, daß er sich professionell mit Dichten befaßt; man könnte ihn den 'Literaten' nennen. Bis dahin war alle Dichtung von Personen geschrieben worden, die primär als Angehörige eines Standes zu verstehen sind und das Dichten im Rahmen dieser Standeszugehörigkeit betrieben — zumindest der Theorie nach[78]. Hatte ursprünglich jedes literarische Genre einem ganz bestimmten sozialen Bedürfnis (Magie, Kult usw.) entsprochen, so lösen sich die Gattungen mit fortschreitender gesellschaftlicher Arbeitsteilung aus solcher unmittelbaren Funktionalität; ein 'Zweck'

---

flüssig oder unnöthig und vielleicht am wenigsten in der unsrigen' (Vorwort von L. v. BECKEDORFF, S. IX f.).

[75] Wiedergegeben bei P. KOBBE, Funktion und Gestalt des Prologs in der mittelhochdeutschen nachklassischen Epik des 13. Jahrhunderts, DVjs 43 (1969) 205—457, bes. 407 f.; S. 427 Anm. 62 wird der Unterschied zwischen 'verritterter Heiligendichtung' und 'geistlicher Heiligendichtung' gemacht — und als Beispiel dafür sollen Wolframs 'Willehalm' und Rudolfs 'Barlaam' gelten! Den letzteren geistlicher Dichtung zuzuschlagen, erscheint mir problematisch.

[76] Zum Begriff der sinnvollen Struktur vgl. L. GOLDMANN, Der Begriff der sinnvollen Struktur in der Kulturgeschichte, in: L. G., Dialektische Untersuchungen, Neuwied 1966 (= Soziolog. Texte, Bd. 29), S. 121—132.

[77] Selbstverständlich ist es unmöglich, allein aus der Betrachtung des 'Barlaam' einen umfassenden historischen Zusammenhang gleichsam herauszuspinnen; die hier angedeuteten Entwicklungen bedürften der Explikation am gesamten bekannten Material. In meiner Dissertation, die gegenwärtig in Arbeit ist, hoffe ich die gattungsgeschichtliche Stellung des Rudolfschen 'Barlaam' im Zusammenhang der anderen legendarischen oder legendenähnlichen Erzählungen des 13. Jahrhunderts darzulegen.

[78] Zur Soziologie des höfischen Künstlers vgl. die grundsätzlichen Bemerkungen bei Th. W. ADORNO, Bürgerliche Oper, in: TH. W. A., Klangfiguren. Musikalische Schriften I, Frankfurt 1959, S. 32—54, S. 38 f. 'Die Abbildung feudaler Verhältnisse, wie sie seit homerischen Zeiten die Kunstwerke vollziehen, setzt bereits voraus, daß diese Verhältnisse nicht mehr unmittelbar hingenommen werden, sondern in gewisser Weise sich selbst problematisch geworden sind' (S. 39). — Bei Wolfram ist die Fiktion eines *schildes ambet* als Hauptberuf aufrecht erhalten, während Gottfried offensichtlich die professionelle literarische Tätigkeit in den Vordergrund rückt.

wird immer weniger sichtbar. Ich vermute, daß wir auf diesem Hintergrund die Komplexität des 'Barlaam' besser verstehen können. Denn es läßt sich nun jener Begriff historisch konkret fassen, den wir bisher mit Bedacht ausgespart haben: der der Epigonalität.

Epigonentum entsteht dann, wenn ein künstlerisches Instrumentarium seiner gesellschaftlichen Funktionalität verlustig gegangen ist, während gleichzeitig neue Formen der künstlerischen Gestaltung geschichtlicher Wahrheit noch nicht gefunden sind[79]. So sind für Rudolf von Ems die Formen der höfischen Epik nicht mehr ohne weiteres sinnvoll, d. h. sie haben ihre Aktualität für die feudale Oberschicht wenigstens teilweise verloren. Aber es ist ihm noch nicht möglich, neue geschichtliche Inhalte zu finden, die ihrerseits neue Prinzipien für Dichtung als gestaltete Wirklichkeit hervorrufen könnten. Es bleibt ihm nichts anderes übrig, als nach rückwärts zu blicken; er muß die Welt in Kategorien zu fassen versuchen, die hinfällig geworden sind. Daraus erwachsen die Ambivalenzen und Ambiguitäten des Werks, sein Schwanken zwischen Lehre und Erbauung, Problematisierung und Typisierung, Erzählung und Belehrung, Roman und Legende. Die logisch konsistente Durchformung des Buddhastoffes durch den Theologen Johannes von Damaskus hat Rudolf von Ems in seiner Zeit nicht reproduzieren können. Die Häufung geistlicher Topoi gerät in Konflikt mit dem aus der Sphäre des höfischen Romans übernommenen Anspruch auf 'Selbstauslegung' des Rittertums. Das ist der Grund, weshalb Rudolf seine Exkurse einschiebt: wo der Widerspruch der Situation endgültig aufbricht, tritt er die Flucht nach vorn an, — indem er ihn explizit macht, ihn ausspricht.

Daß der 'Barlaam' als geschlossene Großerzählung noch möglich war, scheint der Affinität des Stoffes zur Didaxe verdankt zu sein. Den eigentlich unauflösbaren inneren Widerspruch des Werkes vermochte sie zu überdecken. Gerade weil in dem Werk soviel räsonniert wird, braucht Josaphat nicht allzuoft als sozial Handelnder gezeigt zu werden. Andernfalls würden sich, wie die Barachias-Frage zeigt, prompt Konflikte einstellen. Für die Literaturgeschichte besteht die Konsequenz aus diesen Überlegungen darin, daß wir darauf verzichten müssen, den 'Barlaam' auf einen konsistenten, identischen Gattungsbegriff zu bringen. Bildlich ausgedrückt: das Netz, mit dem wir das Werk einzufangen gehofft hatten, versagt; der 'Barlaam' fällt durch seine Maschen.

Wir müssen von der Fixierung unserer Kategoriensysteme an der höfischen 'Klassik' ablassen und uns die historische Bedingtheit jener Formenwelt bewußt

---

[79] Zum Problem der Epigonalität vgl. M. WINDFUHR, Der Epigone. Begriff, Phänomen, Bewußtsein, Archiv für Begriffsgeschichte 4 (1958/59) 182—209. Leider verzichtet diese Darstellung darauf, das Phänomen des Epigonentums historisch abzuleiten; sie begnügt sich mit dem Hinweis, Epigonalität pflege 'mit ziemlicher Regelmäßigkeit als Folge von Blütezeiten' (S. 194) aufzutreten und sei im übrigen einfach die 'Kehrseite des Schöpferischen' (S. 209).

machen. Solange wir Rudolf an ihr teilhaben lassen wollen, ohne uns ihres geschichtlichen Wandels zu vergewissern, müssen wir seinen Werken mit der Interpretation Gewalt antun; leugnen wir dagegen einen Bezug auf jene Tradition, indem wir Rudolfs Werk ganz aus einem persönlichen Interesse, z. B. an Geschichte, verstehen, so werfen wir den gattungsgeschichtlichen Zusammenhang über Bord. Mit einem Wort: es scheint mir unmöglich, Rudolf von Ems den Epigonenstatus abzusprechen[80].

Es wäre allerdings voreilig, allein aufgrund der Betrachtung des 'Barlaam' einen umfassenden historischen Zusammenhang zu behaupten. Beschränken wir uns deshalb darauf, einen flüchtigen Blick auf jene Gattungen zu werfen, in deren Konstellation der 'Barlaam' entstanden ist. — Die Zukunft der Legende lag offenbar in 'kunsthandwerklichen' Kleinformen, die knapp den Verlauf eines gerade interessierenden Heiligenlebens berichten (Konrad von Würzburg[81]) oder in großen Sammelwerken ('Passional'; Hugos von Langenstein 'Martina' — führt ein Weg vom 'Barlaam' zu diesem Werk?). Eine Zukunft für den höfischen Roman gab es dagegen wohl nicht. Rudolf von Ems selber wendet sich schließlich zur Geschichtsschreibung, wenn er sie auch im Gewand höfischer Erzählkunst präsentiert, und damit entspricht er wohl nicht nur einem persönlichen Interesse. Daß Rudolf seine Wirklichkeit in den ihm zur Verfügung stehenden Kategorien

---

[80] Das tun jedoch Rupp — a. a. O., ferner in seiner Basler Antrittsvorlesung: Rudolf von Ems und Konrad von Würzburg. Das Problem des Epigonentums, DU 17/2 (1965) 5—17 —, v. Ertzdorff, Brackert und wohl auch Schnell. Insbesondere X. v. Ertzdorffs Umdeutung des Epigonenbewußtseins in ein stolzes Traditionsbewußtsein ist fragwürdig, orientiert sie sich doch an einem vollkommen unhistorischen Begriff des Romans (s. o. Anm. 10). Schnells Auffassung von der großen Persönlichkeit Rudolf impliziert offenbar ebenfalls eine Bestreitung des Epigonenstatus, vgl. a. a. O. das Schlußkapitel, S. 179—193.

[81] Vgl. den Beitrag von T. Jackson in diesem Band. Schnells Bemerkung a. a. O., S. 189, für Konrad seien die Legenden 'kein inneres Anliegen', reicht natürlich für die Erklärung des Unterschieds zum 'Barlaam' und den 'höfischen Legenden' der 'Blütezeit' nicht aus.

[82] Zur Methode vgl. P. Szondi, Theorie des modernen Dramas, Frankfurt 1967[4] (= ed. suhrkamp, Bd. 27), bes. die Einleitung: Historische Ästhetik und Gattungspoetik, S. 9—13. — Unser Versuch erhebt keinerlei Anspruch auf Endgültigkeit; er will sich als provisorische Skizze der gattungsgeschichtlichen Situation verstanden wissen. Immerhin scheint es nicht zufällig, daß Barbara Könneker, Erzähltypus und epische Struktur des Engelhard. Ein Beitrag zur literarhistorischen Stellung Konrads von Würzburg, Euph. 62 (1968) 239—277, zu den unsrigen durchaus vergleichbaren Schlüssen kommt. Sie hat unbedingt recht, wenn sie sagt, gegenüber der 'Blütezeit' habe sich nicht nur die Wirklichkeit verändert, 'sondern auch die Art und Weise, diese im Spiegel der Dichtung einzufangen' (S. 271). Das Epos kann eben sehr bald nicht mehr 'repräsentative und allgemein verbindliche Daseinsinterpretation und Weltdeutung' leisten (S. 277); so entstehen dann Zwitter- und Mischformen wie der 'Engelhard'. In unserem Fall scheint sich die Auseinanderlegung der verschiedenen

nicht mehr zu gestalten vermochte, macht seine Epigonalität aus; für uns jedoch bedeutet es, daß wir sein Werk, zumindest den 'Barlaam', nur adäquat verstehen können, wenn wir seine äußere Einheit, die schon für Rudolf eine äußerliche war, auflösen in der Reflexion auf die Geschichte[82].

Gattungselemente weniger leicht durchführen zu lassen, die Widersprüchlichkeit des Ganzen ist oft nicht an der Oberfläche des Handlungsverlaufes greifbar. Das mag letztlich aus dem Unterschied der geschichtlichen Situationen der beiden Dichter begründbar sein.

DAZ MÆRE VON DEM TOREN

von

WERNER SCHRÖDER (Marburg)

I

Das von H. NIEWÖHNER 'Tor Hunor' betitelte Märe (FISCHER, Ges.-Verz. 190) ist von H. FISCHER zu den 'Inedita bzw. Paene-Inedita' (Stud. z. dt. Märendichtung, 1968, S. 18, Fußnote 46) gerechnet worden, da er nur A. v. KELLERS Abdruck der unvollständigen Fassung K (= Karlsruhe 408) in Altdeutsche Gedichte 4, Tübingen 1861, kannte. Die 1964 von UTE SCHWAB besorgte Publikation eines vollständigen Textes nach W (= Cod. Vindob. 2885) in 'Der Endkrist des Friedrich von Saarburg und die anderen Inedita des Cod. Vindob. 2885', Quaderni della Sezione Germanica degli Annali I, Napoli 1964, S. 84—92 (= Quaderni I), war ihm entgangen.

Die zweite Herausgeberin, die bei ihren Arbeiten zur Stricker-Überlieferung auf das Märe gestoßen war, kannte zwar die Parallelüberlieferung in I (= Innsbruck, Ferdinandeum FB 32001), wußte aber nichts von ihrem Vorgänger KELLER und von der Existenz von K und erst recht nichts von der vierten Handschrift D² (= Dresden M 68). Dabei hatte H. NIEWÖHNER spätestens 1953 im vierten Bande des Verfasserlexikons (Sp. 489) die gesamte bekannte Überlieferung ausgebreitet. Sogar die Überschrift 'Tor Hunor' ist hier schon vergeben und brauchte somit nicht noch einmal 'vorläufig' vorgeschlagen zu werden, 'bis sich Parallelversionen des Schwankes finden'. U. SCHWABS begreifliche, aber irrtümliche Entdeckerfreude (a. a. O., S. 84) war wohl ausgelöst worden durch die irreführenden Angaben, die H. MENHARDT im ersten Bande seines 'Verzeichnisses der Altdeutschen literarischen Handschriften der Österreichischen Nationalbibliothek', Berlin 1960 (= Verz. I), zu Nr. 26 des Vindob. 2885 gemacht hat (S. 534). T. BRANDIS verweist in seiner ausführlichen Beschreibung von K (Der Harder, Texte und Studien I, Berlin 1964, S. 43) zu Nr. 70 'Tor Hunor' zwar auf W und I, nicht aber auf D² — offenbar in Unkenntnis von NIEWÖHNERS Artikel im Verfasserlexikon.

Der editorische Unstern, der über dem Märe bis heute gewaltet hat, begann schon damit, daß A. v. KELLER, dem nur der unvollständige Text von K bekannt war, es aus seiner Sammlung 'Erzählungen aus altdeutschen Handschriften' (BLV XXXV, Stuttgart 1855) ausgeschlossen hatte, 'in der hoffnung, das fragment mit der zeit vervollständigen zu können' (Altdt. Ged. 4, S. 10, Fußnote). Das ist ihm auch in den folgenden Jahren nicht gelungen, so daß er es 1861 dann doch separat als Festgabe für Felix Liebrecht herausgab. Das schmale Heft ist nur noch mit Mühe in den Bibliotheken aufzutreiben, und der Abdruck von W findet sich an so verborgener Stelle, daß er selbst H. FISCHER unbekannt bleiben konnte.

Eine kritische Edition auf Grund aller handschriftlichen Zeugen hatte H. NIEWÖHNER als Nr. 86 für sein 'Neues Gesamtabenteuer' vorgesehen, wie schon dem Anhang zum Textteil des I. Bandes (Berlin 1937, S. 173 f.) zu entnehmen war. Mehr als diesen Halbband hat er selbst nicht zum Druck befördert, sich jedoch noch kurz vor seinem Tode im Jahre 1959 dahingehend geäußert, daß das Manuskript für alle vier Bände druckfertig sei. Die Erfahrungen, welche die Bearbeiter der zweiten Auflage des ersten Bandes (Dublin/Zürich 1967) mit dem hinterlassenen Lesartenapparat zu den Texten gemacht haben (Vorwort, S. IX bis XII), haben diesen Optimismus nicht gerechtfertigt.

Es ist nicht einmal sicher, daß überhaupt schon ein kritischer Text des 'Tor Hunor' von NIEWÖHNER konstituiert war. Denn ein vollständiges Manuskript des zweiten Bandes, der die Nummern 38—86 enthalten sollte (NGA I², S. IX), ist nicht mit den übrigen zu I, III und IV und den Vorarbeiten an das Germanische Seminar der Universität Hamburg gelangt. Die ZfdPh 87,476 zitierte Vermutung der Nachlaß-Verwalter, daß es sicherlich existiert habe und sich wahrscheinlich in Ost-Berlin befinde, hat sich bisher nicht bestätigt. Vielmehr hat Herr Dr. BOETERS auf meine nochmalige Anfrage unter dem 5. 1. 70 mitgeteilt, daß 'sich der zweite Band des NGA n i c h t [habe] finden lassen, obwohl Frau Niewöhner auf unsere Bitten hin mehrmals in ihrem Hause und außer den Mitarbeitern Niewöhners schließlich Herr Schacks selbst in der Akademie intensiv danach gesucht haben'. Obwohl NIEWÖHNER noch am 25. 6. 59 an WERNER SIMON geschrieben hatte, 'Band II und III sind bis auf wenige Gedichte fertig', 'sind vom zweiten (Nr. 38—86) bisher nur Nr. 42. 48. 59. 81 aufgetaucht' (NGA I², S. IX). Für den 'Tor Hunor' ist somit noch alles zu tun.

II

Der 'Tor Hunor' ist in folgenden Sammelhandschriften überliefert (ich bediene mich der von H. FISCHER eingeführten Handschriften-Siglen und füge die bisher und auch für das NGA verwendeten in Klammern hinzu):

1. W (= w): Wien, Österreichische Nationalbibliothek, Cod. 2885, Bl. 50ra bis 52rb. Die zweispaltige Papierhandschrift ist nach H. MENHARDTS Beschreibung, Verz. I, 527—546, zuletzt von A. MIHM, Überlieferung und Verbreitung der Märendichtung im Spätmittelalter, Heidelberg 1967, S. 64—70, behandelt worden. Laut Eintrag auf Bl. 213vb ist sie in der Zeit vom 22. April bis 4. Juli 1393 geschrieben *In Insprukka per manus Johannis Götschl*, bis auf das von einer Hand 15. Jahrhunderts herrührende erste Blatt, das ein

in Verlust geratenes ersetzt hat (K. ZWIERZINA, Festgabe für Singer, S. 153). Sie enthält unter 68 Reimpaargedichten 34 Mären. Die Sprache ist tirolisch. 'Tor Hunor' ist Nr. 26 bei durchlaufender Zählung. Die Überschrift lautet: *Daz mer von dem toren.*

2. I (= i):   Innsbruck, Ferdinandeum Cod. FB 32001, Bl. 32rb—33va. Sie ist von K. ZWIERZINA, Die Innsbrucker Ferdinandeumhandschrift kleiner mhd. Gedichte, Festgabe für Samuel Singer, Tübingen 1930, S. 144—166 (= Singer-Festgabe) eingehend untersucht und seitdem noch einmal von MIHM (Überlieferung, S. 96—99) beschrieben. An der zweispaltigen illustrierten Papierhandschrift waren zwei Schreiber beteiligt. Der für den ersten, Bl. 1—89 umfassenden Teil verantwortliche hat seiner Schlußnotiz auf Bl. 88vb zufolge seine Arbeit am 3. September 1456 beendet. Bilder waren, wie eingerückte Verszeilen verraten, von Anfang an vorgesehen, doch stehen die kolorierten Federzeichnungen in der Regel auf dem unteren Seitenrand oder zwischen den Spalten. Von einigen Seiten sind offenbar der Bilder wegen große Stücke weggeschnitten. Die 57 kurzen Reimpaargedichte des ersten Teils stehen in nahezu gleicher Reihenfolge auch in W (nur Nr. 37 ist in I Nr. 3); die elf ausgelassenen sind sämtlich keine Mären. Die Sprache ist ebenfalls tirolisch. 'Tor Hunor' ist nach fortlaufender Zählung Nr. 26. Die Überschrift stimmt zu der in W: *Daz märe von dem toren.*

3. D^2 (= d):   Dresden, Sächsische Landesbibliothek, Mscr. M 68, Bl. 13ra—14va. Nach der ersten ausführlichen Inhaltsangabe in F. H. V. D. HAGENs und J. G. BÜSCHINGs 'Literarischem Grundriß zur Geschichte der Deutschen Poesie von der ältesten Zeit bis in das sechzehnte Jahrhundert', Berlin 1812, S. 325—338, hat wiederum MIHM (Überlieferung, S. 92—96) eingehender über sie gehandelt. Auch diese zweispaltige Papierhandschrift ist durch einen abschließenden Vermerk des Schreibers genau datiert: Peter Grieninger hat sie am 8. Juli 1447 fertiggestellt. Sie weist trotz einigen Irrläufern eine 'deutliche Dreigliederung in Mären-, Reden- und Bispelteil' (MIHM, Überlieferung, S. 93) auf. Von ihren insgesamt 36 Reimpaargedichten stehen 18 auch in W, allerdings in abweichender Reihenfolge, darunter 14 Mären. Die Sprache ist ostschwäbisch. 'Tor Hunor' steht an zehnter Stelle und trägt die Überschrift: *Von ains pauren sun hieß hûnore.*

4. K (= k):   Karlsruhe, Badische Landesbibliothek, Cod. Karlsruhe 408, Bl. 104ra—105va. Die neueste und sorgfältigste Beschreibung stammt von TILO BRANDIS (Der Harder, S. 30—47); MIHM hat über sie Überlieferung, S. 71—78, gehandelt. Die zweispaltige Papierhandschrift ist an Hand der Wasserzeichen auf 'etwa 1430—50'

(BRANDIS, Der Harder, S. 33) datiert und wird drei Schreibern verdankt. Sie enthält insgesamt 116 Reimpaargedichte, darunter 35 Mären. 20 Nummern, davon 13 Mären, finden sich auch in W. Vorangestellt ist auf Bl. 1^r—1^v ein Register, das 'mit größter Wahrscheinlichkeit ... vor der ganzen Hs. entstanden ist' (BRANDIS, Der Harder, S. 39). Da es 'in der Regel die ursprünglichere Reihenfolge und den besseren Wortlaut' der Überschriften bietet, hat MIHM vermutet, der Redaktor der Sammlung müsse 'es schon fertig aus seiner Vorlage übernommen haben' (Überlieferung, S. 73). Die Sprache liegt auf der Grenze des Rheinfränkischen, Nordalemannischen und Westschwäbischen (BRANDIS, Der Harder, S. 37). 'Tor Hunor' ist Nr. 70 (nach A. v. KELLERS Zählung) und fällt in den von Bl. 96ra Zeile 4 v. u. bis Bl. 148vb reichenden Anteil von Schreiber B. Der Anfang fehlt, da vor Bl. 104 — wie an acht weiteren Stellen des Kodex — ein Blatt verlorengegangen ist. Der Text setzt erst mit v. 38 nach der Zählung von W ein; es fehlt also auch die Überschrift, die im Register *Der knecht hofer* lautete.

Das Märe zählt in W, I und D^2 je 250 Verse, jedoch ist die Übereinstimmung nur in W und I vollkommen, während in D^2 sechs Minusverse gegenüber WI (12. 18. 95. 210. 249. 250) durch sechs Plusverse (40 a. b. 86 a. b. 96 a. 209 a) ausgeglichen sind. Der erhaltene Bestand von K beträgt 211 Verse; rechnet man 37 am Anfang verlorene hinzu, hätte die Summe in dieser Handschrift 248 Verse betragen. Wer A. v. KELLERS Abdruck nach K mit U. SCHWABS von W vergleicht, erkennt bald, daß der annähernd gleiche Umfang mehr oder weniger zufällig ist, denn die beiden Fassungen des Märes differieren, besonders im zweiten Teil, in Wortlaut und Inhalt erheblich.

III

Es empfiehlt sich, von der Handschrift W auszugehen, für die wir U. SCHWABS diplomatischen Abdruck des 'Tor Hunor' besitzen. Ganz fehlerfrei ist er nicht: v. 25 ist *mein* statt *main* zu lesen, v. 38 *cho͞m* statt *chom*; v. 42 ist hinter *han ew* ausgelassen; die Fußnoten auf S. 86 betreffen v. 39 statt 38 und v. 51 statt 50; v. 148 hat die Handschrift nicht *t^{r}g*, sondern *t^{cc}g*, d. h. es ist ein offenes *a* hochgestellt und *trag* zu lesen; v. 199 lies *beschach* statt *peschach*.

Eine Kollation mit I hat U. SCHWAB für überflüssig gehalten, da 'die beiden Hss. ... auf jeden Fall textkritisch nur e i n e Stimme' haben (Quaderni I, 66). Der Satz ist ein — mittelalterlich ungenaues — Zitat aus ZWIERZINAS nicht bloß für das Verhältnis von W und I, sondern für das Verhalten mittelalterlicher Schreiber prinzipiell wichtiger Abhandlung in der 'Festgabe für S. Singer' (S. 147). Er plädierte dort dafür, den Spielraum für 'zufällige Übereinstimmung unverwandter Hss.' nicht zu gering anzusetzen (S. 150) und 'viel mehr an Änderungen, Kürzungen, Zusammenziehungen, Erweiterungen unter dem Abschreiben für möglich' zu halten (S. 148), als gemeinhin für erlaubt gehalten werde.

'Was an Änderung und gedankenloser Verschlechterung, an Vulgarisierung und Aufputz Abschriften gegenüber uns erhaltenen Vorlagen sich gelegentlich gestatten, wieviel sie sich gestatten und was' (Singer-Festgabe, S. 150), hat an der Überlieferung eines epischen Gedichts höchsten Ranges die Dissertation meines Schülers MANFRED VON STOSCH 'Schreibereinflüsse und Schreibertendenzen in der Überlieferung der Hss.-gruppe *WWo von Wolframs Willehalm' (Marburg 1969) gezeigt. Bei einer so instabilen Gattung wie den Mären ist die Toleranz eher noch weiter zu bemessen, ohne daß man mit E. SCHRÖDER annehmen müßte, die Schreiber hätten 'sich für lange strecken auf ihr gedächtnis verlassen' (Kleinere Dichtungen Konrads von Würzburg I, Berlin 1924, S. IX).

W. STEHMANN hatte in seiner Untersuchung 'Die mittelhochdeutsche Novelle vom Studentenabenteuer' (Berlin 1909, S. 16—25) an Hand von besseren Lesarten in I den Nachweis zu führen versucht — wie vor ihm schon O. LIPPSTREU, 'Der Schlegel, ein mittelhochdeutsches Gedicht des Rüedger Hünchovaer' (Diss. Halle 1894, S. 10—11) —, daß I nicht unmittelbar aus W geflossen sein könne, vielmehr beide Handschriften auf eine gemeinsame Vorlage *WI zurückgeführt werden müßten. ZWIERZINA konnte zeigen, 'daß in der Mehrzahl der Fälle Stehmanns [und Lippstreus] Angaben überhaupt falsch sind' (Singer-Festgabe, S. 155), entweder Lesefehlern oder ungenauer Kollation entstammen, während die übrigen naheliegende Besserungen darstellen und z.T. gerade die Lesung von W voraussetzen: 'letzten Endes muß I geradlinig, wenn auch über ein Mittelglied, auf B [d.h. W] zurückgehen' (Singer-Festgabe, S. 162). Das 'Mittelglied' wird gefordert durch auffällige Textlücken in I Bl. 21va und 22rb, wo teils die Versanfänge, teils die Versenden fehlen, während W die Verse vollständig überliefert. I wäre also nicht die Tochter, sondern die Enkelin von W, und das 'Mittelglied' müßte, wenn ZWIERZINAS Vermutung, daß die Textverluste durch herausgeschnittene Bilder entstanden wären (wie an I selbst zu beobachten ist), ebenfalls schon eine Bilderhandschrift gewesen sein.

Der Handschriftenvergleich im Bereich unseres 'Tor Hunor' widerspricht diesem Befund nicht. Vom rein Orthographischen können wir absehen, das müßte ohnehin auf breiterer Grundlage erörtert werden. Uns geht es hier um typisches Verhalten der Schreiber, genauer um Konsequenz oder Inkonsequenz ihrer Änderungen. Zu den orthographischen Eigenheiten des I-Schreibers gehören die Konsonantenverdopplung im Silbenauslaut (*zz, ff, dt, ckh*), *cz* statt *z*, *ä*-Schreibung für den Umlaut von *a* und *ā* usw. Für den neuen Diphthongen aus *iu* bevorzugt I *ew* gegenüber *äw* in W. An Johannes Götschls Schreibweise ist sonst wenig Auffälliges: auf die charakteristischen epenthetischen *l* wie in *alber* (v. 170) hat schon U. SCHWAB (Quaderni I, 90) hingewiesen. Der Stand der Diphthongierung bzw. ihrer orthographischen Bezeichnung ist in beiden Handschriften unentschieden. Im Versausgang ist sie nur durchgeführt, wo sie den Reim nicht zerstörte. Im Inlaut wechseln in beiden Handschriften *si* und *sei,* während *iu* in I immer als *ew* wiedergegeben ist. *diu* ist in W außer für Nom./Akk. Pl. N. (v. 35. 36) und Nom. Sg. F. (v. 5. 44. 57. 63. 65. 108. 160. 167. 249) auch für den Akk. Sg. F. (v. 18. 113. 147. 164) gebraucht — das einmalige *die* (v. 136) Nom. Pl. N. ist wohl zufällig. In I entsprechen *die* für Nom./Akk. Pl. N. (v. 35. 36. 136), Nom. Sg. F. (v. 5. 44. 63. 65. 108. 249) und Akk. Sg. F. (v. 113. 147) und *dew* für Nom. Sg. F. (v. 57. 160. 167) und Akk. Sg. F. (v. 18. 164). Die Dativform *ew* in W ist der Akkusativform *ewch* I gewichen (v. 148). Kontrahiertem *ē* in W *let* (v. 76. 157) und *set* (v. 93) entsprechen in I *legt* und *sayt.*

Von den Fehlern in W sind in I gebessert: v. 174 *rait* W, *er rayt* I; v. 194 *ich* W, *icht* I; v. 217 *Weltˢ tiefel* W, *Wettˢ tiefel* I; v. 221 *an pauh* W, *an den pawch* I. v. 9 *öinigñ* W ist wohl mit ZWIERZINA (Singer-Festgabe, S. 156) als zu *einigñ* korrigiert zu nehmen = *ainigen* I.

Geändert hat I an folgenden Stellen: v. 7 f. *nach gepawrñ : ſawrñ* I ~ *nach gepawr : ſawr* W; v. 29 *Da tät ich gerñ ewrñ willen mit* I ~ *Da tet ich ewrn willñ mit* W; v. 59 *ſolt holen* I ~ *wolt holñ* W; v. 60 *vnuˢſtolen* I ~ *vuˢholñ* W; v. 162 *Vnd wolten jn auf hebñ mit dˢ prewte* I ~ *Vñ woltñ auf helfñ der prawt* W; v. 207 *geſtalt* I ~ *geſlacht* W; v. 211 *Si ſprach mein recht ſind mir geſchehñ* I ~ *Si ſpᶜᶜch ir recht ſint ir geſchehñ* W — da ist nicht ungeschickt der Körperteil durch die Person ersetzt; v. 238 *pechant* I ~ *pebant* W. Einschneidend sind die Eingriffe nirgends, wiewohl auch nicht gerade gedankenlos.

Schreibfehler sind selten: v. 204 *vol* I statt *volg* W und v. 11 *gunor* I statt *hunor* W wie auch v. 77; v. 35 *gewinnet* I statt *gewinnet* W; v. 143 *erbrˢn* I statt *ewrñ* W. *da* und *do,* in W noch säuberlich geschieden, gehen in I durcheinander: v. 80 *Do* I, *Da* W; v. 89 *da* I, *do* W — wo auf diese Weise der Reim zerstört wird; v. 124 *do* I, *da* W. Schwer begreiflich ist die Zerstörung des Reims v. 71 f. *namen : chomen* I gegenüber *nam̄ : chām̄* W und v. 51 f. *näme : chäme* IW deswegen, weil I neben *chom* (v. 186), *chomen* (v. 38. 60. 68. 161) und *chöm* (v. 236) auch *chäm* (v. 31) im Inlaut hat, während W dort nur *ō*-Formen aufweist.

Danach könnte es bei ZWIERZINAS Urteil bleiben: I ist 'eine zurückhaltende, konservative, genaue und gute Abschrift' (Singer-Festgabe, S. 157) einer Abschrift aus W. Für den weiteren Textvergleich käme sie nicht in Betracht, und die Zahl der Zeugen mit selbständigem Wert reduzierte sich auf drei. Dabei bliebe unbeachtet, daß I ein paar Lesarten mit K teilt, die W und D² nicht kennen: v. 59 *solt holen* IK gegenüber *wolt holñ* WD² und v. 162 *Vnd woltñ jn auf hebñ mit dˢ prewte* I, *Vnd woltñ auff hebñ die braut* K gegenüber *Vñ woltñ auf helfñ der prawt* WD², auf die beide Schreiber unabhängig voneinander gekommen sein müßten. Denn es wird zu zeigen sein, daß die in K überlieferte umgearbeitete Fassung des 'Tor Hunor' auf dem mit seiner Hilfe aus W und D² zurückzugewinnenden Archetypus beruht.

IV

Von den 14 Mären, die D² mit W gemeinsam überliefert, haben nach MIHMS Berechnungen (Überlieferung, S. 94) 11 eine auffällig niedrige, 'zwischen 1,3 % und 5,5 %' liegende 'relative Gesamtabweichung des Versbestandes', die fast immer durch Auslassung und nur selten durch Zusatzverse zustande komme. Diese überraschende Einheitlichkeit könne, da D² nicht direkt aus W abzuleiten sei, nur von einer gemeinsamen Vorlage *WD² herrühren, welche schon einige Zeit vor 1393 existiert haben müßte und unter Umständen 'eine reine Mären-sammlung' (Überlieferung, S. 95) gewesen sein könnte.

Für 'Tor Hunor' hat MIHM 3,2 % Abweichungen von D² gegenüber W errech-net. Die 'stereotypen Zusatzverse' (Überlieferung, S. 66), v. 249 f. in W, sind dabei ausgeklammert, so daß die verglichene Gesamtzahl 248 Verse in W und 250 in D² beträgt. Zwei Verse (W 12. 18) fehlen in D² versehentlich: die Lücke zerstört an beiden Stellen das Reimpaar. Nur sie hat MIHM als Minus gezählt.

Es sind jedoch außerdem noch W 95 und 210 in D² ausgelassen. Das ist nicht so augenfällig, weil das defekte Reimpaar jeweils durch einen Ersatzvers kom-plettiert ist, die MIHM mutmaßlich unter seiner Kategorie v gebucht hat, was nur erlaubt wäre, wenn es sich um einen mehr oder weniger identischen Inhalt han-delte. Das ist nicht der Fall. Vielmehr ist mit Vers W 95 gerade ein für den Auf-bau des hochzeitsnächtlichen Disputs keineswegs unwichtiger Bestandteil, die ab-schließende kategorische Feststellung der Braut: *Nu han ich recht kaine* in Weg-fall gekommen. Der Zusatzvers von D² 96 a *Wañ er vand recht kaiñu* begründet das zornige Weinen des Toren und ist kein inhaltlicher Ersatz für W 95. Mit W 210 *Herr daz muz ew jmmˢ frum̄* verhält es sich ganz ähnlich: diese an den Ritter gerichtete Versicherung des Toren ist ersatzlos gestrichen. D² 209 a *So wirt mir traurñ benomē* ist Teil der voraufgehenden Aufforderung an das Mädchen, das ihr angeschaffte Werkstück vorzuzeigen, und — wie formelhaft und banal auch immer — ein völlig anderer und neuer Inhalt. Daraus folgt aber, daß für D² nicht zwei, sondern vier Minusverse und entsprechend sechs statt vier Plus-verse anzusetzen sind.

Ziemlich weit geht die Umgestaltung auch v. 189 ff., doch kommt hier kaum inhaltlich Neues dazu, und D² scheint seine Ersatzverse aus dem Wortmaterial des in W Überlieferten gebildet zu haben. Sie lauten:

> 189   *Der rittˢ lacht ſei gutleich an*
>   *Er ſprach zu dē toriſchñ man*
>   *Ich laz dich die junchfraw ſehñ.*

Die ersten beiden sind in D² vertauscht, und *ſprach* ist durch *ſach* ersetzt:

> 189   *Der ritter ſach den torohtñ mā*
>   *Vñ lacht das magetein gůtlich an,*

was zur Folge hatte, daß die direkte Rede in v. 191 in einen Erzählvers umgewandelt werden mußte:

191   Vñ lieſſ in die junckfraw ſechñ.

MIHM hat den vorgenommenen — und erzähltechnisch nicht ohne weiteres belang-
losen — Eingriff nicht einmal unter seiner Rubrik v registriert, die ohnehin
weiterer Auffüllung bedarf. Ich komme auf etwa 50 in D² gegenüber W veränderte Verse, die in der Verskonkordanz (unten S. 250—53) mit einem Asteriskus versehen sind. Die lediglich unterstreichenden Zusätze, wie sie in D²
häufig sind, wurden nicht als Änderungen gerechnet, wohl aber semantisch
relevante andere Wortwahl und stärkere syntaktische Eingriffe. Über Einzelfälle
will ich nicht streiten: daß in D² nicht bloß zwei Verse verändert sind, muß auch
einem eiligen Leser auffallen.

Die restlichen vier Zusatzverse sind von billigster Schreiber-Machart: aus W
41 *Her ſun gebt mirs pettñ prot* sind ohne Not drei gebastelt:

D² 40a   <i>Er ſprach her ſun was tůnd ir</i>
   b   <i>Nu achtend das ir gebñt mir</i>
 41   <i>Ain gůt pettñ prot.</i>

D² 86 a. b *Er ſprach aber du haſt Si ſpᶜᶜch aber ich han ain paſt* stellen eine
nahezu wörtliche Wiederholung der in allen Handschriften vorausgehenden
Verse *Er ſpᶜᶜch zehant du haſt Si ſprach ich han ain paſt* WID²K dar.

Ich schließe die gelegentlichen Umstellungen innerhalb eines Verses an, die in
der Mehrzahl von gleicher Qualität sind: v. 10 *Vñ wz dar zenichon from : Der
wz ze nicht frum* W; 63 *Da begund ſich die magt : Div magt pegůd ſich* W; 102
Vñ mã ſi dick da rennet an : Uñ da man ſei rennt an W; 107 *mocht aine : aine
mocht* W; 138 *Dez mugend ir : Ir mugt ſein* W; 164 *Ligen ainig : Aine lign* W;
168 *Oder haut ſi : Hat dirs* W; 192 *Ob er icht mocht an ir geſpechñ : Ob er an
ir mug ſpehen* W; 225 *mirs gemacht habñ : ſei habñ gemacht* W; 233 *du můſt :
muſt du* W.

Auch die übrigen Textabweichungen in D² überschreiten auf den ersten Blick
nirgends das Maß dessen, was einem Mären-Schreiber zuzutrauen ist. An einer
schriftlichen, mit W gemeinsamen Vorlage *WD² lassen sie nirgends zweifeln.
Charakteristisch für D² sind verdeutlichende und unterstreichende Zusätze: v. 8
hart ſaur : ſawr W; 14 *villeicht : leicht* W; 21 *Danach giēg er : Er gie* W; 24
ſollēt ſi kain wijl lebñ : ſullñ ſi lebñ W; 26 *nu wicziclichñ : weiſleichñ* W; 28
was ich gůcz han : waz ich han W; 30 *nū peſſers : pezzer* W; 32 *Wañ das er :
Wan er* W; 35 *noch driu kind : div kint* W; 40 *hart clain : klain* W; 49 *Da by
hindñ vber : Da pey vbr* W; 52 *dar zů kem : keme* W; 57 *Da nů die zeit : Do
div zeit* W; 65 *ſo ſtarck : ſtark* W; 66 *gab da : gab* W; 67 *Allen den : Allñ* W;
68 *Die da : Die* W; 71 *ſi da : ſei* W; 73 *ſtůnd in ain : ſtund ain* W; 74 *ſi da
paidu in : ſei ein* W; 77 *ſůcht ir : ſuchot* W; 92 *nū wolt : wolte* W; 96 *vor zorñ*

wainē : wainen W; 102 ſi dick da rennet an : ſei rennt an W; 116 Ain gůt vil wol machñ : Wol ain gutew machñ W; 117 nū machñ : machñ W; 122 Vñ darzů : Vñ W; 123 ſa zehand : zehant W; 128 ir da : ir W; 134 clopftñ an : klopftñ W; 139 gott wilkomē : willkom̄ W; 141 an ſach : ſach W; 142 er da : er W; 154 Wider komē : Chom̄ W; 169 Er ſpᶜᶜch ich fůrt : Ich furt W; 175 aber da : abˢ W; 176 Vñ dar zů : Vñ W; 186 gieng mir : kom W; 192 icht mocht an ir : an ir mug W; 198 hrˢ ich tůs : ich tuns W; 199 vō ir geſchach : beſchach W; 209 vñ iſt : iſt W; 212 naina lieb ſo laß : liebew la W; 224 Laid was dem torochten knecht : Vil laid waz dē knecht W; 244 ſo han ich allez : han ich W; 250 nim̄ˢ me : nimmˢ W. Sie geben sich in der Mehrzahl leicht als Schreiberzutat zu erkennen, sind z. T., mindestens im Falle von v. 24, aus dem Material des Textes (v. 16) selbst gewonnen.

Die Tendenz auf Verstärkung ist unverkennbar, und sie scheint auch die teilweise abweichende Wortwahl mitzubestimmen: v. 26 wicziclichñ : weiſleichñ W; 34 vil weiſe : wol weiſe W; 35 driu kind : diu kint W; 62 Dann nach : Hin nach W; 64 den narrñ : den torñ W; 71 Mit deñ henden : Pei der hend W; 78 Die ſud : Daz ſuchſel W; 79 vnder die arme : vndˢ ir arme W; 80 gefůg : ze ſug W; 81 die pruſtlin : dz pruſtlein W; 84 Dez ſuchſes brunn : Der ſuchs prun W; 87 ſůchſtu : treibſtu W; 88 ſud : ſuchs W; 90 So : Daz W; alſo : ſo W; 100 die da : ſei da W; 101 vō recht : ze recht W; 105 weiſñ : ſpehñ W; 118 bedarff : darf W; 132 traib : ſurt W; 144 foczñ : kuzz W; 147 ſud : kuzz W; 153 Uñ hieß : Er hiez W; 155 der aff : der tor W; 156 hart : gar W; 157 nider an ſein leger : widˢ an ſein legˢ W; 167 Wa hin : War W; 169 ee ez begůd tagē : vor tagñ W; 171 Hie vm̄ : Hie pey W; 173 dˢ narˢ : der tore W; 174 da hin ſchrait : rait W; 178 Der torocht : Der tor W; 179 du focz : daz kuzz W; 184 mit dˢ warhait uˢjechñ : mir dˢ warhait jehñ W; 186 gieng mir groſſu arbeit : kom grozz arbait W; 187 der gauch : der tore W; 193 wer[de] geuallñ : gevalle W; 194 mit ir wolti : ich[t] well W; 195 in dein : in ain W; 196 nichcz geſchadñ : nicht geſchadñ W; 204 ich gan : ich volg W; 206 uˢjechñ : jehñ W; 207 ſud : kuzz W; geacht : geſlacht W, geſtalt I; 209 wol mir : wol mich W; 211 driu recht : ir recht W, mein recht I; 215 ſo dir got : durch got W; 221 vndñ an dē buch : nidñ an [den] pauh W; 223 vō recht : ze recht W; 226 gˢnabyß : gaiz W; 232 altersain : allain W; 235 ſud : kuzz W; 238 gewandt : pebant W, pechant I; 241 dein weib : dz weib W; 243 ich dich : ſi dich W; 245 gelan : lan W; 247 Der hab : Er hab W.

Am auffälligsten sind dabei einmal die variierenden Benennungen des tölpelhaften Helden der Geschichte als narre (v. 64. 173), affe (v. 155), der torocht (v. 178), gauch (v. 187) gegenüber durchstehendem tor(e) in W, und zum andern die einheitliche Bezeichnung der weiblichen Scham als ſud (v. 78. 88. 147. 207. 235) und fotze (v. 144. 179), während W neben v. 78 ſuchſel und v. 88 ſuchs dafür immer kuzz (femin.: v. 147; neutr.: v. 179; unentscheidbar: v. 144. 207; das aufnehmende Pronomen ist immer ſi) hat. Das sieht nach Vergröberung in D² aus, obwohl das von den Wörterbüchern nicht gebuchte *kuzz*, wenn es zu *kotze* gehört — das außer 'Hure' auch 'vulva' bedeutet: *so kan ich denoch in die kotzen stechen; man sol mich in der kotzen spüren*, rühmt sich der *zagel* in 'Gold und Zers II' (FISCHER, Die deutsche Märendichtung des 15. Jahrhunderts, A 3 b) v. 22 und 44 —, genau so direkt wäre. Zudem war der sexuelle Bereich im Mittelalter weit weniger tabuiert als in jüngst vergangenen Zeiten. Allerdings hat D² auch das durch K (v. 80 *fuchßlein*) gestützte metaphorische *fuchsel* eliminiert und *der fuchs prun = briune, brune* 'weibliche Scham' zu *des fuchses brunn* entstellt. K bevorzugt *kreussel* (femin.: v. 90. 145; neutr.: v. 169. 207. 218; unentschieden: v. 142. 159; das aufnehmende Pronomen ist zweimal *es:* v. 96. 209, sonst immer *si*), das LEXER nur aus dieser Quelle kennt. Offenbar bedient sich jeder Schreiber des ihm geläufigsten Wortes, doch könnte im originalen Gedicht auch ein differenzierter, zur Charakterisierung der redenden Personen bestimmter Sprachgebrauch vorgelegen haben. Es meldet sich der Verdacht, daß D² nicht allein von W her beurteilt werden darf.

Eindeutige Fehler sind in D² nicht eben häufig: 30 *Hat ewˢ ſun nū peſſers rit* : *Het ewr ſun pezzer ſit* W; 40 *Nū was ſorg* : *Nu waz ſein ſorg* WK; 45 *Ho ho* : *Ho ho ho* WK; 62 *Dann nach der preut* : *Hin nach der ſchon prawte* W; 114 *wolteſt du ſein nit erlan* : *woltſt du in ſein nicht erlan* W; 158 *nit miñē ieger* : *nicht dˢ miñ jegˢ* W; 197 *Vñ hab auff* : *Vnd heb auf* W; 241 *wa haſtu* : *war haſt du* W.

Die durch D² korrigierten in W sind ähnlicher Art: 91 *Ich enwaiſſ* D² : *Ich waiz* WK; 101 *ſolt ſtan* D²K : *ſol ſtan* W; 170 *Ich ſolt ez* D² : *Ich ſols* W; 204 *Wa hin du gaſt* D² : *Wa du geſt* W; 217 *Wett der* D², *Wettˢ* I : *Weltˢ* W. Gravierender sind der in W zerstörte Reim v. 125 f. *phert* : *maget*, den D²K unversehrt bewahrt haben, und vielleicht noch ein zweiter: v. 225 f. *weiz* : *gaiz* in W kann gegenüber *wyß* : *gˢnabyß* D² nicht ursprünglich sein. Das zeigt auch die Schreibung in W an, wo mhd. *ei* immer *ai* geschrieben ist zum Unterschied von dem neuen Diphthong *ei < î*. Der *kernbîze* 'Kernbeißer' scheint allerdings als Vergleichsobjekt für die vom Toren verabscheuungswürdig befundene *vut* schlechter zu taugen als die *gaiz*, aber vielleicht ist *bîze* 'Zuchteber' als Ausgangspunkt zu nehmen.

Jedenfalls wäre D² hier dem originalen Gedicht näher geblieben als W. Daß ihre Fassung des 'Tor Hunor' nicht — wie I — aus der Wiener Handschrift abzuleiten ist, ergibt sich mit Sicherheit aus einigen wenigen, vorerst ausgesparten Versen, die sich von W deutlich unterscheiden und deren wichtigste von K geteilt werden: v. 60 *Dar nach warñ(t) ſi uˢkoln* D²K : *Si kom̄ ū uˢholn* (*vnuˢ ſtolen* I) W; 73 *Da ſtūnd ynnē* (*in* D²) D²K : *Da ſtund* W; 74 *Da fūrt man ſi* (*da* D²) *paidu in* D²K : *Da furt man ſei ein* W; 75 f. *Mit freudñ vñ mit gamē   Let mā ſi zeſamen* D²K : *Mit frawd wunſame.   Do let man ſei zeſam̄* W; 82 *Entriu* D², *Entrewn* K : *Triwn* W; 87 *wz ſūchſtu* D²K : *waz treibſtu* W; 101 *ſolt ſtan* D²K : *ſol ſtan* W; 102 *Vñ da* (fehlt D²) *mā ſi dick* (*offt* K) *da* (fehlt K) *rennet an* D²K : *Vn̄ da man ſei rennt an* W; 125 f. *Ainē ſattel let er auff dz pferd   Dar auff hůb er die maget werd* D²K : *Vn̄ ſatlot die phert   Vn̄ ſatzt dar auf di maget* W; 157 *nider an ſein leger* D²K : *wid͛ an ſein leg͛* W; 169 *Er ſpᶜᶜch ich fůrt* D²K : *Ich furt* W. Auch der Zusatz *vor zorn* (D² 96) wird durch K 98 *vor zorn wᶜᶜt er weinē* bestätigt. Sogar ein paar der zahlreichen Zusatz-wörter in D² finden sich in K: 57 *Do nu* D²K : *Do* W; 68 *Die da* D²K : *Die* W, so daß auch diese Manier schon von längerer Hand angelegt gewesen sein könnte. Als selbständige Änderungen sind diese divergierenden Lesarten dem Schreiber von D² angesichts seiner bisher beobachteten Praxis nicht zuzutrauen. Damit wäre *WD² auch vom 'Tor Hunor' her gefordert.

K kann nicht aus D² geschöpft haben, da sie an anderen Stellen gegen D² auf der Seite von W steht: v. 41 *Her ſun gebt* (*Sun gib* K) *mirs pettn̄* (*das boten* K) *prot* WK : *Er ſprach her ſun was tůnd ir   Nū achtend das ir gebn̄t mir   Ain gůt pettn̄ prot* D²; 45 *Ho ho ho* WK : *Ho ho* D²; 52 *Ob ez alſo keme* WK : *Ob ez alſo darzů kem*; 64 *den torn̄* WK : *den narrn̄* D²; 67 *Alln̄ hubſchen lawtn̄* WK : *Allen den hubſchn̄ leutn̄* D²; 72 *ſi all* WK : *ſi da* D²; 77 *Da ſuchot* WK : *Da ſůcht ir* D²; 78 *Daz fuchſel* W, *fuchßlein* K : *Die fud* D²; 91 *Ich waiz* WK : *Ich enwaiſſ* D²; 105 *ain ſpehn̄ man* WK : *ainē weiſn̄ man* D²; 138 *Ir mugt ſein wol* WK : *Dez mugend ir wol* D²; 158 *d͛ miñ jeg͛* WK : *miñē ieger* D²; 168 *Hat dirs der tiefel genom̄* WK : *Oder haut ſi der tufel genomē* D²; 169 *vor tagn̄* W, *vor tag* K : *ee ez begůd tagē* D²; 171 *Hie pey* WK : *Hie vm̄* D²; 173 *der tore* WK : *d͛ nar͛* D²; 174 *er* (fehlt W) *rait* WK : *er da hin ſchrait* D². Da handelt es sich zwar in der Mehrzahl um wohlbekannte Eigenheiten des Schreibers von D², aber auf das in D² nicht anzutreffende *vuchslein* wäre K wohl kaum von selber oder durch Zufall gekommen. Die Entstellung von v. 84 *Der fuchs prun* W zu *Dez fuchſes brunn* D² und *Des fuchs brvnnē* K ist nicht als eine Zwischen-stufe *D²K konstituierender Bindefehler anzusehen. Es wird sich um unabhängige Mißverständnisse der Schreiber handeln, um so mehr, als nicht einmal sicher ist, daß in beiden Handschriften dasselbe Wort *brünne* gemeint und nicht möglicher-weise auch an *brunne* gedacht ist.

Überall dort, wo K mit D² oder mit W zusammengeht, fassen wir die Vor-lage. Die aufgezeigten D² eigenen stereotypen Neuerungen und die Feststellung, daß sie die relevanten Divergenzen von W mit K gemeinsam hat, lassen ver-muten, daß D² der Vorlage näher geblieben und die Änderungen von W aus-gegangen sind.

V

Bei einem vergleichbaren Gesamtbestand von 211 Versen (die ersten 37 sind, weil in K durch mechanische Zerstörung verloren, in Abzug gebracht) soll K nach Mihm (Überlieferung, S. 77) gegenüber W ein Minus von 36 und ein Plus von 36 Versen aufweisen, wozu noch 44 in Wortschatz und Reim abweichende treten. Das wären insgesamt 116 oder 54,9 % relative Gesamtabweichung.

Konkordanz der in W, D² und K überlieferten Verse

W	D²	über-einst.	ver-ändert	neu	W	D²	über-einst.	ver-ändert	neu
		K					**K**		
1	1					40a			
2	2					40b			
3	3				41	41*		41*	
4	4				42	42	42		
5	5				43	43	43		
6	6				44	44	44		
7	7				45	45	45		
8	8				46	46		46	
9	9				47	47	47		
10	10				48	48	48		
11	11				49	49		49	
12					50	50	50		
13	13				51	51	51		
14	14				52	52	52		
15	15				53	53		53	
16	16								54
17	17								55
18					54	54	56		
19	19				55	55	57		
20	20				56	56	58		
21	21				57	57	59		
22	22				58	58	60		
23	23				59	59	61		
24	24				60	60*	62*	62	
25	25				61	61	63		
26	26*				62	62	64		
27	27				63	63	65		
28	28				64	64*	66		
29	29				65	65	67		
30	30				66	66	68		
31	31				67	67	69		
32	32				68	68	70		
33	33				69	69	71		
34	34				70	70	72		
35	35*				71	71	73		
36	36				72	72	74		
37	37				73	73	75		
38	38	38			74	74	76		
39	39	39			75	75*	77*	77	
40	40	40			76	76	78		

W	D²	K überein st.	K verändert	neu	W	D²	K überein st.	K verändert	neu
77	77	79			115	115	117		
78	78*	80			116	116		118	
79	79	81			117	117		119	
80	80	82			118	118	120		
81	81	83			119	119		121	
82	82	84			120	120	122		
83	83	85			121	121	123		
84	84*	86*	86		122	122	124		
85	85	87							125
86	86	88							126
	86a				123	123		127	
	86b				124	124	128		
87	87*		89*		125	125*	129*	129	
88	88*		90*		126	126*	130*	130	
89	89	91			127	127			
90	90	92			128	128			
91	91	93			129	129			
92	92	94			130	130			
93	93		95		131	131			
94	94	96			132	132*			
95			97		133	133	131		
96	96*		98*		134	134		132	
	96a				135	135	133		
97	97	99			136	136	134		
98	98		100		137	137	135		
99	99		101		138	138*	136		
100	100		102		139	139	137		
101	101	103			140	140	138		
102	102*		104*		141	141	139		
103	103		105		142	142	140		
104	104	106			143	143		141	
105	105*	107			144	144*		142*	
106	106	108			145	145	143		
107	107	109			146	146	144		
108	108	110			147	147*		145*	
109	109	111			148	148	146		
110	110	112							147
111	111	113							148
112	112	114			149	149		149	
113	113	115			150	150	150		
114	114		116						151

W	D²	K über-einst.	K ver-ändert	neu	W	D²	K über-einst.	K ver-ändert	neu
				152					190
				153					191
				154					192
				155					193
				156					194
				157					195
				158					196
				159	173	173*	197		
				160	174	174*	198		
				161	175	175	199		
				162	176	176	200		
				163					201
				164					202
151	151								203
152	152								204
153	153		166						205
154	154		165						206
				167	177	177			
				168	178	178			
				169	179	179*		207*	
				170	180	180			
155	155*		171*		181	181		208	
156	156*	172*	172		182	182			
157	157*	173*	173						209
158	158		174						210
159	159	175							211
160	160	176							212
161	161	177			183	183			
162	162		178		184	184			
163	163				185	185			
164	164				186	186*			
165	165	179			187	187*			
166	166		180		188	188			
167	167*	181*	181		189	190*			
168	168*	182			190	189*			
169	169*		183*						213
170	170		184						214
171	171*	185							215
172	172	186							216
				187	191	191*			
				188	192	192*			
				189	193	193*			

W	D²	K übereinst.	K verändert	neu	W	D²	K übereinst.	K verändert	neu
194	194*				226	226*			
195	195*				227	227			
196	196				228	228			
197	197				229	229			
198	198*				230	230			
199	199				231	231			
200	200								229
201	201								230
202	202								231
203	203								232
204	204								233
205	205								234
206	206								235
207	207*				232	232*	236*	236	
208	208				233	233			
209	209*				234	234			
	209a				235	235*		237*	
210					236	236		238*	
211	211*								239
212	212*								240
213	213		217						241
214	214								242
215	215								243
216	216				237	237			
217	217				238	238			
218	218				239	239			
				218	240	240			
				219	241	241			
				220	242	242			
				221	243	243*			
				222	244	244			
				223	245	245			
				224	246	246			
				225	247	247			
				226	248	248			
219	219	227							244
220	220		228						245
221	221*								246
222	222								247
223	223								248
224	224*				249				
225	225*				250				

D²: W	übereinstimmend:	194	K : W	übereinstimmend:	90
	verändert:	50		verändert:	47
	ausgelassen:	4 (+ 2)		ausgelassen:	74 (+ 2)
	hinzugefügt:	6		hinzugefügt:	74

K : D²	übereinstimmend:	91
	verändert:	45
	ausgelassen:	79
	hinzugefügt:	75

Die vergleichende Lektüre führt auf einen sehr viel höheren Anteil an Lücken und Zusätzen. Um ganz sicher zu gehen, habe ich eine Konkordanz der in W, D² und K überlieferten Verse angefertigt (s. S. 250—53). Spalte 1 enthält die laufende Verszählung von W, die als authentisch zu gelten hat und auch für D² in Spalte 2 beibehalten ist: Zusatzverse in D² sind als a, b usw. eingefügt; nach Wortwahl, Wortstellung und Aussage abweichende sind mit einem Asteriskus versehen. K erhält eine eigene, mit v. 38 beginnende Zählung; die 37 vorausgehenden Verse werden als einstmals vorhanden einbezogen. Die mit W und D² im wesentlichen übereinstimmenden Verse sind in Spalte 3, die im Wortlaut veränderten in Spalte 4 aufgeführt. Nur mit D² übereinstimmende stehen in Spalte 3 mit Asteriskus und in Spalte 4, weil gegenüber W verändert. Verse mit Asteriskus in Spalte 4 zeigen Teilabweichungen von W wie von D² an. Nur mit W übereinstimmende K-Verse liegen dort vor, wo der D²-Vers mit Asteriskus versehen ist und der K-Vers ohne einen solchen in Spalte 3 erscheint. Minusverse von D² gegenüber W werden durch Lücken in der laufenden Zählung von Spalte 2 angezeigt. Wo K Verse von WD² ausgelassen hat, fehlen korrespondierende Versangaben in den Spalten 3 und 4; Zusatzverse von K verzeichnet Spalte 5.

Ich weiß nicht, was und wie MIHM gezählt hat. Nach meiner Rechnung fehlen in K gegenüber W 74 Verse, und 74 neue sind hinzugekommen. 47 Verse sind mehr oder weniger verändert; diese Zahl differiert nur geringfügig von der von MIHM angesetzten: 44. Um so überraschender ist der um mehr als das Doppelte höhere Befund bei Minus und Plus. Den von MIHM errechneten sehr nahekommende Zahlenwerte, nämlich ± 37, erhält man, wenn man die Verszahldifferenzen addiert, die sich bei einer vergleichenden Gegenüberstellung der in W durch Initialen bezeichneten Erzählabschnitte ergeben (s. unten S. 259 f.), aber ein so mechanisches, die Identitätsfrage ausklammerndes Verfahren ist natürlich nicht erlaubt. Als Abweichungen müssen außer den veränderten sämtliche Minus- und sämtliche Plusverse gerechnet werden. Die beiden letztgenannten Kategorien sind nicht wechselseitig deckungsfähig. Um es an einem einfachen Beispiel zu verdeutlichen: der in einer Handschrift ausgelassene Prolog eines Gedichts kann nicht durch den in einer anderen hinzugefügten Epilog aufgewogen werden, es sei denn, die beiden Stücke wären nach Inhalt und Wortlaut teilweise identisch. Dann würden sie nach MIHMs Einteilung unter v fallen.

Man könnte versucht sein, in dem Unterabschnitt Nr. 8 a in K eine Vorwegnahme von Nr. 12 in *WD² zu sehen. An beiden Stellen äußert Hunors Vater Enttäuschung und Ärger über die Torheit seines Sohnes; es gibt sogar leise Anklänge zwischen den beiden Reden des Vaters (z. B. K 188 ~ WD² 241; K 191 ~ WD² 243; K 196 ~ WD² 244). Doch kann keine Rede davon sein, daß ein im ursprünglichen Aufbau späteres Erzählstück en bloc an eine frühere Stelle versetzt worden wäre. Weder die Reimwörter noch die Diktion noch die Gedankenführung sind gleich. Das Material für Nr. 8 a in K ist gar nicht aus Nr. 12 in W, sondern aus Nr. 8 in K selbst genommen. Die situationsbedingt ähnliche einleitende Frage K 188[1] 'wo hin ist bekumen die frau dein?' ist der in K vorausgehenden Frage der Leute 'wo hin ist die braut komen?' (K 181) nachgebildet, nicht der späteren Frage des Vaters in WD² 241 'sun, war hast du din wip getan?'.

Auch der weitere Verlauf des Dialogs ist charakteristisch verschieden. In K sucht der Sohn den Vater mit seinem Wissen um den gegenwärtigen Aufenthalt der Frau zwecks anatomischer Vervollständigung zu beschwichtigen und löst damit schon an dieser Stelle die Klage des Alten über das sich abzeichnende Scheitern der von ihm so listig eingefädelten Heirat und über den damit heraufbeschworenen Spott des ganzen Dorfes aus: 'du pist ein rechter tor, ich solt es hon versehen vor. seit ich des nit hon getan, so mussen wir den schaden han' (K 193—196). Er hätte den Mißerfolg voraussehen können; der erwartete schade ist die Folge seiner mangelnden Einsicht. In WD² tritt der Vater erst wieder in Erscheinung, als der Sohn sein Weib definitiv an den Ritter abgetreten hat. Die Situation ist verändert, und die Vorwürfe sind ausschließlich an den Sohn gerichtet: 'sun, war hast du din wip getan, du vil unsæliger man? owe daz ich dich ie gesach, von dir han ich ungemach!' (*WD² 242—244). Zudem folgt noch ein Schlußwort des Toren, der den ihm zugedachten Betrug rechtzeitig erkannt und verhindert zu haben meint. Die beiden Erzählstücke haben, wie man sieht, einen ganz verschiedenen Stellenwert. Die Bearbeitung K entfernt sich in zwiefacher Weise von *WD², indem sie die burleske Szene mit dem am Morgen der Hochzeitsnacht allein ane lilachen im Ehebett liegenden Toren durch einen Dialog zwischen Vater und Sohn erweitert und dafür die zweite Heimkehr des nun als solcher bestätigten Dorftrottels und das abschließende Zwiegespräch mit seinem blamierten Erzeuger überhaupt gestrichen hat. Die Plus- und die Minusverse lassen sich nicht gegeneinander aufrechnen, sie sind als gleich- und vollgewichtige Abweichungen zu addieren. Dasselbe gilt von allen übrigen Lücken und Zusätzen, bei denen sich sogar der Versuch, sie zur Deckung zu bringen, verbietet.

---

[1] Da es hier vorzugsweise auf den Inhalt ankommt und nicht-parallele Textstücke verglichen werden, zitiere ich WD² nach dem kritischen Text und K nach dem bereinigten Textabdruck am Schluß dieses Aufsatzes.

Setzen wir die berichtigten Zahlen in MɪHᴍs Formel (Überlieferung, S. 68, Note 45) ein, so erhalten wir für das Verhältnis von K : W eine relative Gesamtabweichung von 92,4 %. Das veränderte Ergebnis würde in diesem Falle MɪHᴍs Beweisabsichten zugute kommen, aber das muß nicht immer so sein. Nachdem das Mißtrauen einmal geweckt ist, fragt man sich besorgt, wie es um die Verläßlichkeit der übrigen Zahlen- und Prozentwerte in seinen Tabellen bestellt sein mag. Soviel ich sehe, sind sie bisher von niemandem nachgerechnet, auch in meiner Anzeige ZfdPh 88 (1969) 116—122 nicht. Die nunmehr in extenso ausgebreitete Nachprüfung eines Einzelfalles ist nicht zuletzt dazu bestimmt, vor unkritischer Verwendung der angegebenen Zahlen zu warnen.

Die relative Gesamtabweichung von K : D² beträgt nach der gleichen Formel 92,6 %, unterscheidet sich also kaum von der für K : W errechneten. Der rechnerische Befund unterstreicht die enge Zusammengehörigkeit von W und D² wie die Sonderstellung der Fassung K. Obwohl durch MɪHᴍs Statistiken die Frage, 'welche der beiden Handschriften die ursprüngliche Textgestalt verändert hat' (Überlieferung, S. 68), in keiner Weise vorentschieden werden soll, ist es im Falle des 'Tor Hunor' unzweifelhaft K, die eigene Wege gegangen ist und den durch W und D² gesicherten Textbestand einer einschneidenden Bearbeitung unterzogen hat.

VI

Das Thema unseres Märes ist die erotische Naivität eines Dorftrottels, der mit der schönen Braut, die ihm sein reicher Vater verschafft hat, nichts anzufangen weiß. Sie leugnet listig, daß sie das habe, was er nicht finden kann, und erreicht, daß er sie, um ihre vermeintliche Eheuntauglichkeit zu beheben, für sechs Wochen einem armen Ritter überläßt, dem sie schon vorher zugetan war und dem sie ihr nur aufs Geld schauender Vater nicht hatte geben wollen. Als der ihr angetraute Schwachsinnige nach Ablauf der Herstellungsfrist das in Auftrag gegebene Werkstück besichtigt, findet er Aussehen und Lokalisierung so enttäuschend, daß er *vut unde wip* endgültig dem Ritter abtritt und sogar froh ist, dem vermeintlich an ihm verübten Betrug entgangen zu sein.

Das Personal der Erzählung ist zwar bis auf den 'Helden' Hunor namenlos und typisiert, aber relativ reich bestückt. Da sind die beiden Väter, die den Ehehandel abschließen. Dem Vater des Toren ist es vor allem um Erben für seinen reichen Besitz zu tun: *kint   diu witzic und kluoc sint* (v. 35 f.) erhofft er sich von der jungen Frau, um die er für seinen geistig unterentwickelten Sohn geworben hat. Aber der taugt nicht einmal zum Kindermachen. Sein Scheitern in der Hochzeitsnacht und was er im Zusammenhang damit unternimmt, bringen in wohlabgewogener Steigerung erst das ganze Ausmaß seiner Torheit an den Tag und setzen auch seinen Vater dem Gespött des Dorfes aus.

Der Brautvater weiß genau, daß der, an den er seine schöne Tochter verschachert, ein Narr ist. Er läßt sich von dem Versprechen des reichen Werbers:

'*so wirt in allez min guot*' (v. 25) blenden: *er gap si dem toren umb daz guot* (v. 56). Das Mädchen liebt einen andern, einen Ritter, aber sie wird nicht gefragt, und sie weiß es nicht anders, als daß der Vater über sie zu bestimmen hat: '*ich enweiz waz ich dir solte*', gesteht sie dem aufgezwungenen Bräutigam, '*wan ez min vater wolte*' (v. 91 f.). Gleichwohl schämt sie sich sehr, *daz si den toren solte nemen* (v. 64). Sie nutzt ihre Chance, als sie beim Beilager seiner sexuellen Unerfahrenheit inne wird, und bringt es dahin, daß er sie unberührt eben dem anvertraut, dem sie angehören möchte. Sie weiß, daß im Hause des Ritters Schmalhans Küchenmeister ist, und sorgt vor. Der Tölpel soll für die von ihm gewünschte 'Operation' ordentlich zahlen: '*zwo mark und zwene bachen stark*' (v. 121 f.) werde der Spaß kosten. Sie scheint sich von vornherein darauf einzurichten, daß sie nicht wieder zurückkehren werde. Kleider und Bettwäsche, d.h. ihre ganze Aussteuer, nimmt sie gleich mit.

Gegenüber dem Ritter schämt sie sich erst recht ihres schwachsinnigen Bräutigams, der ohne Umschweife auf sein Ziel zusteuert: '*herr, ir sehent wol sin site*' (v. 149), aber die folgenden doppeldeutigen Worte sind schon wie in heimlichem Einverständnis gesprochen: '*helfent uns beiden da mite*' (v. 150). Als der Tor nach sechs Wochen wiederkommt, um sie abzuholen, verwünscht sie ihn zwar unter vier Augen, weil er sie immer wieder ins Gerede bringe: '*ungelücke gebe dir got!*' (v. 201), beteuert aber, mit ihm gehen zu wollen. Doch besteht kein Grund zu der Annahme, daß der glückliche Ausgang der Affäre ihr im geringsten mißfallen hätte, obwohl der Erzähler nichts davon berichtet.

Der *ritter wol vermezzen* (v. 48) ist von den Dörflern deutlich abgesetzt. Er hat ein *ros* (v. 50) — die Bauern haben Pferde —, ist aber sonst nicht eben mit Gütern gesegnet. Grundherrliche Rechte am Dorf scheint er nicht zu besitzen. Gegenüber seinen Bewohnern, die augenscheinlich recht wohlhabend sind, wahrt er betont Distanz. Zu dem Ansinnen des Toren nimmt er gar nicht expressis verbis Stellung: er willfahrt der Bitte des Mädchens und fordert ihren Begleiter auf, in sechs Wochen wiederzukommen. Immerhin übernimmt er die ihm von einem Bauernburschen angetragene — wie immer fiktive — Arbeit und läßt sich im voraus dafür bezahlen. Zuvor hatte er erfolglos um die Schöne geworben, um sie zu heiraten. Man wird daraus keine Schlüsse auf soziale Verhältnisse ziehen wollen — festzuhalten bleibt, daß dergleichen für denkmöglich und als Motiv im komischen Genre für verwendbar gehalten wurde. Dem Mädchen begegnet er höflich und zuvorkommend: *er vuorte si under sin dach und schuof ir allen gemach* (v. 151 f.), und er scheint so wenig wie sie damit zu rechnen, daß er sie wieder herausgeben müßte.

Sein galantes Verhalten kontrastiert mit dem ungehobelten Benehmen des Bauernburschen, der obendrein noch ein Narr ist. Das wird besonders an der Direktheit deutlich, mit der er seine sexuellen Wünsche beim Namen nennt. Besonders beim zweiten Besuch im Haus des Ritters, als er es gar nicht erwarten kann, das als *bereit* bezeichnete feminale endlich in Augenschein zu nehmen: *der knabe sprach 'wa? wa? wa?'* (v. 182). Im Umgang mit ihm bedient sich auch das Mädchen des gleichen Wortschatzes. Der an sein erfolgloses Abtasten ihres Körpers anschließende Dialog ist ein lebendig geführter Schlagabtausch: *er sprach zehant 'du hast!' si sprach 'ich han ein bast.'* (v. 85 f.) und endet damit, daß er *vor zorn begunde ... weinen* (v. 96). Die zweite 'eheliche' Gesprächsszene, zu der der Ritter die beiden allein läßt, ist von gleicher Spannung erfüllt. Sie macht ihm Vorhaltungen. Er drängt: *'nu la sehen ..., ob si si volbraht'* (v. 205 ff.). *'ir reht sint ir geschehen!'* (v. 211), entgegnet sie zweideutig, bevor sie den Ort preisgibt, *da si ze rehte solte stan* (v. 101), und damit bei ihrem törichten Partner eine Serie von Flüchen über die schlechte Arbeit des Ritters auslöst: *'wie gar er si verderbet hat!'* (v. 228). Ort, Farbe, Beschaffenheit: *'reht als ein igel ze rehte'* (v. 223) — alles ist ihm zuwider. Auf diesen Betrug wird er nicht hereinfallen, *vut unde wip* (v. 235) dem Ritter überlassend: *'bi im muost du hie bestan'* (v. 233). In dieser für alle Beteiligten wie für die Zuhörer überraschenden Wendung gipfelt der gar nicht so üble Schwank.

Einprägsam erzählt ist auch die Szene am Morgen nach der mißglückten Hochzeitsnacht, als die Gäste erscheinen *und wolten ufhelfen der briute* (v. 162) und den verhinderten *minne jeger* (v. 158) allein und *ane lilachen* (v. 165) auf dem ehelichen Lager finden. Allgemeines Gelächter und anzügliche Fragen: *'war ist diu brut komen? hat dirs der tiufel genomen?'* (v. 167 f.). Der also Gefoppte verrät, daß er sie in klinische Behandlung gegeben habe — *'ich soltez aber niemen sagen'* (v. 170). Eine ähnlich unbestimmte Auskunft wird dem Vater zuteil, der am Ende des Märes die gleiche Frage an ihn richtet: *'ich han si einem lan, der wolte mich betrogen han'* (v. 245 f.). Das sei ihm zum Glück nicht gelungen. Möge er nun sehen, was er mit der schuldhaft verpfuschten Frau anfängt: *'er habe im schaden und vromen: zuo ir wil ich niemer me komen.'* (v. 247 f.). Der Tor ist mit sich selbst sehr zufrieden. Der Berliner würde sagen: 'der hats jut, der is doof'. Um so geeigneter erscheint er, Mitspielern und Zuhörern zu befreiendem Gelächter zu verhelfen.

Gewisse erzählerische Qualitäten hat auch NIEWÖHNER unserem Märe nicht abgesprochen: 'Sofern man überhaupt das ungeschminkt Unanständige als primitivste Art der Komik gelten lassen will', schrieb er im Verfasserlexikon IV,489, gehöre 'in diesen tiefsten Niederungen der mhd. Novellen- und Schwankdichtung der 'Tor Hunor' seiner lebhaften Erzählungsart wegen nicht zu den unerfreulichsten Produkten.'

VII

Für Art und Tendenz der Bearbeitung des Märes in K ist bezeichnend:

1. daß sie in den vergleichbaren Partien sehr nahe bei der Vorlage geblieben ist, dergestalt, daß ihr Votum für W oder D² über den kritischen Text zu entscheiden vermag;

Erzählabschnitte	*WD²	Bearbeitung K
I	v. 1— 46 : 46	v. (1—) 38—46 : 9
1. Der reiche Vater eines Dorftrottels wirbt für seinen Sohn um ein schönes Mädchen und hat seines Geldes wegen Erfolg	v. 1— 38 : 38	v. 38 : 1
2. Der Vater berichtet dem Sohn von der Werbung	v. 39— 46 : 8	v. 39— 46 : 8
II	v. 47—110 : 64	v. 47—112 : 66 (+ 2)
3. Die Braut möchte lieber einem Ritter angehören und schämt sich des Toren	v. 47— 64 : 18	v. 47— 66 : 20 (+ 2)
4. Der Tor findet in der Hochzeitsnacht das *vuchslin* nicht, und die Braut behauptet, sie habe keines	v. 65—110 : 46	v. 67—112 : 46
III	v. 111—140 : 30	v. 113—138 : 26 (— 4)
5. Sie weist ihn an den Ritter, der ihr den vermißten Körperteil gegen gute Bezahlung anzuschaffen vermöge	v. 111—122 : 12	v. 113—126 : 14 (+ 2)
6. Das Brautpaar reitet noch in derselben Nacht zum Haus des Ritters	v. 123—140 : 18	v. 127—138 : 12 (— 6)

Erzählabschnitte	*WD²		Bearbeitung K	
IV	v. 141—182	: 42	v. 139—208	: 70 (+ 28)
7. Der Ritter übernimmt den Auftrag, und der Tor überläßt ihm das Mädchen für sechs Wochen	v. 141—154	: 14	v. 139—169	: 31 (+ 17)
8. Der Tor wird am Morgen vom ganzen Dorf ausgelacht	v. 155—172	: 18	v. 170—186	: 17 (— 1)
[8 a. Der Vater sieht ein, daß er die Torheit seines Sohnes unterschätzt hat]	[vgl. Nr. 12]	: 0	v. 187—196	: 10 (+ 10)
9. Nach Ablauf der Frist erscheint der Tor wieder vor dem Haus des Ritters, um sein Pfand gegen nochmaliges Honorar einzulösen	v. 173—182	: 10	v. 197—208	: 12 (+ 2)
V	v. 183—248	: 64	v. 209—248	: 40 (— 24)
10. Der Ritter fordert das Mädchen auf, das mühsam hergestellte und wohlgelungene Werkstück vorzuzeigen	v. 183—199	: 17	v. 209—216	: 8 (— 9)
11. Der Tor ist von seinem anatomischen Ort und seinem Aussehen schwer enttäuscht und überläßt dem Ritter *vut unde wip*	v. 200—236	: 37	v. 217—243	: 27 (— 10)
12. Der Vater verwünscht seinen törichten Sohn, der mit dem Ausgang der Affäre ganz zufrieden ist	v. 237—248	: 12	[vgl. Nr. 8 a]	: 0 (— 12)
13. Epimythion		: 0	v. 244—248	: 5 (+ 5)
14. Schlußbemerkung des Schreibers	v. 249—250	: 2		: 0 (— 2)

2. daß sie sich erst allmählich und zunehmend stärker von der vorgegebenen Fassung gelöst hat; und

3. daß sich die Zutaten relativ leicht als solche abheben lassen und ihre Ansatzpunkte in der Regel aufweisbar sind.

Um das zu zeigen, gliedern wir das Märe in Erzählabschnitte. Für die mit römischen Ziffern markierte Großgliederung halten wir uns an die Schmuckinitialen der Handschriften W und I. Die mit arabischen Ziffern bezeichneten Unterabschnitte sind ohne Anhalt an der Überlieferung und nur dazu bestimmt, die Übersicht und den Vergleich zu erleichtern (s. S. 259 f.).

Wir gehen am besten von den Umfangsrelationen von *WD² und K aus: Sie betragen in II 64:66, in III 30:26, in IV 42:70 und in V 64:40 Verse. Der zunächst recht konservative Bearbeiter — er ist in der ersten Hälfte der Erzählung im Grunde bloß Abschreiber — hat seine eigenen Vorstellungen und Einfälle offenbar erst in der zweiten Hälfte verwirklicht.

Wäre er bei der in Teil II befolgten Praxis geblieben, so könnte K als Parallelhandschrift von W und D² gelten. Immerhin sind die beiden einzigen Zusatzverse K 54 f. nicht von so primitiver Machart wie die früher erörterten von D². Die Versicherung des Ritters, sich in allem nach den Wünschen des Mädchens zu richten, falls sie die Seine würde, unterstreicht die Zusammengehörigkeit des durch die Geldgier des Vaters getrennten Paares: *wie sie wolt, so wolt er leben* (K 54). Daneben gibt es nur noch eine Neuerung, das in K 90 zuerst verwendete hapax legomenon *kreussel*, das *vut* in D² und *kuzz* in W entspricht.

Abschnitt III zählt in K vier Verse weniger als in *WD². Dabei ist eine nicht unwichtige Einzelheit, die Mitnahme der Aussteuer (WD² 127—132), in Verlust geraten. Hinzugekommen sind zwei Verse (K 125 f.), die den Übergang von der Bekanntgabe der Operationskosten zu den Vorbereitungen des Aufbruchs weniger abrupt erscheinen lassen und künstlerisch kein Gewinn sind. Dagegen ist der Ersatz des umständlichen *und enwoltestu ins niht erlan* (WD² 114) durch *und woltest ⟨du⟩ mich im lan* (K 116) durchaus als ein solcher anzusehen. Das Mädchen scheint in K zielstrebiger auf die ihr verwehrte Vereinigung mit dem Ritter hinzuarbeiten.

In Abschnitt IV hat K am meisten hinzugetan: insgesamt 28 Verse, darunter eine neu erfundene Episode (Nr. 8 a = K 187—196), von deren eigenständigem Stellenwert oben schon die Rede war. Die Umgestaltung des Unterabschnittes 7 ist noch einschneidender. Abgesehen von zwei Flickversen (K 147 f.), sind alle übrigen von inhaltlicher Relevanz. Der von dem Bearbeiter vorgestellte Ritter ist weit weniger wortkarg als in der Vorlage. Der hatte das Mädchen freundlich aufgenommen und den Toren sofort nach Hause geschickt. In K wird dieser noch Zeuge eines Gesprächs, in welchem das geheime Einverständnis des Mädchens mit dem Ritter desto offener zutage tritt, je zweideutiger sie sich ausdrückt: *helft uns beiden*, sagt sie, *das er wert gewert   des er an mir gert* (K 150 bis

152). Nachdem sie eben dies dem Toren versagt hatte, kann die Bitte um Hilfe nur dem Ritter Gewährung verheißen. Und der versteht ihre Worte auch so: '*euern kummer wil i c h stillen*' (K 156). Er rühmt sich, ein Meister der *kreussel*-Fabrikation zu sein, die der Bearbeiter eigens kommentiert, nachdem der eigentliche Bräutigam entlassen ist: *was die zwei nu taten,   das gib ich euch zu raten,   und wie er das kreussel volbracht* (K 167—169). Schon die Aussicht darauf hatte die Jungfrau vor Freude lachen (K 160) lassen.

Der Unterabschnitt 8 ist wiederum nahezu unverändert übernommen. K 171 ist ein durch den Einschub K 167—169 nötig gewordener Flickvers. An der Komik, die aus dem Widerspruch zwischen der Selbstzufriedenheit des Tölpels und seiner nun erst recht dekouvrierten Dummheit resultiert und das Gelächter der Hochzeitsgäste auslöst, war nichts zu verbessern. Der vom Bearbeiter hinzugetane Unterabschnitt 8 a variiert die vorausgehende Frage der Leute nebst der Antwort des Toren durch einen Wortwechsel zwischen Sohn und Vater, der zu spät erkennt, daß sein Heiratsplan den Schwachsinnigen überfordert hat.

Der nächste Abschnitt (Nr. 9), die Einforderung der vervollständigten Braut zum angegebenen Termin, gehört eigentlich unter V, ist aber durch die Initialensetzung in W noch zu IV geschlagen. K folgt in den ersten vier Versen wörtlich *WD², um danach endgültig eigene Wege zu gehen. Nach v. 200 stimmt nur noch gelegentlich einmal ein Einzelvers von K zur Vorlage, in unserer Partie die entscheidende Frage: '*herre, ist das kreussel bereit?*' (K 207 = *WD² 179). Das unvermittelte Aufeinanderprallen des lapidaren '*ja*' des Ritters und des drängenden '*wa? wa? wa?*' des vor Ungeduld ins Stottern geratenen Bauernburschen ist aufgegeben, so daß der Auftritt entschieden an Wirkung verloren hat. Die voraufgehenden Erweiterungen in K bringen nichts Neues hinzu. Der Bearbeiter wiederholt die frühere Ankunftsszene (K 131—136) mit Eintreffen vor dem Tor, Anklopfen, Frage nach dem Begehr und Antwort, die jetzt keine Vorstellung mehr zu sein braucht: '*her, das bin ich,   ir mocht wol erkennen mich*' (K 203 f.). Es ist dieselbe Doublettentechnik, die bereits an Nr. 8 a zu beobachten war.

Von den 64 Versen des Großabschnittes V in *WD² kehren in K allenfalls noch zwei (davon einer nur in D²) wörtlich wieder und vier weitere in mehr oder weniger veränderter Form. Immer handelt es sich um besonders einprägsame Details. Im Mittelpunkt der Szene steht das Vorweisen des laut K 208 *mit erbeit* angefertigten *kreussel*: *si huop uf ir gewant* (*WD² 213) ~ *die frau hub auf ein bein   das das kreussel her fur schein* (K 217 f.). Die dadurch ausgelöste vehemente Entrüstung des schwachsinnigen Auftraggebers mit nachfolgender Verwünschung des Werkmeisters hat in beiden Fassungen nur noch die Standortbestimmung als *mortwinkel   ze ende hin an den schinkel* (WD² 219 f.) bzw. *zu tal bei dem schinkel* (K 227 f.) und die Abtretung der Besitzerin an den Ritter gemeinsam: '*nu hab er ims alter eine   beide kreussel und das weip*' (K 236 f.), die in WD² vier Verse (232—235) beansprucht. Der Schluß in K (vom Epimythion abgesehen) ist eine Erweiterung des in *WD² vorgegebenen Fluches '*daz der tiufel kome in sinen lip!*' (v. 236) zu '*der schend im sein leip, der in der helle rast*' (K 238 f.) wegen erwiesener Unfähigkeit des von dem Mädchen als so tüchtig gepriesenen *kreussel*-Herstellers (K 240—243). Die war schon vorher lang und breit dargelegt.

Die Änderungen des Bearbeiters betreffen in der Hauptsache die Ausstellungen des Bestellers an dem vorgewiesenen Objekt, die offenbar seine Phantasie gereizt haben: '*sie solt sein rot und weiß*' (K 223), und '*sie solt sten an der brust noch aller manne gelust, das man si mocht gesehen*' (K 229—231). Dann wäre er bereit gewesen, dem Fabrikanten *meinsterschaft* zuzugestehen (K 232). Stattdessen habe er sie *versmuckt und zu dem ars geruckt an ein stat gar unreine* (K 233—235).

Einen neuen Akzent setzen eigentlich nur die vor der Enthüllung an das Mädchen gerichteten Worte des Ritters:

> K 214 '*loßt den knecht beschauen,*
> *zeigt dem torehten knaben,*
> *was wir zwei geworcht haben.*'

Sie unterstreichen zum andern Male das in K von Anbeginn hervorgekehrte Einverständnis des culpa patris getrennten Paares. Was die zwei *geworcht haben*, ist eben das, was der Tor nach den zweideutigen Worten des Mädchens in der Hochzeitsnacht von ihr — vergeblich — begehrte (K 152) und wozu der Ritter ihnen beiden (K 150) noch in der gleichen Nacht verhelfen sollte und verhalf.

Die Gründe für die Umarbeitung des Märes in K sind nicht mit Sicherheit zu bestimmen. Die größtenteils wörtlichen oder nahezu wörtlichen Übereinstimmungen mit *WD² im Anfangsteil lassen keinen Zweifel daran aufkommen, daß sie von einer schriftlichen Vorlage ihren Ausgang genommen hat. Was dann die schrittweise Entfernung und am Ende Lösung von ihr veranlaßt hat, kann man nur vermuten. Da bis zum Schluß einzelne Verse im Wortlaut übernommen worden sind, dürfte der zugrunde liegende Text nicht unvollständig gewesen sein. Möglicherweise hat er dem Bearbeiter nur für kurze Zeit zur Verfügung gestanden, so daß er für den zweiten Teil auf sein Gedächtnis angewiesen war. Wahrscheinlicher ist, daß es ihn gereizt hat, den schwankhaften Inhalt mit ein paar neuen Akzenten zu versehen.

Das ursprüngliche Märe ist ganz von dem eheuntauglichen Dorftrottel her erzählt und entfaltet seine Komik aus seinen immer hanebücheneren Torheiten, die sich die verkaufte Braut geschickt zunutze macht. Der Bearbeiter hat ihre Aktivität im Bunde mit dem Ritter stärker hervorgekehrt und ansatzweise ein Gegenspiel aufgebaut, so daß das happy end für das Paar nicht ganz unverdient ist.

VIII

Wenn wir das Verhältnis von D² zu W und von K zu *WD² richtig bestimmt haben, braucht in der Überlieferungsgeschichte des 'Tor Hunor' mit tradition orale und *sprechæren* nicht gerechnet zu werden. Auch K geht von einer schriftlichen Vorlage aus. Sie stellt eine Bearbeitung dar, deren Änderungen und Änderungstendenzen einigermaßen zuverlässig abhebbar sind. Auf weite Strecken ist der von ihr gebotene Text in seinem Zeugniswert dem von W und D² gleichzuachten. Soweit die drei voneinander unabhängigen Handschriften parallel laufen, entscheidet die Übereinstimmung von zweien gegen die dritte und läßt sich ein kritischer Text gewinnen. Wo K ausfällt und die beiden anderen differieren, ist bestenfalls nach Analogien zu verfahren und die gleiche Gewähr nicht gegeben. Aber das Wagnis der Rekonstruktion ist vertretbar und kontrollierbar. Die Überlieferungslage ist prinzipiell anders als beim *bîhtmære* (FISCHER, Ges.-Verz. 14), NIEWÖHNERS 'Die zwei Beichten' (NGA 9), für die ich die gleiche Möglichkeit bestritten habe[2].

Wir bieten den kritischen Text in normalisiertem Mittelhochdeutsch und folgen in den Lesarten möglichst genau den Handschriften wie das NGA auch[3]. Da in der Benennung des *cunnus* zumeist alle drei Handschriften auseinandergehen, war die Frage, welche in den Text gesetzt werden sollte, nicht ohne Willkür zu entscheiden. Ich bin davon ausgegangen, daß eher die besonderen und — möglicherweise — landschaftlich gebundenen Bezeichnungen an die Stelle der geläufigeren getreten sein werden als umgekehrt. Der Apparat verzeichnet die Lesarten von K nur bei den für die Textherstellung in Betracht kommenden Parallelversen; im übrigen kann auf den Textabdruck verwiesen werden.

Am handschriftlichen Text von K sind nur leichtere orthographische Ausgleichungen der besseren Lesbarkeit halber vorgenommen, meist zugunsten einer von zwei oder mehreren belegten Schreibungen. Die Eingriffe gehen nicht über diejenigen H. FISCHERs in seiner Ausgabe der 'Deutschen Märendichtung des 15. Jahrhunderts' hinaus. Im einzelnen gilt folgendes: der in der Handschrift nicht bezeichnete Umlaut — die schräg nach oben gerichteten Punkte über *u, v, w, y, o* sind in der Regel bloß Vokalindex — ist teilweise geregelt; ich schreibe *für, über; schöne; brünne, brüstlein, füchslein. s, z, zz* für mhd. *ʒ* ist als *ß* bzw. in geminierter Stellung als *ss* wiedergegeben; *z, ß, ʃʃ* für mhd. *s* als *s;* doch bleiben *das, was, es* unverändert. *cz* ist durch *z* ersetzt. Geminaten (einschließlich *ck*) werden nach Konsonant, Diphthong und Langvokal vereinfacht, nach Kurzvokal in *gebetten/getretten; kommen/kummen, vernommen/vernummen; ritten; zusammen; offt; -schafft; vatter.* Anlautend *d* in *dor* (v. 58. 66), *doreht*

---

[2] Verf., Niewöhners Text des *bîhtmære* und seine überlieferten Fassungen, PBB 91 (Tüb. 1969) 260—301 und 92 (Tüb. 1970) 180.

[3] Die als Vokalindices verwendeten, auf meinen Photographien der Handschriften nicht immer deutlich erkennbaren Doppelpunkte bleiben unberücksichtigt.

(v. 89. 99. 100. 215) ist nach *tor* (v. 139. 162. 170. 193. 197. 246) und in *dor* 'porta' (v. 131) nach *tor* (v. 201) zu *t* verhärtet; auslautend *ch* in *mach* (v. 121) nach *mag* (v. 126) und in *kluch : ungefuch* (v. 161 f.) durch g ersetzt, *gt* in *geworgt* (v. 216) und *verswagt* (v. 221) durch *cht*.

Einige ungenaue Reime sind beseitigt. Die empfindlichsten Störungen sind dadurch entstanden, daß in der Mundart des Schreibers mhd. $\bar{a} > \bar{o}$ geworden und im Versinnern nahezu ausnahmslos, in Reimstellung inkonsequent durchgeführt ist. Dem originalen Gedicht kam $\bar{a}$ zu, wie die Reime *stan : an* (v. 103 f.), *man : verstan* (v. 107 f.) und *hast* (statt hsl. *host) : bast* (v. 87 f.) beweisen. Dementsprechend sind in Reimstellung alle -$\bar{o}$- durch -$\bar{a}$- ersetzt. Diphthongiertes -*leich* in *sicherleich* (v. 147) ist nicht diphthongiertem *minneklich* (v. 148) angeglichen; ebenso *genomen* statt hsl. *genumen* (v. 182) an *komen* (v. 181). v. 177 f. *leut : braut* ist nach v. 63 f. zu *leute : breute* gebessert.

DAZ MÆRE VON DEM TOREN

W 50ra
I 32rb
D² 13ra

Ein man in einem dorfe saz,
der lebte an der liute haz;
der was ein vil guot man.
eine tochter er gewan,
5   diu was ein minniclichiu maget
und was schœne, als man saget.
do hete er einen nachgebur,
dem was nach guote sur.
der hete einen einigen sun,
10   der was ze nihte vrum.
der selbe hiez Huonor
und was ouch ein tor.
er gedahte in sinem muote:
ez kumt lihte ze guote.
15   er solte sinem sune ein wip geben;
und solte er keine wile leben,
so würde sin guot niht erblos.
die selbe maget er im erkos,   W 50rb
daz si im guot wære,
20   kiusche und erbære.
er gienc zuo irem vater,
mit sinen vriunden bat er.
er sprach 'ir sullent minem sune geben
iuwer tohter. sullent si leben,
25   so wirt in allez min guot,
ob ir wislichen tuot.'

Überschrift Vō ains paurñ ſun hieß hůnore D².   1 aim W.   3 guts I.   5 maid
WI.   6 ſait WI.   8 hart ſaur D².   10 Vñ wz der zenichon from D².   11 hunor
W, gunor I, hůnore D².   12 *fehlt* D².   13 ſeim WI.   14 villeicht D².   15 ſeim
WI.   18 *fehlt* D². maid WI.   21 Danach giēg er D². gie WI.   23 ſult meim WI.
24 ſullen WI. kain wijl lebñ D².   26 nū wicziclichn D².

'Daz mære von dem toren'

BEARBEITUNG K

do sprach der guote man: I 32ᵛᵃ
'min tohter und waz ich han,
da tete ich iuwern willen mite;
30 hete iuwer sun bezzer site,   D² 13ʳᵇ
daz kæme uns lihte vil reht -
wan er ist so gar toreht!
do sprach der alte grise:
'er wirt noch wol wise
35 und gewinnet diu kint,
diu witzic und kluoc sint.
gebent si im in gotes namen!'
also kamen si zesamen.
do gienc der alte wider heim.
40 nu was sin sorge klein:
'her sun, gebent mirz beten brot!
ich han iu erworben, sammer got,
eine minnicliche maget,
diu allen liuten wol behaget.'
45 'ho ho ho', sprach der knabe,
'so sullen wir si vaste haben!'

Nu was da bi gesezzen   W 50ᵛᵃ
ein ritter wol vermezzen,
da bi über ein velt,
50 des ros gienc wol enzelt.
der bat si, daz si in næme,
ob ez also kæme,
daz er würde ir man.

si hete ez gerne getan.

---

28 gůcz han D².   29 ich gern I.   30 Hat ewˢ ſun nū peſſers rit D².   32 Wan das
er iſt ſo D².   34 wol] vil D².   35 noch driu kind D².   37 Gebt WI.   39 Der
alt ging K. gie WI.   40 Nū was ſorg hart clain D².   40a Er ſprach her ſun was
tůnd ir D².   40b Nū achtend das ir gebñt mir D².   41 Ain gůt pettñ prot D².
45 Ho ho D².   46 ſull WI.   48 wol] ſo D², gar K.   49 Da by hindñ D².   50 gie
WI.   52 alſo darzů D².

38   also kumen sie zusamen.   104ra
     der alt ging wider heim.
40   nu was sein sorg klein:
     'sun, gib mir das boten brot!
     ich hon derworben, summer got,
     dir ein minneklich magt,
     die allen leuten wol behagt.'
45   'ho ho ho', sprach der knabe,
     'so wil ich sie vast haben!'

     nu was do bei gesessen
     ein ritter gar vermessen,
     neur do von über ein velt,
50   des ros gienk enzelt.
     der bat, das sie in neme.
     ob es also keme,
     das sie im wurd gegeben,
     'wie sie wolt, so wolt er leben',
55   sprach der ritter san.
     sie het es gern getan.

---

45 knab.   46 hab.

55 do enwas ez niht des vater muot:
  er gap si dem toren umb daz guot.
  do nu diu zit was komen
  und die liute heten vernomen,
  daz man die brut wolte holen,
60 dar nach waren si verquolen.
  do riten die guoten liute
  hin nach der schœnen briute.
  diu maget begunde sich schemen,
  daz si den toren solte nemen.
65 do was diu wirtschaft stark:
  man gap kleider unde mark
  allen hübschen liuten,   D² 13ᵛᵃ
  die da kamen zuo der briute.
  do daz was ergangen,
70 dar nach unlange
  bi den henden si si namen;
  in den hof si alle kamen,
  da stuont ein hiuselin,
  da vuorte man si beidiu in.
75 mit vreuden und mit gamen
  legte man si zesamen.   W 50ᵛᵇ I 32ᵛᵇ
  da suochte ir Huonore
  daz vühselin bi dem ore.
  er greif ir under den arm:
80 da was si ze vuoge warm.
  er greif ir under daz brüstlin:
  entriuwen, hie solte si wol sin!
  si sprach 'waz suochstu bœser wiht?
  der vuhs briune enhan ich niht.'
85 er sprach zehant 'du hast!'

---

55 en *fehlt* WID²K. irs K. vaters D². 57 nu *fehlt* WI. 58 Daz D². 59 ſolt KI. 60 Si kom̄ v̄usholn̄ (vnusſtolen I) WI. 62 Heim (Dann D²) noch der breute KD². 63 Da begund ſich die magt D². wᶜᶜt ſich K. 64 narrn̄ D². 65 wᶜᶜt K. ſo ſtarck D². 66 gab da D². 67 Allen den D². 68 da *fehlt* WI. 70 vnlang W, vnlangen D². 71 Mit D². der hend WI. si *fehlt* K. da nam̄e D². 72 alle] da D². 73 ſtund ynn̄e (in D²) KD². 74 da paidu D², *fehlt* WI. 75 Mit frawd wunſame WI. 76 Do WI. let WD². czu- K. 77 ſuchot W. ir *fehlt* WIK. 78 Die fud D². füchſel WI. 79 ir (die D²) arme WID². 80 gefüg D², vil K. 81 die pruſtlin D². 82 Triwn̄ WI, Entriu D². 83 boſwicht K. 84 Dez fuchſes brunn D², Des fuchs brvnn̄e K. en *fehlt* WID²K.

do was es nit irs vater mut:
dem torn gab ers umb daz gut.
do nu die zeit was kumen
60 und die leut heten vernumen,
das man die braut solt holn,
dar noch waren sie verquoln.
do riten die leute
heim noch der breute.
65 die meit wart sich schemen,
das sie den torn must nemen.
do wart die wirtschaft stark: 104[rh]
man gab kleider und mark
allen hübschen leuten,
70 die do komen zu der breute.
do das was dergangen,
dor noch vil vnlange
bei den henden sie *sie* namen;
in den hof sie alle kamen,
75 do stund innen ein heuslein,
do furt man sie beideu ein.
mit freuden und mit gamen
leit man sie zusamen.
do sucht Hunor
80 das füchslein bei dem or.
er greif ir unter den arm:
do was sie vil warm.
er greif ir unter das brüstlein:
entreun, hie solt sie sein!
85 si sprach 'waz suchstu, boswicht?
des fuchses brünne hon ich niht.'
zu hant sprach er 'du hast!'

---

69 hubſtē   74 komen.   82 waz.   86 Des fuchs brvnnē. nit.   87 hoſt.

si sprach 'ich han ein bast.'
si sprach 'waz suochstu, torehter knabe,
wan ich der vut niht enhabe!'
er sprach 'waz soltu mir do,
90   sit du bist so unvro?'
'ich enweiz, waz ich dir solte,
wan ez min vater wolte.'
er sprach 'mir seiten mines vater man,
daz si die vrouwen solten han.'
95   'nu enhan ich reht keine!'
vor zorn begunde er weinen,
der selbe torehte kneht.
des torheit was so gereht,
daz er nie geruochte,
100   daz er si da suochte,
da si ze rehte solte stan
und da mans dicke rennet an.
do sprach der torehte man: D² 13ᵛᵇ
'kunde dir aber ieman
105   gewinnen einen spæhen man,   W 51ʳᵃ
ob er sich kunde verstan,
der dir eine möchte gemachen?'
diu maget begunde lachen,
daz ir sit noch e
110   vor lachen nie wart so we.

Si sprach 'hie bi ist gesezzen
ein ritter so vermezzen,
wolte er die arbeit understan
und enwoltestu ins niht erlan,
115   der kunde mit sinen sachen
ein guote vut gemachen.

---

86 a Er ſprach aber zwar du haſt D².   86 b Si ſpᶜᶜch aber ich han ain paſt D².
87 treibſtu WI.   88 fuchs WI, kreuſel K. hab WI.   89 ſolſtu K, ſolteſt du WI.
90 Daz WI, So D². alſo D².   91 waiz WIK.   92 nü wolt D².   93 ſet WD².
vatˢˢ D².   94 es K.   95 *fehlt* D². en *fehlt* WIK.   96 Do pegund WI. wᶜᶜt er
K. Do begund er vor zorñ wainē D².   96 a Wañ er vand recht kaiñu D².   99 f.
gerůchti : ſůchti D².   100 si] die D².   101 czu K, vō D². ſol WI.   102 Vñ mā
D². dicke] offt K, *fehlt* WI.   105 weiſñ D².   107 mocht aine D².   113 beſton
K.   114 en *fehlt* WID². ins] in ſein WI, ſein D².   115 ſein WIK.   116 = K, Wol
ain gutew machen WI, Ain gůt vil wol machñ D².

sie sprach 'ich hon ein bast.
waz suchstu, torechter knab,
90 wan ich der kreussel nit enhab.'
er sprach 'waz solstu mir do,
seit du bist so unfro?'
'ich enweiß, waz ich dir solt,
wenn das es mein vater wolt.'
95 'mir seiten mins vater man,
das es die frauen solten han.'   104va
sie sprach 'nu hon ich keine.'
vor zorn wart er weinen,
der selb torecht knecht.
100 sein torheit was so reht,
das er gerucht,
das er sie nit sucht,
do sie zu recht solt stan
und do mans oft rennet an.
105 der knecht sprach zu hant:
'kunt dir aber imant
gewinnen ein spehen man,
ob er sich kond verstan,
der dir ein kond gemachen?'
110 die meit begond lachen,
das ir seit noch e
von lachen wart *nie* so we.

si sprach 'hie bei ist gesessen
ein ritter so vermessen,
115 wolt er die arbeit bestan
und woltest *du* mich im lan,
der kond mit sein sachen
ein gut fut gemachen.

---

93 weyß.   100 dorecht waz.   106 ir.   111 ir] er.   112 *nach* wart *ist* ir *überge-
schrieben.*   115 beſton.   116 wolſt. lon.

wer ein guote machen sol,
der darf guotes ziuges wol!'
'waz möchte der geziuc sin?'
120   do sprach daz junc megetin:
'da soltu nemen zwo mark
und zwene bachen stark.'

uf stuont der tore zehant,
er gienc da er diu pfert vant.   I 33ra
125   einen satel legte er uf daz pfert,
dar uf huop er die maget wert.
si vorderte iriu kleider,
er gap ir beider,
allez ir bette gewant,
130   daz nam si zuo hant.
barvuoz saz er uf ein pfert,
vor im treip er die maget wert.
si riten vür des ritters tor
und klopften. er sprach 'wer ist da vor?'   W 51rb
135   'daz ist ein kneht und ein maget,
diu iu beidiu wol behagent;
heizzent uns uf sliezzen,
des mugent ir wol geniezzen.'
er hiez si willekomen sin,
140   do danket im daz megetin.

Do der tor den ritter sach,
nu horent, wie er sprach:

---

117 gût nū D², dinck K.   118 bedarff D²K.   119 dez gezuges D².   120 junc *fehlt* K.   121 zway D²K.   122 Vñ dar zû D².   123 knecht K. ſa zehand D². 124 gie WI.   125 let D². Vñ ſatlot die phert WI.   126 Vñ ſatzt dar auf WI.   wert *fehlt* WI.   128 ir da D².   130 zehant WI.   132 Mt im furt WI. 134 clopftñ an D². Er klopffet wˢ K.   136 euch D², mich K. paid WI. behaget WID²K.   137 Haizzt WI.   138 Ir mugt ſein WIK.   139 hiez *fehlt* K. ſi gott D².   141 an ſach D².   142 er da D².

wer ein dink machen sol,
120 der bedarf gutes zeugs wol.'
er sprach 'was mag das sein?'
do sprach die megetein:
'du solt nemen zwei mark
und zwen groß bachen stark
125 und solt die dar bringen,
so mag dir wol gelingen.'
auf stund der knecht zuhant
und ging do er ein pfert vant.
ein satel leit er auf das pfert,
130 dar auf hub er die meit wert.

104vb

sie riten für des ritters tor.
er klopfet. 'wer ist do vor?'
'das ist ein knecht und ein magt,
die euch beide wol behagt;
135 haißt auf slissen,
ir mugt sein wol genissen.'
er *hieß* sie wilkomen sein,
do dankt im die megetein.

do der tor den ritter sach,
140 horent, wie er sprach:

---

120 gucz.   133 megt.   134 mich beydē.

'her, kunnent ir mit iuwern sachen　　　　　　　D^2 14ra
ein guote votzen machen,
145　so nement hin die zwo mark
und die zwen bachen stark.
machent ir die vut guot,
ich trag iu iemer holden muot.'

si sprach 'herre, ir sehent wol sinen site,
150　helfent uns beiden da mite!'

er vuorte si under sin dach
und schuof ir allen gemach.
er hiez in ungesprochen
komen über sehs wochen.

155　do gienc der tor wider heim,
sin sorge was harte klein.

---

143 iuwern] erbrsn I.　　144 kuzz WI, kreußel K. gemachñ WI.　　145 zway D^2K, zwe
W.　　147 kuzz WI, kreußeln K.　　149 ſeht WIK.　　150 Helft WIK.　　152 allez D^2.
153 Vñ hieß D^2.　　154 Wider komē D^2.　　155 gie WI.　　der aff D^2.　　156 hart]
gar WI.

'kunt ir, her, mit *euern* sachen
ein gut kreussel machen,
so nempt hie die zwei mark
und die zwen bachen stark.
145 macht ir mir die kreusseln gut,
ich trag euch holden mut.
daz wissent sicherlich!'
do sprach die minneklich:
'herre, ir seht sinen sit;
150 helft uns beiden do mit,
das er werd gewert,
des er an mir gert.'
do sprach der ritter san:
'ich wil die erbet bestan
155 durch eur beider willen.
euern kummer wil ich stillen
und wil mirs enplanden,
das nie von meinsters handen
besser *kreussel* wart gemacht.'   105ᵣₐ
160 die jungfrau des lacht.
do sprach der ritter klug
zu dem torn ungefug:
'nu solt du heim gan
und ensolt nit gelan:

165 uber sechs wochen
kum her ungesprochen.'
was die zwei nu taten,
das gib ich euch zu raten,
und wie er das kreussel volbracht.
170 den toren bald heim gaht.
do er nu kam heim,
sein sorg was hart clein.

---

147 ſicherleich.   164 ſolt nit englôn.   165 wuchen.   170 goht.

er legte sich nider an sin leger
und enwas doch niht der minne jeger.
er wande haben ein guot leben,
160   do im diu maget was gegeben.
des morgens kamen die liute
und wolten ufhelfen der briute.   W 51va
do vunden si den sun trut
eine ligen ane die brut.
165   er lac ane lilachen.
si begunden alle lachen:
'war ist diu brut komen?
hat dirs der tiufel genomen?'
er sprach 'ich vuorte si vor tage -
170   ich soltez aber niemen sagen -
hie bi an ein guot stat;   I 33rb
da macht man ir des ich bat.'

vil kume der tore erbeit;
nach den sehs wochen er reit
175   unde nam aber zwo mark
unde zwene bachen stark,

---

157 let W, lät D², leyt K. wider WI.   158 en *fehlt* WID²K. waş nit K. nit miñē
D².   159 wond D²K.   160 w^cct K. gebñ WI.   161 komē KWI. 162 auff hebñ
die K, jn auf hebñ mit d^s I.   164 ligen ainig on D².   166 Die leut begondē K.
167 Wa hin D², Wo K.   168 Oder haut ſi D². tiefel WI.   169 er sprach *fehlt*
WI. vor tagē WI, ee ez begūd tagē D².   170 ſols WI. alber W. Wān daz ich es nit
ſag K.   171 Hie vm̄ D². in ein K.   173 d^s nar^s D². Der tor vil kam derbeyt K.
174 er *fehlt* W. er da hin ſchrait D².   175 aber da zway D².   176 Vñ dar zů D².

er leit sich nider an sein leger,
er was nit der minne jeger
175 und wont hon ein gut leben,
do im die magt wart gegeben.
des morgens komen die leute
und wolten aufheben die breute.

er lag on leilachen.
180 die leut begonden lachen:
'wo *hin* ist die braut komen?
hat dirs der teufel genomen?'
er sprach 'ich furt sie vor tag -
wann daz ich es nit sag -
185 hie bei an ein gut stat;
do macht man ir des ich bat.'
der vater sprach 'sun mein,
wo *hin* ist bekumen die frau dein?'
der sun sprach 'das weiß ich wol,
190 wenn ich sie nu haben sol.'
der vater sprach 'we mir!   105rb
sun, wie ist geschehen dir?
du pist ein rechter tor,
ich solt es hon versehen vor.
195 seit ich des nit hon getan,
so mussen wir den schaden han.'
der tor vil kaum derbeit;
noch den sechs wuchen er rait
und nam aber zwei mark
200 und zwen bachen stark

---

177 leut.   178 braut.   182 genummen.   191 Der w^{cc}t.   195 geton.   196 hon.
197 kam.

er wolte losen sin pfant.
der tore sprach zehant:
'herre, ist diu votze bereit?
180 ich vil losen minen eit.'
do sprach der ritter 'ja!' D² 14ʳᵇ
der knabe sprach 'wa? wa? wa?'

'Ich wil dich si lazen sehen.
so solt du mir der warheit jehen,
185 daz si ist gar wol bereit;
dar zuo gienc mir groziu arbeit.'
do sprach der tore zehant: W 51ᵛᵇ
'ze miete sullent ir haben ein pfant.'
der ritter sach den torehten man
190 und lachte daz megetin güetlich an.

er sprach 'ich laze dich die juncvrouwe sehen',
ob er möhte an ir spehen,
wie si im gevalle,
ob er mit ir wolte schallen:

---

178 Der torocht D². 179 daz kuzz WI, das kreuſſel K. 183 lan WI. 184 mit
dˢ D². uˢjechn̄ D². 186 kom grozz WI. 187 der gauch D². 188 ſult WI.
189 Der rittˢ lacht ſei gutleich an WI. 190 Er ſprach zu dē toriſchn̄ man WI.
191 er sprach *fehlt* WID². Vn̄ lieſſin D². 192 er icht D². an ir mug WI. geſpechn̄
D². 193 wer geualln̄ D². 194 Ob er icht well IW. wolti D².

und kam an des ritters tor.
er klopft vast, 'wer ist do vor?'
er sprach 'her, das bin ich,
ir mocht wol erkennen mich.'
205 er gab im die zwei mark
und die zwen bachen stark:

'herre, ist das kreussel bereit?'

'ja', sprach er, 'mit erbeit.'

er sprach 'herre laßt michs sehen.'
210 'entreun, das sol geschehen.'
er furt in zu der frauen sein
in ein schön kempnatein.

er sprach zu der frauen:
'loßt den knecht beschauen,
215 zeigt dem torehten knaben,
was wir zwei geworcht haben.'

195 'nu ganc mit im in din gaden -
    daz enkan dir niht geschaden -
    und heb uf din gewant.'
    si sprach 'herre, ich tuon ez zehant.'
    wie balde daz geschach!
200 nu horent, wie si sprach:
    'ungelücke gebe dir got!
    wes machest du den liuten spot
    mit dinen torehten siten?
    wa hin du gast, ich gan dir mite.'
205 do sprach der tor 'nu la sehen,
    ob ich der warheit müge jehen,
    wie unser vut si geslaht
    und ob si si volbraht:
    so wol mir, ist si volkomen,
210 herre, daz müeze iu iemer vromen!'
    si sprach 'ir reht sint ir geschehen!'
    er sprach 'liebiu, la mich sehen!'   W 52ra
    si huop uf ir gewant.
    do sprach der tore zehant:
215 'ist si da, so dir got?'
    'ja si, triuwen, ane spot!'
    'ich wette, der tiufel gap im den sin,
    daz er si ie gesazte da hin,   I 33va

---

195 Vñ ge WI. in ain WI.   196 enkan] kan WID². nichcz D².   197 hab D².
198 herre *fehlt* WI.   199 daz vō ir D². beſchach WI.   200 Horent WI. ſi da
D².   204 hin *fehlt* WI. ich volg WI.   206 uꞏjechñ D².   207 kuzz WI. geacht
D², geſtalt I.   209 wol mich WI. vñ iſt D².   209 a So wirt mir traurñ benomē
D².   210 *fehlt* D². frum̄ WI.   211 driu recht D², mein recht I. ſind mir I.   212
naina lieb ſo laß D².   215 durch got WI.   216 entrun D².   217 ich *fehlt* WID².
Weltꞩ W.

die frau hub auf ein bein,

das das kreussel her fur schein.
er sprach 'sie stet ungerecht;
220 ir habt si nit gemeinstert slecht,
ir habt si gar verswacht
und zu swarz gemacht.
sie solt sein rot und weiß,
des begert ich mit allem fleiß.'   105va
225 'wer hot in des gebeten,
das er si hot getreten

---

220 gemein∫t^s.

in disen mortwinkel D² 14va
220 ze ende hin an den schinkel,
und hat si gesetzet niden an den buch.
wie ist der tiufel so ruch,
reht als ein igel ze rehte.'
vil leit was dem torehten knehte.
225 'er solt mirs gemacht haben wize,
nu ist si swarz als ein bize,
daz sin niemer werde rat.
wie gar er si verderbet hat!
er hat si übel bereit
230 mit siner grozen arbeit.
si wirt min niemer gemeine:

er habe ims alters eine!
bi im muost du hie bestan,
von hinnen wil ich balde gan.
235 nu habe er im vut unde wip,
daz der tiufel kome in sinen lip!

dannen schiet der tor zehant.
also hete er sin arbeit gewant.
do in der vater ane sach, W 52rb
240 horent, wie er do sprach:

---

219 Her in K.   220 Czu tal bey dem K.   221 geſatzt WI. vndn̄ an D². den *fehlt* W.   223 vō recht D².   224 torehten *fehlt* WI.   225 ſolt ſei habn̄ gemacht WI. 226 gˢnabyß D², gaiz WI.   232 Hab er im ſi D². ims allain WI.   233 du mů ſt D².   235 im *fehlt* WI. kuzz WI, kreuſel K.   238 pebant W, pechant I.

her in disen mortwinkel
zu tal bei dem schinkel?

     si solt sten an der brust
230 noch aller manne gelust,
     das man sie mocht gesehen:
     so mocht man meinsterschaft jehen.
     nu hot er sie versmuckt
     und zu dem ars geruckt
235 an ein stat gar unreine.
     nu hab er ims alter eine

     beide kreussel und das weip!
     der schend im sein leip,
     der in der helle rast.
240 nu hot er sie vertast
     mit fussen und mit henden.
     wie mocht er des erplenden
     seiner clugen weisheit?'

---

232 meinſtsſchaff.   234 geruck.   238 in.

'sun, war hast du din wip getan,
du vil unsæliger man?
owe, daz ich dich ie gesach,
von dir han ich ungemach!'
245 er sprach 'ich han si einem lan,
der wolte mich betrogen han;
er habe im schaden und vromen:
zuo ir wil ich niemer me komen.'

241 dz weib WI.   243 ſi dich WI.   244 ſo han D². allez vngemach D².   245 ge-lan D².   247 Der D².   248 ſo wil WID². me *fehlt* WI.   249—250 Hie hat div red ain end. Got vns des torñ weib ſend WI.

hie mit sei genuk geseit.
245 hie ent sich knecht Hunor,
der do was so gar ein tor,
das er die fut sucht,
do man ir selten gerucht.

Probleme mittelalterlicher Überlieferung und Textkritik

Oxforder Colloquium 1966

Herausgegeben von
Peter F. Ganz und Werner Schröder

196 Seiten mit zahlreichen Notenbeispielen, Gr.-8°, Ganzleinen

ISBN 3 503 00477 7

Dieses Oxforder Colloquium aus dem Jahre 1966 bildet den Auftakt eines wissenschaftlichen Dialoges zwischen englischen, deutschen und schweizerischen Germanisten. Die Ergebnisse der Oxforder Tagung wurden 1968 veröffentlicht. Sie dienen als Grundlage und Ergänzung der Ergebnisse des jetzt vorgelegten Bandes vom Marburger Colloquium.
Aus dem Inhalt des Oxforder Colloquiums: P. F. Ganz, Lachmann as an Editor of Middle High German Texts — Heinz Schanze, Zur Frage der Brauchbarkeit eines Handschriftenstemmas bei der Herstellung des kritischen Textes von Wolframs 'Willehalm' — L. P. Johnson, *ungenuht al eine* (Parzival 782,23) — Rosemary Combridge, The Problems of a New Edition of Ulrich von Zatzikhoven's 'Lanzelet' — Hans-Hugo Steinhoff, Zur Entstehungsgeschichte des deutschen Prosa-Lancelot — Hans-Herbert S. Räkel, Liedkontrafaktur im frühen Minnesang — Helmut Lomnitzer, Zur wechselseitigen Erhellung von Text- und Melodiekritik mittelalterlicher deutscher Lyrik — Ann Harding, Neidhart's Dance Vocabulary, and the Problems of a Critical Text — Ruth Harvey, Prolegomena to an Edition of 'Der Ritter vom Turn' — E. J. Morrall, The Text of Michel Velser's 'Mandeville' Translation.

Wolfram-Studien

Unter Mitarbeit zahlreicher Fachgelehrter herausgegeben
von Werner Schröder

Veröffentlichungen der Wolfram von Eschenbach-Gesellschaft

298 Seiten, Gr.-8°, Ganzleinen

ISBN 3 503 00478 5

Der Band vermittelt ein Bild des Standes der internationalen Wolfram-Forschung. Aus dem Inhalt: Peter Wapnewski, Wolframs Tagelied: *Von der zinnen wil ich gen* — Kurt Gärtner, Numeruskongruenz bei Wolfram von Eschenbach — Dennis H. Green, Der Auszug Gahmurets — Gesa Bonath, *Scheneschlant* und *scheneschalt* im 'Parzival' — Sidney M. Johnson, Parzival and Gawan: Their Conflict of Duties — Herbert Kolb, Isidorsche 'Etymologien' im 'Parzival' — Werner Schröder, 'Willehalm' 306—310 — Heinz Schanze, Beobachtungen zum Gebrauch der Dreißigerinitialen in der 'Willehalm'-Handschrift G (Cod. Sang. 857) — Michael Murjanoff, *Roerin sper* — Otto Unger, Bemerkungen zu einer neuen 'Willehalm'-Übersetzung — Werner Schröder, Das epische Alterswerk Wolframs von Eschenbach — Volker Mertens, Zu Text und Melodie der Titurelstrophe: *Iamer ist mir entsprungen* — Kurt Ruh, Der Gralsheld in der 'Queste del Saint Graal' — Walter Haug, Vom Imram zur Aventiure-Fahrt.

ERICH SCHMIDT VERLAG